HEPTAMÉRON

MARGUERITE DE NAVARRE

HEPTAMÉRON

Introduction, notes,
glossaire, chronologie
et bibliographie par
Simone de REYFF

GF Flammarion

*On trouvera en fin de volume un glossaire, une chro-
nologie et une bibliographie.*

**Ouvrage publié avec le concours
du Centre National des Lettres**

© 1982, FLAMMARION, Paris.
ISBN : 978-2-0807-0355-2

INTRODUCTION

A la distinction un peu rudimentaire qui oppose les écrivains de premier plan aux *minores,* on souhaiterait parfois substituer une évaluation plus nuancée. Il n'est guère risqué de prétendre, par exemple, qu'une Marguerite de Navarre ne saurait sans dommage soutenir une comparaison objective avec son contemporain Rabelais : affirmation assez évidente pour qu'on lui fasse grâce de tout commentaire. Encore pourrait-on s'interroger sur le sens véritable d'un tel jugement, ou se demander à quoi tient, finalement, l'importance d'un auteur. Si elle dépend du nombre de pages que lui consentent les manuels d'histoire littéraire, du volume des écrits académiques accumulés sur son œuvre ou de la diversité des éditions dans lesquelles on peut l'aborder, en un mot, si la valeur est en proportion de la notoriété, admettons d'emblée que Marguerite reste une figure secondaire dans le panorama des lettres françaises. Et admettons du même coup que cela ne signifie pas grand-chose.

En effet — paradoxe d'une mode ou équitable compensation d'un trop durable malentendu — la reine semble retenir de plus en plus l'attention des chercheurs, voire d'un certain public. La patience enthousiaste de quelques érudits du siècle dernier (Leroux de Lincy, Félix Frank, plus récemment Abel Lefranc) avait déjà réussi à redonner un visage à la sœur du Roi François, et surtout à retirer ses nouvelles du rayon de la littérature friponne où les avait glissées le XVIIIe siècle : succès de taille quand on songe à la résistance des mauvais renoms. Pierre Jourda, dans sa thèse monumentale, poursuivit cette en-

treprise en fournissant sur l'auteur et sur l'œuvre une
documentation très complète, aujourd'hui encore fort
utile. Dans une optique différente, l'historien Lucien
Febvre explora et exploita brillamment le «cas» Marguerite, dans lequel il voyait une illustration révélatrice
de la psychologie oscillante des hommes du XVIe siècle :
discutable sur certains points, excessif dans beaucoup de
ses conclusions, son célèbre essai *Amour sacré, amour
profane* demeure après quarante ans l'une des introduc-
tions les plus passionnantes à l'*Heptaméron,* et non la
moins instructive. Mais c'est surtout au cours des dernières décennies que la «Marguerite des Marguerites» a
vu s'affirmer sa réputation d'actualité. L'approche de la
Renaissance et de la Réforme qu'ont suscitée les récentes
perspectives de l'histoire n'est pas étrangère au crédit
dont jouit celle qui fut mêlée étroitement à l'un et l'autre
de ces mouvements. Au bénéfice du nouvel éclairage
projeté sur son temps, Marguerite est devenue, mieux
qu'un personnage historique d'envergure, un être atta-
chant dont la voix suscite un écho sans cesse plus distinct
en notre fin de siècle. Si l'œuvre lyrique et dramatique,
malgré sa valeur, reste en majeure partie confinée dans le
circuit fermé des éditions savantes, l'*Heptaméron* fait
passablement parler de lui, et cela en des termes qui, de
nos jours, impliquent l'approbation inconditionnelle :
ambivalence, pluralité du langage, prédominance de
l'interrogation, remise en cause d'une morale normative... Encore heureux quand la conteuse n'est pas systématiquement rangée parmi les hérauts de la revendication
féministe.
   Tout cela est bien séduisant, tout cela sonne très moderne. Un peu trop, peut-être, pour sonner juste. C'est
pourquoi, à l'épithète moderne, nous avons préféré plus
haut le mot d'actualité ; nuance délicate mais non super-
flue si, en supprimant un risque de confusion, elle parvient à éviter une déconvenue. En admettant l'arbitraire
de toute définition terminologique, on peut en effet
considérer la modernité comme ce qui relève des accep-
tions les plus courantes et les plus immédiates. L'actualité désignerait, par contraste, tout ce qui dans une œuvre

survit à ses déterminations particulières. Est donc moderne un langage dans lequel nos contemporains entrent de plain-pied, une expression qui correspond instantanément à leur sensibilité et à leur intelligence du monde. Or il n'est nul besoin de pénétrer très avant dans le recueil de la reine pour se rendre compte non seulement que sa manière ne correspond guère à nos habitudes — cela était raisonnablement prévisible — mais encore que ses récits nous sont d'un intérêt plutôt relatif. L'attrait de l'insolite, le charme indéniable des tours archaïsants réussiront sans doute à soutenir l'attention durant quelques pages. Mais quel lecteur, fût-il des mieux intentionnés, résistera sans un soupir de lassitude aux circonvolutions dans lesquelles se meuvent Floride et Amadour ?

On trouvera sans doute nos réserves nettement déplacées en cet endroit, à moins d'y voir une fiction rhétorique destinée à préparer son terrain à l'avocat du diable. En fait, elles correspondent à certaines constatations précises : ce livre de divertissement est avant tout, pour le non « spécialiste », une somme d'obstacles. Est-il pour autant condamné à demeurer un titre, c'est-à-dire un de ces ouvrages assez célèbres pour mériter occasionnellement la qualification de chef-d'œuvre, mais qu'on laisse de côté après en avoir lu un chapitre ? Tel ne sera pas son sort si, avant même d'aborder la première phrase du Prologue, le lecteur « curieux » prend conscience de la difficulté qui l'attend et accepte de risquer aventure dans cet univers où, comme le veut la langue de l'époque, le mot étrange réunit les concepts de bizarre et de différent. Les réflexes mentaux habituels qu'il aura volontairement déposés au seuil de l'œuvre lui seront alors gage de découverte féconde. Car accueillir un langage dans son altérité est la plus sûre condition d'en obtenir la clef.

Aussi les indications qui suivent n'ont-elles d'autre prétention que de jalonner cette zone d'écart et de différence qu'il est bon de reconnaître, à défaut de pouvoir l'explorer parfaitement. Notre objectif n'est évidemment pas de banaliser ou de désincarner ce texte qui nous est devenu lentement familier, mais bien d'en préciser un peu la tonalité propre, où se mêlent, aux accents les plus personnels, les inflexions d'une époque, d'un milieu, d'une culture.

Du divertissement à la création littéraire

L'incertitude règne quant aux origines du *Décaméron* français. En indiquant, dans le Prologue, sa dette à l'endroit de Boccace, Marguerite laisse entendre que c'est la traduction d'Antoine Le Maçon (1545) qui lui a donné l'idée d'organiser son œuvre narrative en un ensemble comparable à celui qu'avait imaginé deux siècles plus tôt le Toscan. Mais les contes ? Il est vraisemblable que, depuis quelques années déjà[1], elle aimait à en écrire. L'analyse récente d'un manuscrit incomplet de l'*Heptaméron* autorise même à y voir le reflet d'une première ébauche, qui devrait encore beaucoup à l'atmosphère intime de la petite cour de Nérac[2]. Voilà qui nous semble bien plus important, pour l'intelligence du recueil, que de minutieuses discussions sur une chronologie que de toute manière l'on ne parviendra jamais à établir. A l'origine, donc, le talent d'une conteuse et la fascination d'un auditoire familier et amical : traits caractéristiques d'une culture où l'on sait encore écouter, où les mots gardent la vertu de ce qui donne à voir et à rêver.

Ces histoires que Marguerite raconte à son entourage, on peut supposer qu'elle a eu assez tôt l'idée de les noter, ou du moins de les faire transcrire. Brantôme nous la montre, au gré de ses loisirs fugitifs, dictant ses œuvres à un secrétaire. Il lui arrive même de composer pendant ses voyages, dans sa litière. Indépendamment de la forme complexe qu'elle revêt à nos yeux, l'œuvre doit son existence à cette collection d'anecdotes, jaillies plus ou moins spontanément du seul plaisir de dire ou de redire. C'est plus tard seulement que, l'exemple de Boccace aidant, Marguerite découvrira les riches virtualités de cette matière, et qu'elle saura les exploiter en véritable écrivain. Le cadre fictif introduit par le Prologue l'invitera à compléter la série, en même temps qu'il entraînera le remaniement de nouvelles déjà écrites qui seront insérées dans le déroulement de chaque journée. Certes, ce souci d'organisation ne parvient pas toujours à faire oublier les liasses initiales où se côtoyaient probablement les textes les plus disparates, et le passage d'une histoire aux débats qu'elle suscite trahit souvent plus d'application que de subtilité. Mais l'on se souviendra que la reine a dû abandonner son œuvre en cours : peut-être en aurait-elle modifié bien des aspects si elle avait eu le temps de l'achever et de la revoir.

Qui est donc cette Marguerite assez hardie pour relever le défi d'un chef-d'œuvre ? Qui est cette femme soucieuse, sur son déclin, de livrer toute une vision du monde à la faveur d'un « passe-temps » ? On a coutume de penser que les dernières années de la reine furent marquées par le découragement et la morosité. Au terme d'une existence qui s'annonçait passionnante, et qui le fut malgré d'inévitables accrocs, elle s'éloigne vers ses terres de Navarre, déçue dans ses affections les plus chères — son frère, son mari, sa fille — impuissante de surcroît à conjurer les menaces qui guettent ses protégés humanistes et évangéliques. Toutes les ferveurs, tous les espoirs qui avaient coloré sa jeunesse de vifs et lumineux reflets sont réduits à néant. Il ne reste à Marguerite que la consolation de quelques fidèles, la prière résignée et la pratique des Écritures. Portrait touchant s'il en est, mais auquel on nous permettra d'apporter l'un ou l'autre correctif. La princesse enjouée, qui faisait l'ornement et les délices de la cour de son frère, a reçu de la vie plus d'une leçon amère : désillusionnée, donc, et à juste titre ; mais pas nécessairement rendue. Encore moins passive, comme voudraient le faire croire certains biographes qui bornent ses itinéraires entre ses terrasses et sa chapelle. Les documents d'archives, sans parler d'une correspondance personnelle abondante, sont là pour rappeler sa présence constante et efficace à la tête du petit royaume. Et si on ne l'invite guère, désormais, à participer à une politique plus vaste, elle continue cependant d'observer et de commenter, avec un mélange d'inquiétude et d'énergie. Quant à l'accent mis sur la vie contemplative, il n'a rien pour surprendre lorsqu'on s'avise de la prédominance que Marguerite a toujours accordée à ses convictions religieuses. Aussi se gardera-t-on de travestir la vieille reine en quelque insipide nonnain. La ténacité avec laquelle cette mystique négocie le mariage de sa fille Jeanne d'Albret laisse entrevoir le détachement comme une exigence légèrement plus complexe que ce qu'en rapportent les manuels de piété. Enfin, et c'est à nos yeux l'argument majeur, l'essentiel de la production littéraire de l'auteur — l'*Heptaméron,* mais aussi le théâtre profane et ces deux vastes méditations poétiques engagées sous les signes contraires de *La Navire* et des *Prisons* — date de cette ultime période. Opposer à la femme d'action celle qui, revenue de tout, se contente de noircir du papier dans sa retraite mélancolique, c'est à tout le moins sous-estimer l'énergie absorbée par le métier d'écrivain. L'entreprise — successive ou simultanée ? — de tant d'aventures créatrices témoigne en faveur d'une vitalité triomphant de l'épreuve. Comme si, dépouillée de tous les privilèges qui avaient facilité sa maturation intellectuelle et morale, Marguerite se retrouvait enfin dans ce qui la fait irréductiblement elle-même : un regard qui, s'étant longuement promené sur le monde des hommes, interroge ; avec insistance, avec passion.

Dans le sillage des conteurs

Outre les caractères de la transmission orale qui survivent par endroits aux ajustements de la langue écrite, le fonds thématique du recueil signale sans ambiguïté ses véritables sources. Prendra-t-on à la lettre les multiples protestations d'authenticité dont se sert chaque devisant comme autant de sauf-conduits ? On s'abstiendra en tout cas d'établir une scission trop nette entre ce que la reine a pu tirer des livres et ce que lui proposait la vie [3]. Le propre de la création littéraire réside, on le sait, dans l'agencement de données composites dont l'interpénétration est gage d'enrichissement réciproque. Plus suggestive, en revanche, apparaît la méfiance de Marguerite à l'endroit du bien-dire. Dans son projet initial, la nouvelle mise en œuvre du *Décaméron* devait réunir toutes sortes d'excellents conteurs, à l'exception des gens de lettres dont l'art risquait de compromettre la véracité des histoires. Comment interpréter cette notation? Comme une forme déguisée de la traditionnelle *captatio*? La poétesse des *Marguerites,* qui insiste à plus d'une reprise sur les lacunes de sa «science féminine», n'est effectivement pas la dernière à souscrire à cette humilité de circonstance. Toutefois, la petite phrase du Prologue acquiert un relief plus significatif si l'on y voit l'écho de cette suspicion à l'égard des subtils et des adroits, qui n'est pas le moindre paradoxe de la spirituelle princesse. Aussi l'exigence sans cesse réaffirmée de ne rapporter que des événements vécus ne se limite-t-elle nullement à la règle d'un jeu fictif: si Marguerite insiste sur le procédé, c'est peut-être qu'il traduit indirectement son ambition de dire vrai, d'atteindre, par la médiation de l'artifice, le secret du réel.

Dès lors, les rapprochements thématiques et formels qu'on a réussi à établir avec des œuvres antérieures ne présentent qu'un intérêt accessoire. Et cela d'autant que ces confrontations se révèlent dans l'ensemble assez décevantes. D'une part, les récentes analyses critiques engagent à réduire la dette de Marguerite envers les *novellieri* imitateurs de Boccace, dont plusieurs, du reste, ne furent édités qu'au XVIIe siècle. L'héritage «gaulois», d'autre part, n'a pas eu sur elle l'ascendant qu'on supposait jadis. Certes, la tradition médiévale des fabliaux lui a fourni quelques modèles, mais c'est le plus souvent sous forme de simples schèmes qu'elle aurait pu tout aussi bien extraire des florilèges d'*exempla* compilés à l'usage des prédicateurs. Dans la majorité des cas, les parentés indiquent une réminiscence vague bien plus qu'une imitation délibérée. C'est pourquoi l'identification d'un sujet, voire la mise en relief d'une similitude de détail autorise rarement à conclure. Noter dans les marges de l'*Heptaméron* les noms du Pogge, de Philippe de Vigneulles et de Bonaventure Des Périers, comparer à une histoire donnée tel fabliau ou tel récit des *Cent Nouvelles nouvelles*, équivaut avant tout à rappeler la permanence d'un patrimoine universel, terreau inépuisable où s'alimente une végétation variée. Marguerite, comme ses pairs, y puise en abondance ; symptôme non tant d'un défaut d'imagination que d'un tempérament créateur qui aime à se laisser solliciter par l'œuvre d'autrui. Mais elle n'y cherche que l'impulsion première qui l'aidera à inventer son propre langage.

A cet égard, la *Châtelaine de Vergi* [4], qui se réfère explicitement à un archétype, éclaire utilement la genèse de certaines nouvelles. En effet, un rapide parallèle entre le récit de Marguerite et la version du XVᵉ siècle dont probablement il s'inspire permet de bien situer les bornes de l'imitation : au-delà des emprunts de surface les plus évidents, la personnalité de la reine informe son récit au point d'en modifier radicalement la valeur initiale. Encore s'agit-il d'un cas assez particulier puisque, selon toute vraisemblance, la conteuse n'a pas tiré des livres l'essentiel de sa matière. Ses meilleurs exégètes insistent avec raison sur le rôle fondamental de la conversation, véhicule privilégié de toute une tradition : celle qu'illustrent, des anonymes *Cent Nouvelles* au *Printemps* de Jacques Yver, les auteurs les plus dissemblables, mais dont chacun suggère, en inscrivant ses nouvelles dans un cadre « vivant », le milieu naturel qui en a favorisé la naissance. Cette souplesse des récréations familières où le badinage entremêle légendes et anecdotes explique le caractère hybride des réalisations qui en sont issues. Mais on devine aussi, dans ce joyeux pêle-mêle, un principe de liberté féconde.

Tonalités changeantes

Indépendamment de la dimension sérieuse qui, chez Marguerite, prolonge la partie de plaisir, son *Heptaméron* se démarque de la plupart des recueils contemporains par une richesse de couleurs et de tonalités peu commune. Le perpétuel va-et-vient entre des registres contrastés non seulement manifeste la qualité d'un art peu soucieux de s'appesantir, mais permet aussi de saisir la spécificité d'une œuvre où s'affrontent des mondes psychologiques variés.

En remaniant les thèmes usés du répertoire populaire, quiproquos, peinture grotesque de la vie conjugale, scénario sans surprise du trompeur trompé, Marguerite se tourne vers un passé que perpétue encore la vogue du théâtre comique. On lui en tiendra d'autant moins rigueur que cette matière constitue la ressource principale des conteurs de son temps. Elle ne sacrifie que modérément, d'ailleurs, à cette veine gauloise. Certains commentateurs se sont réjouis, naguère, de voir la perle des Valois appeler un chat un chat, déduisant de cette saveur verbale la santé un peu rude de mœurs franches. Soit, mais il convient de noter tout de même que les chats ne sont pas foison chez Marguerite qui, jusque dans ses anecdotes les plus mal sentantes (N. 11, 52), garde une réserve inhabituelle pour l'époque. Reste à savoir si ces contes à rire dissimulent quelque intention didactique ou satirique précise. Peut-on comparer, par exemple, la démarche de la reine à celle que Lionello Sozzi croit déceler chez ses meilleurs contemporains : une tentative de l'esprit humaniste pour assumer, dans une perspective critique, les clichés de l'héritage médiéval[5] ? Une lecture attentive autorise, il est vrai, à percevoir ici et là une manière de distance entre le ton et l'objet de la narration. Cependant, notre auteur s'ingénie le plus souvent à dépasser la relative inconsistance de ces facéties, qui deviennent alors prétexte aux discussions les plus élevées. Et de signaler d'un clin d'œil entendu telle disparité particulièrement flagrante : « Regardons [...] de là où nous sommes venus : en partant d'une très grande folie, nous sommes tombés *[sic!]* en la philosophie et théologie » (N. 34). Cet équilibre compensatoire entre le divertissement narratif et les réflexions qu'il suscite révèle, tout au long de l'*Heptaméron,* une maîtrise technique que l'on aurait tort de refuser à l'«instinctive» Marguerite. Mais ce qui l'intéresse avant tout dans ce quotidien schématisé, c'est la densité latente des situations concrètes qu'elle peut y projeter.

« Choses vues [6] », croquis, scènes de la vie : une large part de l'*Heptaméron* se définit à travers de telles formules. Cela ne signifie pas pour autant que la reine ait vécu tous les faits divers qu'elle place dans la bouche de ses devisants. A preuve la quatrième nouvelle, à laquelle on prête une origine autobiographique, qui ne se distingue ni dans le ton ni dans la structure de récits plus impersonnels. Il en va de même pour les épisodes où interviennent nommément des familiers (N. 16, 25, 42, 58, 66, etc.). Et quand Marguerite s'amuse à se mettre en scène à la troisième personne (N. 1, 41, 72), c'est pure malice, qu'encourage sa situation singulière d'écrivain royal. Témoin privilégié des intrigues burlesques ou navrantes entretenues par la demi-oisiveté d'une société close (N. 43, 49, 53, 58, 59, etc.), elle aime également poser son regard sur les secrets moins accessibles des demeures bourgeoises ou sur la vie des petites gens. Le sujet importe peu, en vérité, puisqu'elle ne cède jamais au pittoresque ; mais la dynamique des passions qui sous-tend ses esquisses un peu ternes en souligne la portée universelle. Que la conteuse verse dans la satire des vilains moines — on louera à cet égard une discrétion dans le trait qui assure l'efficacité du sarcasme — qu'elle se contente d'effleurer du bout de sa plume ironique la frivolité des mondains ou qu'elle dénonce l'intolérance d'une société normative et brutale, sa vision profonde ne change pas. Le mensonge et l'hypocrisie dominent à ses yeux toutes les structures d'un univers dangereux où les impulsions les plus innocentes se heurtent aux jugements des proches. L'autre est essentiellement celui qui soupçonne, épie, dénonce. La nécessité permanente de recourir à la dissimulation engendre ces silhouettes fugitives, traquées, presque honteuses d'elles-mêmes : Poline, Rolandine, Jambique dans une moindre mesure, et le défilé anonyme de ces « demoiselles » qu'effare la perspective d'un arrêt fatal. Les contraintes qui pèsent sur le courtisan favorisent ce climat opaque où les impératifs de l'honneur justifient le crime, mais les exigences du paraître régissent tout aussi bien la haute ou moyenne bourgeoisie (N. 30, 36). Si Marguerite ne peut s'ériger à découvert

contre la cruauté de ces lois tacites, elle sait exactement
se faire entendre : le plaidoyer de Rolandine, par exemple, respire une émotion et une franchise qui distinguent
cette héroïne de la majorité de ses « piteuses » compagnes
(N. 21 [7]).

Ce tableau des mœurs, qui prétend avant tout démas-
quer un mal universel, n'est donc pas le signe d'une
vocation « réaliste ». A la plongée verticale de la peinture
moralisante répond, en perpendiculaire, la liberté d'une
imagination qui n'a cure de vraisemblance. Ainsi, Marguerite se laisse facilement tenter par le romanesque naïf
où ses contemporains, nourris de récits chevaleresques,
découvriront un héroïsme familier que rehausse la séduc-
tion d'intrigues sinueuses. Bien rare, cependant, sont les
nouvelles dont l'intérêt se résume à de pareilles subtilités.
Le romanesque imprègne l'*Heptaméron* à la manière
d'une teinte diffuse dont la conteuse se plaît par endroits à
souligner la présence. Cette inspiration ne prend d'ailleurs son plein sens que dans la tendance pathétique
qu'elle engendre. La reine manifeste un goût évident pour
ces paysages sinistres que les plus invraisemblables dra-
mes envahissent de leurs cris. Ultimes soubresauts d'un
Moyen Age doloriste et crépusculaire, ou annonce de la
veine tragique qu'illustrera sous peu Bandello [8] ? La
sourde violence qui fait le charme sombre de la trente-
deuxième nouvelle, la scène sordide du meurtre de Médicis ou le *lamento* funèbre de l'épouse désespérée de la
nouvelle 23 nous apparaissent avant tout comme les marques d'une sensibilité nouvelle. Certes, ces accents fri-
sent parfois la complaisance, trahissant dans leurs excès
la maladresse des premières gammes. Au fil des pâmoi-
sons et des apostrophes dolentes, Marguerite cherche le
ton. Mais si elle est encore loin de réaliser l'équilibre de
ses élans, cette oscillation entre le sublime et le senti-
mental dégage déjà une émotion certaine.

De ce repérage sommaire, ne concluons pas que la
narratrice s'essaie systématiquement à tous les genres.
Au contraire, les plus sûres réussites semblent nées de la
concurrence d'éléments disparates. Ainsi, la très poi-
gnante nouvelle 23 s'articule sur un schéma farcesque,

que l'on retrouve par ailleurs à l'état pur (N. 48). On
appréciera dans ce sens l'effort d'élaboration au terme
duquel il est devenu presque impossible d'identifier la
farce de *Naudet* — ou tout autre canevas similaire — qui
a servi de point de départ à la troisième nouvelle. De
même, les propos sententieux d'une femme trompée élè-
vent subitement la matière gaillarde d'un fabliau aux
confins de la méditation morale (N. 8). La pathétique
histoire de Poline (N. 9) présente à la fois une incarnation
attendrissante de la doctrine ficinienne et une esquisse
sévère de l'aristocratie esclave de ses codes. Et les aventures de Floride et d'Amadour (N. 10) réunissent également, sous la dominante romanesque, des apports
composites. On multiplierait sans peine ces exemples
d'ingénieux alliages où la reine fait en général preuve
d'un doigté infaillible.

Convient-il enfin d'énumérer ici les qualités formelles
de l'*Heptaméron*? Nous préférerions de beaucoup laisser
au lecteur le soin d'y trouver lui-même ses plaisirs. Deux
mots suffiront à situer un style que, faute de l'apprécier
de façon judicieuse, certains critiques ont qualifié de
négligent ou de boursouflé. Il est indéniable que ce que
l'on nomme aujourd'hui l'économie de la narration reste
lettre morte pour Marguerite : combien de fois la sur-
prend-on s'égarant à loisir dans les voies qui ne la mènent
nulle part (N. 13, 21, 22), incapable de sacrifier au thème
principal d'oiseuses excroissances. Pareillement, ses
tentatives pour localiser un fait dans l'espace et dans le
temps relèvent davantage du bon vouloir que de l'adresse
(N. 54). Semblables difficultés de la mise en forme res-
sortent avec plus d'évidence encore dans les «histoires
vraies» pour lesquelles Marguerite ne dispose pas du
guide-âne de la tradition. A l'opposé de certains entrelacs
broussailleux et interminables, il lui arrive de se contenter
d'une transparence sommaire, au point par exemple de
réunir par une couture mal faite deux arguments en une
même anecdote. Quantité oblige ! (N. 45, 46). Ne sou-
rions pas trop de ces lenteurs et de ces naïvetés, comme si
l'aisance du roman moderne ne devait rien à de tels
balbutiements. Au reste, il serait malvenu d'exiger de la

reine ce qu'elle n'a jamais songé à nous proposer. Si l'amateur de cohérence psychologique risque de ne pas trouver souvent son compte dans l'*Heptaméron*, il aurait tort d'en imputer la faute à l'auteur : c'est délibérément que Marguerite privilégie, dans l'évolution de ses héros, les ruptures surprenantes et injustifiables qui dévoilent la fragilité humaine (N. 15, 21). Quant à ces personnages affublés à tout venant de perfections hyperboliques, ils désignent moins l'indolence de la conteuse que son ambition d'une quête en profondeur. Mais il serait imprudent de prétendre que cette dernière ne sait pas voir. Les rares descriptions dont elle nous gratifie manifestent, dans leur sobriété, une touche délicate et sensible : nous avons dit plus haut les sombres reflets de moire qui encadrent le portrait de la dame allemande (N. 32) ; ce climat à la Bergman n'est peut-être que le négatif de la symphonie en blanc qui donne à la nouvelle 24 son éclat luxueux et léger. On ne gagne décidément rien, à confondre les limites d'un choix d'artiste et les carences de l'apprenti. Les premiers lecteurs de l'*Heptaméron* s'en sont avisés, jusqu'à Montaigne qui le jugeait « gentil livre pour son estoffe ». Les circonstances malaisées de la rédaction, la hâte, la fatigue sans doute, expliquent les nombreuses faiblesses du texte. Est-ce la raison d'oublier tant de pages toniques, de dialogues verveux, de notations pénétrantes, ce bonheur du verbe, en un mot, qui cautionne le métier de Marguerite ?

Il me semble, mesdames...

Cette formule, ou quelque sésame analogue, introduit au terme de chaque nouvelle les fameux débats qui confèrent à l'*Heptaméron* sa teneur originale : trait d'union entre les récits singuliers, la présence active de l'auditoire invite à envisager le recueil dans un mouvement continu. Mais qui sont ces rescapés des eaux dont l'abbaye de Sarrance abrite le séjour forcé ? La tentation était grande de reconnaître dans ces personnages les familiers de Marguerite, et maints critiques n'ont pas ménagé leurs soins pour détecter, au gré de ces prénoms étranges, quelque piste susceptible d'aboutir à un être réel. Que pouvait-on attendre, en vérité, d'une démarche si peu attentive aux voies propres de l'invention poétique ? C'est faire injure à l'écrivain que de l'imaginer se satisfaisant de décalques. Les démonstrations les plus ingénieuses — et l'on continue d'en faire — n'amélioreront en rien une problématique par définition inopportune. Même les parallèles couramment admis, jouant sur les anagrammes d'Oisille (Louise de Savoie) et d'Hircan («Hanric» d'Albret), se révèlent à l'examen inacceptables. Quant à l'interprétation tenace qui assimile Parlamente à Marguerite, elle induit, on le verra, à des commentaires dangereusement restrictifs. N'allons pas négliger pourtant les indices révélateurs de tout ce que la reine doit à l'observation des siens. Simplement, sa vocation la convie à recréer les aimables «conférences» de Nérac, transposant le cercle coutumier dans la perspective idéale où elle parvient à en assumer chaque discours. Ainsi la compagnie de Sarrance reflète, en l'intériorisant, l'expérience de l'auteur.

Issus primitivement peut-être de modèles concrets, les devisants suggèrent aussi, par certains traits, des filiations littéraires : les rapprochements qu'on a pu établir avec le *Cortegiano* de Castiglione semblent à cet égard parmi les plus intéressants. On ne saurait cependant réduire l'auditoire de l'*Heptaméron* à une série de portraits immobiles dans leurs cadres. L'espace et la durée de l'œuvre permettent, au contraire, d'en déchiffrer progressivement la psychologie inchoative. Rien n'est donné d'avance : Marguerite, qui connaît bien les hommes, a cédé presque toute la place au devenir. Cette impression de vie se voit confirmée à la faveur des connivences, affichées ou secrètes, voire des répulsions qui s'intensifient entre ces êtres confrontés en vase clos : déclarations de moins en moins voilées de Simontaut à Parlamente, faiblesse de Nomerfide pour le prestigieux Hircan, animosité croissante entre Ennasuite et Parlamente... Toujours plus serré, le réseau de ces liens garantit l'abondance variée des commentaires.

Le choix d'une abbaye comme cadre de ces récréations champêtres ne laisse de surprendre chez une Marguerite qui prise peu les « beaux pères ». Il paraît d'autant plus paradoxal que la reine ne perd pas la moindre occasion de diriger ses vives pointes contre les moines de Sarrance, en même temps qu'elle collectionne les histoires de cordeliers ridicules ou scandaleux. Par ailleurs, la journée des hôtes s'articule sur l'horaire du couvent que nul ne songe à contester ; et c'est à l'intérieur de cet emploi du temps rigide que la dame Oisille exerce ses fonctions d'abbesse laïque. Semblable ambiguïté exprime bien l'état d'esprit de la princesse évangélique : assez lucide pour remettre en cause les structures religieuses conventionnelles, on la sent hésitante à la perspective d'une rupture. Les leçons d'Oisille transgressent allégrement l'ordre établi, mais la communauté nouvelle qu'elle instaure demeure une copie assez fidèle de la vie monastique. Telle est, dans un champ voisin, l'illusion de Thélème qui croit s'affranchir d'une réalité dont elle ne réussit qu'à inverser les termes. Moins ambitieux, mais tout aussi discutable, le compromis « réformiste » de Marguerite !

A l'instar de la maison de campagne où les élégants seigneurs de Boccace fuient la peste qui ravage Florence, le monastère pyrénéen représente, pour les devisants, un espace libre et immobile, coupé du monde. Cependant, la frivolité gracieuse qui sert de toile de fond aux nouvelles italiennes ne serait guère de mise dans cette retraite, où le plaisir même s'accompagne d'une austérité vaguement sentencieuse. Le divertissement que propose Parlamente prolonge les méditations d'Oisille bien plus qu'il ne s'y oppose, tant s'avère récente notre scission entre les domaines du sacré et du profane. Aussi bien n'est-ce pas pour s'ébrouer dans l'évasion et l'imaginaire que l'on se retrouve chaque jour sur le pré : le recul imposé par des circonstances fortuites sera au contraire mis à profit pour scruter sans détour ce monde dont on vient, et qu'il faudra bientôt retrouver. On devine dès lors la valeur symbolique du pont en construction, et l'on conçoit mieux la mélancolie qu'éveille chez certains devisants l'achèvement prochain des travaux. Cette vie entre parenthèses, où s'estompent les obstacles de la hiérarchie — « au jeu nous sommes tous égaux », affirme Hircan — ne saurait être

goûtée pour ses charmes propres : elle suppose l'émergence d'une inquiétude latente que balaient d'ordinaire les
préoccupations quotidiennes. Le jeu des anecdotes enfilées à l'envi est bien, comme on l'a dit, un jeu de la vérité
où chacun tente, par la médiation de scènes comiques et
émouvantes, de se voir et de se mieux comprendre.

Toutefois la multiplicité des points d'observation
compromet la cohérence du message qui traduirait la
portée de l'œuvre. Y décèle-t-on seulement une idée
dominante ou un principe inaltérable ? Rien n'est moins
sûr, à première vue : les devis prennent le plus souvent la
forme de débats dont l'ironie aigrelette n'atténue guère la
confusion. Dans son ouvrage récent, Nicole Cazauran a
souligné à juste titre la signification sociologique et morale de la rivalité qui oppose les dames aux gentilshommes : le terme d'honneur, et en corollaire celui d'amour,
désigne, suivant qu'il s'applique à l'un ou à l'autre sexe,
deux réalités incompatibles. La hardiesse conquérante qui
s'impose au séducteur chevaleresque ne peut qu'offenser
la chasteté passive des dames. D'où l'inévitable conflit de
deux vérités symétriques. Or cette incertitude du langage,
occasion des plus graves méprises, devient féconde dès
l'instant où l'on accepte la confrontation qu'elle appelle.
Personne n'est assez naïf, certes, pour espérer une solution miracle qui réduirait l'antinomie, et les rares
compromis auxquels se rangent les deux camps sentent
l'artifice ou le persiflage diplomatique. Mais ce piétinement parfois lassant de la controverse débouche sur un
terrain mouvant où basculent les opinions reçues : la
chasteté est-elle signe authentique de vertu ou terrain
favorable à la croissance de l'orgueil ? l'acquiescement
tacite de la société suffit-il à justifier des mœurs plus
brutales que galantes ? où l' « honnête amour » puise-t-il,
en définitive, ses garanties, et quel parfait amant [9] défiera
sans faillir les sollicitations de la nature ? au demeurant,
la « bestialité » ne réside pas nécessairement dans les
faiblesses de la chair... Réduire, dans ces vives altercations, la part de Marguerite au rôle de Parlamente constitue un appauvrissement manifeste de l'œuvre. La reine
n'a pas voulu se représenter face à d'éventuels contra

dicteurs : elle insuffle la vie à ces voix multiples et incertaines qui, dans sa conscience créatrice, deviennent le lieu d'une vérité en gestation.

La plupart des nouvelles graves présentent, dans un monde opaque, un héros assez énigmatique pour provoquer, chez les devisants, des réactions antithétiques. On relèvera cependant quelques exemples inverses où, dès les premières phrases du récit, le narrateur s'introduit au cœur de son personnage pour en exposer sans équivoque les raisons d'agir. Tel est notamment le cas de ces malheureux cordeliers dont on connaît d'emblée les intentions perverses, ainsi que des dévotes qui se laissent gruger par leurs prêches. Pas une voix pour défendre ces crimes de l'hypocrisie ou de l'outrecuidance, qui s'inscrivent en faux contre les valeurs primordiales de la doctrine évangélique. La convergence des devisants révèle de la sorte ce qui, au-delà des oscillations de surface, demeure chez Marguerite une conviction absolue. Si Dieu fait des apparitions régulières dans les pages de l'*Heptaméron,* ce n'est pas, on s'en doute, simple convention déférente, pas plus que les citations scripturaires ne s'expliquent comme l'assaisonnement obligé d'un auteur « spirituel ». En réalité, ces affleurements se bornent à rappeler l'existence, ou mieux, la présence d'une vérité totale qui, loin de tout régir à la manière artificielle d'un dogme, guide l'interrogation de l'auteur.

Qu'est-ce à dire ? Ces contes, que l'on jugeait malicieux ou libertins à défaut de les trouver assommants, offriraient-ils une dimension théologique ? N'abusons pas de l'épithète : Marguerite ne l'aurait point goûtée, qui nous avoue sa répugnance pour les docteurs. A cette nuance près, force est d'admettre que la considération dernière, qui à la fois suscite et résume la quête des devisants, touche aux voies du salut. La foi évangélique de la reine n'en fait ni un devin ni un prophète capable de dicter en chaque circonstance une solution toute faite. Mais elle est source d'un rayon très pur qui, dans la Babel des apparences, capte les certitudes essentielles de la miséricorde et de la grâce.

Simone de REYFF.

Simone de Beauvoir

NOTES

1. La critique interne du texte invite à situer l'ensemble de la rédaction dans une période limitée : 1540-49, environ.

2. M. P. Hazera-Rihaoui : *Une version des Nouvelles de Marguerite de Navarre : édition commentée du ms. fr. 1513 de la Bibliothèque nationale*. Thèse de troisième cycle, Lyon II, 1979 (dactyl.).

3. Quatorze nouvelles environ reproduisent un événement attesté par d'autres témoignages. Les quelques sources littéraires identifiées avec certitude sont indiquées dans l'annotation du texte.

4. Nouvelle 70. Voir Jean Frappier, « La Chastelaine de Vergi, Marguerite de Navarre et Bandello », *Mélanges de la Faculté des Lettres de Strasbourg*, 2, 1946, p. 89-150.

5. *Op. cit.*, p. XXII.

6. L'expression est de V.-L. Saulnier, reprise par Nicole Cazauran.

7. On pourrait assimiler à cette catégorie les aventures galantes où François Ier tient le rôle principal (N. 25, 42, indirectement 63) Ces nouvelles présentent un caractère fort ambigu puisque l'éloge inconditionnel du roi s'y révèle incompatible avec la signification globale du récit.

8. Les *Novelle* (1554), dont Boaistuau et Belleforest procureront en 1559 une adaptation française sous le titre d'*Histoires tragiques*, doivent vraisemblablement plusieurs thèmes à Marguerite. Voir notamment Pierre Jourda, *Marguerite d'Angoulême ; étude biographique et littéraire*, Paris, Champion, 1930, t. II, p. 708-723 Quant à la veine romanesque, annoncée par la *Fiammetta* de Boccace, elle se manifeste dès 1539 avec *Les Angoysses douloureuses qui procedent d'amours* d'Hélisenne de Crenne, par exemple.

9. Nous n'insistons pas sur les apports de la doctrine néo-platonicienne : quoi qu'on ait dit, ils ne revêtent pas une importance déterminante dans l'*Heptaméron* Les passages les plus caractéristiques de cette tendance sont signalés en note.

NOTE SUR L'ÉTABLISSEMENT DU TEXTE

En 1558, Pierre Boaistuau publie une édition incomplète et très approximative des contes de la reine de Navarre, *Histoires des Amans fortunez*. L'année suivante, Claude Gruget réunit sous le titre d'*Heptaméron* soixante-douze nouvelles dont il prétend, à l'encontre de son prédécesseur, restituer fidèlement le texte et la disposition. Pieuses intentions, qui ne l'empêchent pas, par exemple, de biffer tous les noms propres, d'atténuer les traits satiriques devenus par trop dangereux, voire de substituer trois médiocres récits aux nouvelles 11, 44 et 46, jugées incompatibles avec le ton de l'ouvrage. Cette version sera reproduite jusqu'en 1853, date à laquelle Leroux de Lincy procure un texte revu sur les manuscrits.

Actuellement, les éditions les plus accessibles sont celle de Michel François (1942), fondée sur le manuscrit français 1512 de la Bibliothèque nationale (A), et celle d'Yves Le Hir (1967), reproduction intégrale du manuscrit français 1524 (T) que le président Adrien de Thou avait établi en vue d'une publication qui ne vit jamais le jour. On attend encore l'indispensable édition critique qui, à partir des seize manuscrits identifiés à ce jour, permettra d'aborder l'œuvre narrative de la reine dans un texte satisfaisant. Dans les limites de la présente publication, nous avons concentré notre effort sur l'élaboration d'un texte lisible dont l'apparence traduise toutefois les incertitudes de lecture qui conditionnent notre approche de l'auteur.

Le texte de base est celui du manuscrit 1512 tel que le restitue l'édition François, à laquelle nous reprenons plu-

sieurs amendements sans les signaler expressément. Il
fallait tenir compte cependant de la version de Thou qui,
sans être aussi irréprochable que le veut Y. Le Hir, propose plus d'une leçon intéressante. Lorsque cette dernière
se révèle nettement supérieure au manuscrit de base, nous
n'hésitons pas à la reprendre dans notre texte, en indiquant la variante de A. D'autres variantes de T figurent
en note pour suggérer, à titre indicatif, les fluctuations du
texte. Enfin, lorsque ni l'une ni l'autre version ne donne
satisfaction, nous risquons une leçon conjecturale dési-
gnée comme telle entre crochets [ ], avec mention des
textes non retenus. Il nous a semblé inutile, en revanche,
de donner les variantes de l'édition Gruget dont on trouvera du reste un choix dans l'appareil critique établi par
M. François.

En tête de chaque nouvelle, l'édition François donne le
sommaire établi par de Thou. Nous avons préféré repro-
duire en cet endroit le sommaire de Gruget, de manière à
conserver aux résumés du manuscrit de Thou, que nous
transcrivons à part, leur disposition originale en forme de
table. Le maintien de ces «corps étrangers» n'a rien de
superflu, car ils fournissent un témoignage éclairant sur
les diverses lectures que des contemporains de Marguerite pouvaient faire de son œuvre.

L'annotation du texte insiste moins sur les identifica-
tions historiques ou les localisations géographiques que
sur des remarques utiles à la saisie de l'œuvre et de son
auteur. Elle trouve son complément dans un glossaire qui
joint aux archaïsmes certains «mots-pièges» dont l'interprétation correcte est de première importance. Les termes
y figurant sont signalés à chaque occurrence par un asté-
risque, sauf en cas de grande proximité.

Afin de conserver à l'*Heptaméron* son caractère d'œuvre divertissante, nous en avons adapté la graphie aux
habitudes des lecteurs modernes, tout en respectant la
syntaxe originale. Cet allégement de la forme présente
certains inconvénients, notamment dans les cas où la
distinction entre graphie et morphologie s'avère impré-
cise. En préférant aux formes anciennes leurs équivalents
modernes chaque fois que la substitution était possible,

nous évitions du moins les disparates : ainsi, *œils* devient *yeux*, *fol fou*, etc. Dans les cas contraires, la graphie est calquée sur les conventions actuelles : qu'il *croyât*, une *gentille femme*, etc. Les formes *ne* et *que* sont remplacées sans indication spéciale par *ni* et *qui*, lorsqu'il y a lieu. De même *qu'il* et *qui*, souvent confondus en moyen français, sont différenciés suivant l'usage moderne. Toujours par souci de clarté, nous supprimons la répétition du *que* complétif, tour oral qui subsiste parfois dans le manuscrit A.

Notre ponctuation diffère passablement de celle de M. François.

HEPTAMÉRON

PREMIÈRE JOURNÉE

PROLOGUE

Le premier jour de septembre que les bains des Monts Pyrénées commencent entrer en leur vertu, se trouvèrent à ceux de Cauterets plusieurs personnes, tant de France que d'Espagne, les uns pour y boire de l'eau, les autres pour s'y baigner, et les autres pour prendre de la fange*, qui sont choses si merveilleuses que les malades abandonnés des médecins s'en retournent tout guéris [1]. Ma fin n'est de vous déclarer* la situation ni la vertu desdits bains, mais seulement de raconter ce qui sert à la matière que je veux écrire. En ces bains-là demeurèrent plus de trois semaines tous les malades, jusqu'à ce que, par leur amendement, ils connurent qu'ils s'en pouvaient retourner. Mais sur le temps de ce retour vinrent les pluies si merveilleuses* et si grandes qu'il semblait que Dieu eût oublié la promesse qu'il avait faite à Noé de ne détruire plus le monde par eau [2], car toutes les cabanes et logis dudit Cauterets furent si remplies d'eau qu'il fut impossible d'y demeurer. Ceux qui y étaient venus du côté d'Espagne s'en retournèrent par les montagnes le mieux qu'il leur fut possible; et ceux qui connaissaient les adresses* des chemins furent ceux qui mieux échappèrent. Mais les seigneurs et dames français, pensant retourner aussi facilement à Tarbes comme ils étaient venus, trouvèrent les petits ruisseaux si fort crûs* qu'à peine* les purent-ils guéer*. Et quand ce vint à passer le Gave Béarnais qui, en allant, n'avait point deux pieds de profondeur, le trouvèrent tant grand et impétueux qu'ils se détournèrent pour chercher les ponts, lesquels, pour* n'être que de bois, furent emportés par la véhémence de

l'eau. Et quelques-uns, cuidant* rompre la raideur du
cours d'eau pour* s'assembler plusieurs ensemble, furent
emportés si promptement que ceux qui les voulaient suivre perdirent le pouvoir et le désir d'aller après. Parquoi,
tant pour chercher chemin nouveau que pour* être de
diverses opinions, se séparèrent. Les uns traversèrent la
hauteur des montagnes et, passant par Aragon, vinrent en
la comté de Roussillon, et de là à Narbonne; les autres
s'en allèrent droit à Barcelonne, d'où[a], par la mer, les uns
allèrent à Marseille et les autres à Aiguesmortes.

Mais une dame veuve, de longue expérience, nommée
Oisille, se délibéra d'oublier toute crainte par les mauvais
chemins, jusqu'à ce qu'elle fût venue à Notre-Dame de
Sarrance[3]. Non qu'elle fût si supersticieuse qu'elle pensât que la glorieuse Vierge laissât la dextre de son Fils où
elle est assise pour venir demeurer en terre déserte, mais
seulement pour envie de voir le dévot lieu dont elle avait
tant ouï parler; aussi qu'elle était sûre que, s'il y avait
moyen d'échapper d'un danger, les moines le devaient
trouver. Et fit tant qu'elle y arriva, passant de si étran-
ges* lieux et si difficiles à monter et descendre que son
âge et pesanteur ne la gardèrent* point d'aller la plupart
du chemin à pied. Mais la pitié fut que la plupart de ses
gens et chevaux demeurèrent morts par les chemins, et
arriva à Sarrance avec un homme et une femme seulement, où elle fut charitablement reçue des religieux.

Il y avait aussi, parmi les Français, deux gentilshommes qui étaient allés aux bains plus pour accompagner les
dames dont ils étaient serviteurs que pour faute qu'ils
eussent de santé. Ces gentilshommes ici, voyant la compagnie se départir et que les maris de leurs dames les
emmenaient à part, pensèrent de les suivre de loin, sans
soi déclarer à personne. Mais un soir, étant les deux
gentilshommes mariés et leurs femmes arrivés en une
maison d'un homme plus bandoulier* que paysan, et les
deux jeunes gentilshommes logés en une borde* tout
joignant* de là, environ la minuit ouïrent un très grand
bruit. Ils se levèrent avec leurs valets et demandèrent à

l'hôte quel tumulte c'était là. Le pauvre homme, qui avait sa part de peur, leur dit que c'étaient mauvais garçons qui venaient prendre leur part de la proie qui était chez leur compagnon bandoulier; parquoi les gentilshommes incontinent prirent leurs armes, et avec leurs valets s'en allèrent secourir les dames pour lesquelles ils estimaient la mort plus heureuse que la vie après elles. Ainsi qu'ils arrivèrent au logis, trouvèrent la première porte rompue et les deux gentilshommes avec leurs serviteurs se défendant vertueusement. Mais, pource que le nombre des bandouliers était plus grand, et aussi qu'ils étaient fort blessés, commencèrent à se retirer, ayant perdu déjà grande partie de leurs serviteurs. Les deux gentilshommes, regardant aux fenêtres, virent les dames criant et pleurant si fort que la pitié et l'amour leur crût au cœur, de sorte que, comme deux ours enragés descendant des montagnes, frappèrent sur ces bandouliers tant furieusement qu'il y en eut si grand nombre de morts que le demeurant ne voulut plus attendre leurs coups, mais s'enfuirent où ils savaient bien leur retraite. Les gentilshommes, ayant défait ces méchants dont l'hôte était l'un des morts, ayant entendu que l'hôtesse était pire que son mari, l'envoyèrent après lui par un coup d'épée. Et, entrant en une chambre basse, trouvèrent un des gentilshommes mariés qui rendait l'esprit. L'autre n'avait eu nul mal, sinon qu'il avait tout son habillement percé de coups de trait, et son épée rompue. Le pauvre gentilhomme, voyant le secours que ces deux lui avaient fait, après les avoir embrassés et remerciés, les pria de ne les abandonner point, qui leur était une requête fort aisée. Parquoi, après avoir enterré le gentilhomme mort et réconforté sa femme au mieux qu'ils purent, prirent le chemin où Dieu les conseillait sans savoir lequel ils devaient tenir. Et s'il vous plaît savoir le nom des trois gentilshommes, le marié avait nom Hircan, et sa femme Parlamente, et la demoiselle veuve Longarine; et le nom des deux gentilshommes, l'un était Dagoucin, et l'autre Saffredent. Et après qu'ils eurent été tout le jour à cheval, avisèrent* sur le soir un clocher où le mieux qu'il leur fut possible, non sans travail* et peine, arrivèrent. Et furent de l'abbé et des moines humainement reçus. L'abbaye se nomme Saint-Savin [4].

L'abbé, qui était de fort bonne maison, les logea honorablement. Et, en les menant à leur logis, leur demanda de leurs fortunes ; et après qu'il entendit la vérité du fait, leur dit qu'ils n'étaient pas seuls qui avaient part à ce gâteau *, car il y avait en une chambre deux demoiselles qui avaient échappé pareil danger ou plus grand, d'autant qu'elles avaient eu affaire contre bêtes, non hommes. Car les pauvres dames, à demi-lieue deçà Pierrefitte [5], avaient trouvé un ours descendant la montagne, devant lequel avaient pris la course à si grande hâte que leurs chevaux, à l'entrée du logis, tombèrent morts sous elles. Et deux de leurs femmes, qui étaient venues longtemps après, leur avaient conté que l'ours avait tué tous leurs serviteurs. Lors les deux dames et trois gentilshommes entrèrent en la chambre où elles étaient, et les trouvèrent pleurant ; et connurent que c'était Nomerfide et Ennasuite, lesquelles, en s'embrassant et racontant ce qui leur était advenu, commencèrent à se réconforter, avec les exhortations du bon abbé, de soi être ainsi retrouvées. Et le matin ouïrent la messe bien dévotement, louant Dieu des périls qu'ils avaient échappés.

Ainsi qu'ils étaient tous à la messe, va entrer en l'église un homme tout en chemise, fuyant comme si quelqu'un le chassait, criant à l'aide. Incontinent Hircan et les autres gentilshommes allèrent au-devant de lui pour voir que c'était, et virent deux hommes après lui, leurs épées tirées, lesquels, voyant si grande compagnie, voulurent prendre la fuite. Mais Hircan et ses compagnons les suivirent de si près qu'ils y laissèrent la vie. Et quand ledit Hircan fut retourné, trouva que celui qui était en chemise était un de leurs compagnons nommé Géburon, lequel leur conta comme, étant en une borde auprès de Pierrefitte, arrivèrent trois hommes, lui étant au lit. Mais, tout en chemise, avec son épée seulement, en blessa si bien un qu'il demeura sur la place. Et tandis que les deux autres s'amusèrent * à recueillir leur compagnon, voyant qu'il était tout nu et eux armés, pensa qu'il ne les pouvait gagner sinon à fuir, comme le moins chargé d'habillement, dont il louait Dieu et eux qui en avaient fait la vengeance.

Après qu'ils eurent ouï la messe et dîné, envoyèrent voir s'il était possible de passer la rivière du Gave. Et connaissant l'impossibilité du passage, furent en merveilleuse crainte, combien que l'abbé plusieurs fois leur offrît la demeure* du lieu, jusqu'à ce que les eaux fussent abaissées; ce qu'ils accordèrent pour ce jour. Et au soir, en s'en allant coucher, arriva un vieux moine qui tous les ans ne faillait* point, à la Notre-Dame de septembre [6], d'aller à Sarrance. Et en lui demandant des nouvelles de son voyage*, dit qu'à cause des grandes eaux était venu par les montagnes, et par les plus mauvais chemins qu'il avait jamais faits; mais qu'il avait vu une bien grande pitié: c'est qu'il avait trouvé un gentilhomme nommé Simontaut, lequel, ennuyé* de la longue demeure* que faisait la rivière à s'abaisser, s'était délibéré de la forcer, se confiant à la bonté de son cheval; et avait mis tous ses serviteurs à l'entour de lui pour rompre l'eau. Mais quand ce fut au grand cours, ceux qui étaient le plus mal montés furent emportés, malgré hommes et chevaux, tout aval l'eau, sans jamais en retourner. Le gentilhomme se trouvant seul tourna son cheval dont* il venait, qui n'y sut être si promptement qu'il ne faillît sous lui. Mais Dieu voulut qu'il fût si près de la rive que le gentilhomme, non sans boire beaucoup d'eau, se traînant à quatre pieds, saillit* dehors sur les durs cailloux, tant las et faible qu'il ne se pouvait soutenir. Et lui advint si bien qu'un berger, qui entendait mieux sa nécessité tant en le voyant qu'en écoutant sa parole, le prit par la main et le mena en sa pauvre maison où, avec petites bûchettes, le sécha le mieux qu'il put. Et ce soir-là Dieu y amena ce bon religieux, qui lui enseigna le chemin de Notre-Dame de Sarrance, et l'assura que là il serait mieux logé qu'en autre lieu, et y trouverait une ancienne* veuve nommée Oisille, laquelle était compagne de ses aventures. Quand toute la compagnie ouït parler de la bonne dame Oisille et du gentil chevalier Simontaut, eurent une joie inestimable, louant le Créateur qui, se contentant des serviteurs, avait sauvé les maîtres et maîtresses; et sur toutes en loua

Dieu de bon cœur Parlamente, car longtemps avait qu'elle l'avait très affectionné serviteur[7]. Et après s'être enquis diligemment du chemin de Sarrance, combien que le bon vieillard le leur fît fort difficile, pour cela ne laissèrent d'entreprendre d'y aller; et dès ce jour-là se mirent en chemin, si bien en ordre qu'il ne leur faillait* rien, car l'abbé les fournit de vin et force vivres, et de gentils compagnons pour les mener sûrement* par les montagnes. Lesquelles passées[b], plus à pied qu'à cheval, en grand sueur et travail arrivèrent à Notre-Dame de Sarrance où l'abbé, combien qu'il fût assez mauvais homme, ne leur osa refuser le logis pour* la crainte du seigneur de Béarn, dont il savait qu'ils étaient bien aimés. Mais lui, qui était vrai hypocrite, leur fit le meilleur visage qu'il était possible et les mena voir la bonne dame Oisille et le gentilhomme Simontaut.

La joie fut si grande en cette compagnie miraculeusement assemblée que la nuit leur sembla courte à louer Dieu dedans l'église de la grâce qu'il leur avait faite. Et après que, sur le matin, eurent pris un peu de repos, allèrent ouïr la messe et tous recevoir le Saint-Sacrement d'union, auquel tous chrétiens sont unis en un, suppliant Celui qui les avait assemblés par sa bonté parfaire le voyage à sa gloire. Après dîner envoyèrent savoir si les eaux étaient point écoulées, et, trouvant que plutôt elles étaient crûes et que de longtemps ne pourraient sûrement passer, se délibérèrent de faire un pont sur le bout de deux rochers qui sont fort près l'un de l'autre, où encore y a des planches pour les gens de pied qui, venant d'Oléron, ne veulent passer par le gué. L'abbé, qui fut[c] bien aise qu'ils faisaient cette dépense, afin que le nombre des pèlerins et présents[d] augmentât, les fournit d'ouvriers, mais il n'y mit pas un denier, car son avarice ne le permettait. Et pour ce que les ouvriers dirent qu'ils ne sauraient avoir fait le pont de dix ou douze jours, la compagnie, tant d'hommes que de femmes, commença

b. passèrent (A)
c. l'abbé fut (A)
d. et pèlerines (A)

fort à s'ennuyer. Mais Parlamente, qui était femme de
Hircan, laquelle n'était jamais oisive ni mélancolique,
ayant demandé congé* à son mari de parler, dit à l'ancienne dame Oisille : « Madame, je m'ébahis que vous,
qui avez tant d'expérience et qui, maintenant, à nous
femmes tenez lieu de mère, ne regardez quelque passe-
temps pour adoucir l'ennui que nous porterons durant
notre longue demeure. Car si nous n'avons quelque occupation plaisante et vertueuse, nous sommes en danger*
de demeurer malades. » La jeune veuve Longarine ajouta
à ce propos : « Mais qui pis est, nous deviendrons fâcheu-
ses*, qui est une maladie incurable : car il n'y a nul ni
nulle de nous, si regarde à sa perte, qui n'ait occasion*
d'extrême tristesse. » Ennasuite, tout en riant, lui répondit : « Chacune n'a pas perdu son mari comme vous, et
pour perte des serviteurs ne se faut désespérer, car l'on en
recouvre assez. Toutefois je suis bien d'opinion que nous
ayons quelque plaisant exercice pour passer le temps,
autrement nous serions mortes le lendemain. » Tous les
gentilshommes s'accordèrent à leur avis et prièrent la
dame Oisille qu'elle voulût ordonner ce qu'ils avaient à
faire. Laquelle leur répondit : « Mes enfants, vous me
demandez une chose que je trouve fort difficile, de vous
enseigner un passe-temps qui vous puisse délivrer de vos
ennuis, car, ayant cherché ce ᵉ remède toute ma vie, n'en
ai jamais trouvé qu'un, qui est la lecture des saintes
Lettres en laquelle se trouve la vraie et parfaite joie de
l'esprit, dont procède le repos et la santé du corps. Et si
vous me demandez quelle recette me tient si joyeuse et si
saine sur ma vieillesse, c'est qu'incontinent que je suis
levée, je prends la Sainte Écriture et la lis. Et en voyant et
contemplant la bonté ᶠ de Dieu, qui pour nous a envoyé
son Fils en terre annoncer cette sainte parole et bonne
nouvelle par laquelle il promet ᵍ rémission de tous péchés,
satisfaction de toutes dettes par le don qu'il nous fait de
son amour, passion et mérites, cette considération me

e. le (A)
f. volonté (T)
g. permet (A)

donne tant de joie que je prends mon psautier et, le plus humblement qu'il m'est possible, chante de cœur et prononce de bouche les beaux psaumes et cantiques que le Saint-Esprit a composés au cœur de David et des autres auteurs[8]. Et ce contentement-là que j'en ai me fait tant de bien que tous les maux qui le jour me peuvent advenir me semblent être bénédictions, vu que j'ai en mon cœur par foi Celui qui les a portés* pour moi. Pareillement avant souper, je me retire pour donner pâture à mon âme de quelque leçon*, et puis au soir fais une récollection de tout ce que j'ai fait la journée passée, pour demander pardon de mes fautes et le remercier de ses grâces; et en son amour, crainte et paix prends mon repos assuré* de tous maux. Parquoi, mes enfants, voilà le passe-temps auquel je me suis arrêtée, longtemps après avoir cherché en tous autres, et non trouvé, contentement de mon esprit. Il me semble que si tous les matins vous voulez donner une heure à la lecture, et puis durant la messe faire vos dévotes oraisons, vous trouverez en ce désert la beauté qui peut être en toutes les villes : car qui connaît Dieu voit toutes choses belles en lui, et sans lui tout laid. Parquoi je vous prie, recevez mon conseil si vous voulez vivre joyeusement. » Hircan prit la parole et dit : « Madame, ceux qui ont lu la Sainte Écriture, comme je crois que nous tous avons fait, confesseront que votre dit est tout véritable. Mais si* faut-il que vous regardez que nous sommes encore si mortifiés qu'il nous faut quelque passe-temps et exercice corporel : car si nous sommes en nos maisons, il nous faut la chasse et la volerie*, qui nous fait oublier mille folles pensées; et les dames ont leur ménage*, leur ouvrage, et quelques fois les danses où elles prennent honnête exercice. Qui me fait dire — parlant pour la part des hommes — que vous, qui êtes la plus ancienne, nous lirez au matin la vie que tenait Notre-Seigneur Jésus-Christ, et les grandes et admirables œuvres qu'il a faites pour nous. Pour après-dîner jusqu'à vêpres, faut choisir quelque passe-temps qui ne soit dommageable à l'âme et soit plaisant au corps. Et ainsi passerons la journée joyeusement. »

La dame Oisille leur dit qu'elle avait tant de peine

d'oublier toutes les vanités qu'elle avait peur de faire mauvaise élection à tel passe-temps, mais qu'il fallait remettre cet affaire à la pluralité d'opinions, priant Hircan d'être le premier opinant. — « Quant à moi, dit-il, si je pensais que le passe-temps que je voudrais choisir fût aussi agréable à quelqu'une[h] de la compagnie comme à moi, mon opinion serait bientôt dite ! Dont, pour cette heure, je me tairai, et en croirai ce que les autres diront. » Sa femme Parlamente commença à rougir, pensant qu'il parlât pour elle et, un peu en colère et demi en riant, lui dit : « Hircan, peut-être celle que vous pensez qui en devrait être la plus marrie aurait bien de quoi se récompenser s'il lui plaisait ! Mais laissons-là les passe-temps où deux seulement peuvent avoir part, et parlons de celui qui doit être commun à tous. » Hircan dit à toutes les dames : « Puisque ma femme a si bien entendu la glose de mon propos et qu'un passe-temps particulier ne lui plaît pas, je crois qu'elle saura mieux que nul autre dire celui où chacun prendra plaisir. Et de cette heure je m'en tiens à son opinion comme celui qui n'en a nulle autre que la sienne ! » Parlamente, voyant que le sort du jeu était tombé sur elle, leur dit ainsi : « Si je me sentais aussi suffisante* que les Anciens qui ont trouvé* les arts, j'inventerais quelque passe-temps ou jeu pour satisfaire à la charge que me donnez. Mais, connaissant mon savoir et ma puissance, qui à peine peut remémorer les choses bien faites, je me tiendrais bien heureuse d'ensuivre de près ceux qui ont déjà satisfait à votre demande. Entre autres, je crois qu'il n'y a nul de vous qui n'ait lu les *Cent Nouvelles* de Boccace, nouvellement traduites d'italien en français, que le Roi François premier de son nom, monseigneur le Dauphin, madame la Dauphine, madame Marguerite font tant de cas que, si Boccace, du lieu où il était, les eût pu ouïr, il devait ressusciter à la louange de telles personnes[9]. Et à l'heure*, j'ouïs les deux dames dessus nommées, avec plusieurs autres de la Cour, qui se délibérèrent d'en faire autant, sinon en une chose différente de Boccace : c'est de n'écrire nulle nouvelle qui ne

h. quelqu'un (A)

soit véritable histoire. Et promirent lesdites dames, et monseigneur le Dauphin avec, d'en faire chacun dix, et d'assembler jusqu'à dix personnes qu'ils pensaient plus dignes de raconter quelque-chose, sauf ceux qui avaient étudié et étaient gens de lettres : car monseigneur le Dauphin ne voulait que leur art y fût mêlé, et aussi de peur que la beauté de la rhétorique fît tort en quelque partie à la vérité de l'histoire. Mais les grands affaires survenus au Roi depuis, aussi la paix d'entre lui et le Roi d'Angleterre, l'accouchement de madame la Dauphine et plusieurs autres choses dignes d'empêcher* toute la Cour [10], a fait mettre en oubli du tout* cette entreprise, qui par notre long loisir pourra en dix jours être mise à fin, attendant que notre pont soit parfait*. Et s'il vous plaît que tous les jours, depuis midi jusqu'à quatre heures, nous allions dedans ce beau pré le long de la rivière du Gave, où les arbres sont si feuillés que le soleil ne saurait percer l'ombre ni échauffer la fraîcheur, là, assis à nos aises, dira chacun quelque histoire qu'il aura vue ou bien ouï dire à quelque personne digne de foi. Au bout de dix jours, aurons parachevé la centaine, et si Dieu fait que notre labeur soit trouvé digne des yeux des seigneurs et dames dessus nommés, nous leur en ferons présent au retour de ce voyage, en lieu d'images* ou de patenôtres*. Étant assurée que, si quelqu'un trouve quelque chose plus plaisante que ce que je dis, je m'accorderai à son opinion. » Mais toute la compagnie répondit qu'il n'était possible d'avoir mieux avisé, et qu'il leur tardait que le lendemain fût venu pour commencer.

Ainsi passèrent joyeusement cette Journée, ramentevant* les uns aux autres ce qu'ils avaient vu de leur temps. Sitôt que le matin fut venu, s'en allèrent en la chambre de madame Oisille, laquelle trouvèrent déjà en ses oraisons. Et quand ils eurent ouï une bonne heure sa leçon, et puis dévotement la messe, s'en allèrent dîner à dix heures, et après se retira chacun en sa chambre pour faire ce qu'il avait à faire. Et ne faillirent* pas, à midi, de s'en retourner au pré selon leur délibération, qui était si beau et plaisant qu'il avait besoin d'un Boccace pour le dépeindre à la vérité* ; mais vous contenterez que jamais n'en fut vu un plus beau[11]. Quand l'assemblée fut toute assise sur l'herbe verte, si molle[i] et délicate qu'il ne leur fallait carreau* ni tapis, Simontaut commença à dire : « Qui sera celui de nous qui aura commencement sur les autres ? » Hircan lui répondit : « Puisque vous avez commencé la parole, c'est raison que vous commandez : car au jeu nous sommes tous égaux. » — « Plût à Dieu, dit Simontaut, que je n'eusse bien en ce monde que de pouvoir commander à toute cette compagnie ! » A cette parole, Parlamente l'entendit très bien, qui se prit à tousser. Parquoi Hircan ne s'aperçut de la couleur qui lui venait aux joues, mais dit à Simontaut qu'il commençât. Ce qu'il fit.

PREMIÈRE NOUVELLE

Une femme d'Alençon avait deux amis, l'un pour le plaisir, l'autre pour le profit ; elle fit tuer celui des deux qui premier* s'en aperçut, dont elle impétra rémission pour elle et son mari fugitif, lequel depuis, pour sauver quelque argent, s'adressa à un nécromancien, et fut leur entreprise découverte et punie.

Mesdames, j'ai été si mal récompensé de mes longs services que, pour me venger d'amour et de celle qui m'est si cruelle, je mettrai peine de faire un recueil de tous les mauvais tours que les femmes ont faits aux pauvres hommes, et si* ne dirai rien que pure vérité.

En la ville d'Alençon, du vivant du duc Charles, dernier duc[1], y avait un procureur nommé Saint-Aignan qui avait épousé une gentille femme du pays, plus belle que vertueuse, laquelle, pour sa beauté et légèreté, fut fort poursuivie de l'évêque de Sées[2] qui, pour parvenir à ses fins, entretint si bien le mari que, non seulement il ne s'aperçut du vice de sa femme et de l'évêque, mais, qui plus est, lui fit oublier l'affection qu'il avait toujours eue au service de ses maître et maîtresse, en sorte que, d'un loyal serviteur, devint si contraire à eux, qu'il chercha à

i   noble (A)

la fin des invocateurs pour faire mourir la duchesse. Or vécut longuement cet évêque avec cette malheureuse femme, laquelle lui obéissait plus par avarice que par amour, et aussi que son mari la sollicitait de l'entretenir. Mais si* est-ce qu'il y avait un jeune homme en la ville d'Alençon, fils du lieutenant général, lequel elle aimait si fort qu'elle en était demi-enragée, et souvent s'aidait de l'évêque pour faire donner commission à son mari afin de pouvoir voir à son aise le fils du lieutenant nommé du Mesnil. Cette façon de vivre dura longtemps, qu'elle avait pour son profit l'évêque et pour son plaisir ledit du Mesnil, auquel elle jurait que toute la bonne chère* qu'elle faisait à l'évêque n'était que pour continuer la leur plus librement, et que, quelque chose qu'il y eût, l'évê- que n'en avait eu que la parole et qu'il pouvait être assuré que jamais homme que lui n'en aurait autre chose.

Un jour que son mari s'en était allé devers l'évêque, elle lui demanda congé* d'aller aux champs, disant que l'air de la ville lui était contraire ; et quand elle fut en sa métairie, écrivit incontinent à du Mesnil qu'il ne faillît* de la venir trouver environ dix heures du soir ; ce que fit le pauvre jeune homme. Mais à l'entrée de la porte trouva la chambrière qui avait accoutumé de le faire entrer, la- quelle lui dit : « Mon ami, allez ailleurs, car votre place est prise. » Et lui, pensant que le mary fût venu, lui demanda comme le tout allait. La pauvre femme, ayant pitié de lui, le voyant tant beau, jeune et honnête homme, aimer si fort et être si peu aimé, lui déclara la folie de sa maîtresse, pensant que, quand il l'entendrait, cela le châtierait* d'aimer tant. Et lui conta comme l'évêque de Sées ne faisait que d'y arriver et était couché avec elle, chose à quoi elle ne s'attendait pas, car il n'y devait venir jusqu'au lendemain. Mais, ayant retenu chez lui son mari, s'était dérobé de nuit pour la venir voir secrète- ment. Qui fut bien désespéré, ce fut du Mesnil, qui encore ne le pouvait du tout croire, et se cacha en une maison auprès, et veilla jusqu'à trois heures après minuit, tant qu'il vit saillir* l'évêque de là-dedans, non si bien déguisé qu'il ne le connût plus qu'il ne le voulait.

Et en ce désespoir se retourna à Alençon, où bientôt sa

méchante amie alla, qui, le cuidant* abuser comme elle
avait accoutumé, vint parler à lui. Mais il lui dit qu'elle
était trop sainte, ayant touché aux choses sacrées, pour
parler à un pécheur comme lui, duquel la repentance était
si grande qu'il espérait bientôt que le péché lui serait
pardonné. Quand elle entendit que son cas était découvert
et qu'excuse, jurement et promesse de plus n'y retourner
n'y servait de rien, en fit la plainte* à son évêque. Et,
après avoir bien consulté la matière, vint cette femme dire
à son mari qu'elle ne pouvait plus demeurer dans la ville
d'Alençon, pource que le fils du lieutenant, qu'il avait
tant estimé de ses amis, la pourchassait incessamment de
son honneur, et le pria de se tenir à Argentan pour ôter
toute suspicion. Le mari, qui se laissait gouverner par
elle, s'y accorda. Mais ils ne furent pas longuement audit
Argentan que cette malheureuse manda audit du Mesnil
qu'il était le plus méchant homme du monde et qu'elle
avait bien su que publiquement il avait dit mal d'elle et de
l'évêque de Sées, dont elle mettrait peine de le faire
repentir.

Ce jeune homme, qui n'en avait jamais parlé qu'à
elle-même et qui craignait d'être mis en la male grâce de
l'évêque, s'en alla à Argentan avec deux de ses serviteurs
et trouva sa demoiselle à vêpres aux Jacobins*. Il s'en
vint agenouiller auprès d'elle et lui dit : « Madame, je
viens ici pour vous jurer devant Dieu que je ne parlai
jamais de votre honneur à personne du monde qu'à vous-
même. Vous m'avez fait un si méchant tour que je ne
vous ai pas dit la moitié des injures que vous méritez. Et
s'il y a homme ou femme qui veuille dire que jamais j'en
ai parlé, je suis ici venu pour l'en démentir devant vous. »
Elle, voyant que beaucoup de peuple était en l'église et
qu'il était accompagné de deux bons serviteurs, se
contraignit de parler le plus gracieusement qu'elle put, lui
disant qu'elle ne faisait nulle doute qu'il ne dît vérité et
qu'elle l'estimait trop homme de bien pour dire mal de
personne du monde, et encore moins d'elle, qui lui portait
tant d'amitié ; mais que son mari en avait entendu des
propos, par quoi elle le priait qu'il voulût dire devant lui
qu'il n'en avait point parlé et qu'il n'en croyât rien. Ce

que lui accorda volontiers; et pensant l'accompagner à son logis, la prit par dessous le bras; mais elle lui dit qu'il ne serait pas bon qu'il vînt avec elle, et que son mari penserait qu'elle lui fît porter ces paroles: et, en prenant un de ses serviteurs par la manche de sa robe, lui dit: «Laissez-moi cettui-ci, et incontinent qu'il sera temps, je vous enverrai quérir par lui; mais, en attendant, allez vous reposer en votre logis.» Lui, qui ne se doutait point de la conspiration, s'y en alla.

Elle donna à souper au serviteur qu'elle avait retenu, qui lui demandait souvent quand il serait temps d'aller quérir son maître. Elle lui répondait toujours qu'il viendrait assez tôt. Et quand il fut nuit, envoya un de ses serviteurs secrètement quérir du Mesnil, qui, ne se doutant du mal qu'on lui préparait, s'en alla hardiment à la maison dudit Saint-Aignan, auquel lieu la demoiselle entretenait son serviteur, de sorte qu'il n'en avait qu'un avec lui. Et quand il fut à l'entrée de la maison, le serviteur qui le menait lui dit que la demoiselle voulait bien parler à lui avant son mari, et qu'elle l'attendait en une chambre où il n'y avait qu'un de ses serviteurs avec elle, et qu'il ferait bien de renvoyer l'autre par la porte de devant. Ce qu'il fit; et en montant un petit degré* obscur, le procureur Saint-Aignan, qui avait mis des gens en embûche dans une garde-robe, commença à ouïr le bruit et, en demandant qu'est-ce, lui fut dit[a] que c'était un homme qui voulait secrètement entrer en sa maison. A l'heure*, un nommé Thomas Guérin, qui faisait métier d'être meurtrier, lequel pour faire cette exécution était loué du procureur, vint donner tant de coups d'épée à ce pauvre jeune homme que, quelque défense qu'il pût faire, ne se put garder qu'il ne tombât mort entre leurs mains. Le serviteur qui parlait à la demoiselle lui dit: «J'ois mon maître qui parle en ce degré; je m'en vais à lui.» La demoiselle le retint et lui dit: «Ne vous souciez, il viendra assez tôt.» Et, peu après, oyant que son maître disait: «Je meurs et recommande à Dieu mon esprit!», le voulut aller secourir. Mais elle le retint, lui disant: «Ne vous

a. lui dit (A)

souciez ; mon mari le châtie de ses jeunesses. Allons voir
que c'est. » Et, en s'appuyant dessus le bout du degré,
demanda à son mari : « Et puis ? Est-il fait ? » lequel lui
dit : « Venez le voir : à cette heure vous ai-je vengée de
cettui-là qui vous a tant fait de honte. » Et en disant cela
donna, d'un poignard qu'il avait, dix ou douze coups
dedans le ventre de celui que vivant il n'eût osé assaillir.

Après que l'homicide fut fait et que les deux serviteurs
du trépassé s'en furent fuis pour en dire les nouvelles au
pauvre père, pensant ledit Saint-Aignan que la chose ne
pouvait être tenue secrète, regarda que les serviteurs du
mort ne devaient point être crus en témoignage et que nul
en sa maison n'avait vu le fait, sinon les meurtriers, une
vieille chambrière et une jeune fille de quinze ans, voulut
secrètement prendre la vieille ; mais elle trouva façon
d'échapper hors de ses mains et s'en alla en franchise *
aux Jacobins *, qui fut le plus sûr témoin que l'on eut de
ce meurtre. La jeune chambrière demeura quelques jours
en sa maison, mais il trouva façon de la faire suborner par
un des meurtriers et la mena à Paris au lieu public, afin
qu'elle ne fût plus crue en témoignage. Et pour celer son
meurtre, fit brûler le corps du pauvre trépassé. Les os qui
ne furent consommés par le feu, les fit mettre dans du
mortier, là où il faisait bâtir en sa maison, et envoya à la
cour en diligence demander sa grâce, donnant à entendre
qu'il avait plusieurs fois défendu sa maison à un personnage dont il avait suspicion, qui pourchassait le déshonneur de sa femme, lequel, nonobstant sa défense, était
venu de nuit en lieu suspect pour parler à elle ; parquoi, le
trouvant à l'entrée de sa chambre, plus rempli de colère
que de raison, l'aurait[b] tué. Mais il ne put si tôt faire
dépêcher sa lettre à la chancellerie que le duc et la
duchesse ne fussent par le pauvre père avertis du cas,
lesquels, pour empêcher cette grâce, envoyèrent au chancelier. Ce malheureux, voyant qu'il ne la pouvait obtenir,
s'enfuit en Angleterre, et sa femme avec lui et plusieurs
de ses parents. Mais avant de partir, dit au meurtrier qui à
sa requête avait fait le coup qu'il avait vu lettres expresses

b. l'avait (T)

du Roi pour le prendre et le faire mourir; mais, à cause des services qu'il lui avait faits, il lui voulait sauver la vie, et lui donna dix écus pour s'en aller hors du royaume[3]. Ce qu'il fit, et onques* puis ne fut trouvé.

Ce meurtre ici fut si bien parvérifié par les serviteurs du trépassé que par la chambrière qui s'était retirée aux Jacobins, et par les os qui furent trouvés dedans le mortier, que le procès fut fait et parfait* en l'absence de Saint-Aignan et de sa femme. Ils furent jugés par contumace et condamnés tous deux à la mort, leurs biens confisqués au prince, et quinze cents écus au père[c] pour les frais du procès. Ledit Saint-Aignan étant en Angleterre, voyant que, par la justice, il était mort en France, fit tant par son service envers plusieurs grands seigneurs et par la faveur des parents de sa femme, que le roi d'Angleterre fit requête au Roi de lui vouloir donner sa grâce et le remettre en ses biens et honneurs. Mais le Roi, ayant entendu le vilain et énorme cas, envoya le procès au roi d'Angleterre, le priant de regarder si c'était cas qui méritât grâce, lui disant que le duc d'Alençon avait seul ce privilège en son royaume de donner grâce en sa duché. Mais pour* toutes ces excuses n'apaisa point le roi d'Angleterre, lequel le pourchassa si très instamment qu'à la fin le procureur l'eut à sa requête; et retourna en sa maison où, pour parachever sa méchanceté, s'accointa* d'un invocateur nommé Gallery, espérant que par son art il serait exempt de payer les quinze cents écus au père du trépassé.

Et pour à cette fin, s'en allèrent à Paris, déguisés sa femme et lui. Et voyant sadite femme qu'il était si longuement enfermé en une chambre avec ledit Gallery, et qu'il ne lui disait point la raison pour quoi, un matin elle l'épia et vit que ledit Gallery lui montrait cinq images* de bois, dont les trois avaient les mains pendantes et les deux levées contremont. Et, parlant au procureur: «Il nous faut faire de telles images de cire que ceux-ci, et celles qui auront les bras pendants, ce seront ceux que nous ferons mourir, et ceux qui les ont élevés seront ceux de

c. quinze cents écus adjugés au père (T)

qui vous voudrez avoir la bonne grâce et amour.» Et le procureur disait: «Cette-ci sera pour le Roi, de qui je veux être aimé, et cette-ci pour monseigneur le chancelier d'Alençon Brinon⁴.» Gallery lui dit: «Il faut mettre ces images sous l'autel où ils orront* leur messe, avec des paroles que je vous ferai dire à l'heure*.» Et, en parlant de ceux qui avaient les bras baissés, dit le procureur que l'une était maître Gilles du Mesnil, père du trépassé; car il savait bien que, tant qu'il vivrait, il ne cesserait de le poursuivre. Et une des femmes qui avait les mains pendantes était madame la duchesse d'Alençon, sœur du Roi, parce qu'elle aimait tant ce vieux serviteur, et avait en tant d'autres choses connu la méchanceté du procureur^d que, si elle ne mourait, il ne pouvait vivre. La seconde femme ayant les bras pendants était sa femme, laquelle était cause de tout son mal, et se tenait sûr que jamais ne s'amenderait de sa méchante vie⁵. Quand sa femme, qui voyait tout par le pertuis de la porte, entendit qu'il la mettait au rang des trépassés, se pensa qu'elle l'y enverrait le premier. Et feignant d'aller emprunter de l'argent à un sien oncle nommé Néaufle, maître des requêtes du duc d'Alençon, lui va conter ce qu'elle avait vu et ouï de son mari. Ledit Néaufle, comme bon et loyal serviteur^e, s'en alla au chancelier d'Alençon et lui raconta toute l'histoire. Et pource que le duc et la duchesse d'Alençon n'étaient pour le jour à la cour, ledit chancelier alla conter ce cas étrange à madame la Régente, mère du Roi et de ladite duchesse, qui soudainement envoya quérir le prévôt de Paris, nommé La Barre, lequel fit si bonne diligence qu'il prit le procureur et Gallery son invocateur, lesquels sans gêne* ni contrainte confessèrent librement le dette*. Et fut leur procès fait et rapporté au Roi. Quelques-uns, voulant sauver leurs vies, lui dirent qu'ils ne cherchaient que sa bonne grâce par leurs enchantements. Mais le Roi, ayant la vie de sa sœur aussi chère que la sienne, commanda que l'on donnât la sentence telle que s'ils eussent attenté à sa personne propre. Toutefois, sa sœur, la duchesse d'Alençon, le supplia que la

d. sa méchanceté (A)
e. bon vieillard serviteur (A)

vie fut sauvée audit procureur et sa mort commuée[f] en quelque peine cruelle. Ce qui lui fut octroyé, et furent envoyés lui et Gallery à Marseille, aux galères de Saint-Blancard [6], où ils finèrent* leurs jours en grande captivité et eurent loisir de reconnaître la gravité de leurs péchés. Et la mauvaise femme, en l'absence de son mari, continua son péché plus que jamais et mourut misérablement.

« Je vous supplie, mesdames, regardez quel mal il vient d'une méchante femme, et combien de maux se firent pour* le péché de cette-ci. Vous trouverez que depuis qu'Ève fit pécher Adam toutes les femmes ont pris possession de tourmenter, tuer et damner les hommes. Quant est de moi, j'en ai tant expérimenté la cruauté, que je ne pense jamais mourir ni être damné que par le désespoir en quoi une m'a mis. Et suis encore si fou, qu'il faut que je confesse que cet enfer-là m'est plus plaisant, venant de sa main, que le paradis donné de celle d'une autre. » Parlamente, feignant de n'entendre point que ce fût pour elle qu'il tenait tel propos, lui dit : « Puisque l'enfer est aussi plaisant que vous dites, vous ne devez craindre le diable qui vous y a mis. » Mais il lui répondit en colère : « Si mon diable devenait aussi noir qu'il m'a été mauvais, il ferait autant de peur à la compagnie que je prends de plaisir à le[g] regarder ; mais le feu de l'amour me fait oublier celui de cet enfer. Et, pour n'en parler plus avant, je donne ma voix à madame Oisille pour dire la seconde nouvelle, et suis sûr que si elle voulait dire des femmes ce qu'elle en sait, elle favoriserait mon opinion. » A l'heure* toute la compagnie se tourna vers elle, la priant vouloir commencer ; ce qu'elle accepta et, en riant, commença à dire : « Il me semble, mesdames, que celui qui m'a donné sa voix a tant dit de mal des femmes par une histoire véritable d'une malheureuse, que je dois remémorer tous mes vieux ans pour en trouver une dont la vertu puisse démentir sa mauvaise opinion. Et pource qu'il m'en est venu une au-devant digne de n'être mise en oubli, je la vous vais conter. »

f. et commuer sa mort (A)
g. la (A)

DEUXIÈME NOUVELLE

*Piteuse et chaste mort de la femme d'un des muletiers de
la Reine de Navarre.*

En la ville d'Amboise, y avait un muletier qui servait la
reine de Navarre, sœur du roi François premier de ce
nom, laquelle était à Blois accouchée d'un fils [1]. Auquel
lieu était allé ledit muletier, pour être payé de son quartier. Et sa femme demeura audit Amboise, logée delà les
ponts. Or y avait longtemps qu'un valet de son mari
l'aimait si désespérément qu'un jour il ne se put tenir de
lui en parler. Mais elle, qui était si vraie femme de bien,
le reprit si aigrement, le menaçant de le faire battre et
chasser à son mari, que depuis il ne lui osa[a] tenir propos
ni faire semblant. Et garda ce feu couvert* en son cœur
jusqu'au jour que son maître était allé dehors, et sa
maîtresse à vêpres à Saint-Florentin, église du château,
fort loin de leur maison. Étant demeuré seul, lui vint en
fantaisie* qu'il pourrait avoir par force ce que par nulle
prière ni service n'avait pu acquérir. Et rompit un ais*
qui était entre la chambre où il couchait et celle de sa
maîtresse. Mais à cause que le rideau, tant du lit de son
maître et d'elle que des serviteurs de l'autre côté, couvrait
les murailles, si bien que l'on ne pouvait voir l'ouverture
qu'il avait faite, ne fut point sa malice aperçue, jusqu'à ce
que sa maîtresse fut couchée avec une petite garce* de
onze à douze ans. Ainsi que la pauvre femme était à son
premier sommeil, entra le valet par l'ais qu'il avait rompu
dedans son lit, tout en chemise, l'épée nue en sa main.
Mais, aussitôt qu'elle le sentit près d'elle, saillit* dehors
du lit, en lui faisant toutes les remontrances qu'il fut
possible à femme de bien. Et lui, qui n'avait amour que
bestiale, qui eût mieux entendu le langage des mulets que
ses honnêtes raisons, se montra plus bestial que les bêtes
avec lesquelles il avait été longtemps ; car, en voyant

a. lui en osa (T)

qu'elle courait si tôt à l'entour d'une table et qu'il ne la pouvait prendre, et qu'elle était si forte que, par deux fois, elle s'était défaite de lui, désespéré de jamais ne la pouvoir ravoir vive, lui donna si grand coup d'épée par les reins, pensant que, si la peur et la force ne l'avait pu faire rendre, la douleur le ferait. Mais ce fut au contraire car, tout ainsi qu'un bon gendarme*, quand il voit son sang, est plus échauffé à se venger de ses ennemis et acquérir honneur, ainsi son chaste cœur se renforça doublement à courir et fuir des mains de ce malheureux, en lui tenant les meilleurs propos qu'elle pouvait, pour* cuider* par quelque moyen le réduire à connaître ses fautes. Mais il était si embrasé[b] de fureur qu'il n'y avait en lui lieu pour recevoir nul bon conseil[c]. Et lui redonna encore plusieurs coups, pour lesquels éviter, tant que les jambes la purent porter, courait toujours. Et quand, à force de perdre son sang, elle sentit qu'elle approchait de la mort, levant les yeux au ciel et joignant les mains, rendit grâces à son Dieu, lequel elle nommait sa force, sa vertu, sa patience et chasteté, lui suppliant prendre en gré le sang qui, pour garder son commandement, était répandu en la révérence de celui de son Fils, auquel elle croyait fermement tous ses péchés être lavés et effacés de la mémoire de son ire. Et, en disant : « Seigneur, recevez l'âme qui par votre bonté a été rachetée ! » tomba en terre sur le visage, où ce méchant lui donna plusieurs coups ; et après qu'elle eut perdu la parole et la force du corps, ce malheureux prit par force celle qui n'avait plus défense en elle.

Et quand il eut satisfait à sa méchante concupiscence, s'enfuit si hâtivement que jamais depuis, quelque poursuite qu'on en ait faite, n'a pu être retrouvé. La jeune fille qui était couchée avec la muletière pour* la peur qu'elle avait eue s'était cachée sous le lit. Mais voyant que l'homme était dehors, vint à sa maîtresse et la trouva sans parole ni mouvement. Cria par la fenêtre aux voisins pour la venir secourir. Et ceux qui l'aimaient et estimaient

b. embrassé (A)
c. nul bon côté (A)

autant que femme de la ville vinrent incontinent à elle, et amenèrent avec eux des chirurgiens, lesquels trouvèrent qu'elle avait vingt-cinq plaies mortelles sur son corps, et firent ce qu'ils purent pour lui aider, mais il leur fut impossible. Toutefois elle languit encore une heure sans parler, faisant signe des yeux et des mains, en quoi elle montrait n'avoir perdu l'entendement. Étant interrogée par un homme d'église de la foi en quoi elle mourait, de l'espérance de son salut par Jésus-Christ seul, répondait par signes si évidents que la parole n'eût su mieux montrer son intention. Et ainsi, avec un visage joyeux, les yeux élevés au ciel[2], rendit ce chaste corps son âme à son Créateur. Et sitôt qu'elle fut levée et ensevelie, le corps mis à sa porte, attendant la compagnie pour son enterrement, arriva son pauvre mari, qui vit premier* le corps de sa femme mort devant sa maison qu'il n'en avait su les nouvelles. Et s'enquérant de l'occasion*, eut double raison de faire deuil, ce qu'il fit de telle sorte qu'il y cuida* laisser la vie. Ainsi fut enterrée cette martyre de chasteté en l'église de Saint-Florentin, où toutes les femmes de bien de la ville ne faillirent* à faire leur devoir de l'honorer autant qu'il était possible, se tenant bien heureuses d'être de la ville où une femme si vertueuse avait été trouvée. Les folles et légères, voyant l'honneur que l'on faisait à ce corps, se délibérèrent de changer leur vie en mieux.

« Voilà, mesdames, une histoire véritable qui doit bien augmenter le cœur* à garder cette belle vertu de chasteté. Et nous, qui sommes de bonnes maisons, devrions mourir de honte de sentir en notre cœur la mondanité* pour laquelle éviter une pauvre muletière n'a point craint une si cruelle mort. Et telle s'estime femme de bien qui n'a pas encore su comme cette-ci résister jusqu'au sang. Parquoi se faut humilier, car les grâces de Dieu ne se donnent point aux hommes pour leurs noblesses et richesses, mais selon qu'il plaît à sa bonté : qui n'est point accepteur de personnes[3], lequel élit ce qu'il veut, car ce qu'il a élu l'honore de ses vertus. Et souvent élit les choses basses pour confondre celles que le monde estime hautes et honorables, comme lui-même dit : « Ne nous

réjouissons de nos vertus[d], mais en ce que nous sommes
écrits au livre de Vie, duquel ne nous peut effacer Mort,
Enfer ne Péché[4]. »

Il n'y eut dame en la compagnie qui n'eût la larme à
l'œil pour* la compassion de la piteuse* et glorieuse
mort de cette muletière. Chacune pensa en elle-même
que, si la fortune leur advenait pareille, mettraient peine
de l'ensuivre en son martyre. Et voyant madame Oisille
que le temps se perdait parmi les louanges de cette trépassée, dit à Saffredent : « Si vous ne dites quelque chose
pour faire rire la compagnie, je ne sais nulle d'entre
[nous]* qui pût rabiller à la faute que j'ai faite de la faire
pleurer. Parquoi je vous donne ma voix pour dire la tierce
Nouvelle. » Saffredent, qui eût bien désiré pouvoir dire
quelque chose qui bien eût été agréable à la compagnie, et
sur toutes à une, dit qu'on lui tenait tort, vu qu'il y en
avait de plus anciens expérimentés que lui, qui devaient
parler premier* que lui. Mais, puisque son sort était tel, il
en aimait mieux s'en dépêcher*, car plus il y en avait[f] de
bien parlants, et plus son conte serait trouvé mauvais.

TROISIÈME NOUVELLE

*Un roi de Naples, abusant de la femme d'un gentil-
homme, porte enfin lui-même les cornes[1].*

Pource, mesdames, que je me suis souvent souhaité
compagnon de la fortune de celui dont je vais faire le
conte, je vous dirai qu'en la ville de Naples, du temps du
roi Alphonse[2], duquel la lascivité était le sceptre de son
Royaume, y avait un gentilhomme tant honnête, beau et
agréable que, pour* ses perfections, un vieux gentilhomme lui donna sa fille, laquelle en beauté et bonne
grâce ne devait rien à son mari. L'amitié fut grande entre
eux deux, jusqu'à un carnaval que le Roi alla en masque
parmi des maisons, où chacun s'efforçait de lui faire le
meilleur recueil* qu'il était possible. Et quand il vint en

---

d. Ne nous confions point en nos vertus (T)
e. vous (A, T)
f. aurait (T)

celle de ce gentilhomme, fut traité trop mieux qu'en nul autre lieu, tant de confitures*, de chantres, de musique, et de la plus belle femme que le Roi avait point à son gré vu[a]. Et à la fin du festin, avec son mari dit une chanson de si bonne grâce que sa beauté en augmentait. Le Roi, voyant tant de perfections en un corps, ne prit pas tant de plaisir au doux accord de son mari et d'elle qu'il fit à penser comme il le pourrait rompre. Et la difficulté qu'il en faisait était la grande amitié qu'il voyait entre eux deux. Parquoi il porta en son cœur cette passion la plus couverte* qu'il lui fut possible. Mais, pour la soulager en partie, faisait force festins à tous les seigneurs et dames de Naples, où le gentilhomme et sa femme n'étaient pas oubliés. Pource que l'homme croit volontiers ce qu'il voit, il lui semblait que les yeux de cette dame lui promettaient quelque bien à venir, si la présence du mari n'y donnait empêchement. Et pour essayer si sa pensée était véritable, donna la commission au mari de faire un voyage à Rome pour quinze jours ou trois semaines. Et sitôt qu'il fut dehors, sa femme, qui ne l'avait encore loin[b] perdu de vue, en fit un fort grand deuil, dont elle fut réconfortée par le Roi le plus souvent qu'il lui fut possible, par ses douces persuasions, par présents et par dons. De sorte qu'elle fut non seulement consolée, mais contente de l'absence de son mari. Et avant les trois semaines qu'il devait retourner, fut si amoureuse du Roi qu'elle était aussi ennuyée* du retour de son mari qu'elle avait été de son allée. Et, pour ne perdre la présence du Roi[c], accordèrent ensemble que, quand le mari irait en ses maisons aux champs, elle le ferait savoir au Roi, lequel la pourrait sûrement* aller voir, et si secrètement que l'honneur, qu'elle craignait plus que la conscience, n'en serait point blessé.

En cette espérance-là se tint fort joyeuse cette dame. Et quand son mari arriva, lui fit si bon recueil que, combien qu'il eût entendu qu'en son absence le Roi la cherchait, si* ne put avoir soupçon. Mais, par longueur de temps,

a. vue à son gré (T)
b. longuement (T)
c. sa présence (A)

ce que fut tant difficile à couvrir* se commença puis
après à montrer, en sorte que le mari se douta bien fort de
la vérité, et fit si bon guet qu'il en fut presque assuré.
Mais, pour la crainte qu'il avait que celui qui lui faisait
injure lui fît pis s'il en faisait semblant*, se délibéra de la
dissimuler. Car il estimait meilleur vivre avec quelque
fâcherie que de hasarder sa vie pour une femme qui
n'avait point d'amour. Toutefois, en ce dépit, délibéra la
rendre[d] s'il en était possible. Et sachant que le dépit fait
faire à une femme plus que l'amour, principalement à
celles qui ont le cœur* grand et honorable, prit la hardiesse, un jour, en parlant à la Reine, de lui dire qu'il
avait grand pitié dont elle n'était autrement aimée du Roi
son mari. La Reine, qui avait ouï parler de l'amour du
Roi et de sa femme, lui dit : « Je ne puis pas avoir
l'honneur et le plaisir ensemble. Je sais bien que j'ai
l'honneur dont une autre reçoit le plaisir ; aussi, celle qui
a le plaisir n'a pas l'honneur que j'ai. » Lui, qui entendait
bien pour qui ces paroles étaient dites, lui répondit :
« Madame, l'honneur est né avec vous, car vous êtes de si
bonne maison que, pour être Reine ou Emperière, ne
sauriez augmenter votre noblesse. Mais votre beauté,
grâce et honnêteté a tant mérité de plaisir que celle qui
vous en ôte ce qui vous appartient se fait plus de tort qu'à
vous ; car, pour une gloire qui lui tourne à honte, elle perd
autant de plaisir que vous ni dame de ce Royaume ne
sauriez avoir. Et vous puis dire, madame, que, si le Roi
avait mis sa couronne hors de dessus sa tête, il n'aurait
nul avantage sur moi de contenter une dame, étant sûr
que, pour satisfaire à une si honnête personne que vous, il
devrait vouloir avoir changé sa complexion à la mienne. »
La Reine en riant lui répondit : « Combien que le Roi soit
de plus délicate complexion que vous, si* est-ce que
l'amour qu'il me porte me contente tant que je la préfère à
toute autre chose. » Le gentilhomme lui dit : « Madame,
s'il était ainsi, vous ne me feriez point de pitié, car je sais
bien que l'honnête amour de votre cœur vous rendrait très
contente, s'il trouvait en celui du Roi pareil amour ; mais

---

d. pensa de rendre la pareille au Roi (T)

Dieu vous en a bien gardée afin que, ne trouvant[e] en lui ce que vous demandez, vous n'en fissiez votre Dieu en terre[3]. « Je vous confesse, dit la Reine, que l'amour que je lui porte est si grande qu'en nul autre cœur qu'au mien ne se peut trouver la semblable. » — « Pardonnez-moi madame, lui dit le gentilhomme, vous n'avez pas bien sondé l'amour de tous les cœurs, car je vous ose bien dire que tel vous aime, de qui l'amour est si grande et importable*, que la vôtre, au prix de la sienne, ne se montrerait rien. Et d'autant qu'il voit l'amour du Roi faillie* en vous, la sienne croît et augmente de telle sorte que, si vous l'avez pour agréable, vous serez récompensée de toutes vos pertes. »

La Reine commença, tant par ses paroles que par sa contenance, à connaître que ce qu'il disait procédait du profond du cœur, et va[f] remémorer que, longtemps avait, il cherchait de lui faire service par telle affection qu'il en était devenu mélancolique, ce qu'elle avait paravant pensé venir à l'occasion* de sa femme; mais maintenant croyait-elle fermement que c'était pour l'amour d'elle. Et aussi la vertu d'amour, qui se fait sentir quand elle n'est point feinte, la rendit certaine de ce qui était caché à tout le monde. Et en regardant le gentilhomme, qui était trop plus aimable que son mari, voyant qu'il était délaissé de sa femme comme elle du Roi, pressée du dépit et jalousie de son mari, et incitée de l'amour du gentilhomme, commença à dire, la larme à l'œil, en soupirant : « O mon Dieu ! faut-il que la vengeance gagne sur moi ce que nul amour n'a su faire ? » Le gentilhomme, bien entendant ce propos, lui répondit : « Madame, la vengeance est douce qui, en lieu de tuer l'ennemi, donne vie à un parfait ami. Il me semble qu'il est temps que la vérité vous ôte la sotte amour que vous portez à celui qui ne vous aime point, et l'amour juste et raisonnable chasse hors de vous la crainte qui jamais ne peut demeurer en un cœur grand et vertueux. Or sus, madame, mettons à part la grandeur de votre état, et regardons que nous sommes l'homme et la

---

e. afin que trouvant (A)
f. là (A)

femme de ce monde les plus trompés, trahis et moqués de
ceux que nous avons plus parfaitement aimés. Revan-
chons-nous, madame, non tant pour leur rendre ce qu'ils
méritent que pour nous satisfaire à l'amour qui, de mon
côté, ne se peut plus porter* sans mourir. Et je pense que,
si vous n'avez le cœur plus dur que nul caillou ou diamant, il est impossible que vous ne sentiez quelque étincelle du feu qui croît tant plus que je le veux dissimuler.
Et si la pitié de moi, qui meurs pour l'amour de vous, ne
vous incite à m'aimer, au moins celle de vous-même vous
y doit contraindre qui, étant si parfaite que vous méritez
avoir les cœurs de tous les honnêtes hommes du monde,
êtes déprisée et délaissée de celui pour qui vous avez
dédaigné tous les autres. »

La Reine, oyant ces paroles, fut si transportée que, de
peur de montrer par sa contenance le troublement de son
esprit, s'appuyant sur le bras du gentilhomme, s'en alla
en un jardin près sa chambre, où longuement se promena
sans lui pouvoir dire mot. Mais le gentilhomme, la
voyant demi-vaincue, quand il fut au bout de l'allée où
nul ne les pouvait voir, lui déclara par effet l'amour que si
longtemps il lui avait celée. Et se trouvant tous deux d'un
consentement, jouèrent la vengeance dont la passion avait
été importable*⁴. Et là délibérèrent que toutes les fois
que le mari irait en son village et le Roi de son château en
la ville, il retournerait au château vers la Reine. Ainsi,
trompant les trompeurs, ils seraient quatre participants au
plaisir que deux cuidaient* avoir tout seuls. L'accord
fait, s'en retournèrent, la dame en sa chambre et le
gentilhomme en sa maison, avec tel contentement qu'ils
avaient oublié tous leurs ennuis* passés. Et la crainte que
chacun avait de l'assemblée du Roi et de la demoiselle
était tournée en désir, qui faisait aller le gentilhomme
plus souvent qu'il n'avait accoutumé en son village, lequel n'était qu'à demi-lieue. Et sitôt que le Roi le savait,
ne faillait* d'aller voir la demoiselle ; et le gentilhomme,
quand la nuit était venue, allait au château devers la Reine
faire l'office de lieutenant de Roi, si secrètement que
jamais personne ne s'en aperçut. Cette vie dura bien
longuement. Mais le Roi, pour* être personne publique,

ne pouvait si bien dissimuler son amour que tout le monde ne s'en aperçût. Et avaient tous les gens de bien pitié du gentilhomme, car plusieurs mauvais garçons lui faisaient les cornes par derrière, en signe de moquerie, dont il s'apercevait bien. Mais cette moquerie lui plaisait tant qu'il estimait autant ses cornes que la couronne du Roi. Lequel, avec la femme du gentilhomme, ne se purent un jour tenir, voyant une tête de cerf qui était élevée en la maison du gentilhomme, de se prendre à rire devant lui-même, en disant que cette tête était bien séante en cette maison. Le gentilhomme, qui n'avait le cœur* moins bon que lui, va faire écrire sur cette tête : *Io porto le corna, ciascun lo vede ; ma tal*[g] *le porta, che no lo crede.* Le Roi, retournant en sa maison, qui trouva cet écriteau nouvellement mis, demanda au gentilhomme la signification, ce qu'il lui dit : « Si le secret du Roi est caché au serf, ce n'est pas raison que celui du serf soit déclaré au Roi ; mais entendez-vous que tous ceux qui portent cornes n'ont pas le bonnet hors de la tête, car elles sont si douces qu'elles ne décoiffent personne. Et celui les porte plus légèrement qui ne les cuide* pas avoir. » Le Roi connut bien, par ces paroles, qu'il savait quelque chose de son affaire, mais jamais n'eût soupçonné l'amitié de la Reine et de lui, car tant plus la Reine était contente de la vie que son mari menait et plus feignait d'en être marrie. Parquoi vécurent si longuement d'un côté et d'autre en cette amitié que la vieillesse y mit ordre.

« Voilà, mesdames, une histoire que volontiers je vous montre ici pour exemple afin que, quand vos maris vous donnent des cornes de chevreuils, vous leur en donnez de cerf. » Ennasuite commença à dire en riant : « Saffredent, je suis toute assurée que si vous aimez autant qu'autrefois vous avez fait, vous endureriez cornes aussi grandes qu'un chêne pour en rendre une à votre fantaisie* ; mais maintenant que les cheveux vous blanchissent, il est temps de donner trêve à vos désirs. » — « Mademoiselle,

g. ma quello le porta (T — *corr. signalée comme telle par de Thou*) dit Saffredent, combien que l'espérance m'en soit ôtée par celle que j'aime, et la fureur* par l'âge, si* n'en saurais diminuer la volonté. Mais puisque vous m'avez repris d'un si honnête désir, je vous donne ma voix à dire la quatrième Nouvelle, à cette fin que nous voyons si par quelque exemple vous m'en pourriez démentir. » Il est vrai que, durant ce propos, un de la compagnie se prit bien fort à rire, sachant que celle qui prenait les paroles de Saffredent à son avantage n'était pas tant aimée de lui qu'il en eût voulu souffrir cornes, honte ou dommage. Et quand Saffredent aperçut que celle qui riait l'entendait, il s'en tint trop content et se tut pour laisser dire Ennasuite, laquelle commença ainsi : « Mesdames, afin que Saffredent et toute la compagnie connaisse que toutes dames ne sont pas semblables à la Reine de laquelle il a parlé, et que tous les fous et hasardeux ne viennent pas à leur fin, et aussi pour ne celer l'opinion d'une dame qui jugea le dépit d'avoir failli* à son entreprise pire à porter* que la mort, je vous raconterai une histoire, en laquelle je ne nommerai les personnes, pource que c'est de si fraîche mémoire que j'aurais peur de déplaire à quelques-uns des parents bien proches. »

QUATRIÈME NOUVELLE

Téméraire entreprise d'un gentilhomme à l'encontre d'une princesse de Flandres, et le dommage et la honte qu'il en reçut.

Il y avait au pays de Flandres une dame de si bonne maison qu'il n'en était point de meilleure, veuve de son premier et second mari, desquels n'avait eu nuls enfants vivants. Durant sa viduité*, se retira avec un sien frère dont elle était fort aimée, lequel était fort grand seigneur et mari d'une fille de Roi. Ce jeune prince était homme fort sujet à son plaisir, aimant chasse, passe-temps et dames, comme la jeunesse le requérait. Et avait une femme fort fâcheuse*, à laquelle les passe-temps du mari ne plaisaient point ; parquoi le seigneur menait toujours avec sa femme sa sœur, qui était la plus joyeuse et meilleure compagne qu'il était possible, toutefois sage et femme de bien [1].

Il y avait en la maison de ce seigneur un gentilhomme dont la grandeur, beauté et bonne grâce passait celle de tous ses compagnons. Ce gentilhomme, voyant la sœur de son maître femme joyeuse et qui riait volontiers, pensa qu'il essayerait pour voir si les propos d'une honnête amitié lui déplairaient ; ce qu'il fit. Mais il trouva en elle réponse contraire à sa contenance. Et combien que sa réponse fût telle qu'il appartenait à une princesse et vraie femme de bien, si* est-ce que, le voyant tant beau et honnête comme il était, elle lui pardonna aisément sa grande audace. Et montrait bien qu'elle ne prenait point déplaisir quand il parlait à elle, en lui disant souvent qu'il ne tînt plus de tels propos. Ce qu'il lui promit, pour ne perdre l'aise et l'honneur qu'il avait de l'entretenir. Toutefois à la longue augmenta si fort son affection qu'il oublia la promesse qu'il lui avait faite. Non qu'il entreprît de se hasarder par paroles, car il avait trop contre son gré expérimenté les sages réponses qu'elle savait faire. Mais il se pensa que, s'il la pouvait trouver en lieu à son avantage, elle, qui était veuve, jeune et en bon point, et de fort bonne complexion, prendrait peut-être pitié de lui et d'elle ensemble.

Pour venir à ses fins, dit à son maître qu'il avait auprès de sa maison fort belle chasse, et que si lui plaisait y aller prendre trois ou quatre cerfs au mois de mai, il n'avait point encore vu plus beau passe-temps. Le seigneur, tant pour l'amour qu'il portait à ce gentilhomme que pour le plaisir de la chasse, lui octroya sa requête et alla en sa maison, qui était belle et bien en ordre* comme du plus riche gentilhomme qui fût au pays. Et logea le seigneur et la dame en un corps de maison, et en l'autre vis-à-vis celle qu'il aimait plus que lui-même, la chambre de laquelle il avait si bien accoutrée*, tapissée par le haut et si bien nattée* qu'il était impossible de s'apercevoir d'une trappe qui était en la ruelle de son lit, laquelle descendait en celle où logeait sa mère, qui était une vieille dame un peu catarrheuse ; et, pource qu'elle avait la toux, craignant faire bruit à la princesse qui logeait sur elle, changea de chambre à celle de son fils. Et les soirs, cette vieille dame portait des confitures* à cette princesse pour sa collation, à quoi assistait le gentilhomme qui, pour* être fort aimé et privé* de son frère, n'était refusé d'être à son habiller et déshabiller, où toujours il voyait occasion d'augmenter son affection. En sorte que, un soir, après qu'il eut fait veiller cette princesse si tard que le sommeil qu'elle avait le chassa de la chambre, s'en alla à la sienne. Et quand il eut pris la plus gorgiase* et mieux parfumée de toutes ses chemises, et un bonnet de nuit tant bien accoutré qu'il n'y faillait* rien, lui sembla bien, en soi mirant, qu'il n'y avait dame en ce monde qui sût refuser sa beauté et bonne grâce. Parquoi, se promettant à lui-même heureuse issue de son entreprise, s'en alla mettre en son lit, où il n'espérait faire long séjour, pour le désir et sûr espoir qu'il avait d'en acquérir un plus honorable et plaisant. Et sitôt qu'il eut envoyé tous ses gens dehors, se leva pour fermer la porte après eux. Et longuement écouta si en la chambre de la princesse qui était dessus y avait aucun bruit. Et quand il se put assurer que tout était en repos, il voulut commencer son doux travail*. Et peu à peu abattit la trappe, qui était si bien faite et accoutrée de drap qu'il ne fit un seul bruit. Et par là monta à la chambre et ruelle du lit de sa dame, qui commençait à dormir. A l'heure*, sans avoir regard à l'obligation qu'il avait à sa maîtresse[a], ni à la maison d'où était la dame, sans lui demander congé* ni faire la révérence, se coucha auprès d'elle, qui le sentit plus tôt entre ses bras qu'elle n'aperçut sa venue. Mais elle, qui était forte, se défit de ses mains en lui demandant qui il était[b], se mit à le frapper, mordre et égratigner, de sorte qu'il fut contraint, pour* la peur qu'il eut qu'elle appelât, lui fermer la bouche de la couverture; ce qui lui fut impossible de faire car, quand elle vit qu'il n'épargnait rien de toutes ses forces pour lui faire une honte, elle n'épargna[c] rien des siennes pour l'en engarder, et appela

a. son maître (T)
b. qu'il était (A)
c. épargnait (A)

tant qu'elle put sa dame d'honneur qui couchait en sa chambre, ancienne et sage femme autant qu'il en était point, laquelle tout en chemise courut à sa maîtresse.

Et quand le gentilhomme vit qu'il était découvert, eut si grand peur d'être connu de sa dame que le plus tôt qu'il put descendit par sa trappe ; et autant qu'il avait eu de désir et d'assurance d'être bienvenu, autant était-il désespéré de s'en retourner en si mauvais état. Il trouva son miroir et sa chandelle sur sa table ; et regardant son visage tout sanglant d'égratignures et morsures qu'elle lui avait faites, dont le sang saillait* sur sa belle chemise qui était plus sanglante que dorée, commença à dire : « Beauté, tu as maintenant loyer de ton mérite car, par ta vaine promesse, j'ai entrepris une chose impossible, et qui peut-être, en lieu d'augmenter mon contentement, est redoublement de mon malheur, étant assuré que, si elle sait contre la promesse que je lui ai faite j'ai entrepris cette folie, je perdrai l'honnête et commune fréquentation que j'ai plus que nul autre avec elle. Ce que ma gloire a bien desservi* car, pour faire valoir ma beauté et bonne grâce, je ne la devais pas cacher en ténèbres ; pour gagner l'amour de son cœur, je ne devais pas essayer à prendre par force son chaste corps, mais devais, par long service et humble patience, attendre qu'Amour en fût victorieux ; pource que sans lui n'ont pouvoir toute la vertu et puissance de l'homme. » Ainsi passa la nuit en tels pleurs, regrets et douleurs qui ne se peuvent raconter. Et au matin, voyant son visage si déchiré, fit semblant d'être fort malade et de ne pouvoir voir la lumière, jusqu'à ce que la compagnie fût hors de sa maison.

La dame, qui était demeurée victorieuse, sachant qu'il n'y avait homme en la cour de son frère qui eût osé faire une si étrange entreprise que celui qui avait eu la hardiesse de lui déclarer son amour, s'assura que c'était son hôte. Et quand elle eut cherché avec sa dame d'honneur les endroits de la chambre pour trouver qui ce pouvait être, ce qui ne fut possible, elle lui dit par grande colère : « Assurez-vous que ce ne peut être nul autre que le seigneur de céans, et que le matin je ferai en sorte vers mon frère que sa tête sera témoin de ma chasteté. » La dame d'honneur, la voyant ainsi courroucée, lui dit[2] : « Madame, je suis très aise de l'amour que vous avez de votre honneur, pour lequel augmenter ne voulez épargner la vie d'un qui l'a trop hasardée pour la force de l'amour qu'il vous porte. Mais bien souvent, tel la cuide* croître qui la diminue. Parquoi je vous supplie, madame, me vouloir dire la vérité du fait. » Et quand la dame lui eut conté tout au long, la dame d'honneur lui dit : « Vous m'assurez qu'il n'a eu autre chose de vous que les égratignures et coups de poing ? » — « Je vous assure, dit la dame, que non et que, s'il ne trouve un bon chirurgien, je pense que demain les marques y paraîtront. » — « Or puisqu'ainsi est, madame, dit la dame d'honneur, il me semble que vous avez plus d'occasion de louer Dieu que de penser à vous venger de lui ; car vous pouvez croire que, puisqu'il a eu le cœur* si grand que d'entreprendre une telle chose, et le dépit qu'il a d'y avoir failli*, que vous ne lui sauriez donner mort qui ne lui fût plus aisée à porter*. Si vous désirez être vengée de lui, laissez faire à l'amour et à la honte qui le sauront mieux tourmenter que vous. Si vous le faites pour votre honneur, gardez-vous, madame, de tomber en pareil inconvénient que le sien ; car en lieu d'acquérir le plus grand plaisir qu'il ait cru avoir, il a reçu le plus extrême ennui* que gentilhomme saurait porter. Aussi vous, madame, cuidant augmenter votre honneur, le pourriez bien diminuer ; et si vous en faites la plainte*, vous ferez savoir ce que nul ne sait : car de son côté, vous êtes assurée que jamais il n'en sera rien révélé. Et quand Monseigneur votre frère en ferait la justice qu'en demandez et que le pauvre gentilhomme en vînt à mourir, si courra le bruit partout qu'il aura fait de vous à sa volonté ; et la plupart diront qu'il a été bien difficile qu'un gentilhomme ait fait une telle entreprise si la dame ne lui en a donné[d] grande occasion*. Vous êtes belle et jeune, vivant en toute compagnie bien joyeusement ; il n'y a nul en cette cour qui ne voie la bonne chère* que vous faites au gentilhomme dont vous avez soupçon : qui fera juger chacun que, s'il a fait cette entreprise, ce n'a été sans

d. lui en donne (A)

quelque faute de votre côté. Et votre honneur, qui
jusqu'ici vous a fait aller la tête levée, sera mis en dispute
en tous les lieux là où cette histoire sera racontée. »

La princesse, entendant les bonnes raisons de sa dame
d'honneur, connut qu'elle lui disait vérité et qu'à très
juste cause elle serait blâmée, vu la bonne et privée chère
qu'elle avait toujours faite au gentilhomme ; et demanda à
sa dame d'honneur ce qu'elle avait à faire, laquelle lui
dit : « Madame, puisqu'il vous plaît recevoir mon conseil,
voyant l'affection dont il procède, me semble que vous
devez en votre cœur avoir joie d'avoir vu que le plus beau
et le plus honnête gentilhomme que j'aie vu en ma vie n'a
su, par amour ni par force, vous mettre hors du chemin de
vraie honnêteté. Et en cela, madame, devez vous humilier devant Dieu, reconnaître que ce n'a pas été par votre
vertu. Car maintes femmes, ayant mené vie plus austère
que vous, ont été humiliées par hommes moins dignes
d'être aimés que lui. Et devez plus que jamais craindre de
recevoir propos d'amitié, pource qu'il y en a assez qui
sont tombées la seconde fois aux dangers qu'elles ont
évité la première. Ayez mémoire, madame, qu'Amour
est aveugle, lequel aveuglit* de sorte que, où l'on pense
le chemin plus sûr, c'est à l'heure* qu'il est le plus
glissant. Et me semble, madame, que vous ne devez à lui
ni à autre faire semblant du cas qui vous est advenu et,
encore qu'il en voulût dire quelque chose, feindrez du
tout de ne l'entendre, pour éviter deux dangers : l'un de la
vaine gloire de la victoire que vous en avez eue, l'autre de
prendre plaisir en ramentevant* choses qui sont si plaisantes à la chair que les plus chastes ont bien à faire à se
garder d'en sentir quelques étincelles, encore qu'elles le
fuient le plus qu'elles peuvent. Mais aussi, madame, afin
qu'il ne pense, par tel hasard, avoir fait chose qui vous ait
été agréable, je suis bien d'avis que peu à peu vous vous
éloigniez de la bonne chère que vous avez accoutumé de
lui faire, afin qu'il connaisse de combien vous déprisez sa
folie, et combien votre bonté est grande, qui s'est
contentée de la victoire que Dieu vous a donnée, sans
demander autre vengeance de lui. Et Dieu vous donne
grâce, madame, de continuer l'honnêteté qu'il a mise en

votre cœur. Et, connaissant que tout bien vient de lui, vous l'aimiez et serviez mieux que vous n'avez accoutumé. » La princesse, délibérée de croire le conseil de sa dame d'honneur, s'endormit aussi joyeusement que le gentilhomme veilla de tristesse.

Le lendemain, le seigneur s'en voulut aller et demanda son hôte. Auquel on dit qu'il était si malade qu'il ne pouvait voir la clarté, ni ouïr parler personne, dont le prince fut fort ébahi et le voulut aller voir; mais, sachant qu'il dormait, ne le voulut éveiller, et s'en alla ainsi de sa maison sans lui dire adieu, emmenant avec lui sa femme et sa sœur. Laquelle, entendant les excuses du gentilhomme qui n'avait voulu voir le prince ni la compagnie au partir, se tint assurée que c'était celui qui lui avait fait tant de tourment, lequel n'osait montrer les marques qu'elle lui avait faites au visage. Et, combien que son maître l'envoyât souvent quérir, si ne retourna-t-il point à la cour qu'il ne fût bien guéri de toutes ses plaies, hormis celle que l'amour et le dépit lui avaient fait au cœur. Quand il fut retourné devers lui et qu'il se retrouva devant sa victorieuse ennemie, ce ne fut sans rougir; et lui, qui était le plus audacieux de toute la compagnie, fut si étonné* que souvent, devant elle, perdait toute contenance. Parquoi fut toute assurée que son soupçon était vrai, et peu à peu s'en étrangea, non pas si finement qu'il ne s'en aperçût très bien; mais il n'en osa faire semblant*, de peur d'avoir encore pis, et garda cet amour en son cœur avec la patience* de l'éloignement qu'il avait mérité.

« Voilà, mesdames, qui devrait donner grande crainte à ceux qui présument ce qui ne leur appartient, et doit bien augmenter le cœur* aux dames, voyant la vertu de cette jeune princesse et le bon sens de sa dame d'honneur. Si à quelqu'une de vous advenait pareil cas, le remède y est jà donné. » — « Il me semble, ce dit Hircan, que le grand gentilhomme dont vous avez parlé était si dépourvu de cœur qu'il n'était digne d'être ramentu*; car, ayant une telle occasion, ne devait, ni pour vieille ni pour jeune, laisser son entreprise. Et faut bien dire que son cœur n'était pas tout plein d'amour, vu que la crainte de mort et de honte y trouva encore place. » Nomerfide répondit à Hircan : « Et qu'eut fait ce pauvre gentilhomme, vu qu'il avait deux femmes contre lui ? » — « Il devait tuer la vieille, dit Hircan, et quand la jeune se fût vue sans secours eût été demi-vaincue. » — « Tuer ? dit Nomerfide, vous voudriez donc faire d'un amoureux un meurtrier ? Puisque vous avez cette opinion, on doit bien craindre de tomber entre vos mains ! » — « Si j'en étais jusque là, dit Hircan, je me tiendrais pour déshonoré si je ne venais à fin de mon intention. » A l'heure* Géburon dit : « Trouvez-vous étrange qu'une princesse nourrie* en tout honneur soit difficile à prendre d'un seul homme ? Vous devriez donc beaucoup plus vous émerveiller d'une pauvre femme qui échappa de la main de deux. » — « Géburon, dit Ennasuite, je vous donne ma voix à dire la cinquième Nouvelle, car je pense que vous en savez quelqu'une de cette pauvre femme qui ne sera point fâcheuse*. » — « Puisque vous m'avez élu à partie*, dit Géburon, je vous dirai une histoire que je sais pour en avoir fait inquisition véritable sur le lieu. Et par là vous verrez que tout le sens et la vertu des femmes n'est pas au cœur et tête des princesses, ni toute l'amour et finesse en ceux où le plus souvent on estime qu'ils soient. »

CINQUIÈME NOUVELLE

Une batelière s'échappa de deux cordeliers qui la voulaient forcer, et fit si bien que leur péché fut découvert à tout le monde.

Au port de Coulon, près de Niort, y avait une batelière qui jour et nuit ne faisait que passer un chacun. Advint que deux Cordeliers dudit Niort passèrent la rivière tout seuls avec elle. Et pource que le passage est un des plus longs qui soit en France, pour la garder d'ennuyer, vinrent à la prier d'amours. A quoi elle leur fit la réponse qu'elle devait. Mais eux, qui pour* le travail* du chemin

e   à parler (T)

n'étaient lassés, ni pour froidure de l'eau refroidis, ni aussi pour le refus de la femme honteux, se délibérèrent tous deux la prendre par force ou, si elle se plaignait, la jeter dans la rivière. Elle, aussi sage et fine qu'ils étaient fous et malicieux, leur dit : « Je ne suis pas si malgracieuse que j'en fais le semblant*, mais je vous veux prier de m'octroyer deux choses, et puis vous connaîtrez que j'ai meilleure envie de vous obéir que vous n'avez de me prier. » Les Cordeliers lui jurèrent par leur bon saint François qu'elle ne leur saurait demander chose qu'ils n'octroyassent pour avoir ce qu'ils désiraient d'elle. « Je vous requiers premièrement, dit-elle, que vous me jurez et promettez que jamais à homme vivant nul ne déclarera notre affaire. » Ce que lui promirent très volontiers. Et aussi elle leur dit : « Que l'un après l'autre veuille prendre son plaisir de moi, car j'aurais trop de honte que tous deux me vissent ensemble. Regardez lequel me voudra avoir le premier. » Ils trouvèrent sa requête très juste, et accorda le jeune que le plus vieux commencerait. Et en approchant d'une petite île, elle dit au jeune : « Beau père, dites là vos oraisons, jusqu'à ce que j'aie mené votre compagnon ici devant en une autre île. Et si à son retour il s'étonne*ª de moi, nous le lairons* ici et nous irons ensemble. » Le jeune sauta dedans l'île, attendant le retour de son compagnon, lequel la batelière mena en une autre. Et quand ils furent au bord, feignant d'attacher son bateau à un arbre, lui dit : « Mon ami, regardez en quel lieu nous nous mettrons. » Le beau père entra en l'île pour chercher l'endroit qui lui serait plus à propos. Mais sitôt qu'elle le vit à terre, donna un coup de pied contre l'arbre et se retira avec son bateau dedans la rivière, laissant ses deux bons pères aux déserts, auxquels elle cria tant qu'elle put : « Attendez, messieurs, que l'ange de Dieu vous vienne consoler, car de moi n'aurez aujourd'hui chose qui vous puisse plaire [1] ! »

Ces deux pauvres religieux, connaissant la tromperie, se mirent à genoux sur le bord de l'eau, la priant ne leur faire cette honte et que, si elle les voulait doucement

a. se loue (T)

mener au port, ils lui promettaient de ne lui demander rien. Mais, en s'en allant toujours, leur disait : « Je serais doublement folle, après avoir échappé de vos mains, si je m'y remettais. » Et en entrant au village, va appeler son mari et ceux de la justice pour venir prendre ces deux loups enragés dont, par la grâce de Dieu, elle avait échappé de leurs dents. Qui y allèrent[b] si bien accompagnés qu'il ne demeura grand ni petit qui ne voulussent avoir part au plaisir de cette chasse. Ces pauvres frères, voyant venir si grande compagnie, se cachaient chacun en son île, comme Adam quand il se vit nu devant la face de Dieu[2]. La honte mit leur péché devant leurs yeux, et la crainte d'être punis les faisait trembler si fort qu'ils étaient demi-morts. Mais cela ne les garda d'être pris et mis prisonniers, qui ne fut sans être moqués et hués d'hommes et femmes. Les uns disaient : « Ces beaux pères[c] qui nous prêchent chasteté, et puis la veulent ôter à nos femmes ! » Et les autres disaient : « Sont sépulcres par dehors blanchis, et par dedans pleins de morts et pourriture[3] ! » Et puis une autre voix disait : « Par leurs fruits connaissez-vous quels arbres sont[4]. » Croyez que tous les passages que l'Évangile dit contre les hypocrites furent allégués contre ces pauvres prisonniers, lesquels par le moyen du gardien furent recous* et délivrés, qui en grand diligence les vint demander, assurant ceux de la justice qu'il en ferait plus grande punition que les séculiers n'oseraient faire. Et, pour satisfaire à partie, ils diraient tant de messes et de prières qu'on les en voudrait charger[5]. Le juge accorda sa requête et lui donna les prisonniers qui furent si bien chapitrés du gardien, qui était homme de bien, qu'onques* puis ne passèrent rivières sans faire le signe de la croix et se recommander à Dieu.

« Je vous prie, mesdames, pensez, si cette pauvre batelière a eu l'esprit de tromper deux si malicieux hommes[d], que doivent faire celles qui ont tant lu et vu de beaux exemples[6], quand il n'y aurait que la bonté des vertueu-

---

b Ceux de la justice s'y en allèrent (T)
c. Fiez-vous en ces beaux pères (T)
d. de tromper l'esprit de deux si malicieux hommes (A)

ses dames qui ont passé devant leurs yeux ? En sorte que la vertu des femmes bien nourries* serait autant appelée coutume que vertu. Mais de celles qui ne savent rien, qui n'ouïssent quasi en tout l'an deux bons sermons, qui n'ont le loisir que de penser à gagner leurs pauvres vies et qui, si fort pressées, gardent soigneusement leur chasteté, c'est là où on connaît la vertu qui est naïvement* dedans le cœur ; car où le sens et la force de l'homme est estimé moindre, c'est où l'esprit de Dieu fait de plus grandes œuvres. Et bien malheureuse est la dame qui ne garde bien soigneusement le trésor qui lui apporte tant d'honneur, étant bien gardé, et tant de déshonneur au contraire. » Longarine lui dit : « Il me semble, Géburon, que ce n'est pas grand vertu de refuser un Cordelier, mais que plutôt serait chose impossible de les aimer. » — « Longarine, lui répondit Géburon, celles qui n'ont point accoutumé d'avoir de tels serviteurs que vous ne tiennent point fâcheux les Cordeliers, car ils sont hommes aussi beaux, aussi forts et plus reposés que nous autres, qui sommes tout cassés du harnais[7] ; et si parlent comme anges et sont importuns comme diables, parquoi celles qui n'ont vu robes que de bureau* sont bien vertueuses quand elles échappent de leurs mains. » Nomerfide dit tout haut : « Ah, par ma foi, vous en direz ce que vous voudrez, mais j'eusse mieux aimé être jetée en la rivière que de coucher avec un Cordelier ! » Oisille lui dit en riant : « Vous savez donc bien nouer* ? » Ce que Nomerfide trouva bien mauvais, pensant qu'Oisille n'eût telle estime d'elle qu'elle désirait. Parquoi lui dit en colère : « Il y en a qui ont refusé des personnes plus agréables qu'un Cordelier et n'en ont point fait sonner la trompette. » Oisille, se prenant à rire de la voir courroucée, lui dit : « Encore moins ont-elles fait sonner le tambourin de ce qu'elles ont fait et accordé ! » Géburon dit : « Je vois bien que Nomerfide a envie de parler ; parquoi je lui donne ma voix, afin qu'elle décharge son cœur sur quelque bonne Nouvelle. » — « Les propos passés me touchent si peu que je n'en puis avoir ni joie ni ennui[e]. Mais

e. envie (A)

puisque j'ai votre voix, je vous prie ouïr la mienne pour vous montrer que, si une femme a été séduite en bien, il y en a qui le sont en mal. Et pource que nous avons juré de dire vérité, je ne la veux celer. Car, tout ainsi que la vertu de la batelière n'honore point les autres femmes si elles ne l'ensuivent, aussi le vice d'une autre ne les peut déshonorer. Écoutez donc. »

SIXIÈME NOUVELLE

Subtilité d'une femme qui fit évader son ami lorsque son mari (qui était borgne) les pensait surprendre [1].

Il y avait un vieux valet de chambre de Charles, dernier duc d'Alençon, lequel avait perdu un œil et était marié avec une femme beaucoup plus jeune que lui. Et pource que ses maître et maîtresse l'aimaient autant qu'homme de son état qui fût en leur maison, ne pouvait si souvent aller voir sa femme qu'il eût bien voulu : ce fut occasion dont elle oublia tellement son honneur et conscience qu'elle alla aimer un jeune homme, dont à la longue le bruit* fut si grand et mauvais que le mari en fut averti. Lequel ne le pouvait croire, pour* les grands signes d'amitié que lui montrait sa femme. Toutefois un jour, il pensa d'en faire l'expérience et de se venger, s'il pouvait, de celle[a] qui lui faisait cette honte. Et pour ce faire, feignit s'en aller quelque lieu auprès de là pour deux ou trois jours. Et incontinent qu'il fut parti, sa femme envoya quérir son homme, lequel ne fut pas demi-heure avec elle que voici venir le mari qui frappa bien fort à la porte. Mais elle, qui le connut*, le dit à son ami qui fut si étonné* qu'il eût voulu être au ventre de sa mère, maudissant elle et l'amour qui l'avaient mis en tel danger. Elle lui dit qu'il ne se souciât point, et qu'elle trouverait bien moyen de l'en faire saillir* sans mal ni honte, et qu'il s'habillât le plus tôt qu'il pourrait. Ce temps pendant frappait le mari à la porte, appelant le plus haut qu'il pouvait sa femme. Mais elle feignait de ne le connaître

a. celui (T)

point, et disait tout haut au valet[b] de léans*: «Que ne
vous levez-vous et allez faire taire ceux qui font ce bruit à
la porte? Est-ce maintenant l'heure de venir aux maisons
des gens de bien? Si mon mari était ici, il vous en
garderait!» Le mari, oyant la voix de sa femme, l'appela
le plus haut qu'il put: «Ma femme, ouvrez-moi! Me
ferez-vous demeurer ici jusqu'au jour?» Et quand elle vit
que son ami était tout prêt de saillir, en ouvrant sa porte,
commença à dire à son mari: «O mon mari, que je suis
bien aise de votre venue! car je faisais un merveilleux
songe, et étais tant aise que jamais je ne reçus un tel
contentement, pource qu'il me semblait que vous aviez
recouvert la vue de votre œil.» Et l'embrassant et le
baisant, le prit par la tête et lui bouchait d'une main son
bon œil, et lui demandait: «Voyez-vous point mieux que
vous n'avez accoutumé?» En ce temps pendant qu'il n'y
voyait goutte, fit sortir son ami dehors, dont le mari se
douta incontinent et lui dit: «Pardieu, ma femme, je ne
ferai jamais le guet sur vous, car, en vous cuidant*
tromper, je reçus la plus fine tromperie qui fut onques*
inventée. Dieu vous veuille amender, car il n'est en la
puissance d'homme du monde de donner ordre en la
malice d'une femme, qui du tout ne la tuera. Mais puisque le bon traitement que je vous ai fait n'a rien servi à
votre amendement, peut-être que le dépris* que dorénavant
j'en ferai vous châtiera.» Et ce disant s'en alla et
laissa sa femme bien désolée qui, par le moyen de ses
amis, excuses et larmes, retourna encore avec lui.

« Par ceci voyez-vous, mesdames, combien est prompte
et subtile une femme à échapper d'un danger. Et si, pour
couvrir* un mal, son esprit a promptement trouvé remède,
je pense que, pour en éviter un ou pour faire quelque bien,
son esprit serait encore plus subtil. Car le bon esprit,
comme j'ai toujours ouï dire, est le plus fort.» Hircan lui
dit: «Vous parlerez tant de finesses* qu'il vous plaira,
mais si ai-je telle opinion de vous que, si le cas vous était
advenu, vous ne le sauriez celer.» — «J'aimerais autant,

b. mari (A)

ce lui dit-elle, que vous m'estimassiez la plus sotte femme du monde. » — « Je ne le dis pas, répondit Hircan, mais je vous estime bien celle qui plutôt s'étonnerait* d'un bruit* que finement ne le ferait taire. » — « Il vous semble, dit Nomerfide, que chacun est comme vous, qui par un bruit en veut couvrir un autre. Mais il y a danger qu'à la fin une couverture* ruine sa compagne, et que le fondement soit tant chargé pour* soutenir les couvertures qu'il ruine l'édifice[2]. Mais si vous pensez que les finesses des hommes[c], dont chacun vous pense bien rempli, soient plus grandes que celles des femmes, je vous laisse mon rang pour nous raconter la septième histoire. Et si vous voulez vous proposer pour exemple, je crois que vous nous apprendriez bien de la malice. » — « Je ne suis pas ici, répondit Hircan, pour me faire pire que je suis, car encore y en a-t-il qui plus que je ne veux en disent. » Et ce disant, regarda sa femme qui lui dit soudain : « Ne craignez point pour moi à dire la vérité, car il me sera plus facile d'ouïr raconter vos finesses que de les avoir vu faire devant moi, combien qu'il n'y en ait nulle qui sût diminuer l'amour que je vous porte. » Hircan lui répondit : « Aussi ne me plains-je pas de toutes les fausses opinions que vous avez eues de moi. Parquoi, puisque nous nous connaissons[d] l'un l'autre, c'est occasion* de plus grande sûreté pour l'avenir. Mais si* ne suis-je si sot de raconter histoire de moi dont la vérité vous puisse porter ennui*. Toutefois j'en dirai une d'un personnage qui était bien de mes amis. »

SEPTIÈME NOUVELLE

Un marchand de Paris trompe la mère de s'amie pour couvrir* leur faute.

En la ville de Paris y avait un marchand amoureux d'une fille sa voisine ou, pour mieux dire, plus aimé d'elle qu'elle n'était de lui, car le semblant qu'il lui faisait de l'aimer et chérir n'était que pour couvrir une amour plus haute et honorable. Mais elle, qui se consentit

c. les finesses dont chacun (A)
d. puisque nous connaissons (A)

d'être trompée, l'aimait tant qu'elle avait oublié la façon dont les femmes ont accoutumé de refuser les hommes. Ce marchand ici, après avoir été longtemps à prendre la peine d'aller où il la pouvait trouver, la faisait venir où il lui plaisait, dont sa mère s'aperçut, qui était une très honnête femme, et lui défendit que jamais elle ne parlât à ce marchand, ou qu'elle la mettrait en religion. Mais cette fille, qui plus aimait ce marchand qu'elle ne craignait sa mère, le cherchait plus que paravant. Et un jour advint qu'étant toute seule en une garde-robe, ce marchand y entra lequel, se trouvant en lieu commode, se prit à parler à elle le plus privément* qu'il était possible. Mais quelque chambrière qui le vit entrer dedans le courut dire à la mère laquelle, avec une très grande colère, s'y en alla. Et quand sa fille l'ouït venir, dit en pleurant à ce marchand : « Hélas, mon ami, à cette heure me sera bien chère vendue l'amour que je vous porte. Voici ma mère, qui connaîtra ce qu'elle a toujours craint et douté*. » Le marchand, qui d'un tel cas ne fut point étonné*, la laissa incontinent et s'en alla au-devant de la mère. Et, en étendant les bras, l'embrassa le plus fort qu'il lui fut possible, et avec cette fureur dont il commençait d'entretenir sa fille, jeta la pauvre femme vieille sur une couchette. Laquelle trouva si étrange cette façon qu'elle ne savait que lui dire, sinon : « Que voulez-vous ? Rêvez-vous ? » Mais pour cela il ne laissait de la poursuivre d'aussi près que si c'eût été la plus belle fille du monde. Et n'eût été qu'elle cria si fort que ses valets et chambrières vinrent à son secours, elle eût passé le chemin qu'elle craignait que sa fille marchât. Parquoi, à force de bras, ôtèrent cette pauvre vieille d'entre les mains du marchand, sans que jamais elle pût savoir l'occasion* pourquoi il l'avait ainsi tourmentée. Et durant cela se sauva sa fille en une maison auprès, où il y avait des noces : dont le marchand et elle ont maintes fois ri ensemble depuis, aux dépens de la femme vieille qui jamais ne s'en aperçut.

« Par ceci voyez-vous, mesdames, que la finesse d'un homme a trompé une vieille et sauvé l'honneur d'une

jeune. Mais qui vous nommerait les personnes, ou qui eût
vu la contenance de ce marchand et l'étonnement* de
cette vieille eût eu grand peur de sa conscience s'il se fût
gardé de rire. Il me suffit que je vous prouve, par cette
histoire, que la finesse des hommes est aussi prompte et
secourable au besoin que celle des femmes, afin, mesdames, que vous ne craigniez point de tomber entre leurs
mains. Car quand votre esprit vous défaudra, vous trouverez le leur prêt à couvrir* votre honneur. » Longarine
lui dit : « Vraiment, Hircan, je confesse que le conte est
trop plaisant et la finesse grande. Mais si* n'est-ce pas
une exemple que les filles doivent ensuivre. Je crois bien
qu'il y en a à qui vous voudriez le faire trouver bon. Mais
si n'êtes-vous pas si sot de vouloir que votre femme, ni
celle dont vous aimez mieux l'honneur que le plaisir,
voulussent jouer à tel jeu. Je crois qu'il n'y en a point un
qui de plus près les regardât, ni qui mieux les engardât*
que vous. » — « Par ma foi, dit Hircan, si celle que vous
dites avait fait un pareil cas et que je n'en eusse rien su, je
ne l'en estimerais pas moins. Et si je ne sais si
quelqu'une[a] en a point fait d'aussi bons, dont le celer me
met hors de peine. » Parlamente ne se put garder de dire :
« Il est impossible que l'homme malfaisant ne soit sou-
çonneux, mais bienheureux celui sur lequel on ne peut
avoir soupçon par occasion donnée. » Longarine dit : « Je
n'ai guère vu grand feu de quoi ne vînt quelque fumée,
mais j'ai bien vu la fumée où il n'y avait point de feu. Car
aussi souvent est soupçonné par les mauvais le mal où il
n'est point, que connu là où il est. » A l'heure* Hircan lui
dit : « Vraiment, Longarine, vous en avez si bien parlé en
soutenant l'honneur des dames à tort soupçonnées que je
vous donne ma voix pour dire la huitième Nouvelle; par
ainsi que vous ne nous fassiez point pleurer comme a fait
madame Oisille, par trop louer les femmes de bien. »
Longarine, en se prenant bien fort à rire, commença à
dire : « Puisque vous avez envie que je vous fasse rire,
selon ma coutume, si ne sera-ce pas aux dépens des
femmes. Et si dirai chose pour montrer combien elles

a. quelqu'un (A)

sont aisées à tromper, quand elles mettent leur fantaisie*
à la jalousie, avec une estime de leur bon sens de vouloir
tromper leurs maris. »

HUITIÈME NOUVELLE

Un quidam ayant couché avec sa femme au lieu de sa
chambrière y envoya son voisin qui le fit cocu sans que sa
femme en sût rien [1].

En la comté d'Alès y avait un homme, nommé Bornet,
qui avait épousé une honnête femme de bien, de laquelle
il aimait l'honneur et la réputation, comme je crois que
tous les maris qui sont ici font de leurs femmes. Et
combien qu'il voulût que la sienne lui gardât loyauté, si*
ne voulait-il pas que la loi fût égale à tous deux, car il alla
être amoureux de sa chambrière, auquel change il ne
gagnait que le plaisir qu'apporte quelquefois la diversité
des viandes*. Il avait un voisin de pareille condition que
lui, nommé Sandras, tambourin* et couturier; et y avait
entre eux telle amitié que, hormis la femme, n'avaient
rien parti* ensemble. Parquoi il déclara à son ami l'entreprise qu'il avait sur sa chambrière, lequel non seulement le trouva bon, mais aida de tout son pouvoir à la
parachever, espérant avoir part au butin. La chambrière,
qui ne s'y voulut consentir, se voyant pressée de tous
côtés, l'alla dire à sa maîtresse, la priant de lui donner
congé de s'en aller chez ses parents, car elle ne pouvait
plus vivre en ce tourment. La maîtresse, qui aimait bien
fort son mari duquel souvent elle avait eu soupçon, fut
bien aise d'avoir gagné ce point sur lui, et de lui pouvoir
montrer justement qu'elle en avait eu doute. Dit à sa
chambrière : « Tenez bon, m'amie, tenez peu à peu bons
propos à mon mari, et puis après lui donnez assignation
de coucher avec vous en ma garde-robe. Et ne faillez* à
me dire la nuit qu'il devra venir, et gardez que nul n'en
sache rien. » La chambrière fit tout ainsi que sa maîtresse
lui avait commandé, dont le maître fut si aise qu'il en alla
faire la fête à son compagnon, lequel le pria, vu qu'il
avait été du marché, d'en avoir le demeurant. La pro-

messe faite et l'heure venue, s'en alla coucher le maître, comme il cuidait, avec sa chambrière. Mais sa femme, qui avait renoncé à l'autorité de commander pour le plaisir de servir, s'était mise en la place de sa chambrière. Et reçut son mari non comme femme, mais feignant la contenance d'une fille étonnée *, si bien que son mari ne s'en aperçut point.

Je ne vous saurais dire lequel était plus aise des deux, ou lui de penser tromper sa femme, ou elle de tromper son mari. Et quand il eut demeuré avec elle, non selon son vouloir, mais selon sa puissance qui sentait le vieux marié, s'en alla hors de la maison où il trouva son compagnon, beaucoup plus jeune et plus fort que lui. Et lui fit la fête d'avoir trouvé la meilleure robe * qu'il avait point vue. Son compagnon lui dit : « Vous savez que vous m'avez promis ? » — « Allez donc vitement, dit le maître, de peur qu'elle ne se lève ou que ma femme ait affaire d'elle. » Le compagnon s'y en alla, et trouva encore cette même chambrière que le mari avait méconnue laquelle, cuidant * que ce fût son mari, ne le refusa de chose que lui demandât (j'entends demander pour prendre, car il n'osait parler). Il y demeura bien plus longuement que non pas le mari, dont la femme s'émerveilla fort car elle n'avait point accoutumé d'avoir telles nuitées. Toutefois elle eut patience, se réconfortant au propos qu'elle avait délibéré de lui tenir le lendemain et à la moquerie qu'elle lui ferait recevoir. Sur le point de l'aube du jour, cet homme se leva d'auprès d'elle et, se jouant à elle au partir du lit, lui arracha un anneau qu'elle avait au doigt, duquel son mari l'avait épousée. (Chose que les femmes de ce pays gardent en grande superstition, et honorent [2] fort une femme qui garde tel anneau jusqu'à la mort ; et au contraire, si par fortune le perd, elle est désestimée comme ayant donné sa foi à autre qu'à son mari.) Elle fut très contente qu'il lui ôtât, pensant qu'il serait sûr témoignage de la tromperie qu'elle lui avait faite.

Quand le compagnon fut retourné devers le maître, il lui demanda : « Et puis ? » Il lui répondit qu'il était de son opinion, et que, s'il n'eût craint le jour, encore y fût-il demeuré. Ils se vont tous deux reposer le plus longuement

qu'ils purent; et au matin, en s'habillant, aperçut le mari
l'anneau que son compagnon avait au doigt, tout pareil de
celui qu'il avait donné à sa femme en mariage, et demanda à son compagnon qui le lui avait donné. Mais
quand il entendit qu'il l'avait arraché du doigt de la
chambrière, fut fort étonné, et commença à donner de la
tête contre la muraille, disant: « Ah, vertudieu! me se-
rais-je bien fait cocu moi-même, sans que ma femme en
sût rien? » Son compagnon, pour le conforter, lui dit:
« Peut-être que votre femme baille son anneau en garde au
soir à sa chambrière? » Mais, sans rien répondre, le mari
s'en va à la maison, là où il trouva sa femme plus belle,
plus gorgiase* et plus joyeuse qu'elle n'avait accoutumé,
comme celle qui se réjouissait d'avoir sauvé la
conscience de sa chambrière, et d'avoir expérimenté
jusqu'au bout son mari sans rien y perdre que le dormir
d'une nuit. Le mari, la voyant avec ce bon visage, dit en
soi-même: « Si elle savait ma bonne fortune, elle ne me
ferait pas si bonne chère. » Et en parlant à elle plusieurs
propos, la prit par la main et avisa qu'elle n'avait point
l'anneau qui jamais ne lui partait du doigt. Dont il devint
tout transi, et lui demanda en voix tremblante: « Qu'avez-
vous fait de votre anneau? » Mais elle, qui fut bien aise
qu'il la mettait au propos qu'elle avait envie de lui tenir,
lui dit: « Oh, le plus méchant de tous les hommes! A qui
est-ce que vous le cuidez avoir ôté? Vous pensiez bien
que ce fût à ma chambrière, pour l'amour de laquelle
avez dépendu* plus de deux parts de vos biens, que
jamais vous ne fîtes pour moi. Car, à la première fois que
vous y êtes venu coucher, je vous ai jugé tant amoureux
d'elle qu'il n'était possible de plus. Mais après que vous
fûtes sailli* dehors et puis encore retourné, semblait que
vous fussiez un diable sans ordre ni mesure. O malheureux! Pensez quel aveuglement vous a pris de louer tant
mon corps et mon embonpoint*, dont par si longtemps
avez été jouissant sans en faire grande estime! Ce n'est
donc pas la beauté ni l'embonpoint de votre chambrière
qui vous a fait trouver ce plaisir si agréable, mais c'est le
péché infâme de la vilaine concupiscence qui brûle votre
cœur et vous rend tous les sens si hébétés que, par la

fureur en quoi vous mettait l'amour de cette chambrière, je crois que vous eussiez pris une chèvre coiffée pour une belle fille. Or il est temps, mon mari, de vous corriger et de vous contenter autant de moi, en me connaissant votre femme de bien, que vous avez fait pensant que je fusse une pauvre méchante. Ce que j'ai fait a été pour vous retirer de votre malheurté, afin que, sur notre[a] vieillesse, nous vivions en bonne amitié et repos de conscience. Car, si vous voulez continuer la vie passée, j'aime mieux me séparer de vous que de voir de jour en jour la ruine de votre âme, de votre corps et de vos biens devant mes yeux. Mais s'il vous plaît connaître votre fausse opinion et vous délibérer de vivre selon Dieu, gardant ses commandements, j'oublierai toutes les fautes passées, comme je veux que Dieu oublie l'ingratitude à ne l'aimer comme je dois. » Qui fut bien désespéré, ce fut ce pauvre mari ; voyant sa femme tant sage, belle et chaste avoir été délaissée de lui pour une qui ne la valait pas[b] et, qui pis est, avait été si malheureux que de la faire méchante sans son su, et que faire participant un autre au plaisir qui n'était que pour lui seul, se forgea en lui-même les cornes de perpétuelle moquerie. Mais, voyant sa femme assez courroucée * de l'amour qu'il avait porté à sa chambrière, se garda bien de lui dire le méchant tour qu'il lui avait fait. Et en lui demandant pardon, avec promesse de changer entièrement sa mauvaise vie, lui rendit l'anneau qu'il avait repris de son compagnon, auquel il pria de ne révéler sa honte. Mais comme toutes choses dites à l'oreille [sont] prêchées sur le toit[c], quelque temps après la vérité fut connue, et l'appelait-on cocu sans honte de sa femme.

« Il me semble, mesdames, que si tous ceux qui ont fait de pareilles offenses à leurs femmes étaient punis de pareille punition, Hircan et Saffredent devraient avoir belle peur. » Saffredent lui dit : « Et déa, Longarine, n'y en a-t-il point d'autre en la compagnie marié qu'Hircan et moi ? » — « Si a bien, dit-elle, mais non pas qui voulus-

a. votre (A)
b. ne l'aimait pas (A)
c. et prêchées sous le toit (T) ; et prêchées sur le doigt (A)

sent jouer un tel tour! » — « Où avez-vous vu, répondit
Saffredent, que nous ayons pourchassé les chambrières
de nos femmes? » — « Si celles à qui il touche, dit
Longarine, voulaient dire la vérité, l'on trouverait bien
chambrière à qui l'on a donné congé avant son quartier. »
— « Vraiment, ce dit Géburon, vous êtes une bonne dame
qui, en lieu de faire rire la compagnie comme vous aviez
promis, mettez ces deux pauvres gens en colère. » —
« C'est tout un, dit Longarine, mais * qu'ils ne viennent
point à tirer leurs épées, leur colère ne fera que redoubler
notre rire. » — « Mais il est bon, dit Hircan, que si nos
femmes voulaient croire cette dame, elle brouillerait le
meilleur ménage qui soit en la compagnie. » — « Je sais
bien devant qui je parle, dit Longarine, car vos femmes
sont si sages et vous aiment tant que, quand vous leur
feriez des cornes aussi puissantes que celles d'un daim,
encore voudraient-elles persuader elles et tout le monde
que ce sont chapeaux * de roses! » La compagnie et
même ceux à qui il touchait se prirent tant à rire qu'ils
mirent fin en leurs propos. Mais Dagoucin, qui encore
n'avait sonné mot, ne se put tenir de dire : « L'homme est
bien déraisonnable quand il a de quoi se contenter et veut
chercher autre chose. Car j'ai vu souvent, pour * cuider *
mieux avoir et ne se contenter de la suffisance, que l'on
tombe au pis. Et si * n'est l'on point plaint, car l'inconstance est toujours blâmée. » Simontaut lui dit : « Mais que
ferez-vous à ceux qui n'ont pas trouvé leur moitié? Appelez-vous inconstance de la chercher en tous lieux où
l'on peut la trouver [3]? » — « Pource que l'homme ne peut
savoir, dit Dagoucin, où est cette moitié dont l'union est
si égale que l'on ne diffère de l'autre, il faut qu'il s'arrête
où l'amour le contraint et que, pour * quelque occasion *
qui puisse advenir, ne change le cœur ni la volonté. Car si
celle que vous aimez est tellement semblable à vous et
d'une même volonté, ce sera vous que vous aimerez, et
non pas elle. » — « Dagoucin, dit Hircan, vous voulez
tomber en une fausse opinion : comme si nous devions
aimer les femmes sans en être [d] aimés! » — « Hircan, dit

d. sans être (A)

Dagoucin, je veux dire que si notre amour est fondée sur la beauté, bonne grâce, amour et faveur d'une femme, et notre fin soit plaisir, honneur ou profit[4], l'amour ne peut longuement durer. Car si la chose sur quoi nous la fondons défaut*, notre amour s'envole hors de nous. Mais je suis ferme à mon opinion que celui qui aime, n'ayant autre fin ni désir que bien aimer, laissera plutôt son âme par la mort que cette forte amour saille* de son cœur. » — « Par ma foi, dit Simontaut, je ne crois pas que jamais vous ayez été amoureux, car si vous aviez senti le feu comme les autres, vous ne nous peindriez pas ici la chose publique de Platon, qui s'écrit et ne s'expérimente point[5]. » — « Si, j'ai aimé, dit Dagoucin, j'aime encore et aimerai tant que vivrai. Mais j'ai si grand peur que la démonstration fasse tort à la perfection de mon amour que je crains que celle de qui je devrais désirer l'amitié semblable l'entende. Et même, je n'ose penser ma pensée, de peur que mes yeux en révèlent quelque chose, car tant plus je tiens ce feu celé et couvert*, et plus en moi croît le plaisir de savoir que j'aime parfaitement. » — « Ah, par ma foi ! dit Géburon, si ne crois-je pas que vous ne fussiez bien aise d'être aimé. » — « Je ne dis pas le contraire, dit Dagoucin, mais, quand je serais tant aimé que j'aime, si* n'en saurait croître mon amour comme elle ne saurait diminuer pour* n'être si très aimé que j'aime fort. » A l'heure* Parlamente, qui soupçonnait cette fantaisie*, lui dit : « Donnez-vous garde, Dagoucin, car j'en ai vu d'autres que vous qui ont mieux aimé mourir que parler. » — « Ceux-là, madame, dit Dagoucin, estimé-je très heureux. » — « Voire, dit Saffredent, et dignes d'être mis au rang des Innocents, desquels l'Église chante : *Non loquendo, sed moriendo confessi sunt*[6]. J'en ai ouï tant parler, de ces transis d'amours, mais encore jamais je n'en vis mourir un ! Et puisque je suis échappé, vu les ennuis que j'en ai porté*, je ne pensai jamais qu'autre en puisse mourir. » — « Ah, Saffredent ! dit Dagoucin, vous voulez donc[e] être aimé, et ceux de votre opinion ne meurent jamais. Mais j'en sais

e. où voulez-vous donc (A)

assez bon nombre qui ne sont morts d'autre maladie que d'aimer parfaitement. » — « Or, puisqu'en savez des histoires, dit Longarine, je vous donne ma voix pour nous en raconter quelque belle qui sera la neuvième de cette Journée. » — « Afin, dit Dagoucin, que les signes et miracles, suivant ma véritable parole, vous puissent induire à y ajouter foi, je vous alléguerai ce qui advint il n'y a pas trois ans. »

NEUVIÈME NOUVELLE

Piteuse mort d'un gentilhomme amoureux pour avoir trop tard reçu consolation de celle qu'il aimait [1].

Entre Dauphiné et Provence, y avait un gentilhomme beaucoup plus riche de vertu, beauté et honnêteté que d'autres biens, lequel tant aima une demoiselle, dont je ne dirai le nom pour l'amour de ses parents qui sont venus de bonnes et grandes maisons ; mais assurez-vous que la chose est véritable. Et, à cause qu'il n'était de maison de même elle, il n'osait découvrir son affection, car l'amour qu'il lui portait était si grande et parfaite qu'il eût mieux aimé mourir que désirer une chose qui eût été à son déshonneur. Et se voyant de si bas lieu au prix d'elle, n'avait nul espoir de l'épouser. Parquoi son amour n'était fondée sur nulle fin, sinon de l'aimer de tout son pouvoir le plus parfaitement qu'il lui était possible. Ce qu'il fit si longuement qu'à la fin elle en eut quelque connaissance. Et voyant l'honnête amitié qu'il lui portait tant pleine de vertu et bon propos, se sentait être honorée d'être aimée d'un si vertueux personnage, et lui faisait tant de bonne chère * qu'il n'y avait nulle prétente * à mieux se contenter [a]. Mais la malice, ennemie de tout repos, ne put souffrir cette vie honnête et heureuse, car quelques-uns allèrent dire à la mère de la fille qu'ils s'ébahissaient que ce gentilhomme pouvait tant faire en sa maison, et que l'on soupçonnait que la beauté de sa fille [b] l'y tenait plus

a. que lui qui ne l'avait prétendue meilleure se contentait très fort (T)
b. la fille (A)

qu'autre chose, avec laquelle on le voyait souvent parler. La mère, qui ne doutait en nulle façon de l'honnêteté du gentilhomme, dont elle se tenait aussi assurée que nul de ses enfants, fut fort marrie d'entendre qu'on le prenait en mauvaise part. Tant qu'à la fin, craignant le scandale par la malice des hommes, le pria pour quelque temps de ne hanter * pas sa maison comme il avait accoutumé, chose qu'il trouva de dure digestion, sachant que les honnêtes propos qu'il tenait à sa fille ne méritaient pas tel éloignement. Toutefois, pour faire taire les mauvaises langues, se retira tant de temps que le bruit cessa. Et y retourna comme il avait accoutumé, l'absence duquel n'avait amoindri sa bonne volonté. Mais, étant en sa maison, entendit que l'on parlait de marier cette fille avec un gentilhomme qui lui sembla n'être point si riche qu'il lui dût tenir de tort d'avoir s'amie plutôt que lui. Et commença à prendre cœur * et employer ses amis pour parler de sa part, pensant que, si le choix était baillé à la demoiselle, elle le préférerait à l'autre. Toutefois la mère de la fille et les parents, pource que l'autre était beaucoup plus riche, l'élurent. Dont le pauvre gentilhomme prit tel déplaisir, sachant que s'amie perdait autant de contentement que lui, que peu à peu, sans autre maladie, commença à diminuer, et en peu de temps changea de telle sorte qu'il semblait qu'il couvrît la beauté de son visage du masque de la mort, où d'heure en heure il allait joyeusement.

Si * est-ce qu'il ne se put garder le plus souvent d'aller parler à celle qu'il aimait tant. Mais à la fin, que la force lui défaillait, il fut contraint de garder le lit, dont il ne voulut avertir celle qu'il aimait pour ne lui donner part de son ennui *. Et se laissant ainsi aller au désespoir et à la tristesse, perdit le boire et le manger, le dormir et le repos, en sorte qu'il n'était possible de le reconnaître pour * la maigreur et étrange visage qu'il avait. Quelqu'un en avertit la mère de s'amie, qui était dame fort charitable, et d'autre part aimait tant le gentilhomme que, si tous leurs parents eussent été de l'opinion d'elle et de sa fille, ils eussent préféré l'honnêteté de lui à tous les biens de l'autre. Mais les parents du côté du père n'y

voulaient entendre. Toutefois, avec sa fille alla visiter le
pauvre malheureux qu'elle trouva plus mort que vif. Et
connaissant la fin de sa vie approcher, s'était le matin
confessé et reçu le Saint-Sacrement, pensant mourir sans
plus voir personne. Mais lui, à deux doigts de la mort
voyant entrer celle qui était sa vie et résurrection, se sentit
si fortifié qu'il se jeta en sursaut sur son lit, disant à la
dame : « Quelle occasion * vous a émue, madame, de
venir visiter celui qui a déjà le pied en la fosse, et de la
mort duquel vous êtes la cause ? » — « Comment, ce dit la
dame, serait-il bien possible que celui que nous aimons
tant pût recevoir la mort par notre faute ? Je vous prie,
dites-moi pour quelle raison vous tenez ces propos. » —
« Madame, ce dit-il, combien que tant qu'il m'a été possible j'ai dissimulé l'amour que j'ai porté à mademoiselle
votre fille, si * est-ce que mes parents, parlant du mariage
d'elle et de moi, en ont plus déclaré que je ne voulais, vu
le malheur qui m'est advenu d'en perdre l'espérance, non
pour mon plaisir particulier, mais pource que je sais
qu'avec nul autre ne sera jamais si bien traitée ni tant
aimée qu'elle eût été avec moi. Le bien que je vois
qu'elle perd du meilleur et plus affectionné ami qu'elle ait
en ce monde me fait plus de mal que la perte de ma vie,
que pour elle seule je voulais conserver. Toutefois,
puisqu'elle ne lui peut de rien servir, ce m'est[c] grand gain
de la perdre. » La mère et la fille, oyant ces propos,
mirent peine de le réconforter. Et lui dit la mère : « Prenez
bon courage, mon ami, et je vous promets ma foi que, si
Dieu vous redonne santé, jamais ma fille n'aura d'autre
mari que vous. Et la voilà ci-présente, à laquelle je
commande de vous en faire la promesse. » La fille, en
pleurant, mit peine de lui donner sûreté de ce que la mère
promettait. Mais lui, connaissant bien que quand il aurait
la santé il n'aurait pas s'amie, et que les bons propos
qu'elle tenait n'étaient seulement que pour essayer à le
faire un peu revenir, leur dit que, si ce langage lui eût été
tenu il y avait trois mois, il eût été le plus sain et le plus
heureux gentilhomme de France, mais que le secours

c. ce n'est (A)

venait si tard qu'il ne pouvait plus être cru ni espéré. Et
quand il vit qu'elles s'efforçaient de le faire croire, il leur
dit : « Or puisque je vois que vous me promettez le bien
qui jamais ne peut advenir, encore que vous le voulussiez, pour * la faiblesse où je suis, je vous en demande un
beaucoup moindre que jamais je n'eus la hardiesse de
requérir. » A l'heure * toutes deux le lui jurèrent, et dirent
qu'il ^d demandât hardiment. « Je vous supplie, dit-il, que
vous me donnez entre mes bras celle que vous me promettez pour femme, et lui commandez qu'elle m'embrasse et baise. » La fille, qui n'avait accoutumé de telles
privautés, en cuida * faire difficulté, mais la mère le lui
commanda expressément, voyant qu'il n'y avait plus en
lui sentiment ni force d'homme vif *. La fille donc, par ce
commandement, s'avança sur le lit du pauvre malade, lui
disant : « Mon ami, je vous prie, réjouissez-vous ! » Le
pauvre languissant, le plus fortement qu'il put, étendit ses
bras tout dénués de chair et de sang et, avec toute la force
de ses os ^e, embrassa la cause de sa mort. Et en la baisant
de sa froide et pâle bouche, la tint le plus longuement
qu'il lui fut possible. Et puis lui dit : « L'amour que je
vous ai portée a été si grande et honnête que jamais, hors
mariage, ne souhaitai de vous que le bien que j'en ai
maintenant. Par faute duquel et avec lequel je rendrai
joyeusement mon esprit à Dieu qui est parfaite amour et
charité, qui connaît la grandeur de mon amour et honnêteté de mon désir, le suppliant, ayant mon désir entre mes
bras, recevoir entre les siens mon esprit ^f. » Et en ce
disant, la reprit entre ses bras par une telle véhémence
que, le cœur affaibli ne pouvant porter * cet effort, fut
abandonné de toutes ses vertus et esprits, car la joie les fit
tellement dilater que le siège de l'âme lui faillit *, et
s'envola à son Créateur. Et, combien que le pauvre corps
demeurât sans vie longuement, et par cette occasion *, ne
pouvant plus tenir sa prise, l'amour que la demoiselle
avait toujours celée se déclara à l'heure * si fort que la

d. et qu'il (A)
e. de son corps (T)
f. laissant le corps entre vos bras, recevoir l'esprit entre les siens (T)

mère et les serviteurs du mort eurent bien affaire à séparer cette union. Mais à force* ôtèrent la vive, pire que morte, d'entre les bras du mort, lequel ils firent honorablement enterrer. Et le triomphe des obsèques furent les larmes, les pleurs et les cris de cette pauvre demoiselle, qui d'autant plus se déclara après la mort qu'elle s'était dissimulée durant la vie, quasi comme satisfaisant au tort qu'elle lui avait tenu. Et depuis (comme j'ai ouï dire), quelque mari qu'on lui donnât pour l'apaiser, n'a jamais eu joie en son cœur.

«Que vous semble-t-il, messieurs, qui n'avez voulu croire à ma parole, que cet exemple ne soit pas suffisant pour vous faire confesser que parfaite amour mène les gens à la mort, par trop être celée et méconnue. Il n'y a nul de vous qui ne connaisse les parents d'un côté et d'autre, parquoi n'en pouvez plus douter, et nul qui ne l'a expérimenté ne le peut croire.» Les dames, oyant cela, eurent toutes la larme à l'œil. Mais Hircan leur dit : « Voilà le plus grand fou dont j'ouïs jamais parler ! Est-il raisonnable, par votre foi, que nous mourions pour les femmes qui ne sont faites que pour nous, et que nous craignions leur demander ce que Dieu leur commande de nous donner ? Je n'en parle pour moi ni pour tous les mariés, car j'ai autant ou plus de femmes qu'il m'en faut, mais je dis ceci pour ceux qui en ont nécessité, lesquels il me semble être sots de craindre celles à qui ils doivent faire peur. Et ne voyez-vous pas bien le regret que cette pauvre demoiselle avait de sa sottise ? Car, puisqu'elle embrassait le corps mort (chose répugnante à nature), elle n'eût point refusé le corps vivant s'il eût usé d'aussi grande audace qu'il fit pitié en mourant. » — « Toutefois, dit Oisille, si montra bien le gentilhomme l'honnête amitié qu'il lui portait, dont il sera à jamais louable devant tout le monde ; car trouver chasteté en un cœur amoureux, c'est chose plus divine qu'humaine. » — « Madame, dit Saffredent, pour confirmer le dire d'Hircan, auquel je me tiens, je vous supplie croire que Fortune aide aux audacieux, et qu'il n'y a homme, s'il est aimé d'une dame (mais* qu'il le sache poursuivre sagement et affection-

nément), qu'à la fin n'en ait du tout * ce qu'il demande,
ou en partie ^g. Mais l'ignorance et la folle crainte font
perdre aux hommes beaucoup de bonnes aventures, et
fondent leur perte sur la vertu de leur amie, laquelle n'ont
jamais expérimentée du bout du doigt seulement : car
onques * place bien assaillie ne fut, qu'elle ne fût prise. »
— « Mais, dit Parlamente, je m'ébahis de vous deux,
comme vous osez tenir tels propos ! Celles que vous avez
aimées ne vous sont guères tenues *, ou votre adresse a
été en si méchant lieu que vous estimez les femmes toutes
pareilles. » — « Mademoiselle, dit Saffredent, quant est
de moi, je suis si malheureux que je n'ai de quoi me
vanter. Mais si * ne puis-je tant attribuer mon malheur à
la vertu des dames qu'à la faute de n'avoir assez sagement entrepris ou bien prudemment conduit mon affaire.
Et n'allègue pour tous docteurs que la Vieille du *Roman
de la Rose*, laquelle dit :

> Nous sommes faits, beaux fils, sans doutes,
> Toutes pour tous, et tous pour toutes [2].

Parquoi je ne croirai jamais que, si l'amour est une fois
au cœur d'une femme, l'homme n'en ait bonne issue, s'il
n'en tient à sa bêterie *. Parlamente dit : « Et si je vous en
nommais une, bien aimante, bien requise *, pressée et
importunée et toutefois femme de bien, victorieuse de son
cœur, de son corps, d'amour et de son ami, avoueriez-
vous que la chose véritable serait possible ? » — « Vraiment, dit-il, oui. » — « Lors, dit Parlamente, vous seriez
tous de dure foi si vous ne croyez cet exemple. » Dagoucin lui dit : « Madame, puisque j'ai prouvé par exemple
l'amour vertueuse d'un gentilhomme jusqu'à la mort, je
vous supplie, si vous en savez quelqu'une autant à l'honneur de quelque dame, que vous la nous veuillez dire
pour la fin de cette Journée. Et ne craignez point à parler
longuement, car il y a encore assez de temps pour dire
beaucoup de bonnes choses. » — « Et puisque le dernier
reste m'est donné, dit Parlamente, je ne vous tiendrai
point longuement en paroles, car mon histoire est si belle

g. ce qu'il demande en partie (A)

et si véritable, qu'il me tarde que vous ne la sachiez
comme moi. Et combien que je ne l'aie vue, si * m'a-
t-elle été racontée par un de mes plus grands et entiers
amis, à la louange de l'homme du monde qu'il avait le
plus aimé. Et me conjura que, si jamais je venais à la
raconter, je voulusse changer le nom des personnes ;
parquoi tout cela est véritable, hormis les noms, les lieux
et le pays.

DIXIÈME NOUVELLE

*Amours d'Amadour et de Floride, où sont contenues
maintes ruses et dissimulations, avec la très louable
chasteté de Floride.*

En la comté d'Arande en Aragon, y avait une dame
qui, en sa grande jeunesse, demeura veuve du comte
d'Arande avec un fils et une fille, laquelle fille se nommait Floride. Ladite dame mit peine de nourrir * ses
enfants en toutes les vertus et honnêtetés qui appartiennent à seigneurs et gentilshommes, en sorte que sa maison eut le bruit * d'une des honorables qui fût point en
toutes les Espagnes. Elle allait souvent à Tolède où se
tenait le Roi d'Espagne[1], et quand elle venait à Saragosse, qui était près de sa maison, demeurait longuement
avec la Reine et à la cour, où elle était autant estimée que
dame pourrait être. Une fois, allant devers le Roi selon sa
coutume, lequel était à Saragosse en son château de la
Jafferie, cette dame passa par un village qui était au
Vice-Roi de Catalogne, lequel ne bougeait point de dessus la frontière de Perpignan, à cause des grandes guerres
qui étaient entre les Rois de France et d'Espagne. Mais à
cette heure-là y était la paix, en sorte que le Vice-Roi
avec tous les capitaines étaient venus faire la révérence au
Roi. Sachant ce Vice-Roi que la comtesse d'Arande passait par sa terre, alla au-devant d'elle, tant pour * l'amitié
ancienne qu'il lui portait que pour l'honorer comme parente du Roi. Or il avait en sa compagnie plusieurs
honnêtes gentilshommes qui, par la fréquentation de longues guerres, avaient acquis tant d'honneur et de bon

bruit * que chacun qui les pouvait voir et hanter * se tenait heureux. Et entre les autres y en avait un nommé Amadour, lequel, combien qu'il n'eût que dix-huit ou dix-neuf ans, si * avait-il grâce tant assurée et le sens si bon qu'on l'eût jugé entre mille digne de gouverner une chose publique. Il est vrai que ce bon sens-là était accompagné d'une si grande et naïve * beauté qu'il n'y avait œil qui ne se tînt content de le regarder; et si la beauté était tant exquise, la parole la suivait de si près que l'on ne savait à qui donner l'honneur, ou à la grâce, ou à la beauté, ou au bien parler. Mais ce qui le faisait encore plus estimer, c'était sa grande hardiesse, dont le bruit * n'était empêché pour * sa jeunesse. Car en tant de lieux avait déjà montré ce qu'il savait faire que non seulement les Espagnes, mais la France et l'Italie estimèrent grandement ses vertus, pource qu'à toutes les guerres qui avaient été il ne s'était point épargné. Et quand son pays était en repos, il allait chercher la guerre aux lieux étranges * où il était aimé et estimé d'amis et d'ennemis.

Ce gentilhomme, pour l'amour de son capitaine, se trouva en cette terre où était arrivée la comtesse d'Arande. Et en regardant la beauté et bonne grâce de sa fille Floride qui, pour l'heure, n'avait que douze ans, se pensa en lui-même que c'était bien la plus honnête personne qu'il avait jamais vue et que, s'il pouvait avoir sa bonne grâce, il en serait plus satisfait que de tous les biens et plaisirs qu'il pourrait avoir d'une autre. Et après l'avoir longuement regardée, se délibéra de l'aimer, quelque impossibilité que la raison lui mît au-devant, tant pour la maison dont elle était que pour l'âge, qui ne pouvait encore entendre tels propos. Mais contre cette crainte se fortifiait d'une bonne espérance, se promettant à lui-même que le temps et la patience apporteraient heureuse fin à ses labeurs. Et dès ce temps, l'amour gentil *, qui sans occasion * que par force de lui-même était entré au cœur d'Amadour, lui promit de lui donner toute faveur et moyen pour y atteindre. Et pour pourvoir [a] à la plus grande difficulté, qui était la lointaineté * du

a. parvenir (A)

pays où il demeurait et le peu d'occasion qu'il avait de revoir Floride, se pensa de se marier, contre la délibération qu'il avait faite avec les dames de Barcelone et Perpignan, où il avait tel crédit que peu ou rien lui était refusé. Et avait tellement hanté * cette frontière à cause des guerres qu'il semblait mieux Catalan que Castillan, combien qu'il fût natif d'auprès de Tolède, d'une maison riche et honorable ; mais, à cause qu'il était puîné, n'avait rien de son patrimoine. Si * est-ce qu'Amour et Fortune, le voyant délaissé de ses parents, délibérèrent d'y faire leur chef-d'œuvre, et lui donnèrent, par le moyen de la vertu *, ce que les lois du pays lui refusaient : il était fort adonné en l'état de la guerre et tant aimé de tous seigneurs et princes qu'il refusait plus souvent leurs biens qu'il n'avait souci de leur en demander.

La comtesse dont je vous parle arriva ainsi [b] en Saragosse, et fut très bien reçue du Roi et de toute sa cour. Le gouverneur de Catalogne la venait souvent visiter, et Amadour n'avait garde de faillir à l'accompagner pour avoir seulement le loisir de regarder Floride. Car il n'avait nul moyen de parler à elle. Et pour se donner à connaître en telle compagnie, s'adressa à la fille d'un vieux chevalier voisin de sa maison, nommée Avanturade, laquelle avait avec Floride tellement conversé [c] qu'elle savait tout ce qui était caché en son cœur. Amadour, tant pour * l'honnêteté qu'il trouva en elle que pource qu'elle avait trois mille ducats de rente en mariage, délibéra de l'entretenir comme celui qui la voulait épouser. A quoi volontiers elle prêta l'oreille. Et pource qu'il était pauvre et son père [d] riche, pensa que jamais il ne s'accorderait à ce mariage, sinon par le moyen de la comtesse d'Arande. Donc s'adressa à Mme Floride et lui dit : « Madame, vous voyez ce gentilhomme castillan qui si souvent parle à moi. Je crois que toute sa prétente * n'est que de m'avoir en mariage. Vous savez quel père j'ai, lequel jamais ne s'y consentira si, par la comtesse et

---

b. aussi (A)

c. laquelle avait été nourrie d'enfance avec Floride tellement qu'elle savait (T)

d. le père de la demoiselle riche (T)

par vous, il n'en est bien fort prié. » Floride, qui aimait la demoiselle comme elle-même, l'assura de prendre cette affaire à cœur comme son bien propre. Et fit tant Avanturade qu'elle lui présenta Amadour, lequel, lui baisant la main, cuida * s'évanouir d'aise : là où il était estimé le mieux parlant qui fût en Espagne devint muet devant Floride, dont elle fut fort étonnée car, combien qu'elle n'eût que douze ans, si * avait-elle déjà bien entendu qu'il n'y avait homme en l'Espagne mieux disant ce qu'il voulait et de meilleure grâce. Et voyant qu'il ne lui tenait nul propos, commença à lui dire : « La renommée que vous avez, seigneur Amadour, par toutes les Espagnes est telle qu'elle vous rend connu en toute cette compagnie, et donne désir à ceux qui vous connaissent de s'employer à vous faire plaisir. Parquoi, si en quelque endroit je vous en puis faire, vous m'y pouvez employer. » Amadour, qui regardait la beauté de sa dame, était si très ravi qu'à peine lui put-il dire grand merci. Et combien que Floride s'étonnât de le voir sans réponse, si * est-ce qu'elle l'attribua plutôt à quelque sottise qu'à la force d'amour, et passa outre sans parler davantage.

Amadour, connaissant la vertu qui en si grande jeunesse commençait à se montrer en Floride, dit à celle qu'il voulait épouser : « Ne vous émerveillez point si j'ai perdu la parole devant Mme Floride, car les vertus et la sage parole qui sont cachées sous cette grande jeunesse m'ont tellement étonné que je ne lui ai su que dire. Mais je vous prie, Avanturade, comme celle qui savez ses secrets, me dire s'il est possible qu'en cette cour elle n'ait tous les cœurs des gentilshommes ; car ceux qui la connaîtront et ne l'aimeront sont pierres ou bêtes. » Avanturade, qui déjà aimait Amadour plus que tous les hommes du monde, ne lui voulut rien celer et lui dit que madame Floride était aimée de tout le monde. Mais, à cause de la coutume du pays, peu de gens parlaient à elle. Et n'en avait point encore vu nul qui en fît grand semblant *, sinon deux princes d'Espagne qui désiraient de l'épouser, l'un desquels était le fils de l'Infant Fortuné, l'autre était le jeune duc de Cardonne. « Je vous prie, dit Amadour, dites-moi lequel vous pensez qu'elle aime le mieux ? » — « Elle est si sage, dit Avanturade, que pour rien elle ne confesserait avoir autre volonté que celle de sa mère. Toutefois, à ce que nous en devons juger, elle aime trop mieux le fils de l'Infant Fortuné que le jeune duc de Cardonne. Mais sa mère, pour l'avoir plus près d'elle, l'aimerait mieux donner à Cardonne[e]. Et je vous tiens homme de si bon jugement que, si vous vouliez, dès aujourd'hui vous en pourriez juger la vérité. Car le fils de l'Infant Fortuné est nourri * en cette cour, qui est un des plus beaux et parfaits jeunes princes qui soit en la Chrétienté. Et si le mariage se faisait, par l'opinion d'entre nous filles, il serait assuré d'avoir Mme Floride pour voir ensemble le plus beau couple de toute l'Espagne. Il faut que vous entendiez que, combien qu'ils soient tous deux jeunes, elle de douze et lui de quinze ans, si * a-t-il déjà trois ans que l'amour est commencée. Et si vous voulez avoir la bonne grâce d'elle, je vous conseille de vous faire ami et serviteur de lui. »

Amadour fut fort aise de voir que sa dame aimait quelque chose, espérant qu'à la longue il gagnerait le lieu, non de mari, mais de serviteur. Car il ne craignait en sa vertu, sinon qu'elle ne voulût aimer. Et après ces propos, s'en alla Amadour hanter * le fils de l'Infant Fortuné, duquel il eut aisément la bonne grâce, pource que tous les passe-temps que le jeune prince aimait, Amadour les savait tous faire. Et surtout était fort adroit à manier les chevaux, et s'aider de toutes sortes d'armes, et à tous les passe-temps et jeux qu'un jeune homme doit savoir[2]. La guerre recommença en Languedoc, et fallut qu'Amadour retournât avec le gouverneur, qui ne fut sans grand regret, car il n'y avait moyen par lequel il pût retourner en lieu où il pût voir Floride. Et pour cette occasion *, à son partement *, parla à un sien frère qui était majordome à la Reine d'Espagne, et lui dit le bon parti qu'il avait trouvé en la maison de la comtesse d'Arande de la demoiselle Avanturade, lui priant qu'en son absence fît tout son possible que le mariage vînt à exécution, et qu'il y employât le crédit de la Reine et du Roi, et de tous ses amis. Le gentilhomme, qui aimait son

e. l'aimerait mieux à Cardonne (A)

frère tant pour le lignage que pour ses grandes vertus, lui promit y faire son devoir. Ce qu'il fit, en sorte que le père, vieux et avaricieux, oublia son naturel pour regarder[f] les vertus d'Amadour, lesquelles la comtesse d'Arande et surtout la belle Floride lui peignaient devant les yeux. Pareillement le jeune comte d'Arande, qui commençait à croître, et en croissant à aimer les gens vertueux. Quand le mariage fut accordé entre les parents, le majordome de la Reine envoya quérir son frère, tandis que les trêves duraient entre les deux Rois.

Durant lequel temps le Roi d'Espagne se retira à Madrid, pour éviter le mauvais air qui était en plusieurs lieux. Et par l'avis de ceux de son conseil, à la requête aussi de la comtesse d'Arande, fit le mariage de l'héritière duchesse de Medinaceli avec le petit comte d'Arande, tant pour le bien et union de leur maison que pour l'amour qu'il portait à la comtesse d'Arande. Et voulut faire les noces au château de Madrid. A ces noces se trouva Amadour, qui poursuivit si bien les siennes qu'il épousa celle dont il était plus aimé qu'il n'y avait d'affection, sinon d'autant que ce mariage lui était très heureuse couverture * et moyen de hanter * le lieu où son esprit demeurait incessamment. Après qu'il fut marié, prit telle hardiesse et privauté en la maison de la comtesse d'Arande que l'on ne se gardait de lui non plus que d'une femme. Et combien qu'à l'heure * il n'eût que vingt-deux ans, il était si sage que la comtesse d'Arande lui communiquait tous ses affaires, et commandait à son fils et à sa fille de l'entretenir et croire ce qu'il leur conseillerait. Ayant gagné ce point-là de cette grande estime, se conduisait si sagement et froidement que même celle qu'il aimait ne connaissait point son affection. Mais, pour l'amour de sa femme qu'elle aimait plus que nulle autre, elle était si privée * de lui qu'elle ne lui dissimulait chose qu'elle pensât. Et eut cet heur qu'elle lui déclara toute l'amour qu'elle portait au fils de l'Infant Fortuné. Et lui, qui ne tâchait qu'à la gagner entièrement, lui en parlait incessamment. Car il ne lui chaillait * quel propos il lui

f. garder (A)

tînt, mais * qu'il eut moyen de l'entretenir longuement. Il ne demeura point un mois en la compagnie après ses noces qu'il ne fût contraint de retourner à la guerre, où il demeura plus de deux ans sans retourner voir sa femme, laquelle se tenait toujours où elle avait été nourrie *.

Durant ce temps, lui écrivait souvent Amadour, mais le plus fort de la lettre était des recommandations à Floride qui, de son côté, ne faillait * à lui en rendre, et mettait quelque bon mot de sa main en la lettre qu'Avanturade faisait, qui était l'occasion de rendre son mari très soigneux de lui récrire. Mais en tout ceci ne connaissait rien Floride, sinon qu'elle l'aimait comme s'il eût été son propre frère. Plusieurs fois alla et vint Amadour, en sorte qu'en cinq ans ne vit pas Floride deux mois durant. Et toutefois l'amour, en dépit de l'éloignement et de la longueur de l'absence, ne laissait pas de croître. Et advint qu'il fit un voyage pour venir voir sa femme, et trouva la comtesse bien loin de la cour, car le Roi d'Espagne s'en était allé à l'Andalousie, et avait mené avec lui le jeune comte d'Arande qui déjà commençait à porter les armes. La comtesse d'Arande s'était retirée en une maison de plaisance qu'elle avait sur la frontière d'Aragon et de Navarre. Et fut fort aise quand elle vit revenir Amadour, lequel près de trois ans avait été absent. Il fut bienvenu d'un chacun, et commanda la comtesse qu'il fût traité comme son propre fils. Tandis qu'il fut avec elle, elle lui communiquait g toutes ses affaires de sa maison et en remettait la plupart à son opinion. Et gagna un si grand crédit en cette maison qu'en tous les lieux où il voulait venir on lui ouvrait toujours la porte, estimant sa prud'homie si grande que l'on se fiait en lui de toutes choses comme un saint ou un ange. Floride, pour * l'amitié qu'elle portait à sa femme Avanturade et à lui, le cherchait en tous lieux où elle le voyait. Et ne se doutait en rien de son intention. Par quoi elle ne se gardait de nulle contenance, pour ce que son cœur ne souffrait nulle passion, sinon qu'elle sentait un très grand contentement quand elle était auprès de lui, mais autre chose n'y pen-

g. communiqua (A)

sait. Amadour, pour éviter le jugement de ceux qui ont
expérimenté la différence du regard des amants au prix
des autres, fut en grande peine. Car quand Floride venait
parler à lui privément* comme celle qui n'y pensait nul
mal, le feu caché en son cœur le brûlait si fort qu'il ne
pouvait empêcher que la couleur ne lui montât au visage
et que les étincelles saillissent* par ses yeux. Et afin que
par fréquentation nul ne s'en pût apercevoir, se mit à
entretenir une fort belle dame, nommée Poline, femme
qui en son temps fut estimée si belle que peu d'hommes
qui la voyaient échappaient de ses liens. Cette Poline,
ayant entendu comme Amadour avait mené l'amour à
Barcelone et à Perpignan, en sorte qu'il était aimé des
plus belles et honnêtes dames du pays, et sur toutes d'une
comtesse de Palamos que l'on estimait la première en
beauté de toutes les dames d'Espagne et de plusieurs
autres, lui dit qu'elle avait grand pitié de lui, vu qu'après
tant de bonnes fortunes il avait épousé une femme si laide
que la sienne. Amadour, entendant bien par ces paroles
qu'elle avait envie de remédier à sa nécessité, lui en tint
les meilleurs propos qu'il fut possible, pensant qu'en lui
faisant accroire un mensonge, il lui couvrirait* une vérité. Mais elle, fine, expérimentée en amour, ne se
contenta de paroles. Toutefois, sentant très bien que son
cœur n'était satisfait de cet amour, se douta qu'il la
voulût faire servir de couverture*, et pour cette occasion* le regardait de si près qu'elle avait toujours le
regard à ses yeux, qui savaient si bien feindre qu'elle ne
pouvait juger que par bien obscur soupçon. Mais ce
n'était sans grand peine au gentilhomme auquel Floride,
ignorant toutes ces malices, s'adressait souvent devant
Poline si privément qu'il avait une merveilleuse* peine à
contraindre son regard contre son cœur. Et pour éviter
qu'il n'en vînt inconvénient, un jour, parlant à Floride,
appuyé sur une fenêtre, lui tint tel propos: « M'amie, je
vous supplie, me conseiller lequel vaut mieux, parler ou
mourir?» Floride lui répondit promptement: «Je
conseillerai toujours à mes amis de parler, et non de
mourir, car il y a peu de paroles qui ne se puissent
amender, mais la vie perdue ne se peut recouvrer.»

— « Vous me promettez donc, dit Amadour, que vous ne serez non seulement marrie des propos que je vous veux dire, mais ni étonnée *[h] jusqu'à temps que vous entendiez la fin. » Elle lui répondit : « Dites ce qu'il vous plaira, car si vous m'étonnez, nul autre ne m'assurera. » Il commença à lui dire : « Madame, je ne vous ai encore voulu dire la très grande affection que je vous porte, pour deux raisons : l'une, que j'entendais par long service vous en donner l'expérience ; l'autre, que je doutais que vous estimassiez gloire * en moi, qui suis un simple gentilhomme, de m'adresser en lieu qu'il ne m'appartient de regarder. Et encore, quand je serais prince comme vous, la loyauté de votre cœur ne permettrait qu'autre que celui qui en a pris possession, fils de l'Infant Fortuné, vous tienne propos d'amitié. Mais, madame, tout ainsi que la nécessité en une forte guerre contraint faire le dégât de son propre bien et ruiner le blé en herbe, de peur que l'ennemi n'en puisse faire son profit, ainsi prens-je le hasard d'avancer le fruit qu'avec le temps j'espérais cueillir, pour garder que les ennemis de vous et de moi n'en pussent faire leur profit à votre dommage. Entendez, madame, que dès l'heure de votre grande jeunesse je me suis tellement dédié à votre service que je n'ai cessé de chercher les moyens pour acquérir votre bonne grâce. Et pour cette occasion * seule me suis marié avec celle que je pensais que vous aimiez le mieux. Et sachant l'amour que vous portiez au fils de l'Infant Fortuné, ai mis peine de le servir et hanter * comme vous savez. Et tout ce que j'ai pensé vous plaire, je l'ai cherché de tout mon pouvoir. Vous voyez que j'ai acquis la grâce de la comtesse votre mère et du comte votre frère, et de tous ceux que vous aimez, tellement que je suis en cette maison tenu non comme serviteur, mais comme enfant. Et tout le travail * que j'ai pris il y a cinq ans n'a été que pour vivre toute ma vie avec vous. Entendez, madame, que je ne suis point de ceux qui prétendent par ce moyen avoir de vous ni bien ni plaisir autre que vertueux. Je sais que je ne vous puis épouser, et quand je le pourrais, je ne le

h. mais étonnée (A)

voudrais contre l'amour que vous portez à celui que je désire vous voir pour mari. Et aussi, de vous aimer d'une amour vicieuse, comme ceux qui espèrent de leur long service une récompense au déshonneur des dames, je suis si loin de cette affection que j'aimerais mieux vous voir morte que de vous savoir moins digne d'être aimée, et que la vertu fût amoindrie en vous pour quelque plaisir qui m'en sût advenir. Je ne prétends, pour la fin et récompense de mon service, qu'une chose : c'est que vous me vouliez être maîtresse si loyale que jamais vous ne m'éloigniez de votre bonne grâce, que vous me continuiez au degré où je suis, vous fiant en moi plus qu'en nul autre, prenant cette sûreté de moi que, si pour votre honneur ou chose qui vous touchât vous avez besoin de la vie d'un gentilhomme, la mienne y sera de très bon cœur employée, et en pouvez faire état pareillement que toutes les choses honnêtes et vertueuses que je ferai seront faites seulement pour l'amour de vous. Et si j'ai fait, pour dames moindres que vous, chose dont on ait fait estime, soyez sûre que, pour une telle maîtresse, mes entreprises croîtront de telle sorte que les choses que je trouvais impossibles me seront très faciles. Mais si vous ne m'acceptez pour du tout vôtre, je délibère de laisser les armes et renoncer à la vertu * qui ne m'aura secouru à mon besoin. Parquoi, madame, je vous supplie que ma juste requête me soit octroyée, puisque votre honneur et conscience ne me la peuvent refuser. »

La jeune dame, oyant un propos non accoutumé, commença à changer de couleur et baisser les yeux comme femme étonnée *. Toutefois elle, qui était sage, lui dit : « Puisqu'ainsi est, Amadour, que vous demandez de moi ce que vous en avez, pourquoi est-ce que vous me faites une si grande et longue harangue * ? J'ai si grand peur que, sous vos honnêtes propos, il y ait quelque malice cachée pour décevoir * l'ignorance jointe à ma jeunesse que je suis en grande perplexité de vous répondre. Car de refuser l'honnête amitié que vous m'offrez, je ferais le contraire de ce que j'ai fait jusqu'ici, que je me suis plus fiée en vous qu'en tous les hommes du monde. Ma conscience ni mon honneur ne contreviennent point à

votre demande, ni l'amour que je porte au fils de l'Infant
Fortuné. Car elle est fondée sur mariage, où vous ne
prétendez rien. Je ne sache chose qui me doive empêcher
de faire réponse selon votre désir, sinon une crainte que
j'ai en mon cœur, fondée sur le peu d'occasion * que vous
avez de me tenir tels propos. Car, si vous avez ce que
vous demandez, qui vous contraint d'en parler si affec-
tionnément ? » Amadour, qui n'était sans réponse, lui dit :
« Madame, vous parlez très prudemment, et me faites tant
d'honneur de la fiance que vous dites avoir en moi que, si
je ne me contente d'un tel bien, je suis indigne de tous les
autres. Mais entendez, madame, que celui qui veut bâtir
un édifice perpétuel, il doit regarder à prendre un sûr et
ferme fondement : parquoi, moi qui désire perpétuellement demeurer en votre service, je dois regarder non
seulement les moyens pour me tenir près de vous, mais
empêcher qu'on ne puisse connaître la très grande affection que je vous porte. Car combien qu'elle soit tant
honnête qu'elle se puisse prêcher partout, si * est-ce que
ceux qui ignorent le cœur des amants ont souvent jugé
contre vérité. Et de cela vient autant mauvais bruit * que
si les effets étaient méchants. Ce qui me fait dire ceci, et
ce qui m'a fait avancer de le vous déclarer, c'est Poline,
laquelle a pris un si grand soupçon sur moi, sentant bien à
son cœur que je ne la puis aimer, qu'elle ne fait en tous
lieux qu'épier ma contenance. Et quand vous venez parler
à moi devant elle si privément *, j'ai si grand peur de
faire quelque signe où elle fonde jugement que je tombe
en inconvénient dont je me veux garder. En sorte que j'ai
pensé vous supplier que, devant elle, et devant celles que
vous connaissez aussi malicieuses, ne veniez parler à moi
ainsi soudainement, car j'aimerais mieux être mort que
créature vivante en eût la connaissance. Et n'eût été
l'amour que j'avais à votre honneur, je n'avais point
proposé de vous tenir ces propos, d'autant que je me tiens
assez heureux de l'amour et fiance que vous me
portez, où je ne demande rien davantage que persévérance. »

Floride, tant contente qu'elle n'en pouvait plus porter *,
commença en son cœur à sentir quelque chose plus qu'elle

n'avait accoutumé. Et voyant les honnêtes raisons qu'il lui alléguait, lui dit que la vertu et l'honnêteté répondraient pour elle, et lui accorderait[i] ce qu'il demandait. Dont, si Amadour fut joyeux, nul qui aime ne le peut douter. Mais Floride crut trop plus son conseil qu'il ne voulait, car elle, qui était craintive non seulement devant Poline mais en tous autres lieux, commença à ne le chercher pas comme elle avait accoutumé. Et en cet éloignement, trouva mauvais la grande fréquentation qu'Amadour avait avec Poline, laquelle elle voyait tant belle qu'elle ne pouvait croire qu'il ne l'aimât. Et pour passer sa grande tristesse, entretint toujours Avanturade, laquelle commençait fort à être jalouse de son mari et de Poline, et s'en plaignait souvent à Floride qui la consolait le mieux qu'il lui était possible, comme celle qui était frappée d'une même peste *. Amadour s'aperçut bientôt de la contenance de Floride, et non seulement pensa qu'elle s'éloignait de lui par son conseil, mais qu'il y avait quelque fâcheuse opinion mêlée. Et un jour, venant de vêpres d'un monastère, lui dit : « Madame, quelle contenance me faites-vous ? » — « Telle que je pense que vous la voulez », répondit Floride. A l'heure *, soupçonnant la vérité, pour savoir s'il était vrai, va dire : « Madame, j'ai tant fait par mes journées que Poline n'a plus d'opinion de vous. » Elle lui répondit : « Vous ne sauriez mieux faire, et pour vous et pour moi, car en faisant plaisir à vous-même vous me faites honneur. » Amadour estima, par cette parole, qu'elle estimait qu'il prenait plaisir à parler à Poline, dont il fut si désespéré[j] qu'il ne se put tenir de lui dire en colère : « Ah, madame, c'est bien tôt commencé de tourmenter un serviteur, et le lapider de bonne heure[k] ! Car je ne pense point avoir porté peine qui m'ait été plus ennuyeuse que la contrainte de parler à celle que je n'aime point. Et puisque ce que je fais pour votre service est pris de vous en autre part, je ne parlerai jamais à elle. Et en advienne ce qu'il en pourra advenir ! Et afin de dissimuler mon courroux, comme j'ai fait mon

i. accordait (A)
j. il fut désespéré (A)
k. le lapider pour un bon œuvre (T)

contentement, je m'en vais en quelque lieu ici auprès, en attendant que votre fantaisie soit passée. Mais j'espère que là j'aurai quelques nouvelles de mon capitaine de retourner à la guerre, où je demeurerai si longtemps que vous connaîtrez qu'autre chose que vous ne me tient en ce lieu. » Et en ce disant, sans attendre autre réponse d'elle, partit incontinent. Floride demeura tant ennuyée * et triste qu'il n'était possible de plus. Et commença l'amour, poussée de son contraire, à montrer sa très grand force, tellement qu'elle, connaissant son tort, écrivait incessamment à Amadour, le priant de vouloir retourner. Ce qu'il fit après quelques jours que sa grande colère lui était diminuée.

Je ne saurais entreprendre de vous conter par le menu les propos qu'ils eurent pour rompre cette jalousie. Toutefois il gagna la bataille, tant qu'elle lui promit que jamais elle ne croirait non seulement qu'il aimât Poline, mais qu'elle serait toute assurée que ce lui était un martyre trop importable * de parler à elle ou à autre, sinon pour lui faire service.

Après que l'amour eut vaincu ce premier soupçon et que les deux amants commencèrent à prendre plus de plaisir que jamais à parler ensemble, les nouvelles vinrent que le Roi d'Espagne envoyait toute son armée à Salces. Parquoi celui qui avait accoutumé d'y être le premier n'avait garde de faillir * à pourchasser son honneur. Mais il est vrai que c'était avec un autre regret qu'il n'avait accoutumé, tant de perdre son plaisir qu'il avait que de peur de trouver mutation à son retour, pource qu'il voyait Floride pourchassée de grands princes et seigneurs, et déjà parvenue à l'âge de quinze ou seize ans. Parquoi pensa que, si elle était en son absence mariée, il n'aurait plus d'occasion de la voir, sinon que la comtesse d'Arande lui donnât Avanturade, sa femme, pour compagnie. Et mena si bien son affaire envers ses amis que la comtesse et Floride lui promirent qu'en quelque lieu qu'elle fût mariée sa femme Avanturade irait. Et combien qu'il fût question à l'heure * de marier Floride en Portugal, si * était-il délibéré qu'elle ne l'abandonnerait jamais. Et sur cette assurance, non sans un regret indicible, s'en partit Amadour, et laissa sa femme avec la comtesse.

Quand Floride seule ouït le département[1] de son bon serviteur, elle se met à faire toutes choses si bonnes et vertueuses qu'elle espérait pour cela atteindre le bruit* des plus parfaites dames, et d'être réputée digne d'avoir un tel serviteur qu'Amadour. Lequel, étant arrivé à Barcelone, fut festoyé des dames comme il avait accoutumé, mais elles le trouvèrent tant changé qu'elles n'eussent jamais pensé que mariage eût telle puissance sur un homme qu'il avait sur lui ; car il semblait qu'il se fâchait* de voir les choses qu'autrefois il avait désirées. Et même la comtesse de Palamos, qu'il avait tant aimée, ne sut trouver moyen de le faire aller seulement jusqu'à son logis, qui fut cause qu'il n'arrêta à Barcelone que le moins qu'il lui fut possible, comme celui à qui l'heure tardait d'être au lieu où l'on n'espérait que lui. Et quand il fut arrivé à Salces, commença la guerre grande et cruelle entre les deux Rois, laquelle je ne suis délibérée de raconter, ni aussi les beaux faits que fit Amadour, car mon conte serait assez long pour employer toute une journée. Mais sachez qu'il emportait le bruit* par-dessus tous ses compagnons. Le duc de Nagères arriva à Perpignan, ayant charge de deux mille hommes, et pria Amadour d'être son lieutenant, lequel avec cette bande fit tant bien son devoir que l'on n'oyait en toutes les escarmouches crier que *Nagères !*

Or advint que le Roi de Tunis, qui de longtemps faisait la guerre aux Espagnols, entendit comme les Rois de France et d'Espagne faisaient la guerre guerroyable sur les frontières de Perpignan et de Narbonne. Se pensa qu'en meilleure saison ne pourrait-il faire déplaisir au Roi d'Espagne, et envoya un grand nombre de fûtes* et autres vaisseaux pour piller et détruire tout ce qu'ils pourraient trouver mal gardé sur les frontières d'Espagne. Ceux de Barcelone, voyant passer devant eux une grande quantité de voiles, en avertirent le Vice-Roi qui était à Salces, lequel incontinent envoya le duc de Nagères à Palamos. Et quand les Maures virent que le lieu était si bien gardé, feignirent de passer outre. Mais sur l'heure de

---

1. Floride se trouva seule après le partement (T)

minuit retournèrent, et mirent tant de gens en terre que le
duc de Nagères, surpris de ses ennemis, fut emmené
prisonnier. Amadour, qui était fort vigilant, entendit le
bruit, assembla incontinent le plus grand nombre qu'il put
de ses gens et se défendit si bien que la force de ses
ennemis fut longtemps sans lui pouvoir nuire. Mais à la
fin, sachant que le duc de Nagères était pris et que les
Turcs étaient délibérés de mettre le feu à Palamos et le
brûler en la maison qu'il tenait forte * contre eux, aima
mieux se rendre que d'être cause de la perdition des gens
de bien qui étaient en sa compagnie. Et aussi que, se
mettant à rançon, espérait encore revoir Floride. A
l'heure * se rendit à un Turc nommé Dorlin, gouverneur
du Roi de Tunis, lequel le mena à son maître où il fut le
très bien reçu et encore mieux gardé : car il pensait bien,
l'ayant entre ses mains, avoir l'Achille de toutes les
Espagnes.
     Ainsi demeura Amadour près de deux ans au service du
Roi de Tunis. Les nouvelles vinrent en Espagne de cette
prise, dont les parents du duc de Nagères firent un grand
deuil. Mais ceux qui aimaient l'honneur du pays estimèrent plus grande la perte d'Amadour. Le bruit en vint dans
la maison de la comtesse d'Arande, où pour l'heure était la
pauvre Avanturade grièvement malade. La comtesse qui
se doutait bien fort de l'affection qu'Amadour portait à sa
fille, laquelle elle souffrait et dissimulait pour * les vertus
qu'elle connaissait en lui, appela sa fille à part et lui dit les
piteuses * nouvelles. Floride, qui savait bien dissimuler,
lui dit que c'était grande perte pour toute leur maison, et
que surtout elle avait pitié de sa pauvre femme, vu mêmement * la maladie où elle était. Mais, voyant sa mère
pleurer très fort, laissa aller quelques larmes pour lui tenir
compagnie, afin que, par trop feindre, sa feinte ne fût
découverte. Depuis cette heure-là, la comtesse lui en
parlait souvent, mais jamais ne sut tirer contenance où elle
pût asseoir jugement. Je laisserai à dire les voyages *,
prières, oraisons, et jeûnes que faisait ordinairement Floride pour le salut d'Amadour. Lequel, incontinent qu'il fut
à Tunis, ne faillit * d'envoyer de ses nouvelles à ses amis
et, par homme fort sûr, avertir Floride qu'il était en bonne

santé et espoir de la revoir. Qui fut à la pauvre dame le seul moyen de soutenir son ennui *. Et ne doutez, puisqu'il lui était permis d'écrire, qu'elle s'en acquitta si diligemment qu'Amadour n'eut point faute de la consolation de ses lettres et épîtres.

Et fut mandée la comtesse d'Arande pour aller à Saragosse où le Roi était arrivé. Et là se trouva le jeune duc de Cardonne, qui fit poursuite si grande envers le Roi et la Reine qu'ils prièrent la comtesse de faire le mariage de lui et de sa fille. La comtesse, comme celle qui en rien ne leur voulait désobéir, l'accorda, estimant qu'en sa fille, qui était si jeune, n'y avait volonté que la sienne. Quand tout l'accord fut fait, elle dit à sa fille comme elle lui avait choisi le parti qui lui semblait le plus nécessaire. La fille, sachant qu'en une chose faite ne fallait point de conseil, lui dit que Dieu fût loué du tout *. Et voyant sa mère si étrange envers elle, aima mieux lui obéir que d'avoir pitié de soi-même. Et pour la réjouir de tant de malheurs, entendit que l'Infant Fortuné était malade à la mort. Mais jamais, devant sa mère ni nul autre, n'en fit un seul semblant *, et se contraignit si fort que les larmes, par force retirées en son cœur, firent sortir le sang par le nez en telle abondance que la vie fut en danger de s'en aller quand et quand *. Et pour la restaurer épousa celui qu'elle eût volontiers changé à la mort. Après les noces faites, s'en alla Floride avec son mari en la duché de Cardonne, et mena avec elle Avanturade, à laquelle elle faisait privément * ses complaintes, tant de la rigueur que sa mère lui avait tenue que du regret d'avoir perdu le fils de l'Infant Fortuné. Mais du regret d'Amadour ne lui en parlait que par manière de la consoler. Cette jeune dame donc se délibéra de mettre Dieu et l'honneur devant ses yeux, et dissimula si bien ses ennuis * que jamais nul des siens ne s'aperçut que son mari lui déplût.

Ainsi passa un long temps Floride, vivant d'une vie moins belle que la mort. Ce qu'elle ne faillit * de mander à son serviteur Amadour lequel, connaissant son grand et honnête cœur et l'amour qu'elle portait au fils de l'Infant Fortuné, pensa qu'il était impossible qu'elle sût vivre longuement, et la regretta comme celle qu'il tenait pis

que morte. Cette peine augmenta celle qu'il avait, et eût
voulu demeurer toute sa vie esclave comme il était, et que
Floride eût eu un mari selon son désir, oubliant son mal
pour celui qu'il sentait que portait s'amie. Et pource qu'il
entendit, par un ami qu'il avait acquis à la cour du Roi de
Tunis, que le Roi était délibéré de lui faire présenter le
pal, ou qu'il eût à renoncer sa foi, pour l'envie qu'il
avait, s'il le pouvait rendre bon Turc, de le tenir avec lui,
il fit tant avec le maître qui l'avait pris qu'il le laissa aller
sur sa foi, le mettant à si grande rançon qu'il ne pensait
point qu'un homme de si peu de biens la pût trouver. Et
ainsi, sans en parler au Roi, le laissa son maître aller sur
sa foi. Lui, venu à la cour devers le Roi d'Espagne, s'en
partit bientôt pour aller chercher sa rançon à tous ses
amis. Et s'en alla tout droit à Barcelone où le jeune duc
de Cardonne, sa mère et Floride étaient allés pour quelque affaire. Sa femme Avanturade, sitôt qu'elle ouït les
nouvelles que son mari était revenu, le dit à Floride,
laquelle s'en réjouit comme pour l'amour d'elle. Mais
craignant que la joie qu'elle avait de le voir lui fît changer
de visage et que ceux qui ne la connaissaient point en
prissent mauvaise opinion, se tint à une fenêtre pour le
voir venir de loin. Et, sitôt qu'elle l'avisa *, descendit par
un escalier tant obscur que nul ne pouvait connaître si elle
changeait de couleur. Et ainsi, embrassant Amadour, le
mena en sa chambre, et de là à sa belle-mère qui ne
l'avait jamais vu. Mais il n'y demeura point deux jours
qu'il se fît autant aimer dans leur maison qu'il était en
celle de la comtesse d'Arande.

Je vous laisserai à penser les propos que Floride et lui
purent avoir ensemble, et les complaintes qu'elle ^m lui fit
des maux qu'elle ^m avait reçus en son absence. Après
plusieurs larmes jetées du regret qu'elle avait, tant d'être
mariée contre son cœur que d'avoir perdu celui qu'elle
aimait tant, lequel jamais n'espérait de revoir, se délibéra
de prendre sa consolation en l'amour et sûreté qu'elle
portait à Amadour, ce que toutefois elle ne lui osait
déclarer. Mais lui, qui s'en doutait bien, ne perdait occa-

m. il (T)

sion ni temps pour lui faire connaître la grande amour
qu'il lui portait. Sur le point qu'elle était presque toute
gagnée de le recevoir non à serviteur, mais à sûr et parfait
ami, arriva une malheureuse fortune. Car le Roi, pour
quelque affaire d'importance, manda incontinent Amadour. Dont sa femme eût si grand regret que, oyant ces
nouvelles, elle s'évanouit et tomba d'un degré * où elle
était, dont elle se blessa si fort qu'onques * puis n'en
releva[3]. Floride, qui par cette mort perdait toute consolation, fit tel deuil que peut faire celle qui se sent destituée
de ses parents et amis. Mais encore le prit plus mal en gré
Amadour, car d'un côté il perdait l'une des plus femmes
de bien[n] qui onques * fut, et de l'autre le moyen de
pouvoir jamais revoir Floride. Dont il tomba en telle
tristesse qu'il cuida * soudainement mourir. La vieille
duchesse de Cardonne incessamment le visitait, lui alléguant les raisons des philosophes pour lui faire porter *
cette mort patiemment. Mais rien ne servait car, si la mort
d'un côté le tourmentait, l'amour de l'autre côté
augmentait le martyre. Voyant Amadour que sa femme
était enterrée et que son maître le mandait, parquoi il
n'avait plus occasion * de demeurer, eut tel désespoir en
son cœur qu'il cuida perdre l'entendement. Floride, qui
en le cuidant consoler était sa désolation, fut toute une
après-dînée à lui tenir les plus honnêtes propos qu'il lui
fut possible pour lui cuider diminuer la grandeur de son
deuil, l'assurant qu'elle trouverait moyen de le pouvoir
voir plus souvent qu'il ne cuidait. Et pource que le matin
devait partir et qu'il était si faible qu'il ne se pouvait
bouger de dessus son lit, la supplia de le venir voir au soir
après que chacun y aurait été. Ce qu'elle lui promit,
ignorant que l'extrémité de l'amour ne connaît nulle raison. Lui, qui se voyait du tout désespéré de jamais la
pouvoir revoir[o], qui si longuement l'avait servie et n'en
avait jamais eu nul autre traitement que vous avez ouï, fut
tant combattu de l'amour dissimulée et du désespoir qui
lui montrait tous les moyens de la hanter * perdus, qu'il

n. l'une des femmes de bien (A)
o. recevoir (A)

se délibéra de jouer à quitte ou à double pour du tout * la perdre ou du tout la gagner, et se payer en une heure du bien qu'il pensait avoir mérité. Il fit encourtiner * son lit, de sorte que ceux qui venaient à la chambre ne le pouvaient voir, et se plaignit beaucoup plus qu'il n'avait accoutumé, tant que tous ceux de cette maison ne pensaient pas qu'il dût vivre vingt-quatre heures.

Après que chacun l'eut visité au soir, Floride, à la requête même de son mari, y alla, espérant pour le consoler lui déclarer son affection, et que du tout elle le voulait aimer ainsi que l'honneur le peut permettre. Et se vint seoir en une chaise qui était au chevet de son lit, et commença son réconfort par pleurer avec lui. Amadour, la voyant remplie d'un tel regret, pensa qu'en ce grand tourment pourrait plus facilement venir à bout de son intention, et se leva de dessus son lit, dont Floride, pensant qu'il fût trop faible, le voulut engarder *. Et se mit à deux genoux devant elle, lui disant : « Faut-il que pour jamais je vous perde de vue ? » Se laissa tomber entre ses bras comme un homme à qui la force défaut. La pauvre Floride l'embrassa et le soutint longuement, faisant tout ce qui lui était possible pour le consoler. Mais la médecine qu'elle lui baillait pour amender sa douleur la lui rendait beaucoup plus forte car, en faisant le demi-mort et sans parler, s'essaya à chercher ce que l'honneur des dames défend. Quand Floride s'aperçut de sa mauvaise volonté, ne la pouvait croire, vu les honnêtes propos que toujours lui avait tenus. Lui demanda que c'était qu'il voulait. Mais Amadour, craignant d'ouïr sa réponse qu'il savait bien ne pouvoir être que chaste et honnête, sans lui dire rien, poursuivit avec toute la force qu'il lui fut possible ce qu'il cherchait. Dont Floride, bien étonnée *, soupçonna plutôt qu'il fût hors de son sens que de croire qu'il prétendît à son déshonneur. Parquoi elle appela tout haut un gentilhomme qu'elle savait bien être en la chambre avec elle, dont Amadour, désespéré jusqu'au bout, se rejeta dessus son lit si soudainement que le gentilhomme [cuida *] ᴾ qu'il fut trépassé. Floride, qui

p. cuidait (A); pensa (T)

s'était levée de sa chaise, lui dit : « Allez, et apportez vitement quelque bon vinaigre. » Ce que le gentilhomme fit. A l'heure * Floride commença à dire : « Amadour, quelle folie est montée en votre entendement ? Et qu'est-ce qu'avez pensé et voulu faire ? » Amadour, qui avait perdu toute raison par la force d'amour, lui dit : « Un si long service mérite-t-il récompense de telle cruauté ? » — « Et où est l'honneur, dit Floride, que tant de fois m'avez prêché ? » — « Ah, madame, dit Amadour, il n'est possible de plus aimer pour votre honneur que je fais car, avant que fussiez mariée, j'ai su si bien vaincre mon cœur que vous n'avez su connaître ma volonté. Mais maintenant que vous l'êtes, et que votre honneur peut être couvert, quel tort vous tiens-je de demander ce qui est mien ? Car par la force d'amour je vous ai si bien gagnée que celui qui premier a eu votre cœur a si mal poursuivi le corps qu'il a mérité de perdre le tout ensemble. Celui qui possède votre corps n'est pas digne d'avoir votre cœur, parquoi même le corps ne lui appartient. Mais moi, madame, qui durant cinq ou six ans, ai porté tant de peines et de maux pour vous que vous ne pouvez ignorer qu'à moi seul appartiennent le corps et le cœur, pour lequel j'ai oublié le mien. Et si vous vous cuidez * défendre par la conscience, ne doutez point que, quand l'amour force le corps et le cœur, le péché soit jamais imputé. Ceux qui par fureur même viennent à se tuer ne peuvent pécher quoi qu'ils fassent, car la passion ne donne lieu à la raison. Et si la passion d'amour est la plus importable * de toutes les autres, et celle qui plus aveugle tous les sens, quel péché voudriez-vous attribuer à celui qui se laisse conduire par une invincible puissance ? Je m'en vais, et n'espère jamais de vous voir. Mais si j'avais, avant mon partement, la sûreté de vous que ma grande amour mérite, je serais assez fort pour soutenir en patience les ennuis * de cette longue absence. Et s'il ne vous plaît m'octroyer ma requête, vous orrez * bientôt dire que votre rigueur m'aura donné une malheureuse et cruelle mort. »

Floride, non moins marrie qu'étonnée * d'ouïr tenir tels propos à celui duquel jamais n'eût eu soupçon de

chose semblable, lui dit en pleurant : « Hélas, Amadour,
sont-ce ici les vertueux propos que durant ma jeunesse
m'avez tenus ? Est-ce ici l'honneur et la conscience que
vous m'avez maintes fois conseillés ? Plutôt mourir que
de perdre mon âme ! Avez-vous oublié les bons exemples
que vous m'avez donnés des vertueuses dames qui ont
résisté à la folle amour, et le dépris * que vous avez
toujours fait des folles ? Je ne puis croire, Amadour, que
vous soyez si loin de vous-même que Dieu, votre
conscience et mon honneur soient du tout * morts en
vous. Mais si ainsi est que vous le dites, je loue la Bonté
divine qui a prévenu le malheur où maintenant * je m'al-
lais précipiter, en me montrant par votre parole le cœur
que j'ai tant ignoré. Car ayant perdu le fils de l'Infant
Fortuné, non seulement pour * être marié ailleurs mais
pource que je sais qu'il en aime une autre, et me voyant
mariée à celui que ne je puis, quelque peine que j'y
mette, aimer et avoir agréable, j'avais pensé et délibéré
d'entièrement et du tout mettre mon cœur et mon affection à vous aimer, fondant cette amitié sur la vertu que
j'ai tant connue en vous, et laquelle par votre moyen je
pense avoir atteinte : c'est d'aimer plus mon honneur et
ma conscience que ma propre vie. Sur cette pierre d'honnêteté j'étais venue ici délibérée d'y prendre un très sûr
fondement, mais, Amadour, en un moment vous m'avez
montré qu'en lieu d'une pierre nette et pure, le fondement
de cet édifice serait sur sablon léger ou sur la fange *
infâme [4]. Et combien que déjà j'avais commencé grande
partie du logis où j'espérais faire perpétuelle demeure,
vous l'avez soudain du tout ruiné *. Parquoi il faut que
vous vous départiez de l'espérance qu'avez jamais eue en
moi et vous délibériez, en quelque lieu que je sois, ne me
chercher ni par parole ni par contenance, ni espérer que je
puisse ou veuille jamais changer cette opinion *. Je le
vous dis avec tel regret qu'il ne peut être plus grand. Mais
si je fusse venue jusqu'à avoir juré parfaite amité avec
vous, je sens bien mon cœur tel qu'il fût mort en telle
rupture [q]. Combien que l'étonnement que j'ai de me voir

q. en cette rencontre (A)

déçue * est si grand que je suis sûre qu'il rendra ma vie ou brève ou douloureuse. Et sur ce mot je vous dis adieu, mais c'est pour jamais ! »

Je n'entreprends point vous dire la douleur que sentait Amadour écoutant ces paroles, car elle n'est seulement impossible à écrire mais à penser, sinon à ceux qui ont expérimenté la pareille. Et voyant que sur cette cruelle conclusion * elle s'en allait, l'arrêta par le bras, sachant très bien que, s'il ne lui ôtait la mauvaise opinion qu'il lui avait donnée, à jamais il la perdrait. Parquoi il lui dit avec le plus feint visage qu'il pût prendre : « Madame, j'ai toute ma vie désiré d'aimer une femme de bien. Et pource que j'en ai trouvé si peu, j'ai bien voulu vous expérimenter pour voir si vous étiez, par votre vertu, digne d'être autant estimée qu'aimée. Ce que maintenant je sais certainement, dont je loue Dieu qui adresse mon cœur à aimer tant de perfection, vous suppliant me pardonner cette folie et audacieuse entreprise, puisque vous voyez que la fin en tourne à votre honneur et à mon grand contentement. » Floride qui commençait à connaître la malice des hommes par lui, tout ainsi qu'elle avait été difficile à croire le mal où il était, ainsi fut-elle, et encore plus, à croire le bien où il n'était pas, et lui dit : « Plût à Dieu qu'eussiez dit la vérité ! Mais je ne puis être si ignorante que l'état de mariage où je suis ne me fasse connaître clairement que forte passion et aveuglement vous a fait faire ce que vous avez fait. Car si Dieu m'eût lâché la main, je suis sûre que vous ne m'eussiez pas retiré la bride. Ceux qui tentent pour chercher la vertu n'ont accoutumé prendre le chemin que vous avez pris. Mais c'est assez : si j'ai cru légèrement quelque bien en vous, il est temps que j'en connaisse la vérité, laquelle maintenant me délivre de vos mains. » Et en ce disant se partit Floride de la chambre et, tant que la nuit dura, ne fit que pleurer, sentant si grande douleur en cette mutation que son cœur avait bien à faire à soutenir les assauts du regret qu'amour lui donnait. Car combien que, selon la raison, elle était délibérée de jamais plus l'aimer, si* est-ce que le cœur, qui n'est point sujet à nous, ne s'y voulut onques* accorder. Parquoi, ne le pouvant moins aimer qu'elle avait accoutumé, sachant qu'amour était cause de cette faute, se délibéra, satisfait à l'amour, de l'aimer de tout son cœur, et obéissant à l'honneur, n'en faire jamais à lui ni à autre semblant*.

Le matin s'en partit Amadour, ainsi fâché * que vous avez ouï. Toutefois son cœur *, qui était si grand qu'il n'avait au monde son pareil, ne le souffrit désespérer, mais lui bailla nouvelle invention de revoir encore Floride et avoir sa bonne grâce. Donc en s'en allant devers le Roi d'Espagne, lequel était à Tolède, prit son chemin par la comté d'Arande où un soir, bien tard, il arriva. Et trouva la comtesse fort malade d'une tristesse qu'elle avait de l'absence de sa fille Floride. Quand elle vit Amadour, elle le baisa et embrassa comme si c'eût été son propre enfant, tant pour * l'amour qu'elle lui portait que pour celle qu'elle doutait qu'il avait à Floride, de laquelle elle lui demanda bien soigneusement des nouvelles. Qui lui en dit le mieux qu'il lui fut possible, mais non toute la vérité. Et lui confessa l'amitié d'eux deux, ce que Floride avait toujours celé, la priant lui vouloir aider d'avoir souvent de ses nouvelles, et de retirer bientôt Floride avec elle. Et dès le matin s'en partit, et après avoir fait ses affaires avec le Roi, s'en alla à la guerre si triste et si changé de toutes conditions que dames, capitaines et tous ceux qu'il avait accoutumé de hanter * ne le connaissaient plus. Et ne s'habillait que de noir, mais c'était d'une frise * beaucoup plus grosse qu'il ne fallait pour porter le deuil de sa femme, duquel il couvrait * celui qu'il avait au cœur. Et ainsi passa Amadour trois ou quatre années sans revenir à la cour. Et la comtesse d'Arande, qui ouït dire que Floride était changée et que c'était pitié de la voir, l'envoya quérir, espérant qu'elle reviendrait auprès d'elle. Mais ce fut le contraire, car quand Floride sut qu'Amadour avait déclaré à sa mère leur amitié et que sa mère, tant sage et vertueuse, se confiant en Amadour, la trouva bonne, fut en une merveilleuse * perplexité, pource que d'un côté, elle voyait qu'elle l'estimait tant que, si elle lui disait la vérité, Amadour en pourrait recevoir mal, ce que pour mourir n'eût voulu, vu qu'elle

se sentait assez forte pour le punir de sa folie sans y
appeler ses parents; d'autre côté elle voyait que, dissimulant le mal qu'elle y savait, elle serait contrainte de sa
mère et de tous ses amis de parler à lui et lui faire bonne
chère *, par laquelle elle craignait fortifier sa mauvaise
opinion. Mais, voyant qu'il était loin, n'en fit grand
semblant * et lui écrivait quand la comtesse le lui commandait. Toutefois c'étaient lettres qu'il pouvait bien
connaître venir plus d'obéissance que de bonne volonté.
Dont il était autant ennuyé * en les lisant qu'il avait
accoutumé se réjouir des premières.

   Au bout de deux ou trois ans, après avoir fait tant de
belles choses que tout le papier d'Espagne ne les saurait
soutenir [r], imagina une invention très grande, non pour
gagner le cœur de Floride, car il le tenait pour perdu,
mais pour avoir la victoire de son ennemie, puisque telle
se faisait contre lui. Il mit arrière tout le conseil de raison
et même la peur de la mort, dont il se mettait en hasard.
Délibéra et conclut * d'ainsi le faire : or fit tant envers le
gouverneur qu'il fut par lui député pour venir parler au
Roi de quelque entreprise secrète qui se faisait sur Leu-
cate, et se fit commander de communiquer son entreprise
à la comtesse d'Arande, avant que la déclarer au Roi,
pour en prendre son bon conseil. Et vint en poste * tout
droit en la comté d'Arande où il savait qu'était Floride, et
envoya secrètement à la comtesse un sien ami lui déclarer
sa venue, lui priant la tenir secrète et qu'il pût parler à elle
la nuit, sans que personne en sût rien. La comtesse, fort
joyeuse de sa venue, le dit à Floride, et l'envoya déshabi-
biller en la chambre de son mari, afin qu'elle fût prête
quand elle la manderait et que chacun fût retiré. Floride,
qui n'était pas encore assurée de sa première peur, n'en
fit semblant * à sa mère, mais s'en alla en un oratoire se
recommander à Notre-Seigneur, en lui priant vouloir
conserver son cœur de toute méchante affection. Pensa
que souvent Amadour l'avait louée de sa beauté, laquelle
n'était point diminuée nonobstant qu'elle eût été longuement malade. Parquoi, aimant mieux faire tort à sa beauté

   r. contenir (T)

en la diminuant[s] que de souffrir par elle le cœur d'un si
honnête homme brûler d'un si méchant feu, prit une
pierre qui était en la chapelle, et s'en donna par le visage
si grand coup que la bouche, le nez et les yeux étaient tout
difformés. Et afin qu'on ne soupçonnât qu'elle l'eût fait,
quand la comtesse l'envoya quérir, se laissa tomber en
sortant de la chapelle, le visage contre terre et en criant
bien haut. Arriva la comtesse qui la trouva en ce piteux
état, et incontinent fut pansée et bandée par tout le visage.

Après la comtesse la mena en sa chambre et lui dit
qu'elle la priait d'aller en son cabinet entretenir Amadour
jusqu'à ce qu'elle se fût défaite de toute sa compagnie.
Ce que fit Floride, pensant qu'il y eût quelques gens avec
lui. Mais, se trouvant toute seule, la porte fermée sur elle,
fut autant marrie qu'Amadour content, pensant que par
amour ou par force il aurait ce qu'il avait tant désiré. Et
après avoir parlé à elle et l'avoir trouvée au même propos
en quoi il l'avait laissée, et que pour mourir elle ne
changerait son opinion, lui dit, tout outré de désespoir :
« Par Dieu, Floride, le fruit de mon labeur ne me sera
point ôté par vos scrupules ! Car puisqu'amour, patience
et humble prière ne servent de rien, je n'épargnerai point
ma force pour acquérir le bien qui, sans l'avoir, me la
ferait perdre. » Et quand Floride vit son visage et ses yeux
tant altérés que le plus beau teint du monde était rouge
comme feu, et le plus doux et plaisant regard si horrible et
furieux qu'il semblait qu'un feu très ardent étincelât dans
son cœur et son visage [...] et en cette fureur, d'une de
ses fortes et puissantes mains, prit les deux délicates et
faibles de Floride[5]. Mais elle, voyant que toute défense
lui défaillait et que pieds et mains étaient tenus en telle
captivité qu'elle ne pouvait fuir, encore moins se défendre, ne sut quel meilleur remède trouver sinon chercher
s'il n'y avait point encore en lui quelque racine de la
première amour pour l'honneur de laquelle il oubliât sa
cruauté. Parquoi elle lui dit : « Amadour, si maintenant
vous m'estimez comme ennemie, je vous supplie, par
l'honnête amour que j'ai autrefois pensée être en votre

---

s. à son visage en le diminuant (A)

cœur, me vouloir écouter avant que me tourmenter ! » Et
quand elle vit qu'il lui prêtait l'oreille, poursuivit son
propos en disant : « Hélas, Adamour, quelle occasion *
vous meut de chercher une chose dont vous ne pouvez
avoir contentement, et me donner ennui * le plus grand
que je saurais recevoir ? Vous avez tant expérimenté ma
volonté, du temps de ma jeunesse et de ma plus grande
beauté, sur quoi votre passion pouvait prendre excuse,
que je m'ébahis qu'en l'âge et grande laideur où je suis,
outrée d'extrême ennui, vous cherchez ce que vous savez
ne pouvoir trouver. Je suis sûre que vous ne doutez point
que ma volonté ne soit telle qu'elle a accoutumé. Parquoi
ne pouvez avoir que par force [t] ce que vous demandez. Et
si vous regardez comme mon visage est accoutré, vous,
en oubliant la mémoire du bien que vous y avez vu,
n'aurez point d'envie d'en approcher de plus près. Et s'il
y a encore en vous quelques reliques de l'amour passée, il
est impossible que la pitié ne vainque votre fureur. Et à
icelle [u] que j'ai tant expérimentée en vous je fais ma
plainte * et demande grâce, afin que vous me laissez vivre
en paix et en l'honnêteté que selon votre conseil j'ai
délibéré garder. Et si l'amour que vous m'avez portée est
convertie en haine et que, plus par vengeance que par
affection, vous veuillez me faire la plus malheureuse
femme du monde, je vous assure qu'il n'en sera pas ainsi,
et me contraindrez, contre ma délibération, de déclarer
votre méchante volonté à celle qui croit tant de bien de
vous. Et en cette connaissance, pouvez penser que votre
vie ne serait pas en sûreté. » Amadour, rompant son
propos, lui dit : « S'il me faut mourir, je serai plus tôt
quitte de mon tourment ! Mais la difformité de votre
visage, que je pense être faite de votre volonté, ne m'em-
pêchera point de faire la mienne. Car quand je ne pourrais
avoir de vous que les os, si les voudrais-je tenir auprès de
moi ! » Et quand Floride vit que prières, raison ni larmes
ne lui servaient, et qu'en telle cruauté poursuivait son
méchant désir qu'elle n'avait enfin force d'y résister,

t. avoir par force (A)
u. Et à cette pitié et honnêteté (T)

s'aida du secours qu'elle craignait autant que de perdre sa vie et, d'une voix triste et piteuse, appela sa mère le plus haut qu'il lui fut possible.

Laquelle, oyant sa fille l'appeler d'une telle voix, eut merveilleusement * grand peur de ce qui était véritable, et courut le plus tôt qu'il lui fut possible en la garde-robe. Amadour, qui n'était pas si prêt à mourir qu'il disait, laissa de si bonne heure son entreprise que la dame, ouvrant le cabinet, le trouva à la porte et Floride assez loin de là. La comtesse lui demanda : « Amadour, qu'y a-t-il ? Dites-moi la vérité ! » Et comme celui qui n'était jamais dépourvu d'inventions, avec un visage pâle et transi, lui dit : « Hélas, madame, de quelle condition est devenue Mme Floride ! Je ne fus jamais si étonné que je suis car, comme je vous ai dit, je pensais avoir part en sa bonne grâce. Mais je connais bien que je n'y ai plus rien. Il me semble, madame, que du temps qu'elle était nourrie * avec vous, elle n'était moins sage ni vertueuse qu'elle est. Mais elle ne faisait point de conscience * de parler et voir un chacun. Et maintenant que je l'ai voulu regarder, elle ne l'a voulu souffrir. Et quand j'ai vu cette contenance, pensant que ce fût un songe ou une rêverie, lui ai demandé sa main pour la baiser à la façon du pays, ce qu'elle m'a du tout refusé. Il est vrai, madame, que j'ai eu tort, dont je vous demande pardon : c'est que je lui ai pris la main quasi par force et la lui ai baisée, ne lui demandant autre contentement. Mais elle qui a, comme je crois, délibéré ma mort vous a appelée ainsi comme vous avez vu. Je ne saurais dire pourquoi, sinon qu'elle ait eu peur que j'eusse autre volonté que je n'ai. Toutefois, madame, en quelque sorte que ce soit, j'avoue le tort être mien car, combien qu'elle devrait aimer tous vos bons serviteurs, la fortune veut que moi seul, plus affectionné, sois mis hors de sa bonne grâce. Si * est-ce que je demeurerai toujours tel envers vous et elle que je suis tenu, vous suppliant me vouloir tenir en la vôtre ᵛ puisque, sans mon démérite, j'ai perdu la sienne. » La comtesse, qui en partie le croyait et en partie doutait, s'en alla à sa fille et

v. maintenir en votre bonne grâce (T)

lui dit : « Pourquoi m'avez-vous appelée si haut ? » Floride répondit qu'elle avait eu peur. Et combien que la comtesse l'interrogeât de plusieurs choses par le menu, si * est-ce que jamais ne lui fit autre réponse. Car voyant qu'elle était échappée d'entre les mains de son ennemi, le tenait assez puni de lui avoir rompu son entreprise.

Après que la comtesse eut longuement parlé à Amadour, le laissa encore devant elle parler à Floride pour voir quelle contenance il tiendrait. A laquelle il ne tint pas grand propos, sinon qu'il la mercia de ce qu'elle n'avait confessé vérité à sa mère, et la pria qu'au moins, puisqu'il était hors de son cœur, un autre ne tînt point sa place. Elle lui répondit, quant au premier propos : « Si j'eusse eu autre moyen de me défendre de vous que par la voix, elle n'eût jamais été ouïe. Mais par moi vous n'aurez pis, si vous ne m'y contraignez comme vous avez fait. Et n'ayez pas peur que j'en susse aimer d'autre. Car, puisque je n'ai trouvé au cœur que je savais le plus vertueux du monde le bien que je désirais, je ne croirai point qu'il soit en nul homme. Ce malheur sera cause que je serai, pour l'avenir, en liberté des passions que l'amour peut donner. » En ce disant prit congé de lui [w]. La mère, qui regardait sa contenance, n'y sut rien juger, sinon que depuis ce temps-là connut très bien que sa fille n'avait plus d'affection à Amadour, et pensa pour certain qu'elle fût si déraisonnable qu'elle haït toutes choses qu'elle aimait. Et dès cette heure-là lui mena la guerre si étrange qu'elle fut sept ans sans parler à elle, si elle ne s'y courrouçait, et tout à la requête d'Amadour. Durant ce temps-là, Floride tourna la crainte qu'elle avait d'être avec son mari en volonté de n'en bouger, pour * les rigueurs que lui tenait sa mère. Mais voyant que rien ne lui servait, délibéra de tromper Amadour. Et laissant pour un jour ou deux son visage étrange, lui conseilla de tenir propos d'amitié à une femme qu'elle disait avoir parlé de leur amour. Cette dame demeurait avec la Reine d'Espagne et avait nom Lorette. Amadour la crut et, pensant par ce moyen retourner encore en sa bonne grâce, fit l'amour

w. d'elle (A)

à Lorette, qui était femme d'un capitaine lequel était des grands gouverneurs du Roi d'Espagne. Lorette, bien aise d'avoir gagné un tel serviteur, en fit tant de mines que le bruit en courut partout. Et même la comtesse d'Arande, étant à la cour, s'en aperçut, parquoi depuis ne tourmentait tant Floride qu'elle avait accoutumé. Floride ouït un jour dire que le capitaine mari de Lorette était entré en une si grande jalousie qu'il avait délibéré, en quelque sorte que ce fût, de tuer Amadour. Et elle qui, nonobstant son dissimulé visage, ne pouvait vouloir mal à Amadour, l'en avertit incontinent. Mais lui, qui facilement fût retourné à ses premières brisées, lui répondit, s'il lui plaisait l'entretenir trois heures tous les jours, que jamais il ne parlerait à Lorette. Ce qu'elle ne voulut accorder. « Donc, ce lui dit Amadour, puisque ne me voulez faire vivre, pourquoi me voulez-vous garder de mourir ? Sinon que vous espérez me tourmenter plus en vivant que nulle mort[x] ne saurait faire. Mais combien que la mort me fuie, si la chercherai-je tant que je la trouverai. Car en ce jour-là seulement j'aurai repos. »

Durant qu'ils étaient en ces termes, vint nouvelles que le Roi de Grenade commençait une grande guerre contre le Roi d'Espagne, tellement que le Roi y envoya le prince son fils, et avec lui le connétable de Castille et le duc d'Albe, deux vieux et sages seigneurs. Le duc de Cardonne et le comte d'Arande ne voulurent pas demeurer, et supplièrent au Roi leur donner quelque charge. Ce qu'il fit selon leurs maisons, et leur bailla, pour les conduire sûrement, Amadour, lequel, durant la guerre, fit des actes si étranges que semblaient autant de désespoir que de hardiesse. Et pour venir à l'intention de mon conte, je vous dirai que sa trop grande hardiesse fut éprouvée par la mort. Car ayant les Maures fait démontrance de donner la bataille, voyant l'armée des Chrétiens si grande, firent semblant de fuir. Les Espagnols se mirent à la chasse, mais le vieux connétable et le duc d'Albe, se doutant de leur finesse *, retinrent contre sa volonté le prince d'Espagne, qu'il ne passât la rivière. Ce que firent, nonobs-

---

x. mille morts (A)

tant la défense, le comte d'Arande et le duc de Cardonne.
Et quand les Maures virent qu'ils n'étaient suivis que de
peu de gens, se retournèrent et, d'un coup de cimeterre,
abattirent tout mort le duc de Cardonne. Et fut le comte
d'Arande si fort blessé que l'on le laissa comme tout mort
en la place. Amadour arriva sur cette défaite, tant enragé
et furieux qu'il rompit toute la presse. Et fit prendre les
deux corps qui étaient morts et porter au camp du prince,
lequel en eut autant de regret que de ses propres frères.
Mais en visitant leurs plaies, se trouva le comte d'Arande
encore vivant, lequel fut envoyé en une litière en sa
maison où il fut longuement malade. De l'autre côté,
renvoya à Cardonne le corps du mort. Amadour, ayant
fait son effort de retirer ces deux corps, pensa si peu pour
lui qu'il se trouva environné d'un grand nombre de Maures. Et lui, qui ne voulait non plus être pris qu'il n'avait
su prendre s'amie, ni fausser sa foi envers Dieu qu'il
avait faussée envers elle, sachant que, s'il était mené au
Roi de Grenade, il mourrait cruellement ou renoncerait la
chrétienté, délibéra ne donner la gloire ni de sa mort ni de
sa prise à ses ennemis, et, en baisant la croix de son épée,
rendant corps et âme à Dieu, s'en donna un tel coup qu'il
ne lui en fallut point de secours [6]. Ainsi mourut le pauvre
Amadour, autant regretté que ses vertus le méritaient. Les
nouvelles en coururent par toute l'Espagne, tant que Floride, laquelle était à Barcelone où son mari autrefois avait
ordonné être enterré, en ouït le bruit. Et après qu'elle eût
fait ses obsèques honorablement, sans en parler à mère ni
à belle-mère, s'en alla rendre religieuse au monastère de
Jésus, prenant pour mari et ami Celui qui l'avait délivrée
d'une amour si véhémente que celle d'Amadour, et d'un
ennui * si grand que de la compagnie d'un tel mari. Ainsi
tourna toutes ses affections à aimer Dieu si parfaitement
qu'après avoir vécu longuement religieuse, lui rendit son
âme en telle joie que l'épouse a d'aller voir son époux.

« Je sais bien, mesdames, que cette longue nouvelle
pourra être à aucuns fâcheuse *, mais si j'eusse voulu
satisfaire à celui qui me l'a contée, elle eût été trop plus
que longue ; vous suppliant, en prenant exemple de la
vertu de Floride, diminuer un peu de sa cruauté, et ne

croire point tant de bien aux hommes qu'il ne faille, par la connaissance du contraire, à eux donner cruelle mort et à vous une triste vie. »

Et après que Parlamente eut eu bonne et longue audience, elle dit à Hircan : « Vous semble-t-il pas que cette femme ait été pressée jusqu'au bout, et qu'elle ait vertueusement résisté ? » — « Non, dit Hircan, car une femme ne peut faire moindre résistance que de crier. Mais si elle eût été en lieu où on ne l'eût pu ouïr, je ne sais qu'elle eût fait. Et si Amadour eût été plus amoureux que craintif, il n'eût pas laissé pour si peu son entreprise. Et pour cet exemple ici je ne me départirai de la forte opinion que j'ai qu'onques * homme qui aimât parfaitement, ou qui fût aimé d'une dame, ne faillit *y d'en avoir bonne issue s'il a fait la poursuite comme il appartient. Mais encore faut-il que je loue Amadour de ce qu'il fit une partie de son devoir. » — « Quel devoir ? ce dit Oisille. Appelez-vous faire son devoir à un serviteur qui veut avoir par force sa maîtresse, à laquelle il doit toute révérence et obéissance ? » Saffredent prit la parole et dit : « Madame, quand nos maîtresses tiennent leur rang en chambres ou en salles, assises à leur aise comme nos juges, nous sommes à genoux devant elles. Nous les menons danser en crainte, nous les servons si diligemment que nous prévenons leurs demandes, nous semblons être tant craintifs de les offenser et tant désirants de les servir que ceux qui nous voient ont pitié de nous, et bien souvent nous estiment plus sots que bêtes, transportés d'entendement ou transis, et donnent la gloire à nos dames, desquelles les contenances sont tant audacieuses et les paroles tant honnêtes qu'elles se font craindre, aimer et estimer de ceux qui n'en voient que le dehors. Mais quand nous sommes à part, où amour seul est juge de nos contenances, nous savons très bien qu'elles sont femmes et nous hommes. Et à l'heure * le nom de maîtresse est converti en amie, et le nom de serviteur en ami. C'est là où le proverbe dit :

> De bien servir et loyal être,
> De serviteur l'on devient maître.

y. faillait (A)

Elles ont l'honneur autant que les hommes qui le leur peuvent donner et ôter, et voient ce que nous endurons patiemment. Mais c'est raison aussi que notre souffrance soit récompensée quand l'honneur ne peut être blessé. » — « Vous ne parlez pas, dit Longarine, du vrai honneur qui est le contentement de ce monde. Car quand tout le monde me dirait femme de bien et je saurais seule le contraire, la louange augmenterait ma honte et me rendrait en moi-même plus confuse. Et aussi quand il me blâmerait et je sentisse mon innocence, son blâme tournerait à contentement, car nul n'est content que de soi-même. » — « Or quoi que vous ayez tous dit, ce dit Géburon, il me semble qu'Amadour était un aussi honnête et vertueux chevalier qu'il en soit point. Et vu que les noms sont supposés, je pense le reconnaître. Mais puisque Parlamente ne l'a voulu nommer, aussi ne ferai-je. Et contentez-vous que, si c'est celui que je pense, son cœur ne sentit jamais nulle peur, ni ne fut jamais vidé d'amour ni de hardiesse. »

Oisille leur dit : « Il me semble que cette Journée soit passée si joyeusement que, si nous continuons ainsi les autres, nous accoucirons le temps à force[z] d'honnêtes propos. Mais voyez où est le soleil, et oyez la cloche de l'abbaye qui, longtemps a, nous appelle à vêpres, dont je ne vous ai point avertis, car la dévotion d'ouïr la fin du conte était plus grande que celle d'ouïr vêpres. » Et trouvèrent les religieux qui les avaient attendus plus d'une grosse heure. Vêpres ouïes allèrent souper, qui ne fut tout le soir sans parler des contes qu'ils avaient ouïs, et sans chercher par tous les endroits de leurs mémoires pour voir s'ils pourraient faire la Journée ensuivante aussi plaisante que la première. Et après avoir joué de mille jeux dedans le pré, s'en allèrent coucher, donnant fin très joyeuse et contente à leur première journée.

FIN DE LA PREMIÈRE JOURNÉE

z. à faire (A)

LA DEUXIÈME JOURNÉE

En la deuxième Journée, on devise de ce qui promptement tombe en la fantaisie de chacun.

PROLOGUE

Le lendemain se levèrent en grand désir de retourner au lieu où le jour précédent avaient eu tant de plaisir. Car chacun avait son conte si prêt qu'il leur tardait qu'il ne fût mis en lumière. Après qu'ils eurent ouï la leçon de Mme Oisille et la messe, où chacun recommanda à Dieu son esprit afin qu'il leur donnât parole et grâce de continuer l'assemblée, s'en allèrent dîner, ramentevant* les uns aux autres plusieurs histoires passées.

Et après dîner qu'ils se fussent reposés en leurs chambres, s'en retournèrent à l'heure ordonnée dedans le pré, où il semblait que le jour et le temps favorisât leur entreprise. Et après qu'ils se furent tous assis sur le siège naturel de l'herbe verte, Parlamente dit : « Puisque je donnai hier soir fin à la dixième[a], c'est à moi à élire celle qui doit commencer aujourd'hui. Et pource que Mme Oisille fut la première des femmes qui parla, comme la plus sage et ancienne, je donne ma voix à la plus jeune. Je ne dis pas à la plus folle, étant assurée que, si nous la suivons toutes, ne ferons pas attendre vêpres si longuement que nous fîmes hier. Parquoi, Nomerfide, vous tiendrez aujourd'hui les rangs de bien dire. Mais, je vous prie, ne nous faites point recommencer notre Journée par larmes ! » — « Il ne m'en fallait point prier, dit Nomerfide, car une de nos compagnes me fit hier soir[b] un conte que j'ai si bien mis en ma tête que je n'en puis dire d'autre. Et s'il vous engendre tristesse, votre naturel sera bien mélancolique ! »

a. la dernière nouvelle (T)
b. me fit choisir (A)

ONZIÈME NOUVELLE [1]

En la maison de Mme de La Trémouille y avait une dame nommée Roncex, laquelle, un jour que sa maîtresse était allée aux Cordeliers de Thouars, eut une grande nécessité d'aller au lieu où on ne peut envoyer sa chambrière. Elle appela avec elle une fille nommée La Mothe pour lui tenir compagnie. Mais, pour * être honteuse et secrète *, laissa ladite Mothe en la chambre et entra toute seule en un retrait * assez obscur, lequel était commun à tous les Cordeliers, qui avaient si bien rendu compte en ce lieu de toutes leurs viandes * que tout le retrait, l'anneau et la place, et tout ce qui était, étaient tout couverts de moût de Bacchus et de la déesse Cérès passé par le ventre des Cordeliers. Cette pauvre femme, qui était si pressée qu'à peine eut-elle le loisir de lever sa robe pour se mettre sur l'anneau, de fortune * s'alla asseoir sur le plus ord * et sale endroit qui fût en tout le retrait. Où elle se trouva prise mieux qu'à la glu, et toutes ses pauvres fesses, habillements et pieds si merveilleusement gâtés qu'elle n'osait marcher ni se tourner de nul côté, de peur d'avoir encore pis. Dont elle se prit à crier tant qu'il lui fut possible : « La Mothe m'amie, je suis perdue et déshonorée ! » La pauvre fille qui avait ouï autrefois faire des contes de la malice des Cordeliers, soupçonnant que quelques-uns fussent cachés là-dedans qui la voulussent prendre par force, courut tant qu'elle put, disant à tous ceux qu'elle trouvait : « Venez secourir Mme de Roncex que les Cordeliers veulent prendre par force en ce retrait ! » Lesquels y coururent en grande diligence, et trouvèrent la pauvre dame de Roncex qui criait à l'aide, désirant avoir quelque femme qui la pût nettoyer. Et avait le derrière tout découvert, craignant en approcher ses habillements, de peur de les gâter. A ce cri-là entrèrent les gentilshommes, qui virent ce beau spectacle et ne trouvèrent autre Cordelier qui la tourmentât, sinon l'ordure dont elle avait toutes les fesses engluées. Qui ne fut pas sans rire de leur côté, ni sans grande honte du côté d'elle. Car en lieu d'avoir des femmes pour la nettoyer, fut servie d'hommes qui la virent nue, au pire état qu'une femme se pourrait montrer. Parquoi, les voyant, acheva de souiller ce qui était net, et abaissa ses habillements pour se couvrir, oubliant l'ordure où elle était pour * la honte qu'elle avait de voir les hommes. Et quand elle fut hors de ce vilain lieu, la fallut dépouiller * toute nue et changer tous habillements avant qu'elle partît du couvent. Elle se fût volontiers courroucée du secours que lui amena La Mothe, mais, entendant que la pauvre fille cuidait * qu'elle eût beaucoup pis, changea sa colère à rire comme les autres.

« Il me semble, mesdames, que ce conte n'a été ni long ni mélancolique, et que vous avez eu de moi ce que vous en avez espéré ! » Dont la compagnie se prit bien fort à rire. Et lui dit Oisille : « Combien que le conte soit ord et sale, connaissant les personnes à qui il est advenu, on ne le saurait trouver fâcheux *. Mais j'eusse bien voulu voir la mine de La Mothe et de celle à qui elle avait amené si bon secours ! Mais puisque vous avez si tôt fini, ce dit-elle à Nomerfide, donnez votre voix à quelqu'un qui ne passe pas si légèrement. » Nomerfide répondit : « Si vous voulez que ma faute soit rabillée, je donne ma voix à Dagoucin, lequel est si sage que pour mourir ne dirait une folie ! » Dagoucin la remercia de la bonne estime qu'elle avait de son bon sens et commença à dire : « L'histoire que j'ai délibéré de vous raconter est [a] pour vous faire voir comme amour aveuglit * les plus grands et honnêtes cœurs, et comme méchanceté est difficile à vaincre par quelque bénéfice ni biens que ce soit. »

DOUZIÈME NOUVELLE

L'incontinence d'un Duc et son impudence pour parvenir à son intention, avec la juste punition de son mauvais vouloir [1].

Depuis dix ans en çà, en la ville de Florence, y avait un

a. c'est (A)

duc de la maison de Médicis, lequel avait épousé Mme Marguerite, fille bâtarde de l'Empereur. Et pource qu'elle était encore si jeune qu'il ne lui était licite de coucher avec elle, attendant son âge plus mûr la traita fort doucement. Car pour l'épargner fut amoureux de quelques autres dames de la ville, que la nuit il allait voir tandis que sa femme dormait. Entre autres le fut d'une fort belle, sage et honnête dame, laquelle était sœur d'un gentilhomme que le duc aimait comme lui-même, et auquel il donnait tant d'autorité en sa maison que sa parole était obéie et crainte comme celle du duc. Et n'y avait secret en son cœur qu'il ne lui déclarât, en sorte que l'on le pouvait nommer le second lui-même.

Et voyant le duc sa a sœur être tant femme de bien qu'il n'avait moyen de lui déclarer l'amour qu'il lui portait, après avoir cherché toutes occasions à lui possibles, vint à ce gentilhomme qu'il aimait tant en lui disant : « S'il y avait chose en ce monde, mon ami, que je ne voulusse faire pour vous, je craindrais à vous déclarer ma fantaisie *, et encore plus à vous prier m'y être aidant. Mais je vous porte tant d'amour que, si j'avais femme, mère ou fille qui pût servir à sauver votre vie, je les y emploierais plutôt que de vous laisser mourir en tourment. Et j'estime que l'amour que vous me portez est réciproque à la mienne, et que si moi, qui suis votre maître, vous portais telle affection, pour le moins ne la sauriez porter moindre. Parquoi je vous déclarerai un secret dont le taire me met en l'état que vous voyez, duquel je n'espère amendement que par la mort ou par le service que vous me pouvez faire. »

Le gentilhomme, voyant les raisons de son maître et voyant son visage non feint tout baigné de larmes, en eut si grande compassion qu'il lui dit : « Monsieur, je suis votre créature : tout le bien et l'honneur que j'ai en ce monde vient de vous. Vous pouvez parler à moi comme à votre âme, étant sûr que ce qui sera en ma puissance est en vos mains. » A l'heure * le duc commença à lui déclarer l'amour qu'il portait à sa sœur, qui était si grande et si

a. la sœur de ce gentilhomme (T)

forte que, si par son moyen n'en avait la jouissance, il ne
voyait pas qu'il pût vivre longuement. Car il savait bien
qu'envers elle prières ni présents ne servaient de rien.
Parquoi il le pria que, s'il aimait sa vie autant que lui la
sienne, lui trouvât moyen de lui faire recouvrer le bien
que sans lui il n'espérait jamais d'avoir. Le frère, qui
aimait sa sœur et l'honneur de sa maison plus que le
plaisir du duc, lui voulut faire quelque remontrance, lui
suppliant en tous autres endroits l'employer, hormis en
une chose si cruelle à lui que de pourchasser le déshonneur de son sang; et que son sang, son cœur ni son
honneur ne se pouvaient accorder à lui faire ce service.
Le duc tout enflammé d'un courroux importable * mit le
doigt à ses dents, se mordant l'ongle, et lui répondit par
une grande fureur : « Or bien, puisque je ne trouve en
vous nulle amitié, je sais que j'ai à faire. » Le gentilhomme, connaissant la cruauté de son maître, eut crainte
et lui dit : « Monseigneur, puisqu'il vous plaît, je parlerai
à elle et vous dirai sa réponse. » Le duc lui répondit, en se
départant : « Si vous aimez ma vie, aussi ferai-je la
vôtre. »

Le gentilhomme entendit bien que cette parole voulait
dire. Et fut un jour ou deux sans voir le duc, pensant à ce
qu'il avait à faire. D'un côté lui venait au-devant l'obligation qu'il devait à son maître, les biens et les honneurs
qu'il avait reçus de lui; de l'autre côté l'honneur de sa
maison, l'honnêteté et chasteté de sa sœur, qu'il savait
bien jamais ne se consentir à telle méchanceté si par sa
tromperie elle n'était prise, ou par force : chose si étrange
qu'à jamais lui et les siens en seraient diffamés. Si * prit
conclusion * de ce différend qu'il aimait mieux mourir
que de faire un si méchant tour à sa sœur, l'une des plus
femmes de bien qui fût en toute l'Italie, mais que plutôt
devait délivrer sa patrie d'un tel tyran qui par force
voulait mettre une telle tache en sa maison. Car il tenait
tout assuré que, sans faire mourir le duc, la vie de lui et
des siens n'était pas assurée. Parquoi, sans en parler à sa
sœur ni à créature du monde, délibéra de sauver sa vie et
venger sa honte par un même moyen. Et au bout de deux
jours s'en vint au duc et lui dit comme il avait tant bien

pratiqué sa sœur, non sans grande peine, qu'à la fin elle
s'était consentie à faire sa volonté, pourvu qu'il lui plût
tenir la chose si secrète que nul que son frère n'en eût
connaissance.

Le duc, qui désirait cette nouvelle, la crut facilement.
Et en embrassant le messager, lui promettait tout ce qu'il
lui saurait demander. Le pria de bientôt exécuter son
entreprise, et prirent le jour * ensemble. Si le duc fut aise,
il ne le faut point demander. Et quand il vit approcher la
nuit tant désirée où il espérait avoir la victoire de celle
qu'il avait estimée invincible, se retira de bonne heure
avec ce gentilhomme tout seul, et n'oublia pas de s'accoutrer de coiffes et chemises parfumées le mieux qu'il
lui fut possible. Et quand chacun fut retiré, s'en alla avec
ce gentilhomme au logis de sa dame, où il arriva en une
chambre bien fort en ordre. Le gentilhomme le dépouilla
de sa robe de nuit et le mit dedans le lit en lui disant :
« Monseigneur, je vous vais quérir celle qui n'entrera pas
en cette chambre sans rougir. Mais j'espère qu'avant le
matin elle sera assurée de vous. » Il laissa le duc et s'en
alla en sa chambre où il ne trouva qu'un seul homme de
ses gens, auquel il dit : « Aurais-tu bien le cœur de me
suivre en un lieu où je me veux venger du plus grand
ennemi que j'aie en ce monde ? » L'autre, ignorant ce
qu'il voulait faire, lui répondit : « Oui, monsieur, fût-ce
contre le duc même. » A l'heure * le gentilhomme le
mena si soudain qu'il n'eût loisir de prendre autres armes
qu'un poignard qu'il avait. Et quand le duc l'ouït revenir,
pensant qu'il lui amenât celle qu'il aimait tant, ouvrit son
rideau et ses yeux pour regarder et recevoir le bien qu'il
avait tant attendu. Mais en lieu de voir celle dont il
espérait la conservation de sa vie, va voir la précipitation
de sa mort, qui était une épée toute nue que le gentilhomme avait tirée, de laquelle il frappa le duc qui était
tout en chemise. Lequel, dénué d'armes et non de cœur *,
se mit en son séant, dedans le lit, et prit le gentilhomme à
travers le corps en lui disant : « Est-ce ci la promesse que
vous me tenez ? » Et voyant qu'il n'avait autres armes que
les dents et les ongles, mordit le gentilhomme au pouce,
et à force de bras se défendit tant que tous deux tombèrent

en la ruelle du lit. Le gentilhomme qui n'était trop assuré appela son serviteur, lequel, trouvant le duc et son maître si liés ensemble qu'il ne savait lequel choisir, les tira tous deux par les pieds au milieu de la place et, avec son poignard, s'essaya à couper la gorge du duc, lequel se défendit jusqu'à ce que la perte de son sang le rendît si faible qu'il n'en pouvait plus. Alors le gentilhomme et son serviteur le mirent dans son lit où, à coups de poignard, le parachevèrent de tuer. Puis, tirant le rideau, s'en allèrent et enfermèrent le corps mort en la chambre.

Et quand il se vit victorieux de son grand ennemi, par la mort duquel il pensait mettre en liberté la chose publique, se pensa que son œuvre serait imparfait s'il n'en faisait autant à cinq ou six de ceux qui étaient les prochains du duc. Et pour en venir à fin, dit à son serviteur qu'il les allât quérir l'un après l'autre pour en faire comme il avait fait au duc. Mais le serviteur, qui n'était ni hardi ni fou, lui dit : « Il me semble, monsieur, que vous en avez assez fait pour cette heure, et que vous ferez mieux de penser à sauver votre vie que de la vouloir ôter à autres. Car si nous demeurions autant à défaire chacun d'eux que nous avons fait à défaire le duc, le jour découvrirait plus tôt notre entreprise que ne l'aurions mise à fin, encore que nous trouvassions nos ennemis sans défense. » Le gentilhomme, la mauvaise conscience duquel le rendait craintif, crut son serviteur et, le menant seul avec lui, s'en alla à un évêque qui avait la charge de faire ouvrir les portes de la ville et commander aux postes. Ce gentilhomme lui dit : « J'ai eu ce soir des nouvelles qu'un mien frère est à l'article de la mort. Je viens de demander mon congé au duc, lequel le m'a donné ; parquoi je vous prie mander aux postes me bailler deux bons chevaux, et au portier de la ville m'ouvrir. » L'évêque, qui n'estimait moins sa prière que le commandement du duc son maître, lui bailla incontinent un bulletin par la vertu duquel la porte lui fut ouverte et les chevaux baillés, ainsi qu'il demandait. Et en lieu d'aller voir son frère s'en alla droit à Venise, où il se fit guérir des morsures que le duc lui avait faites, puis s'en alla en Turquie.

Le matin, tous les serviteurs du duc qui le voyaient si

tard demeurer* à revenir, soupçonnèrent bien qu'il était
allé voir quelque dame. Mais voyant qu'il demeurait tant,
commencèrent à le chercher par tous côtés. La pauvre
duchesse qui commençait fort à l'aimer, sachant qu'on ne
le trouvait point, fut en grande peine. Mais quand le
gentilhomme qu'il aimait tant ne fut vu non plus que lui,
on alla en sa maison le chercher. Et trouvant du sang à la
porte de sa chambre, l'on entra dedans. Mais il n'y eut
homme ni serviteur qui en sût dire nouvelles. Et suivant
les traces du sang, vinrent les pauvres serviteurs du duc à
la porte de la chambre où il était, qu'ils trouvèrent fermée. Mais bientôt eurent rompu l'huis et, voyant la place
toute pleine de sang, tirèrent le rideau du lit et trouvèrent
le pauvre corps endormi en son lit, du dormir sans fin.
Vous pouvez penser quel deuil menèrent ces pauvres
serviteurs qui apportèrent le corps en son palais, où arriva
l'évêque qui leur conta comme le gentilhomme était parti
la nuit en diligence, sous couleur d'aller voir son frère.
Parquoi fut connu clairement que c'était lui qui avait fait
ce meurtre. Et fut aussi prouvé que sa pauvre sœur jamais
n'en avait ouï parler. Laquelle, combien qu'elle fût éton-
née* du cas advenu, si* est-ce qu'elle en aima davantage
son frère, qui n'avait pas épargné le hasard* de sa vie
pour la délivrer d'un si cruel prince ennemi. Et continua
de plus en plus sa vie honnête en ses vertus, tellement
que, combien qu'elle fût pauvre pource que leur maison
fut confisquée, si* trouvèrent sa sœur et elle des maris
autant honnêtes hommes et riches qu'il y en eût point en
Italie. Et ont toujours depuis vécu en grande et bonne
réputation.

« Voilà, mesdames, qui vous doit bien faire craindre ce
petit dieu, qui prend son plaisir à tourmenter autant les
princes que les pauvres, et les forts que les faibles, et qui
les aveuglit* jusque là d'oublier Dieu et leur conscience,
et à la fin leur propre vie. Et doivent bien craindre les
princes et ceux qui sont en autorité de faire déplaisir à
moindre qu'eux. Car il n'y a nul si petit[b] qui ne puisse

---

b. nul qui ne puisse (A)

nuire, quand Dieu se veut venger du pécheur, ni si grand qui sût mal faire à celui qui est en sa garde [2]. »

Cette histoire fut bien écoutée de toute la compagnie, mais elle lui engendra diverses opinions. Car les uns soutenaient que le gentilhomme avait fait son devoir de sauver sa vie et l'honneur de sa sœur, ensemble d'avoir délivré sa patrie d'un tel tyran. Les autres disaient que non, mais que c'était trop grande ingratitude de mettre à mort celui qui lui avait fait tant de bien et d'honneur. Les dames disaient qu'il était bon frère et vertueux citoyen; les hommes, au contraire, qu'il était traître et méchant serviteur. Et faisait fort bon ouïr les raisons alléguées des deux côtés. Mais les dames, selon leur coutume, parlaient autant par passion que par raison, disant que le duc était si digne de mort que bien heureux était celui qui avait fait le coup. Parquoi, voyant Dagoucin le grand débat qu'il avait ému, leur dit : « Pour Dieu, mesdames, ne prenez point querelle d'une chose déjà passée, mais gardez que vos beautés ne fassent point faire de plus cruels meurtres que celui que j'ai conté. » Parlamente leur dit : « La *Belle Dame sans Merci* [3] nous a appris à dire que si gracieuse maladie ne met guère de gens à mort ! » — « Plût à Dieu, madame, ce lui dit Dagoucin, que toutes celles qui sont en cette compagnie sussent combien cette opinion est fausse ! Et je crois qu'elles ne voudraient point avoir le nom d'être sans merci *, ni ressembler à cette incrédule qui laissa mourir un bon serviteur par faute d'une gracieuse réponse. » — « Vous voudriez donc, dit Parlamente, pour sauver la vie d'un qui dit nous aimer, que nous missions notre honneur et notre conscience en danger ? » — « Ce n'est pas ce que je vous dis, répondit Dagoucin, car celui qui aime parfaitement craindrait plus de blesser l'honneur de sa dame qu'elle-même. Parquoi il me semble bien qu'une réponse honnête et gracieuse, telle que parfaite et honnête amitié requiert, ne pourrait qu'accroître l'honneur et amender la conscience. Car il n'est pas vrai serviteur qui cherche le contraire. » — « Toutefois, dit Ennasuite, si * est-ce toujours la fin de vos oraisons, qui commencent par l'honneur et finissent par le contraire. Et si tous ceux qui sont ici en veulent dire la vérité, je les en crois en leur serment. »

Hircan jura, quant à lui, qu'il n'avait jamais aimé femme, hormis la sienne, à qui il ne désirât faire offenser Dieu bien lourdement. Autant en dit Simontaut, et ajouta qu'il avait souvent souhaité toutes les femmes méchantes, hormis la sienne. Géburon lui dit : « Vraiment, vous méritez que la vôtre soit telle que vous désirez les autres ! Mais quant à moi je puis bien vous jurer que j'ai tant aimé une femme que j'eusse mieux aimé mourir que pour * moi elle eût fait chose dont je l'eusse moins estimée. Car mon amour était fondée en ses vertus, tant que, pour quelque bien que j'en eusse su avoir, je n'y eusse voulu voir une tache. » Saffredent se prit à rire en lui disant : « Géburon, je pensais que l'amour de votre femme et le bon sens que vous avez vous eussent mis hors du danger d'être amoureux, mais je vois bien que non. Car vous usez encore des termes dont nous avons accoutumé de tromper les plus fines et d'être écoutés des plus sages. Car qui est celle qui nous fermera ses oreilles quand nous commencerons à l'honneur et à la vertu ? Mais, si nous leur montrons notre cœur tel qu'il est, il y en a beaucoup de bienvenus entre les dames de qui elles ne tiendront compte. Mais nous couvrons * notre diable du plus bel ange que nous pouvons trouver. Et sous cette couverture *, avant que d'être connus, recevons beaucoup de bonnes chères *. Et peut-être tirons les cœurs des dames si avant que, pensant aller droit à la vertu, quand elles connaissent le vice elles n'ont le moyen ni le loisir de retirer leurs pieds. » — « Vraiment, dit Géburon, je vous pensais autre que vous ne dites, et que la vertu vous fût plus plaisante que le plaisir. » — « Comment ! dit Saffredent, est-il plus grande vertu que d'aimer, comme Dieu le commande ? Il me semble que c'est beaucoup mieux fait d'aimer une femme comme femme que d'en idolâtrer plusieurs comme on fait d'une image *. Et quant à moi, je tiens cette opinion ferme qu'il vaut mieux en user que d'en abuser [4]. » Les dames furent toutes du côté de Géburon et contraignirent Saffredent de se taire. Lequel dit : « Il m'est bien aisé de n'en parler plus, car j'en ai été si mal traité que je n'y veux plus retourner. » — « Votre malice, celui dit Longarine, est cause de votre mauvais traitement, car qui est l'honnête femme qui vous voudrait pour serviteur, après les propos que nous avez tenus ? » — « Celles qui ne m'ont point trouvé fâcheux *, dit Saffredent, ne changeraient pas leur honnêteté à la vôtre. Mais n'en parlons plus, afin que ma colère ne fasse déplaisir ni à moi ni à autre. Regardons à qui Dagoucin donnera sa voix. » Lequel dit : « Je la donne à Parlamente, car je pense qu'elle doit savoir plus que nul autre que c'est que d'honnête et parfaite amitié. » — « Puisque je suis choisie, dit Parlamente, pour dire la tierce histoire, je vous en dirai une advenue à une dame qui a été toujours bien fort de mes amies, et de laquelle la pensée ne me fut jamais celée. »

TREIZIÈME NOUVELLE

Un capitaine de galères, sous ombre de dévotion, devint amoureux d'une demoiselle, et ce qui en advint.

En la maison de Mme la Régente [1], mère du Roi François, y avait une dame fort dévote, mariée à un gentilhomme de pareille volonté. Et combien que son mari fût vieux. et elle belle et jeune, si * est-ce qu'elle le servait et aimait comme le plus beau et le plus jeune homme du monde. Et pour lui ôter toute occasion * d'ennui *, se mit à vivre comme une femme de l'âge dont il était, fuyant toute compagnie, accoutrements *, danses et jeux que les jeunes femmes ont accoutumé d'aimer, mettant tout son plaisir et récréation au service de Dieu. Parquoi le mari mit en elle une si grande amour et sûreté qu'elle gouvernait lui et sa maison comme elle voulait. Et advint un jour que le gentilhomme lui dit que, dès sa jeunesse, il avait eu désir de faire le voyage * de Jérusalem, lui demandant ce qu'il lui en semblait. Elle, qui ne demandait qu'à lui complaire, lui dit : « Mon ami, puisque Dieu nous a privés d'enfants et donné assez de biens, je voudrais que nous en missions une partie à faire ce saint voyage. car, là ni ailleurs que vous allez, je ne suis pas délibérée de jamais vous abandonner. » Le bon homme en fut si aise qu'il lui semblait déjà être sur le mont du Calvaire.

Et en cette délibération vint à la cour un gentilhomme qui souvent avait été à la guerre sur les Turcs, et pour-

chassait envers le Roi de France une entreprise sur une
de leurs villes, dont il pouvait venir grand profit à la
chrétienté. Ce vieux gentilhomme lui demanda de son
voyage, et après qu'il eut entendu ce qu'il était délibéré
de faire, lui demanda si, après son voyage, il en voudrait
bien faire un autre en Jérusalem où sa femme et lui
avaient bien grand désir d'aller. Ce capitaine fut fort aise
d'ouïr ce bon désir et lui promit de les y[a] mener et de
tenir l'affaire secret. Il lui tarda bien qu'il ne trouvât sa
bonne femme pour lui conter ce qu'il avait fait[b], laquelle
n'avait guère moins d'envie que le voyage se parachevât
que son mari. Et pour cette occasion * parlait souvent au
capitaine lequel, regardant plus à elle qu'à sa parole, fut
si fort amoureux d'elle que souvent, en lui parlant des
voyages qu'il avait faits sur la mer, mêlait l'embarquement de Marseille avec l'Archipel, et en voulant parler
d'un navire, parlait d'un cheval, comme celui qui était
ravi * et hors de son sens. Mais il la trouva telle qu'il ne
lui en osait faire semblant *, et sa dissimulation lui engendra un tel feu dans le cœur que souvent il tombait
malade, dont ladite dame était aussi soigneuse * comme
de la croix et de la guide de son chemin. Et l'envoyait
visiter si souvent que, connaissant qu'elle avait soin de
lui, il guérissait sans autre médecine. Mais plusieurs
personnes, voyant ce capitaine qui avait eu le bruit *
d'être plus hardi et gentil compagnon que bon chrétien,
s'émerveillèrent * comme cette dame l'accointait * si
fort. Et voyant qu'il avait changé de toutes conditions,
qu'il fréquentait les églises, les sermons et confessions,
se doutèrent que c'était pour avoir la bonne grâce de la
dame, et ne se purent tenir de lui en dire quelques paroles. Ce capitaine, craignant que si la dame entendait
quelque chose cela le séparât de sa présence, dit à son
mari et à elle comme il était prêt d'être dépêché du Roi et
de s'en aller, et qu'il avait plusieurs choses à lui dire.
Mais, afin que son affaire fût tenu plus secret, il ne
voulait plus parler à lui et à sa femme devant les gens,

a. de l'y (A)
b. ce qu'il lui avait fait (A)

mais les pria de l'envoyer quérir quand ils seraient retirés
tous deux. Le gentilhomme trouva son opinion bonne et
ne faillait * tous les soirs de se coucher de bonne heure et
de faire déshabiller sa femme. Et quand tous leurs gens
étaient retirés, envoyaient quérir le capitaine et devisaient
là du voyage de Jérusalem, où souvent le bon homme en
grande dévotion s'endormait. Le capitaine, voyant ce
gentilhomme vieux et endormi dans un lit, et lui dans une
chaise auprès celle c qu'il trouvait la plus belle et la plus
honnête du monde, avait le cœur si serré entre crainte de
parler et désir que souvent il perdait la parole. Mais afin
qu'elle ne s'en aperçût, se mettait à parler des saints lieux
de Jérusalem où étaient les signes de la grande amour que
Jésus-Christ nous a portée. Et en parlant de cette amour
couvrait * la sienne, regardant cette dame avec larmes et
soupirs, dont elle ne s'aperçut jamais. Mais voyant sa
dévote contenance, l'estimait si saint homme qu'elle le
pria de lui dire quelle vie il avait menée, et comme il était
venu à cette amour de Dieu. Il lui déclara comme il était
un pauvre gentilhomme qui, pour parvenir à la richesse et
honneur, avait oublié sa conscience et avait épousé une
femme trop proche son alliée, pource qu'elle était riche,
combien qu'elle fût laide et vieille et qu'il ne l'aimât
point. Et après avoir tiré tout son argent, s'en était allé sur
la marine chercher ses aventures, et avait tant fait par son
labeur qu'il était venu en état honorable. Mais depuis
qu'il avait eu connaissance d'elle, elle était cause, par ses
saintes paroles et bon exemple, de lui avoir fait changer
sa vie, et que du tout se délibérait, s'il pouvait retourner
de son entreprise, de mener son mari et elle en Jérusalem
pour satisfaire en partie à ses grands péchés où il avait
mis fin, sinon qu'encore n'avait satisfait à sa femme à
laquelle il espérait bientôt se réconcilier. Tous ces propos
plurent à cette dame, et surtout se réjouit d'avoir tiré un
tel homme à l'amour et crainte de Dieu. Et jusqu'à ce
qu'il partît de la cour, continuèrent tous les soirs ces
longs parlements *, sans que jamais il osât déclarer son
intention. Et lui fit présent d'un Crucifix et d'une Notre-

c. elle (A)

Dame-de-Pitié [d2], la priant qu'en les voyant elle eût tous les jours mémoire de lui.

L'heure de son partement vint et, quand il eut pris congé du mari, lequel s'endormit, il vint dire adieu à sa dame, à laquelle il vit les larmes aux yeux pour l'honnête amitié qu'elle lui portait, qui lui rendait sa passion * si importable * que, pour * ne l'oser déclarer, tomba quasi évanoui en lui disant adieu, en une si grande sueur universelle que non ses yeux seulement, mais tout le corps jetaient larmes. Et ainsi, sans parler se départit, dont la dame demeura fort étonnée *, car elle n'avait jamais vu un tel signe de regret. Toutefois point ne changea son bon jugement envers lui, et l'accompagna de prières et oraisons. Au bout d'un mois, ainsi que la dame retournait en son logis, trouva un gentilhomme qui lui présenta une lettre de par le capitaine, la priant qu'elle la voulût voir à part *, et lui dit comme il l'avait vu embarquer, bien délibéré de faire chose agréable au Roi et à l'augmentation de la chrétienté, et que de lui, il s'en retournait à Marseille pour donner ordre aux affaires dudit capitaine. La dame se retira à une fenêtre à part, et ouvrit la lettre, de deux feuilles de papier écrites de tous côtés, en laquelle y avait l'épître qui s'ensuit :

Mon long celer *, ma taciturnité
Apporté m'a telle nécessité
Que je ne puis trouver nul réconfort
Fors de parler ou de souffrir la mort.
Ce Parler-là, auquel j'ai défendu
De se montrer à toi, a attendu
De me voir seul, et de mon secours loin ;
Et lors m'a dit qu'il était de besoin
De le laisser aller s'évertuer
De se montrer, ou bien de me tuer.
Et a plus fait, car il s'est venu mettre
Au beau milieu de cette mienne lettre,
Et dit que puisque mon œil ne peut voir
Celle qui tient ma vie en son pouvoir,
Dont le regard sans plus me contentait

---

d. quelque crucifix de Notre-Dame (A)

Quand son parler mon oreille écoutait,
Que maintenant par force il saillira *
Devant tes yeux, où point ne faillira *
De te montrer mes plaintes et clameurs [e]
Dont le celer est cause que je meurs.
Je l'ai voulu de ce papier ôter,
Craignant que point ne voulusse[s] écouter
Ce sot Parler qui se montre en absence,
Qui trop était craintif en ta présence ;
Disant : « Mieux vaut, en me taisant, mourir
Que de vouloir ma vie secourir
Pour ennuyer * celle que j'aime tant,
Que * de mourir pour mon bien suis content !
D'autre côté, ma mort pourrait porter
Occasion * de trop déconforter
Celle pour qui seulement j'ai envie
De conserver ma santé et ma vie. »
Ne t'ai-je pas, ô ma dame, promis
Que, mon voyage à fin heureuse mis,
Tu me verrais devers toi retourner,
Pour ton mari avec toi emmener
Au lieu où tant as de dévotion,
Pour prier Dieu sur le mont de Sion ?
Si je me meurs, nul ne t'y mènera.
Trop de regret ma mort ramènera,
Voyant à rien tournée l'entreprise
Qu'aveque tant d'affection as prise.
Je vivrai donc, et lors t'y mènerai,
Et en bref temps à toi retournerai.
La mort pour moi est bonne, à mon avis,
Mais seulement pour toi seule je vis.
Pour vivre donc, il me faut alléger
Mon pauvre cœur, et du faix soulager
Qui est à lui et à moi importable *,
De te montrer mon amour véritable
Qui est si grande, et si bonne, et si forte
Qu'il n'y en eut onques * de telle sorte.
Que diras-tu, ô Parler trop hardi ?

e. et mes clameurs (A)

Que diras-tu? Je te laisse aller, dis?
Pourras-tu bien lui donner connaissance
De mon amour? Las! tu n'as la puissance
D'en démontrer la millième part.
Diras-tu point au moins que son regard
A retiré mon cœur de telle force
Que mon corps n'est plus qu'une morte écorce
Si par le sien je n'ai vie et vigueur?
Las! mon Parler faible et plein de langueur,
Tu n'as pouvoir de bien au vrai lui peindre
Comment son œil peut un bon cœur contraindre,
Encore moins à louer sa parole:
Ta puissance est pauvre, débile et molle.
Si tu pouvais au moins lui dire un mot,
Que, bien souvent, comme muet et sot
Sa bonne grâce et vertu me rendait,
Et à mon œil, qui tant la regardait,
Faisait jeter par grande amour les larmes,
Et à ma bouche aussi changer ses termes [3],
Voire et en lieu de dire que l'aimais [f],
Je lui parlais des signes et des mois
Et de l'étoile arctique et antarctique!
O mon Parler! tu n'as pas la pratique
De lui conter en quel étonnement *
Me mettait lors mon amoureux tourment,
De dire aussi mes maux et mes douleurs.
Il n'y a pas en toi tant de valeurs
De déclarer ma grande et forte amour:
Tu ne saurais me faire un si bon tour!
A tout le moins, si tu ne peux le tout
Lui raconter, prends-toi à quelque bout,
Et dis ainsi: «Crainte de te déplaire
M'a fait longtemps, malgré mon vouloir, taire
Ma grande amour, qui devant ton mérite
Et devant Dieu ne peut être décrite,
Car ta vertu en est le fondement
Qui me rend doux mon trop cruel tourment,
Vu que l'on doit un tel trésor ouvrir

---

f. en lieu dire que je l'aimais (A)

Devant chacun et son cœur découvrir.
Car qui pourrait un tel amant reprendre
D'avoir osé et voulu entreprendre
D'acquérir dame en qui la vertu toute,
Voire et l'honneur fait son séjour sans doute ?
Mais au contraire on doit bien fort blâmer
Celui qui voit un tel bien sans l'aimer.
Or l'ai-je vu, et l'aime d'un tel cœur *
Qu'amour sans plus en a été vainqueur.
Las ! ce n'est point amour léger ou feint
Sur fondement de beauté, fol et peint ;
Encore moins cet amour qui me lie
Regarde en rien la vilaine folie :
Point n'est fondée en vilaine espérance
D'avoir de toi aucune jouissance,
Car rien n'y a au fond de mon désir
Qui contre toi souhaite nul plaisir.
J'aimerais mieux mourir en ce voyage
Que te savoir [g] moins vertueuse ou sage,
Ni que pour * moi fût moindre la vertu
Dont ton corps est, et ton cœur, revêtu.
Aimer te veux comme la plus parfaite
Qui onques * fut, parquoi rien ne souhaite
Qui puisse ôter cette perfection,
La cause et fin de mon affection.
Car plus de moi tu es sage estimée,
Et plus aussi parfaitement aimée.
Je ne suis pas celui qui se console
En son amour et en sa dame folle :
Mon amour est très sage et raisonnable,
Car je l'ai mis en dame tant aimable
Qu'il n'y a Dieu, ni ange en paradis [h]
Qu'en te voyant ne dit ce que je dis.
Et si de toi je ne puis être aimé,
Il me suffit au moins d'être estimé
Le serviteur plus parfait qui fut onques,
Ce que croiras, j'en suis sûr, adonques *

---

g. Que de te savoir (A)
h. Qu'il n'y a nul Dieu, ne ange de paradis (A)

Que la longueur du temps te fera voir
Que de t'aimer je fais loyal devoir.
Et si de toi je n'en reçois autant,
A tout le moins de t'aimer suis content,
En t'assurant que rien ne te demande
Fors seulement que je te recommande
Le cœur et corps brûlant pour ton service
Dessus l'autel d'amour, pour sacrifice.
Crois hardiment que, si j'en reviens vif *,
Tu reverras ton serviteur naïf *
Et si je meurs, ton serviteur mourra
Que jamais dame un tel n'en trouvera.
Ainsi de toi s'en va emporter l'onde
Le plus parfait serviteur de ce monde.
La mer peut bien ce mien corps emporter,
Mais non le cœur que nul ne peut ôter
D'aveque toi, où il fait sa demeure
Sans plus vouloir à moi venir une heure.
Si je pouvais avoir, par juste échange,
Un peu du tien, pur et clair comme un ange,
Je ne craindrais d'emporter la victoire
Dont ton seul cœur en gagnerait la gloire.
Or vienne donc ce qu'il en adviendra!
J'en ai jeté le dé : là se tiendra
Ma volonté sans aucun changement.
Et pour mieux peindre au tien entendement
Ma loyauté, ma ferme sûreté,
Ce diamant, pierre de fermeté,
En ton doigt blanc je te supplie prendre,
Par qui pourras trop plus qu'heureux me rendre.
O diamant, dis : « Amant **4** si m'envoye
Qui entreprend cette douteuse * voie
Pour mériter, par ses œuvres et faits,
D'être du rang des vertueux parfaits,
Afin qu'un jour il puisse avoir sa place
Au désiré lieu de ta bonne grâce. »

La dame lut l'épître tout du long, et de tant plus
s'émerveillait * de l'affection du capitaine que moins elle
en avait eu de soupçon. Et en regardant la table du
diamant grande et belle, dont l'anneau était émaillé de

noir, fut en grande peine de ce qu'elle en avait à faire. Et
après avoir rêvé * toute la nuit sur ces propos, fut très aise
d'avoir occasion de ne lui faire réponse par faute de
messager, pensant en elle-même qu'avec les peines qu'il
portait * pour le service de son maître il n'avait besoin
d'être fâché * de la mauvaise réponse qu'elle était délibérée de lui faire, laquelle elle remit à son retour. Mais
elle se trouva fort empêchée du diamant, car elle n'avait
point accoutumé de se parer aux dépens d'autres que de
son mari. Parquoi elle, qui était de bon entendement,
pensa de faire profiter cet anneau à la conscience de ce
capitaine. Elle dépêcha un sien serviteur qu'elle envoya à
la désolée femme du capitaine, en feignant que ce fût une
religieuse de Tarascon qui lui écrivît une telle lettre :

Madame, monsieur votre mari est passé par ici bien
peu avant son embarquement. Et après s'être confessé et
reçu son Créateur comme bon chrétien, m'a décelé * un
fait qu'il avait sur sa conscience : c'est le regret de ne
vous avoir tant aimée comme il devait. Et me pria et
conjura, à son partement, de vous envoyer cette lettre
avec ce diamant, lequel je vous prie garder pour l'amour
de lui, vous assurant que, si Dieu le fait retourner en
santé, jamais femme ne fut mieux traitée que vous serez.
Et cette pierre de fermeté vous en fera foi pour lui. Je
vous prie l'avoir pour recommandé en vos bonnes prières, car aux miennes il aura part toute ma vie.

Cette lettre, parfaite * et signée au nom d'une religieuse, fut envoyée par la dame à la femme du capitaine.
Et quand la bonne vieille vit la lettre et l'anneau, il ne faut
demander combien elle pleura de joie et de regret d'être
aimée et estimée de son bon mari, de la vue duquel elle se
voyait être privée. Et en baisant l'anneau plus de mille
fois l'arrosait de ses larmes, bénissant Dieu qui sur la fin
de ses jours lui avait redonné l'amitié de son mari, laquelle elle avait tenue longtemps pour perdue. Et remer-
ciant la religieuse qui était cause de tant de bien, à
laquelle fit la meilleure réponse qu'elle put, que le messager rapporta en bonne diligence à sa maîtresse, qui ne la
lut ni n'entendit ce que lui dit son serviteur sans rire bien
fort [...]⁵ Et se contenta * d'être défaite de son diamant

par un si profitable moyen que, de réunir le mari et la femme en bonne amitié, il lui sembla avoir gagné un royaume.

Un peu de temps après, vinrent nouvelles de la défaite et mort du pauvre capitaine, et comme il fut abandonné de ceux qui le devaient secourir, et son entreprise révélée par les Rhodiens qui la devaient tenir secrète. En telle sorte que lui, avec tous ceux qui descendirent en terre, qui étaient en nombre de quatre-vingts, furent tous tués : entre lesquels était un gentilhomme nommé Jean, et un Turc tenu sur les fonts par ladite dame, lesquels deux elle avait donnés au capitaine pour faire le voyage avec lui. Dont l'un mourut auprès de lui, et le Turc, avec quinze coups de flèche, se sauva à nouer * dedans les vaisseaux français. Et par lui seul fut entendue la vérité de tout cet affaire. Car un gentilhomme, que le pauvre capitaine avait pris pour ami et compagnon, et l'avait avancé * envers le Roi et les plus grands de France, sitôt qu'il vit mettre pied à terre audit capitaine, retira bien avant en la mer ses vaisseaux. Et quand le capitaine vit son entreprise découverte, et plus de quatre mille Turcs, se voulut retirer comme il devait. Mais le gentilhomme en qui il avait eu une si grande fiance, voyant que par sa mort la charge lui demeurait seule de cette grande armée, et le profit, mit en avant à tous les gentilshommes qu'il ne fallait pas hasarder les vaisseaux de Roi, ni tant de gens de bien qui étaient dedans, pour sauver cent personnes seulement. Et ceux qui n'avaient pas trop de hardiesse furent de son opinion. Et voyant ledit capitaine que plus il les appelait et plus ils s'éloignaient de son secours, se retourna devers les Turcs, étant au sablon * jusqu'au genou, où il fit tant de faits d'armes et de vaillance qu'il semblait que lui seul dût défaire tous ses ennemis, dont son traître compagnon avait plus de peur que désir de sa victoire. A la fin, quelques armes * qu'il sût faire, reçut tant de coups de flèches de ceux qui ne pouvaient approcher de lui que de la portée de leurs arcs qu'il commença à perdre tout son sang. Et lors les Turcs, voyant la faiblesse de ces vrais chrétiens, les vinrent charger à grands coups de cime-terre, lesquels, tant que Dieu leur donna force et vie, se

défendirent jusqu'au bout. Le capitaine appela ce gentilhomme nommé Jean que sa dame lui avait donné, et le
Turc aussi, et, mettant la pointe de son épée en terre,
tombant à genou auprès, baisa et embrassa la Croix disant : « Seigneur, prends l'âme en tes mains de celui qui
n'a épargné sa vie pour exalter ton nom ! » Le gentilhomme nommé Jean, voyant qu'avec ces paroles la vie
lui défaillait, embrassa lui et la croix de l'épée qu'il
tenait, pour le cuider * secourir. Mais un Turc par derrière lui coupa les deux cuisses. Et en criant tout haut :
« Allons, capitaine, allons en paradis voir Celui pour qui
nous mourons ! » fut compagnon à la mort comme il avait
été à la vie du pauvre capitaine. Le Turc, voyant qu'il ne
pouvait servir à l'un ni à l'autre, frappé de quinze flèches,
se retira vers les navires et, en demandant y être retiré,
combien qu'il fût seul échappé des quatre-vingts, fut
refusé par le traître compagnon. Mais lui, qui savait fort
bien nager, se jeta dedans la mer et fit tant qu'il fut reçu à
un petit vaisseau, et au bout de quelque temps, guéri de
ses plaies. Et par ce pauvre étranger fut la vérité connue
entièrement à l'honneur du capitaine et à la honte de son
compagnon, duquel le Roi et tous les gens de bien qui en
ouïrent le bruit * jugèrent la méchanceté si grande envers
Dieu et les hommes qu'il n'y avait mort dont il ne fût
digne. Mais à sa venue donna tant de choses fausses à
entendre, avec force présents, que non seulement se
sauva de punition, mais eut la charge de celui qu'il n'était
digne de servir de valet.

Quand cette piteuse * nouvelle vint à la cour, Mme la
Régente, qui l'estimait fort, le regretta merveilleusement.
Aussi fit le Roi et tous les gens de bien qui le connaissaient. Et celle qu'il aimait le mieux, oyant si étrange,
piteuse et chrétienne mort, changea la dureté du propos
qu'elle avait délibéré lui tenir en larmes et lamentations.
A quoi son mari lui tint compagnie, se voyant frustré de
l'espoir de leur voyage. Je ne veux oublier qu'une demoiselle qui était à cette dame, laquelle aimait ce gentilhomme nommé Jean plus que soi-même, le propre jour
que les deux gentilshommes furent tués, vint dire à sa
maîtresse qu'elle avait vu en songe celui qu'elle aimait

tant, vêtu de blanc, lequel lui était venu dire adieu, et qu'il s'en allait en paradis avec son capitaine. Mais quand elle sut que son songe était véritable, elle fit un tel deuil que sa maîtresse avait assez à faire à la consoler[6]. Au bout de quelque temps, la cour alla en Normandie, d'où était le capitaine[i], la femme duquel ne faillit* de venir faire la révérence à Mme la Régente. Et pour y être présentée, s'adressa à la dame que son mari avait tant aimée. Et en attendant l'heure propre dedans une église, commença à regretter et louer son mari, et entre autres choses lui dit : « Hélas, madame ! mon malheur est le plus grand qui advint onques* à femme car, à l'heure qu'il m'aimait plus qu'il n'avait jamais fait, Dieu le m'a ôté. » Et en ce disant lui montra l'anneau qu'elle avait au doigt comme le signe de sa parfaite amitié, qui ne fut sans grandes larmes, dont la dame, quelque regret qu'elle en eût, avait tant envie de rire, vu que de sa tromperie était sailli* un tel bien, qu'elle ne la voulut présenter à Mme la Régente, mais la bailla à une autre et se retira en une chapelle où elle passa l'envie qu'elle avait de rire.

« Il me semble, mesdames, que celles à qui l'on présente de telles choses devraient désirer en faire œuvre qui vînt à aussi bonne fin que fit cette bonne dame, car elles trouveraient que les bienfaits sont les joies des bienfaisants. Et ne faut point accuser cette dame de tromperie, mais estimer de son bon sens, qui convertit en bien ce qui de soi ne valait rien. » — « Voulez-vous dire, ce dit Nomerfide, qu'un beau diamant de deux cents écus ne vaut rien ? Je vous assure que s'il fût tombé entre mes mains sa femme ni ses parents n'en eussent rien vu. Il n'est rien mieux à soi que ce qui est donné. Le gentilhomme était mort, personne n'en savait rien : elle se fût bien passée de faire tant pleurer cette pauvre vieille. » — « En bonne foi, ce dit Hircan, vous avez raison, car il y a des femmes qui, pour se montrer plus excellentes que les autres, font des œuvres apparentes contre leur naturel. Car nous savons bien tous qu'il n'est rien si avaricieux

---

i. le gentilhomme (A)

qu'une femme. Toutefois, leur gloire * passe souvent leur
avarice, qui force leurs cœurs à faire ce qu'ils ne veulent.
Et crois que celle qui laissa ainsi le diamant n'était pas
digne de le porter. » — « Holà, holà ! ce dit Oisille, je me
doute bien qui elle est. Parquoi je vous prie, ne la
condamnez point sans voir ! » — « Madame, dit Hircan, je
ne la condamne point, mais si le gentilhomme était autant
vertueux que vous dites, elle était honorée d'avoir un tel
serviteur et de porter son anneau. Mais peut-être qu'un
moins digne d'être aimé la tenait si bien par le doigt que
l'anneau n'y pouvait entrer... » — « Vraiment, ce dit
Ennasuite, elle le pouvait bien garder, puisque personne
n'en savait rien. » — « Comment ? ce dit Géburon, toutes
choses à ceux qui aiment sont-elles licites, mais * que
l'on n'en sache rien ? » — « Par ma foi, ce dit Saffredent,
je ne vis onques * méfait puni, sinon la sottise ; car il n'y a
meurtrier, larron ni adultère, mais * qu'il soit aussi fin
que mauvais, qui jamais soit repris par justice ni blâmé
entre les hommes. Mais souvent la malice est si grande
qu'elle les aveugle, de sorte qu'ils deviennent sots. Et
comme j'ai dit : seulement les sots sont punis, et non les
vicieux. » — « Vous en direz ce qu'il vous plaira, ce dit
Oisille, Dieu peut juger le cœur de cette dame. Mais
quant à moi je trouve le fait très honnête et vertueux. Pour
n'en débattre plus, je vous prie, Parlamente, donnez votre
voix à quelqu'un. » — « Je la donne très volontiers, ce
dit-elle, à Simontaut. Car après ces deux tristes nouvelles, il ne faudra * de nous en dire une qui ne nous fera
point pleurer ! » — « Je vous remercie, dit Simontaut ; en
me donnant votre voix, il ne s'en faut guère que ne me
nommez plaisant, qui est un nom que je trouve fort
fâcheux ! Et pour m'en venger, je vous montrerai qu'il y a
des femmes qui font bien semblant d'être chastes envers
quelques-uns, ou pour quelque temps. Mais la fin les
montre telles qu'elles sont, comme vous verrez par cette
histoire très véritable. »

QUATORZIEME NOUVELLE

Subtilité d'un amoureux qui, sous la faveur du vrai ami,
cueilla d'une dame milanaise le fruit de ses labeurs
passés.

En la duché de Milan, du temps que le grand-maître de
Chaumont en était gouverneur, y avait un gentilhomme
nommé le seigneur de Bonnivet [1] qui depuis, par ses
mérites, fut amiral de France. Étant à Milan, fort aimé
dudit grand-maître et de tout le monde pour * les vertus
qui étaient en lui, se trouvait volontiers aux festins où
toutes les dames s'assemblaient, desquelles il était mieux
voulu que ne fut onques * Français, tant pour sa beauté,
bonne grâce et bonne parole, que pour le bruit * que
chacun lui donnait d'être un des plus adroits et hardis aux
armes qui fût point de son temps. Un jour, en masque, à
un carnaval, mena danser une des plus braves * et belles
dames qui fût point en la ville ; et quand les hautbois *
faisaient pause, ne faillait * à lui tenir les propos d'amour
qu'il savait mieux que nul autre dire. Mais elle, qui ne lui
devait rien de lui répondre [a], lui voulut soudain mettre la
paille au-devant [2] et l'arrêter, en l'assurant qu'elle n'aimait ni n'aimerait jamais que son mari, et qu'il ne s'y
attendît en aucune manière. Pour * cette réponse ne se tint
le gentilhomme refusé, et la pourchassa vivement jusqu'à
la mi-carême. Pour toute résolution, il la trouva ferme en
propos de n'aimer ni lui ni autre : ce qu'il ne put croire,
vu la mauvaise grâce que son mari avait et la grande
beauté d'elle. Il se délibéra, puisqu'elle usait de dissimulation, d'user aussi de tromperie. Et dès l'heure *,
laissa la poursuite qu'il lui faisait, et s'enquit si bien de sa
vie qu'il trouva qu'elle aimait un gentilhomme italien,
bien sage et honnête.

Ledit seigneur de Bonnivet accointa * peu à peu ce
gentilhomme, par telle douceur et finesse qu'il ne s'aperçut de l'occasion *, mais l'aima si parfaitement qu'après
sa dame, c'était la créature du monde qu'il aimait le plus.

a. rien en réponse (T)

Le seigneur de Bonnivet, pour lui arracher son secret du cœur, feignit de lui dire le sien, et qu'il aimait une dame où jamais n'avait pensé, le priant de tenir secret, et qu'ils n'eussent tous deux qu'un cœur et une pensée. Le pauvre gentilhomme, pour lui montrer l'amour réciproque, lui va déclarer tout du long celle qu'il portait à la dame dont Bonnivet se voulait venger. Et une fois le jour, s'assemblaient en quelque lieu tous deux, pour rendre compte des bonnes fortunes advenues le long de la journée : ce que l'un faisait en mensonge, et l'autre en vérité. Et confessa le gentilhomme avoir aimé trois ans cette dame sans en avoir rien eu, sinon bonne parole et assurance d'être aimé. Ledit de Bonnivet lui conseilla tous les moyens qu'il lui fut possible pour parvenir à son intention, dont il se trouva si bien que, en peu de jours, elle lui accorda tout ce qu'il demanda. Il ne restait que de trouver le moyen. Ce que bientôt, par le conseil du seigneur de Bonnivet, fut trouvé. Et un jour, avant souper, lui dit le gentilhomme : « Monsieur, je suis plus tenu à vous qu'à tous les hommes du monde, car par votre bon conseil j'espère avoir cette nuit ce que tant d'années j'ai désiré. » — « Je te prie, mon ami, ce lui dit Bonnivet, conte-moi la sorte * de ton entreprise, pour voir, s'il y a tromperie ou hasard *, pour t'y servir de bon ami. » Le gentilhomme lui va conter comme elle avait moyen de faire laisser la grande porte de la maison ouverte, sous couleur de quelque maladie qu'avait un de ses frères, pour * laquelle à toutes heures fallait envoyer à la ville quérir plusieurs drogues et choses nécessaires[b] ; et qu'il pourrait entrer sûrement * dedans la cour, mais * qu'il gardât de monter par l'escalier et qu'il passât par un petit degré * qui était à main droite, et entrât en la première galerie qu'il trouverait, où toutes les portes des chambres de son beau-père et de ses beaux-frères se rendaient ; et qu'il choisît bien la troisième plus près dudit degré et, si en la poussant doucement il la trouvait fermée, qu'il s'en allât, étant assuré que son mari était revenu, lequel toutefois ne devait revenir de deux jours ; et que, s'il la trouvait

b. ses nécessités (A)

ouverte, il entrât doucement et qu'il la refermât hardiment au coureil*, sachant qu'il n'y avait qu'elle seule en la chambre, et que surtout il n'oubliât de faire faire des souliers de feutre, de peur de faire bruit; et qu'il se gardât bien d'y venir plus tôt que deux heures après minuit ne fussent passées, pource que ses beaux-frères, qui aimaient fort le jeu, ne s'allaient jamais coucher qu'il ne fût plus d'une heure. Ledit de Bonnivet lui répondit : « Va, mon ami, Dieu te conduise ! Je le prie qu'il te garde d'inconvénient. Si ma compagnie y sert de quelque chose, je n'épargnerai rien qui soit en ma puissance. » Le gentilhomme le mercia bien fort, et lui dit qu'en cette affaire il ne pouvait être trop seul. Et s'en alla pour y donner ordre.

Le seigneur de Bonnivet ne dormit pas, de son côté ; et voyant qu'il était heure de se venger de sa cruelle dame, se retira de bonne heure en son logis, et se fit couper la barbe de la longueur et largeur que l'avait le gentilhomme ; aussi se fit couper les cheveux, afin qu'à le toucher on ne pût connaître leur différence. Il n'oublia pas les escarpins de feutre et le demeurant des habillements semblables au gentilhomme. Et pource qu'il était fort aimé du beau-père de cette femme, ne craignit d'y aller de bonne heure, pensant que, s'il était aperçu, il irait tout droit à la chambre du bon homme avec lequel il avait quelque affaire. Et sur l'heure de minuit, entra en la maison de cette dame où il trouva assez d'allants et venants. Mais parmi eux passa, sans être connu, et arriva en la galerie. Et touchant les deux premières portes, les trouva fermées, et la troisième non, laquelle doucement il poussa. Et entré qu'il fut en la chambre de la dame, la referma au coureil*, et vit toute cette chambre tendue de linge blanc, le pavement et le dessus de même, et un lit de toile fort déliée*, tant bien ouvré de blanc qu'il n'était possible de plus. Et la dame seule dedans, avec son scofion* et la chemise toute couverte de perles et de pierreries, ce qu'il vit par un coin du rideau avant que d'être aperçu d'elle. Car il y avait un grand flambeau de cire blanche, qui rendait la chambre claire comme le jour. Et de peur d'être connu d'elle, alla premièrement tuer le flambeau, puis se dépouilla* et s'alla coucher auprès d'elle. Elle, qui cuidait* que ce fût celui qui si longuement l'avait aimée, lui fit la meilleure chère* qui lui fut possible. Mais lui, qui savait bien que c'était au nom d'un autre, se garda de lui dire un seul mot, et ne pensa qu'à mettre sa vengeance à exécution : c'est de lui ôter son honneur et sa chasteté, sans lui en savoir gré ni grâce, mais contre sa volonté et délibération. La dame se tenait si contente de cette vengeance qu'il s'estimait[c] récompensé de tous ses labeurs, jusqu'à ce qu'une heure après minuit sonna, qu'il était temps de dire adieu. Et à l'heure*, le plus bas qu'il lui fut possible, lui demanda si elle était aussi contente de lui comme lui d'elle. Elle, qui cuidait* que ce fût son ami, lui dit que non seulement elle était contente, mais émerveillée* de la grandeur de son amour qui l'avait gardé une heure sans lui pouvoir répondre. A l'heure* il se prit à rire bien fort, lui disant : « Or sus, madame, me refuserez-vous une autre fois, comme vous avez accoutumé de faire jusqu'ici ? » Elle, qui le connut à la parole et au ris, fut si désespérée d'ennui* et de honte qu'elle l'appela plus de mille fois méchant, traître et trompeur, se voulant jeter du lit à bas pour chercher un couteau afin de se tuer, vu qu'elle était si malheureuse qu'elle avait perdu son honneur pour un homme qu'elle n'aimait point et qui, pour se venger d'elle, pourrait divulguer cette affaire par tout le monde. Mais il la retint entre ses bras et, par bonnes et douces paroles, l'assurant de l'aimer plus que celui qui l'aimait, et de celer ce qui touchait son honneur, si bien qu'elle n'en aurait jamais blâme. Ce que la pauvre sotte crut. Et entendant de lui l'invention qu'il avait trouvée et la peine qu'il avait prise pour la gagner, lui jura qu'elle l'aimerait mieux que l'autre qui n'avait su celer son secret, et qu'elle connaissait bien le contraire du faux bruit* que l'on donnait aux Français, car ils étaient plus sages, persévérants et secrets* que les Italiens. Parquoi dorénavant elle se départirait[d] de l'amitié[e] de ceux de sa nation

c. qu'elle l'estimait (A)
d. départait (A)
e. opinion (A)

pour s'arrêter à lui. Mais elle le pria bien fort que, pour
quelque temps, il ne se trouvât en lieu ni festin où elle fût,
sinon en masque, car elle savait bien qu'elle aurait si
grande honte que sa contenance la déclarerait* à tout le
monde. Il lui en fit promesse, et aussi la pria que, quand
son ami viendrait à deux heures, elle lui fît bonne chère*,
et puis peu à peu elle s'en pourrait défaire. Dont elle fit si
grande difficulté que, sans l'amour qu'elle lui portait,
pour rien ne l'eût accordé. Toutefois, en lui disant adieu,
la rendit si satisfaite qu'elle eût bien voulu qu'il y fût
demeuré plus longuement.

Après qu'il fut levé et qu'il eut repris ses habillements,
saillit* hors de la chambre et laissa la porte entr'ouverte
comme il l'avait trouvée. Et pource qu'il était près de
deux heures et qu'il avait peur de trouver le gentilhomme
en son chemin, se retira au haut du degré* où bientôt
après il le vit passer et entrer en la chambre de sa dame.
Et lui s'en alla en son logis pour reposer son travail*; ce
qu'il fit de sorte que neuf heures au matin le trouvèrent au
lit où, à son lever, arriva le gentilhomme qui ne faillit à
lui conter sa fortune, non si bonne comme il l'avait
espérée; car il dit que, quand il entra en la chambre de sa
dame, il la trouva levée en son manteau de nuit avec une
bien grosse fièvre, le pouls fort ému, le visage en feu et la
sueur qui commençait fort à lui prendre, de sorte qu'elle
le pria s'en retourner incontinent. Car, de peur d'inconvénient, n'avait osé appeler ses femmes, dont elle était si
mal qu'elle avait plus besoin de penser à la mort qu'à
l'amour, et d'ouïr parler de Dieu que de Cupidon, étant
marrie du hasard* où il s'était mis pour elle, vu qu'elle
n'avait puissance en ce monde de lui rendre ce qu'elle
espérait faire en l'autre bientôt. Dont il fut si étonné* et
marri que son feu et sa joie s'étaient convertis en glace et
en tristesse, et s'en était incontinent départi. Et au matin,
au point du jour, avait envoyé savoir de ses nouvelles,
mais on lui rapporta^f que pour vrai elle était très mal. Et
en racontant ses douleurs pleurait si très fort qu'il semblait que l'âme s'en dût aller par ses larmes. Bonnivet,

f. et que pour vrai (A)

qui avait autant envie de rire que l'autre de pleurer, le consola le mieux qu'il lui fut possible, lui disant que les amours de longue durée ont toujours un commencement difficile, et qu'amour lui faisait ce retardement pour lui faire trouver la jouissance meilleure. Et en ces propos se départirent. La dame garda quelques jours le lit, et en recouvrant sa santé, donna congé à son premier serviteur, le fondant sur la crainte qu'elle avait eue de la mort et le remords de sa conscience. Et s'arrêta au seigneur de Bonnivet, dont l'amitié dura, selon la coutume, comme la beauté des fleurs des champs.

« Il me semble, mesdames, que les finesses du gentil-homme valent bien l'hypocrisie de cette dame qui, après avoir tant contrefait la femme de bien, se déclara si folle. » — « Vous direz ce qu'il vous plaira des femmes, ce dit Ennasuite, mais ce gentilhomme fit un tour méchant. Est-il dit que si une dame en aime[g] un, l'autre la doive avoir par finesse * ? » — « Croyez, ce dit Géburon, que telles marchandises ne se peuvent mettre en vente qu'elles ne soient emportées par les plus offrants et der-niers enchérisseurs. Ne pensez pas que ceux qui poursui-vent les dames prennent tant de peine pour l'amour d'el-les, car c'est seulement pour l'amour d'eux et de leur plaisir. » — « Par ma foi, ce dit Longarine, je vous en crois, car pour vous en dire la vérité, tous les serviteurs que j'ai jamais eu m'ont toujours commencé leurs propos par moi, montrant désirer ma vie, mon bien, mon hon-neur. Mais la fin en a été par eux, désirant leur plaisir et leur gloire *. Parquoi le meilleur est de leur donner congé dès la première partie de leur sermon, car quand on vient à la seconde, on n'a pas tant d'honneur à les refuser, vu que le vice de soi, quand il est connu, est refusable. » — « Il faudrait donc, ce dit Ennasuite, que dès qu'un homme ouvre la bouche on le refusât sans savoir qu'il veut dire ? » Parlamente lui répondit : « Ma compagne ne l'entend pas ainsi : car on sait bien qu'au commencement une femme ne doit jamais faire semblant * d'entendre où l'homme

g. aimait (A)

veut venir, ni encore, quand il le déclare, de le pouvoir
croire. Mais quand il vient à en jurer bien fort, il me
semble qu'il est plus honnête aux dames de le laisser en
ce beau chemin que d'aller jusqu'à la vallée. » — « Voire
mais, ce dit Nomerfide, devons-nous croire par là qu'ils
nous aiment par mal ? Est-ce pas péché de juger son
prochain ? » — « Vous en croirez ce qu'il vous plaira, dit
Oisille, mais il faut tant craindre qu'il soit vrai que, dès
que vous en apercevez quelque étincelle, vous devez fuir
ce feu qui a plus tôt brûlé un cœur qu'il ne s'en est
aperçu. » — « Vraiment, ce dit Hircan, vos lois sont trop
dures ! Et si les femmes voulaient selon votre avis être
rigoureuses, auxquelles la douceur est si séante, nous
changerions aussi nos douces supplications en finesses *
et forces. » — « Le mieux que j'y voie, dit Simontaut,
c'est que chacun suive son naturel. Qui aime ou qui
n'aime point le montre sans dissimulation ! » — « Plût à
Dieu, ce dit Saffredent, que cette loi apportât autant
d'honneur qu'elle ferait de plaisir ! » Mais Dagoucin ne se
sût tenir de dire : « Ceux qui aimeraient mieux mourir que
leur volonté fût connue ne se pourraient accorder à votre
ordonnance. » — « Mourir ? ce dit Hircan, encore est-il à
naître le bon chevalier qui pour telle chose publique
voudrait mourir ! Mais laissons ces propos d'impossibilité, et regardons à qui Simontaut donnera sa voix. » —
« Je la donne, dit Simontaut, à Longarine. Car je la
regardais tantôt, qu'elle parlait toute seule : je pense
qu'elle recordait* quelque bon rôle, et si n'a point
accoutumé de celer la vérité, soit contre femme ou contre
homme. » — « Puisque vous m'estimez si véritable, dit
Longarine, je vous raconterai une histoire que, nonobstant qu'elle ne soit tant à la louange des femmes que je
voudrais, si verrez-vous qu'il y en a ayant aussi bon
cœur *, aussi bon esprit et aussi pleines de finesses que
les hommes. Si mon conte est un peu long, vous aurez
patience. »

QUINZIÈME NOUVELLE

Une dame de la cour du Roi, se voyant dédaignée de son mari qui faisait l'amour ailleurs, s'en vengea par peine pareille [1].

En la cour du Roi François premier, y avait un gentilhomme, duquel je connais si bien le nom que je ne le veux point nommer. Il était pauvre, n'ayant point cinq cents livres de rente, mais il était tant aimé du Roi, pour* les vertus dont il était plein, qu'il vint à épouser une femme si riche qu'un grand seigneur s'en fût bien contenté. Et pource qu'elle était encore bien jeune, pria une des plus grandes dames de la cour de la vouloir tenir avec elle, ce qu'elle fit très volontiers. Or était ce gentilhomme tant honnête, beau et plein de toute grâce que toutes les dames de la cour en faisaient bien grand cas. Et entre autres une, que le Roi aimait, qui n'était si jeune ni si belle que la sienne. Et pour* la grande amour qu'il lui portait, tenait si peu de compte de sa femme qu'à peine en un an couchait-il une nuit avec elle. Et ce qui plus lui était importable*, c'est que jamais il ne parlait à elle, ni lui faisait signe d'amitié. Et combien qu'il jouît de son bien, il lui en faisait une si petite part qu'elle n'était pas habillée comme il lui appartenait ni comme elle désirait. Dont la dame avec qui elle était reprenait souvent le gentilhomme en lui disant : « Votre femme est belle, riche et de bonne maison, et vous ne tenez non plus compte d'elle que si elle était tout le contraire, ce que son enfance et jeunesse a supporté jusqu'ici ; mais j'ai peur que, quand elle se verra grande et telle que son miroir lui montrera, quelqu'un qui ne vous aimera pas lui remontre sa beauté si peu de vous prisée et que, par dépit, elle fasse ce que, étant de vous bien traitée, elle n'oserait jamais penser. » Le gentilhomme, qui avait son cœur ailleurs, se moqua très bien d'elle et ne laissa, pour* ses enseignements, à continuer la vie qu'il menait. Mais, deux ou trois ans passés, sa femme commença à devenir une des plus belles femmes qui fût point en France, tant qu'elle eut bruit* de n'avoir à la cour sa pareille. Et plus elle se sentait digne d'être aimée, plus s'ennuya* de voir que son mari n'en tenait compte. Tellement qu'elle prit un si grand déplaisir que, sans la consolation de sa maîtresse, était quasi au désespoir. Et après avoir cherché tous les moyens de complaire à son mari qu'elle pouvait, pensa en elle-même qu'il était impossible qu'il l'aimât, vu la grande amour qu'elle lui portait, sinon qu'il eût quelque autre fantaisie en son entendement. Ce qu'elle chercha si subtilement qu'elle trouva la vérité, et qu'il était toutes les nuits si empêché* ailleurs qu'il oubliait sa conscience et sa femme.

Et après qu'elle fut certaine de la vie qu'il menait, prit une telle mélancolie qu'elle ne se voulait plus habiller que de noir, ni se trouver en lieu où l'on fît bonne chère. Dont sa maîtresse, qui s'en aperçut, fit tout ce qui lui fut possible pour la retirer de cette opinion, mais elle ne put. Et combien que son mari en fût assez averti, il fut plus prêt à s'en moquer que d'y donner remède. Vous savez, mesdames, qu'ainsi qu'une extrême joie est occupée* par pleurs, aussi[a] extrême ennui* prend fin par quelque joie. Parquoi un jour advint qu'un grand seigneur, parent proche de la maîtresse de cette dame[b], et qui souvent la fréquentait, entendant l'étrange façon dont le mari la traitait, en eut tant de pitié qu'il se voulut essayer à la consoler. Et en parlant avec elle, la trouva si belle, si sage et si vertueuse qu'il désira beaucoup plus[c] d'être en sa bonne grâce que de lui parler de son mari, sinon pour lui montrer le peu d'occasion* qu'elle avait de l'aimer.

Cette dame, se voyant délaissée de celui qui la devait aimer, et d'autre côté aimée et requise d'un si beau prince, se tint bien heureuse d'être en sa bonne grâce. Et combien qu'elle eût toujours désir de conserver son honneur, si* prenait-elle grand plaisir de parler à lui et de se voir aimée et estimée, chose dont quasi elle était affamée. Cette amitié dura quelque temps, jusqu'à ce que le Roi s'en aperçut, qui portait tant d'amour au gentilhomme qu'il ne voulait souffrir que nul lui fît honte ou déplaisir.

a. ainsi (T)
b. proche parent de cette dame (T)
c. beaucoup d'être (A)

Parquoi il pria bien fort ce prince d'en vouloir ôter sa fantaisie et que, s'il continuait, il serait très mal content de lui. Ce prince, qui aimait trop mieux la bonne grâce du Roi que toutes les dames du monde, lui promit, pour l'amour de lui, d'abandonner son entreprise, et que dès le soir il irait prendre congé d'elle. Ce qu'il fit, sitôt qu'il sut qu'elle était retirée en son logis, où logeait le gentilhomme en une chambre sur la sienne. Et, étant au soir à la fenêtre, vit entrer ce prince en la chambre de sa femme, qui était sous la sienne. Mais le prince, qui bien l'avisa *, ne laissa d'y entrer. Et en disant adieu à celle dont l'amour ne faisait que commencer, lui allégua pour toutes raisons le commandement du Roi.

Après plusieurs larmes et regrets qui durèrent jusqu'à une heure après minuit, la dame lui dit pour conclusion : « Je loue Dieu, Monseigneur, dont il lui plaît que vous perdiez cette opinion *, puisqu'elle est si petite et faible que vous la pouvez prendre et laisser par le commandement des hommes. Car quant à moi je n'ai point demandé congé * ni à maîtresse, ni à mari, ni à moi-même pour vous aimer : car Amour, s'aidant de votre beauté et de votre honnêteté, a eu telle puissance sur moi que je n'ai connu autre Dieu ni autre Roi que lui. Mais puisque votre cœur n'est pas si rempli de vrai amour que crainte n'y trouve encore place, vous ne pouvez être ami parfait, et d'un imparfait je ne veux point faire ami aimé parfaitement, comme j'avais délibéré faire de vous. Or adieu, Monseigneur, duquel la crainte ne mérite la franchise de mon amitié ! » Ainsi s'en alla pleurant ce seigneur, et en se retournant avisa * encore le mari étant à la fenêtre, qui l'avait vu entrer et saillir *. Parquoi le lendemain lui conta l'occasion * pourquoi il était allé voir sa femme, et le commandement que le Roi lui en avait fait, dont le gentilhomme en fut fort content et en remercia le Roi. Mais voyant que sa femme tous les jours embellissait, et lui devenait vieux et amoindrissait sa beauté, commença à changer de rôle, prenant celui que longtemps il avait fait jouer à sa femme : car il la cherchait plus qu'il n'avait de coutume, et prenait garde * sur elle. Mais de tant plus elle le fuyait qu'elle se voyait cherchée de lui, désirant lui

rendre partie des ennuis * qu'elle avait eus pour * être de
lui peu aimée. Et pour ne perdre si tôt le plaisir que
l'amour lui commençait à donner, se va adresser à un
jeune gentilhomme tant si très beau, bien parlant et de
tant de bonne grâce qu'il était aimé de toutes les dames de
la cour. Et en lui faisant ses complaintes de la façon
comme elle avait été traitée, l'incita d'avoir pitié d'elle,
de sorte que le gentilhomme n'oublia rien pour essayer à
la réconforter. Et elle, pour se récompenser de la perte
d'un prince qui l'avait laissée, se mit à aimer si fort ce
gentilhomme qu'elle oublia son ennui * passé, et ne pensa
sinon à finement conduire son amitié. Ce qu'elle sut si
bien faire que jamais sa maîtresse ne s'en aperçut, car en
sa présence se gardait bien de parler à lui. Mais quand
elle lui voulait dire quelque chose, s'en allait voir quelques dames qui demeuraient à la cour, entre lesquelles y
en avait une dont son mari feignait être amoureux.

Or un soir après souper qu'il faisait obscur, se déroba
ladite dame sans appeler nulle compagnie, et entra en la
chambre des dames où elle trouva celui qu'elle aimait
mieux qu'elle-même. Et en s'asseyant auprès de lui,
appuyés sur une table, parlaient ensemble, feignant de
lire en un livre. Quelqu'un que le mari avait mis au guet
lui vint rapporter là où sa femme était allée ; mais lui qui
était sage, sans en faire semblant, s'y alla le plus tôt qu'il
put. Et entrant en la chambre vit sa femme lisant le livre,
qu'il feignit ne voir point, mais alla parler tout droit aux
dames qui étaient de l'autre côté. Cette pauvre dame,
voyant que son mari l'avait trouvée avec celui auquel
devant lui elle n'avait jamais parlé, fut si transportée
qu'elle perdit sa raison et, ne pouvant passer par le banc,
sauta sur la table et s'enfuit, comme si son mari avec
l'épée nue l'eût poursuivie. Et alla trouver sa maîtresse
qui se retirait en son logis.

Et quand elle fut déshabillée, se retira ladite dame, à
laquelle une de ses femmes vint dire que son mari la
demandait. Elle lui répondit franchement qu'elle n'irait
point, et qu'il était si étrange et austère * qu'elle avait
peur qu'il ne lui fît un mauvais tour. A la fin, de peur de
pis, s'y en alla. Son mari ne lui en dit un seul mot, sinon

quand ils furent dedans le lit. Elle, qui ne savait pas si bien dissimuler que lui, se prit à pleurer. Et quand il y eut demandé pourquoi c'était, elle lui dit qu'elle avait peur qu'il fût courroucé contre elle, pource qu'il l'avait trouvée lisant avec un gentilhomme. A l'heure * il lui répondit que jamais il ne lui avait défendu de parler à homme, et qu'il n'avait trouvé mauvais qu'elle y parlât, mais oui bien de s'en être enfuie devant lui, comme si elle eût fait chose digne d'être reprise, et que cette fuite seulement lui faisait penser qu'elle aimait le gentilhomme. Parquoi il lui défendit que jamais il ne lui advînt de lui parler, ni en public ni en privé, lui assurant que, la première fois qu'elle y parlerait, il la tuerait sans pitié ni compassion. Ce qu'elle accepta très volontiers, faisant bien son compte de n'être pas une autre fois si sotte. Mais pource que les choses où l'on a volonté, plus elles sont défendues et plus elles sont désirées, cette pauvre femme eut bientôt oublié les menaces de son mari et les promesses d'elle. Car dès le soir même, elle, étant retournée coucher en une autre chambre avec d'autres demoiselles et ses gardes, envoya prier le gentilhomme de la venir voir la nuit. Mais le mari, qui était si tourmenté de jalousie qu'il ne pouvait dormir, va prendre une cape et un valet de chambre avec lui, parce qu'il ^d avait ouï dire que l'autre allait la nuit, et s'en va frapper à la porte du logis de sa femme. Elle, qui n'attendait rien moins que lui, se leva toute seule et prit des brodequins fourrés et son manteau qui était auprès d'elle. Et voyant que trois ou quatre femmes qu'elle avait étaient endormies, saillit * de sa chambre et s'en va droit à la porte où elle ouït frapper. Et en demandant « Qui est-ce ? », lui fut répondu le nom de celui qu'elle aimait. Mais pour en être plus assurée, ouvrit un petit guichet en disant : « Si vous êtes celui que vous dites, baillez-moi la main et je la connaîtrai bien. » Et quand elle toucha à la main de son mari, elle le connut et, en fermant vitement le guichet, se prit à crier : « Ah ! monsieur, c'est votre main ! » Le mari lui répondit, par grand courroux : « Oui, c'est la main qui vous tiendra promesse ! Parquoi ne

d. ainsi qu'il (A)

faillez * à venir quand je le vous manderai.» En disant cette parole, s'en alla en son logis, et elle retourna en sa chambre, plus morte que vive, et dit tout haut à ses femmes : «Levez-vous, mes amies, vous avez trop dormi pour moi, car en vous cuidant * tromper je me suis trompée la première.» En ce disant se laissa tomber au milieu de la chambre, tout évanouie. Ces pauvres femmes se levèrent à ce cri, tant étonnées * de voir leur maîtresse comme morte couchée par terre et d'ouïr ces propos qu'elles ne surent que faire, sinon courir aux remèdes pour la faire revenir. Et quand elle put parler, leur dit : «Aujourd'hui voyez-vous, mes amies, la plus malheureuse créature qui soit sur la terre !» et leur va conter toute sa fortune, les priant la vouloir secourir, car elle tenait sa vie pour perdue.

Et en la cuidant * réconforter, arriva un valet de chambre de son mari par lequel il lui mandait qu'elle allât incontinent à lui. Elle, embrassant deux de ses femmes, commença à crier et pleurer, les priant ne la laisser point aller, car elle était sûre de mourir. Mais le valet de chambre l'assura que non, et qu'il prenait sur sa vie qu'elle n'aurait nul mal. Elle, voyant qu'il n'y avait point lieu de résistance, se jeta entre les bras de ce pauvre serviteur, lui disant : «Puisqu'il le faut, porte ce malheureux corps à la mort !» Et à l'heure *, demi-évanouie de tristesse, fut emportée du valet de chambre au logis de son maître, aux pieds duquel tomba cette pauvre dame en lui disant : «Monsieur, je vous supplie avoir pitié de moi, et je vous jure la foi que je dois à Dieu que je vous dirai la vérité du tout.» A l'heure * il lui dit comme un homme désespéré : «Par Dieu vous me la direz !» et chassa dehors tous ses gens. Et pource qu'il avait toujours connu sa femme dévote, pensa bien qu'elle ne s'oserait parjurer sur la vraie Croix. Il en demanda une fort belle qu'il avait, et quand ils furent tous deux seuls, la fit jurer dessus qu'elle lui dirait la vérité de ce qu'il lui demanderait. Mais elle, qui avait déjà passé les premières appréhensions de la mort, reprit cœur *, se délibérant, avant que mourir, de ne lui celer la vérité, et aussi de ne dire chose dont le gentilhomme qu'elle aimait pût avoir à souffrir. Et après

avoir ouï toutes les questions qu'il lui faisait, lui répondit
ainsi : « Je ne veux point, monsieur, me justifier[e] ni faire
moindre envers vous l'amour que j'ai portée au gentilhomme dont vous avez soupçon, car vous ne le pourriez
ni ne devriez croire, vu l'expérience qu'aujourd'hui vous
en avez eue. Mais je désire bien vous dire l'occasion * de
cette amitié. Entendez, monsieur, que jamais femme
n'aima autant mari que je vous ai aimé. Et depuis que je
vous épousai jusqu'en cet âge ici, il ne sut jamais entrer
en mon cœur autre amour que la vôtre. Vous savez que,
encore étant enfant, mes parents me voulaient marier à
personnage plus riche et de plus grande maison que vous,
mais jamais ne m'y surent faire accorder, dès l'heure que
j'eus parlé à vous. Car contre toute leur opinion je tins
ferme pour vous avoir, et sans regarder ni à votre pauvreté, ni aux remontrances qu'ils m'en faisaient. Et vous
ne pouvez ignorer quel traitement j'ai eu de vous
jusqu'ici, et comme vous m'avez aimée et estimée. Dont
j'ai porté tant d'ennui et déplaisir que, sans l'aide de la
dame avec laquelle vous m'avez mise, je fusse désespérée. Mais à la fin, me voyant grande et estimée belle d'un
chacun, fors que de vous seul, j'ai commencé à sentir si
vivement le tort que vous me tenez que l'amour que je
vous portais s'est convertie en haine, et le désir de vous
obéir en celui de vengeance. Et sur ce désespoir me
trouva un prince lequel, pour obéir au Roi, plus qu'à
l'amour, me laissa à l'heure * que je commençais à sentir
la consolation de mes tourments par un amour honnête.
Et au partir de lui, trouvai cettui-ci, qui n'eut point la
peine de me prier, car sa beauté, son honnêteté, sa grâce
et ses vertus méritaient bien être cherchées et requises de
toutes femmes de bon entendement. A ma requête et non
à la sienne, il m'a aimée avec tant d'honnêteté qu'onques * en sa vie ne me requit chose que l'honneur ne peut
accorder. Et combien que le peu d'amour que j'ai occasion * de vous porter me donnait excuse de vous tenir foi
ni loyauté, l'amour toutefois[f] que j'ai à Dieu seul et à

e. justifier (A)
f. l'amour seul (A)

mon honneur m'ont jusqu'ici gardée d'avoir fait chose
dont j'aie besoin de confession crainte ^g de honte. Je ne
vous veux point nier que, le plus souvent qu'il m'était
possible, je n'allasse parler à lui dans une garde-robe,
feignant d'aller dire mes oraisons. Car jamais en femme
ni en homme je ne me fiai de conduire cet affaire. Je ne
veux point aussi nier que, étant en un lieu si privé et hors
de tout soupçon, je ne l'aie baisé de meilleur cœur que je
ne fais vous. Mais je ne demande jamais merci * à Dieu [2]
si entre nous deux il y a jamais eu autre privauté plus
avant, ni si jamais il m'en a pressée, ni si mon cœur en a
eu le désir. Car j'étais si aise de le voir qu'il ne me
semblait point au monde qu'il y eût un autre plaisir. Et
vous, monsieur, qui êtes seul la cause de mon malheur,
voudriez-vous prendre vengeance d'un œuvre dont, si
longtemps a, vous m'avez donné exemple, sinon que la
vôtre était sans honneur et conscience ? Car vous le savez
et je sais bien que celle que vous aimez ne se contente
point de ce que Dieu et la raison commandent. Et combien que la loi des hommes donne grand déshonneur aux
femmes qui aiment autres que leurs maris, si * est-ce que
la loi de Dieu n'exempte point les maris qui aiment autres
que leurs femmes. Et s'il faut mettre à la balance l'offense de vous et de moi, vous êtes homme sage et expérimenté et d'âge pour connaître et éviter le mal; moi
jeune, et sans expérience nulle de la force et puissance
d'amour. Vous avez une femme qui vous cherche, estime
et aime plus que sa vie propre, et j'ai un mari qui me fuit,
qui me hait et me déprise * plus que chambrière. Vous
aimez une femme déjà d'âge, et en mauvais point, et
moins belle que moi, et j'aime un gentilhomme plus
jeune que vous, plus beau que vous, et plus aimable que
vous. Vous aimez la femme d'un des plus grands amis
que vous ayez en ce monde, et l'amie de votre maître,
offensant d'un côté l'amitié et de l'autre la révérence que
vous devez à tous deux, et j'aime un gentilhomme qui
n'est à rien lié, sinon à l'amitié qu'il me porte. Or jugez
sans faveur lequel de nous deux est le plus punissable ou

excusable, ou vous, estimé homme sage et expérimenté qui, sans occasion * donnée de mon côté, avez non seulement à moi, mais au Roi auquel vous êtes tant obligé, fait un si méchant tour, ou moi, jeune et ignorante, déprisée et contemnée * de vous, aimée du plus beau et du plus honnête gentilhomme de France, lequel j'ai aimé par le désespoir de ne pouvoir jamais être aimée de vous ? »

Le mari, oyant ces propos pleins de vérité, dits d'un si beau visage, avec une grâce tant assurée et audacieuse qu'elle ne montrait ni craindre, ni mériter nulle punition, se trouva tant surpris d'étonnement qu'il ne sut que lui répondre, sinon que l'honneur d'un homme et d'une femme n'étaient pas semblables[3]. Mais toutefois, puisqu'elle lui jurait qu'il n'y avait point eu entre celui qu'elle aimait et elle autre chose[h], il n'était point délibéré de lui en faire pire chère *, par ainsi qu'elle n'y retournât plus, et que l'un ni l'autre n'eussent plus de recordation * des choses passées ; ce qu'elle lui promit, et allèrent coucher ensemble par bon accord.

Le matin, une vieille demoiselle qui avait grand peur de la vie de sa maîtresse, vint à son lever et lui demanda : « Et puis, madame, comment vous va ? » Elle lui répondit en riant : « Croyez, m'amie, qu'il n'est point un meilleur mari que le mien, car il m'a crue à mon serment. » Et ainsi se passèrent cinq ou six jours, et le mari prenait de si près garde à sa femme que nuit et jour il avait guet après elle. Mais il ne la sut si bien garder qu'elle ne parlât encore à celui qu'elle aimait, en un lieu fort obscur et suspect. Toutefois elle conduisit son affaire si secrètement qu'homme ni femme n'en put savoir la vérité. Et ne fut qu'un bruit * que quelque valet fit d'avoir trouvé un gentilhomme et une demoiselle en une étable sous la chambre de la maîtresse de cette dame, dont le mari eut si grand soupçon qu'il se délibéra de faire mourir le gentilhomme. Et assembla un grand nombre de ses parents et amis pour le faire tuer s'ils le pouvaient trouver en quelque lieu. Mais le principal de ses parents était si grand

h. de péché (T)

ami du gentilhomme qu'il faisait chercher, qu'en lieu de le surprendre l'avertissait de tout ce qu'il faisait contre lui. Lequel d'autre côté était tant aimé en toute la cour et si bien accompagné qu'il ne craignait point la puissance de son ennemi. Parquoi il ne fut point trouvé. Mais il s'en vint en une église trouver la maîtresse de celle qu'il aimait, laquelle n'avait jamais rien entendu de tous les propos passés, car devant elle n'avaient encore parlé ensemble. Le gentilhomme lui conta le soupçon et mauvaise volonté qu'avait contre lui le mari et que, nonobstant qu'il en fût innocent, il était délibéré de s'en aller en quelque voyage loin, pour ôter le bruit * qui commençait fort à croître. Cette princesse, maîtresse de s'amie, fut fort étonnée d'ouïr ces propos, et jura bien que le mari avait grand tort d'avoir soupçon d'une si femme de bien, où jamais elle n'avait connu que toute vertu et honnêteté. Toutefois, pour * l'autorité où le mari était, et pour éteindre ce fâcheux bruit, lui conseilla la princesse de s'éloigner pour quelque temps, l'assurant qu'elle ne croyait rien de toutes ces folies et soupçons. Le gentilhomme et la dame, qui étaient ensemble avec elle, furent fort contents de demeurer en la bonne grâce et bonne opinion de cette princesse. Laquelle conseilla au gentilhomme qu'avant son partement il devait parler au mari. Ce qu'il fit selon son conseil. Et le trouva en une galerie près la chambre du Roi où, avec un très assuré visage, lui faisant l'honneur qui appartenait à son état, lui dit : « Monsieur, j'ai toute ma vie eu désir de vous faire service et pour toute récompense j'ai entendu qu'hier au soir me fîtes chercher pour me tuer. Je vous supplie, monsieur, penser que vous avez plus d'autorité et de puissance que moi, mais toutefois je suis gentilhomme comme vous. Il me fâcherait fort de donner ma vie pour rien. Je vous supplie penser que vous avez une si femme de bien que, s'il y a homme qui veuille dire le contraire, je lui dirai qu'il a méchamment menti. Et quant est de moi, je ne pense avoir fait chose dont vous ayez occasion de me vouloir mal. Et si vous voulez, je demeurerai votre serviteur, ou sinon, je le suis du Roi, dont j'ai occasion * de me contenter. » Le gentilhomme à qui le propos s'adressait lui dit que véritablement il avait eu quelque soupçon de lui, mais qu'il le tenait si homme de bien qu'il désirait plus son amitié que son inimitié. Et en lui disant adieu le bonnet au poing, l'embrassa comme son grand ami. Vous pouvez penser ce que disaient ceux qui avaient eu le soir de devant commission de le tuer, de voir tant de signes d'honneur et d'amitié : chacun en parlait diversement. Ainsi se partit le gentilhomme. Mais pource qu'il n'était si bien garni d'argent que de beauté, sa dame lui bailla une bague que son mari lui avait donnée, de la valeur de trois mille écus, laquelle il engagea pour quinze cents.

Et quelque temps après qu'il fut parti, le gentilhomme mari vint à la princesse maîtresse de sa femme, et lui supplia de donner congé à sadite femme pour aller demeurer quelque temps avec une de ses sœurs. Ce que ladite dame trouva fort étrange, et le pria tant de lui dire les occasions* qu'il lui en dit une partie, non tout. Après que la jeune mariée eut pris congé de sa maîtresse et de toute la cour, sans pleurer ni faire signe d'ennui*, s'en alla où son mari voulait qu'elle fût, à la conduite d'un gentilhomme auquel fut donnée charge expresse de la garder soigneusement, et surtout qu'elle ne parlât point par les chemins à celui dont elle était soupçonnée. Elle, qui savait ce commandement, leur baillait tous les jours des alarmes, en se moquant d'eux et de leur mauvais soin. Et un jour, entre les autres, elle trouva au partir du logis un Cordelier à cheval, et elle, étant sur sa haquenée, l'entretint par le chemin depuis la dînée jusqu'à la soupée. Et quand elle fut à un quart de lieue du logis, lui dit : « Mon père, pour la consolation que vous m'avez donnée cette après-dînée, voilà deux écus que je vous donne, lesquels sont dans un papier, car je sais bien que vous n'y oseriez toucher ; vous priant que, incontinent que vous serez parti d'avec moi, vous en alliez à travers le chemin, et vous gardez que ceux qui sont ici ne vous voient. Je le dis pour votre bien et pour l'obligation que j'ai à vous. » Ce Cordelier, bien aise de ses deux écus, s'en va à travers les champs le grand galop. Et quand il fut assez loin, la dame commença à dire tout haut à ses gens : « Pensez que

vous êtes bons serviteurs et bien soigneux * de me garder,
vu que celui qu'on vous a tant recommandé a parlé à moi
tout aujourd'hui, et vous l'avez laissé faire! Vous méritez
bien que votre maître, qui se fie tant à vous, vous donnât
des coups de bâton au lieu de vos gages. » Et quand le
gentilhomme qui avait la charge d'elle ouït tels propos, il
eut si dépit qu'il n'y pouvait répondre. Piqua son cheval,
appelant deux autres avec lui, et fit tant qu'il atteignit le
Cordelier, lequel, les voyant venir, fuyait au mieux qu'il
pouvait. Mais pource qu'ils étaient mieux montés que lui,
le pauvre homme fut pris. Et lui, qui ne savait pourquoi,
leur cria merci *, et découvrant son chaperon pour plus
humblement les prier tête nue, connurent bien que ce
n'était pas celui qu'ils cherchaient, et que leur maîtresse
s'était bien moquée d'eux. Ce qu'elle fit encore mieux à
leur retour, disant : « C'est à telles gens que l'on doit
bailler dames à garder : ils les laissent parler sans savoir à
qui, et puis, ajoutant foi à leurs paroles, vont faire honte
aux serviteurs de Dieu [i] ! »

Après toutes ces moqueries, s'en alla au lieu où son
mari l'avait ordonnée, où ses deux belles-sœurs et le mari
de l'une la tenaient fort sujette *. Et durant ce temps,
entendit le mari comme sa bague était en gage pour
quinze cents écus, dont il fut fort marri. Et pour sauver
l'honneur de sa femme et la recouvrer, lui fit dire par ses
sœurs qu'elle la retirât, et qu'il paierait quinze cents écus.
Elle, qui n'avait souci de la bague puisque l'argent demeurait à son ami, lui écrivit comme son mari la contraignait de retirer sa bague et que, afin qu'il ne pensât
qu'elle le fît par diminution de bonne volonté, elle lui
envoyait un diamant que sa maîtresse lui avait donné,
qu'elle aimait plus que bague qu'elle eût. Le gentilhomme lui envoya très volontiers l'obligation du marchand, et se tint content d'avoir eu les quinze cents écus
et un diamant, et demeuré assuré de la bonne grâce de
s'amie, combien que depuis, tant que le mari vécut, il
n'eut moyen de parler à elle que par écriture. Et après la

i. et qui pis est, j'ai parlé à celui que vous craigniez pendant que vous
couriez après le pauvre cordelier (ajout de T)

mort du mari, pource qu'il pensait la trouver telle qu'elle lui avait promis, mit toute sa diligence de la pourchasser en mariage. Mais il trouva que sa longue absence lui avait acquis un compagnon mieux aimé que lui, dont il eut si grand regret que, fuyant les compagnies des dames, il chercha les lieux hasardeux *, où avec autant d'estime que jeune homme pourrait avoir, fina * ses jours.

« Voilà, mesdames, que sans épargner notre sexe, je veux bien montrer aux maris que souvent les femmes de grand cœur j sont plus tôt vaincues de l'ire de la vengeance que de la douleur de l'amour. A quoi cette-ci sut longtemps résister, mais à la fin fut vaincue du désespoir. Ce que ne doit être nulle femme de bien, pource que, en quelque sorte que ce soit, ne saurait trouver excuse à mal faire. Car de tant plus les occasions en sont données grandes, de tant plus se doivent montrer vertueuses à résister et vaincre le mal en bien, et non pas rendre mal pour mal : d'autant que souvent le mal que l'on cuide * rendre à autrui retombe sur soi. Bienheureuses celles en qui la vertu de Dieu se montre en chasteté, douceur, patience et longanimité ! » Hircan lui dit : « Il me semble, Longarine, que cette dame dont vous avez parlé a été plus menée de dépit que de l'amour, car si elle eût autant aimé le gentilhomme comme elle en faisait semblant *, elle ne l'eût abandonné pour un autre ; et par ce discours on peut la nommer dépite *, vindicative, opiniâtre et muable *. » — « Vous en parlez bien à votre aise, ce dit Ennasuite à Hircan, mais vous ne savez quel crève-cœur c'est quand l'on aime sans être aimé. » — « Il est vrai, ce dit Hircan, que je ne l'ai guère expérimenté, car l'on ne me saurait faire si peu de mauvaise chère * qu'incontinent je ne laisse l'amour et la dame ensemble. » — « Oui bien vous, ce dit Parlamente, qui n'aimez rien que votre plaisir ! Mais une femme de bien ne doit ainsi laisser son mari. » — « Toutefois, répondit Simontaut, celle dont le conte est fait a oublié, pour un temps, qu'elle était femme : car un homme n'en eût su faire plus belle vengeance. » — « Pour

j. aux maris qui savent les femmes souvent de grand cœur (A) une qui n'est pas sage, ce dit Oisille, il ne faut pas que les autres soient estimées telles. » — « Toutefois, dit Saffredent, si * êtes-vous toutes femmes, et quelque beaux et honnêtes accoutrements que vous portiez, qui vous chercherait bien avant sous la robe vous trouverait femmes. » Nomerfide lui dit : « Qui vous voudrait écouter, la Journée se passerait en querelles. Mais il me tarde tant d'ouïr encore une histoire que je prie Longarine de donner sa voix à quelqu'un. » Longarine regarda Géburon et lui dit : « Si vous savez rien de quelque honnête femme, je vous prie maintenant le mettre en avant. » Géburon lui dit : « Puisque j'en dois dire [k] ce qu'il me semble, je vous ferai un conte advenu en la ville de Milan. »

SEIZIÈME NOUVELLE

Une dame milanaise approuva la hardiesse et grand cœur de son ami, dont elle l'aima depuis de bon cœur.

Du temps du grand-maître de Chaumont [1], y avait une dame estimée une des plus honnêtes femmes qui fût de ce temps-là en la ville de Milan. Elle avait épousé un comte italien et était demeurée veuve, vivant en la maison de ses beaux-frères sans jamais vouloir ouïr parler de se remarier, et se conduisait si sagement et saintement qu'il n'y avait en la duché Français ni Italien qui n'en fît grande estime. Un jour que ses beaux-frères et ses belles-sœurs firent un festin au grand-maître de Chaumont, fut contrainte cette dame veuve de s'y trouver, ce qu'elle n'avait accoutumé en autre lieu. Et quand les Français la virent, ils firent grande estime de sa beauté et de sa bonne grâce, et sur tous un dont je ne dirai le nom, mais il vous suffira qu'il n'y avait Français en Italie plus digne d'être aimé que cettui-là, car il était accompli de toutes les beautés et grâces qu'un gentilhomme pourrait avoir. Et combien qu'il vît cette dame avec son crêpe noir, séparée de la jeunesse, en un coin avec plusieurs vieilles, comme celui à qui jamais homme ni femme ne fît peur se mit à

k. faire (A)

l'entretenir, ôtant son masque et abandonnant les danses pour demeurer en sa compagnie. Et tout le soir ne bougea de parler à elle et aux vieilles toutes ensemble, où il trouva plus de plaisir qu'avec toutes les plus jeunes et braves * de la cour. En sorte que, quand il fallut se retirer, il ne pensait pas encore avoir eu le loisir de s'asseoir. Et combien qu'il ne parlât à cette dame que de propos communs qui se peuvent dire en telles compagnies, si * est-ce qu'elle connut bien qu'il avait envie de l'accointer *, dont elle délibéra de se garder le mieux qu'il lui serait possible. En sorte que jamais plus en festin ni en grande compagnie ne la put voir. Il s'enquit de sa façon de vivre, et trouva qu'elle allait souvent aux églises et religions *, où il mit si bon guet qu'elle n'y pouvait aller si secrètement * qu'il n'y fût premier * qu'elle, et qu'il demeurât autant à l'église qu'il pouvait avoir le bien de la voir. Et tant qu'elle y était, la contemplait de si grande affection qu'elle ne pouvait ignorer l'amour qu'il lui portait, pour laquelle éviter se délibéra pour un temps de feindre se trouver mal et ouïr la messe en sa maison. Dont le gentilhomme fut tant marri qu'il n'était possible de plus, car il n'avait autre moyen de la voir que cettui-là. Elle, pensant[a] avoir rompu cette coutume, retourna aux églises comme paravant, ce qu'Amour déclara incontinent au gentilhomme français qui reprit ses premières dévotions. Et de peur qu'elle ne lui donnât encore empêchement et qu'il n'eût le loisir de lui faire savoir sa volonté, un matin qu'elle pensait être bien cachée en une chapelle, s'alla mettre au bout de l'autel où elle oyait la messe et, voyant qu'elle était peu accompagnée, ainsi que le prêtre montrait le *corpus Domini*, se tourna devers elle et, avec une voix douce et pleine d'affection, lui dit : « Madame, je prends Celui que le prêtre tient à ma damnation * si vous n'êtes cause de ma mort car, encore que vous m'ôtez le moyen de parole, si * ne pouvez-vous ignorer ma volonté, vu que la vérité la vous déclare assez par mes yeux languissants et par ma contenance morte. » La dame, feignant n'y entendre rien, lui répondit : « Dieu

---

a. pensant par intermission avoir (T)

ne doit point ainsi être pris en vain, mais les poètes disent que les dieux se rient des jurements et mensonges des amants : parquoi les femmes qui aiment leur honneur ne doivent être crédules ni piteuses *. » En disant cela, elle se lève et s'en retourne à son logis.

Si le gentilhomme fut courroucé * de cette parole, ceux qui ont expérimenté choses semblables diront bien que oui. Mais lui, qui n'avait faute de cœur *, aima mieux avoir cette mauvaise réponse que d'avoir failli * à déclarer sa volonté, laquelle il tint ferme trois ans durant, et par lettres et par moyens * la pourchassa, sans perdre heure ni temps. Mais durant trois ans n'en put avoir autre réponse, sinon qu'elle le fuyait comme le loup fait le lévrier duquel il doute * [b] être pris : non par haine qu'elle lui portât, mais pour * la crainte de son honneur et réputation, dont il s'aperçut si bien que plus vivement qu'il n'avait fait pourchassa son affaire. Et après plusieurs refus, peines, tourments, et désespoirs, voyant la grandeur et persévérance de son amour, cette dame eut pitié de lui et lui accorda ce qu'il avait tant désiré et si longuement attendu. Et quand ils furent d'accord des moyens, ne faillit * le gentilhomme français à se hasarder d'aller en sa maison, combien que sa vie y pouvait être en grand hasard *, vu que les parents d'elle logeaient tous ensemble. Lui, qui n'avait moins de finesse * que de beauté, mena si sagement son affaire [c] qu'il entra en sa chambre à l'heure qu'elle lui avait assignée, où il la trouva toute seule couchée en un beau lit. Et ainsi qu'il se hâtait de se déshabiller pour coucher avec elle, entendit à la porte un grand bruit de voix parlant bas et d'épées que l'on frottait contre les murailles. La dame veuve lui dit, avec un visage d'une femme demi-morte : « Or à cette heure est votre vie et mon honneur au plus grand danger qu'ils pourraient être, car j'entends bien que voilà mes frères qui vous cherchent pour vous tuer ! Parquoi je vous prie, cachez-vous sous ce lit, car quand ils ne vous trouveront point, j'aurai occasion * de me courroucer à eux de

b. de quoi il doit être pris (A)
c. se conduisait si sagement (A)

l'alarme que sans cause ils m'auront faite. » Le gentilhomme, qui n'avait jamais encore regardé la peur, lui
répondit : « Et qui sont vos frères, pour faire peur à un
homme de bien ? Quand toute leur race serait ensemble,
je suis sûr qu'ils n'attendront point le quatrième coup de
mon épée. Parquoi reposez en votre lit et me laissez
garder cette porte. » A l'heure * il mit sa cape à l'entour
de son bras et son épée nue en la main, et alla ouvrir la
porte pour voir de plus près les épées dont il oyait le bruit.
Et quand elle fut ouverte, il vit deux chambrières qui,
avec deux épées en chacune main, lui faisaient cette
alarme, lesquelles lui dirent : « Monsieur, pardonnez-
nous, car nous avons commandement de notre maîtresse
de faire ainsi, mais vous n'aurez plus de nous d'autres
empêchements *. » Le gentilhomme, voyant que c'étaient
femmes, ne leur sut pis faire que, en les donnant à tous
les diables, leur fermer la porte au visage. Et s'en alla le
plus tôt qu'il lui fut possible coucher avec sa dame, de
laquelle la peur n'avait en rien diminué l'amour. Et oubliant lui demander la raison de ces escarmouches, ne
pensa qu'à satisfaire à son désir. Mais voyant que le jour
approchait, la pria de lui dire pourquoi elle lui avait fait
de si mauvais tours, tant de la longueur du temps qu'il
avait attendu que de cette dernière entreprise. Elle, en
riant, lui répondit : « Ma délibération était de jamais
n'aimer, ce que depuis ma viduité * j'avais très bien su
garder. Mais votre honnêteté, dès l'heure * que vous
parlâtes à moi au festin, me fit changer propos et vous
aimer autant que vous faisiez moi. Il est vrai que l'honneur qui toujours m'avait conduite ne voulait permettre
qu'amour me fît faire chose dont ma réputation pût empirer *. Mais, ainsi comme la biche navrée * à mort
cuide *, en changeant de lieu, changer le mal qu'elle
porte avec soi, ainsi m'en allais-je d'église en église,
cuidant * fuir celui que je portais en mon cœur, la preuve
de la parfaite amitié duquel[d] a fait accorder l'honneur
avec l'amour. Mais afin d'être plus assurée de mettre
mon cœur et mon amour en un parfait homme de bien, je

d. duquel a été la preuve de la parfaite amitié qui a fait (A) voulus faire cette dernière preuve de mes chambrières, vous assurant que si, pour* peur de votre vie ou de nul autre regard*, je vous eusse trouvé craintif jusqu'à vous coucher sous mon lit, j'avais délibéré de m'en lever et aller dans une autre chambre, sans jamais de plus près vous voir. Mais pource que j'ai trouvé en vous plus de beauté, de grâce, de vertu et de hardiesse que l'on ne m'en avait dit, et que la peur n'a eu puissance en rien de toucher à votre cœur, ni à refroidir tant soit peu l'amour que vous me portez, je suis délibérée de m'arrêter à vous pour la fin de mes jours, me tenant sûre que je ne saurais en meilleure main mettre ma vie et mon honneur qu'en celui que je ne pense avoir vu son pareil en toutes vertus. » Et, comme si la volonté de l'homme était immuable, se jurèrent et promirent ce qui n'était en leur puissance : c'est une amitié perpétuelle, qui ne peut naître ni demeurer au cœur de l'homme. Et celles seules le savent qui ont expérimenté combien durent telles opinions [2]. »

« Et pource, mesdames, si vous êtes sages, vous garderez de nous comme le cerf, s'il avait entendement, ferait de son chasseur. Car notre gloire, notre félicité et notre contentement, c'est de vous voir prises et de vous ôter ce qui vous est plus cher que la vie. » — « Comment, Géburon ! dit Hircan, depuis quel temps êtes-vous devenu prêcheur ? J'ai bien vu que vous ne teniez pas ces propos ! » — « Il est bien vrai, dit Géburon, que j'ai parlé maintenant contre ce que j'ai toute ma vie dit, mais pource que j'ai les dents si faibles que je ne puis plus mâcher la venaison, j'avertis les pauvres biches de se garder des veneurs, pour satisfaire sur ma vieillesse aux maux que j'ai désirés en ma jeunesse ! » — « Nous vous mercions, Géburon, dit Nomerfide, de quoi vous nous avertissez de notre profit. Mais si* ne nous en sentons pas trop tenues à vous, car vous n'avez point tenu pareil propos à celles que vous avez bien aimées [e] : c'est donc signe que vous ne nous aimez guère, ni ne voulez encore souffrir que nous soyons aimées. Si* pensions-nous être

---

e. celle que vous avez bien aimée (A)

aussi sages et vertueuses que celles que vous avez si longuement chassées en votre jeunesse ! Mais c'est la gloire des vieilles gens qui cuident* toujours avoir été plus sages que ceux qui viennent après eux. » — « Eh bien, Nomerfide, dit Géburon, quand la tromperie de quelqu'un de vos serviteurs vous aura fait connaître la malice des hommes, à cette heure-là croirez-vous que je vous aurai dit vrai. » Oisille dit à Géburon : « Il me semble que le gentilhomme que vous louez tant de hardiesse devrait plutôt être loué de fureur d'amour, qui est une puissance si forte qu'elle fait entreprendre aux plus couards du monde ce à quoi les plus hardis penseraient deux fois. » Saffredent lui dit : « Madame, si ce n'était qu'il estimât les Italiens gens de meilleur discours que de grand effet, il me semble qu'il avait occasion* d'avoir peur ! » — « Oui, ce dit Oisille, s'il n'eût point eu en son cœur le feu qui brûle crainte. » — « Il me semble, ce dit Hircan, puisque vous ne trouvez la hardiesse de cettui-ci assez louable, qu'il faut que vous en sachiez quelque autre qui est plus digne de louange. » — « Il est vrai, dit Oisille, que cettui-ci est louable, mais j'en sais un qui est plus admirable. » — « Je vous supplie, madame, ce dit Géburon, s'il est ainsi, que vous prenez ma place et que vous le dites. » Oisille commença : « Si un homme, pour sa vie et l'honneur de sa dame, est estimé tant hardi, que doit être un qui, sans nécessité, mais par vraie et naïve* hardiesse, a fait le tour que je vous dirai ? »

DIX-SEPTIÈME NOUVELLE

Le Roi François montra sa générosité au comte Guillaume qui le voulait faire mourir.

En la ville de Dijon, au duché de Bourgogne, vint au service du Roi Français un comte d'Allemagne nommé Guillaume [1], de la Maison de Saxonne, dont celle de Savoie est tant alliée qu'anciennement n'était[a] qu'une. Ce comte, autant estimé beau et hardi gentilhomme qui

a. n'est (A)

fût point en Allemagne, eut si bon recueil* du Roi que
non seulement il le prit à son service, mais le tint près de
lui et de sa chambre. Un jour, le gouverneur de Bourgogne, seigneur de La Trémouille [2], ancien chevalier et
loyal serviteur du Roi, comme celui qui était soupçonneux ou craintif du mal et dommage de son maître, avait
toujours espies* à l'entour de son gouvernement pour
savoir ce que ses ennemis faisaient; et s'y conduisait si
sagement que peu de choses lui étaient celées [3]. Entre
autres avertissements, lui écrivit l'un de ses amis que le
comte Guillaume avait pris quelque somme d'argent,
avec la promesse d'en avoir davantage, pour faire mourir
le Roi en quelque sorte que ce pût être. Le seigneur de La
Trémouille ne faillit point incontinent de l'en venir avertir, et ne le cela à Madame sa Mère Louise de Savoie,
laquelle oublia l'alliance qu'elle avait à cet Allemand, et
supplia le Roi de le chasser bientôt. Lequel la requit de
n'en parler point, et qu'il était impossible qu'un si honnête gentilhomme et tant [b] homme de bien entreprît une si
grande méchanceté. Au bout de quelque temps vint encore un autre avertissement confirmant le premier. Dont
le gouverneur, brûlant de l'amour de son maître, lui
demanda congé* ou de le chasser, ou d'y donner ordre.
Mais le Roi lui commanda expressément de n'en faire nul
semblant*, et pensa bien que par autre moyen il en
saurait la vérité.

Un jour qu'il allait à la chasse, prit la meilleure épée
qu'il était possible de voir pour toutes armes, et mena
avec lui le comte Guillaume, auquel il commanda le
suivre de près. Mais après avoir quelque temps couru le
cerf, voyant le Roi que ses gens étaient loin de lui hors le
comte seulement, se détourna hors de tous chemins. Et
quand il se vit seul avec le comte au plus profond de la
forêt, en tirant son épée dit au comte : « Vous semble-t-il
que cette épée soit belle et bonne ? » Le comte, en la
maniant par le bout, lui dit qu'il n'en avait vu nulle qu'il
pensât meilleure. « Vous avez raison, dit le Roi, et me
semble que si un gentilhomme avait délibéré de me tuer et

b. tout (A)

qu'il eût connu la force de mon bras et la bonté de mon cœur * accompagnées de cette épée, il penserait deux fois à m'assaillir [4]. Toutefois je le tiendrais pour bien méchant, si nous étions seul à seul sans témoins, s'il n'osait exécuter ce qu'il aurait osé entreprendre. » Le comte Guillaume lui répondit, avec un visage étonné * : « Sire, la méchanceté de l'entreprise serait bien grande, mais la folie de la vouloir exécuter ne serait pas moindre. » Le Roi, en se prenant à rire, remit l'épée au fourreau et, écoutant que la chasse était près de lui, piqua après le plus tôt qu'il put. Quand il fut arrivé, il ne parla à nul de cet affaire, et s'assura que le comte Guillaume, combien qu'il fut un aussi fort et disposé * gentilhomme qu'il en soit point, n'était homme pour faire une si haute entreprise. Mais le comte Guillaume, cuidant * être décelé ou soupçonné du fait, vint le lendemain au matin dire à Robertet [5], secrétaire des finances du Roi, qu'il avait regardé aux bienfaits et gages que le Roi lui voulait donner pour demeurer avec lui, toutefois qu'ils n'étaient pas suffisants pour l'entretenir la moitié de l'année, et que, s'il ne plaisait au Roi lui en bailler au double, il serait contraint de se retirer; priant ledit Robertet d'en savoir le plus tôt qu'il pourrait la volonté du Roi, qui lui dit qu'il ne saurait plus s'avancer que d'y aller sur l'heure incontinent. Et prit cette commission volontiers, car il avait vu les avertissements du gouverneur. Et ainsi que le Roi fut éveillé, ne faillit * à lui faire sa harangue *, présent M. de La Trémouille et l'amiral de Bonnivet, lesquels ignoraient le tour que le Roi lui avait fait le jour avant. Ledit seigneur en riant leur dit : « Vous avez envie de chasser le comte Guillaume, et vous voyez qu'il se chasse lui-même ! Parquoi lui direz que, s'il ne se contente de l'état qu'il a accepté en entrant à mon service, dont plusieurs gens de bonnes maisons se sont tenus bien heureux, c'est raison qu'il cherche ailleurs meilleure fortune. Et quant à moi, je ne l'empêcherai point, mais je serai très content qu'il trouve parti tel qu'il y puisse vivre selon qu'il le mérite. » Robertet fut aussi diligent de porter cette réponse au comte qu'il avait été de présenter sa requête au Roi. Le comte dit qu'avec son bon congé *

il délibérait donc de s'en aller. Et comme celui que la
peur contraignait de partir, ne la sut porter * vingt-quatre
heures mais, ainsi que le Roi se mettait à table, prit congé
de lui, feignant avoir grand regret dont sa nécessité lui
faisait perdre sa présence[c]. Il alla aussi prendre congé de
la mère du Roi, laquelle lui donna aussi joyeusement
qu'elle l'avait reçu gracieusement[d] comme parent et ami.
Ainsi s'en retourna en son pays. Et le Roi, voyant sa mère
et ses serviteurs étonnés de ce soudain partement, leur
conta l'alarme qu'il lui avait donné, disant qu'encore
qu'il fût innocent de ce qu'on lui mettait à sus, si * avait
été sa peur assez grande pour l'éloigner d'un maître dont
il ne connaissait pas encore les complexions *.

« Quant à moi, mesdames, je ne vois point qu'autre
chose pût émouvoir le cœur du Roi à se hasarder ainsi
seul contre un homme tant estimé, sinon que, en laissant
la compagnie et les lieux où les Rois ne trouvent nul
inférieur qui leur demande le combat, se voulut faire
pareil à celui qu'il doutait * son ennemi, pour se contenter * lui-même d'expérimenter la bonté et hardiesse de
son cœur *. » — « Sans point de faute, dit Parlamente, il
avait[e] raison, car la louange de tous les hommes ne peut
tant satisfaire un bon cœur que le savoir et l'expérience
qu'il a seul des vertus que Dieu a mises en lui. » — « Il y
a longtemps, dit Géburon, que les Anciens nous ont peint
que, pour venir au temple de Renommée, il fallait passer
par celui de Vertu. Et moi qui connais les deux personnages dont vous avez fait le conte, sais bien que véritablement le Roi est un des plus hardis hommes qui soit en son
royaume. » — « Par ma foi, dit Hircan, à l'heure * que le
comte Guillaume vint en France, j'eusse plus craint son
épée que celle des quatre plus gentils compagnons italiens
qui fussent en la cour ! » — « Nous savons bien, dit Ennasuite, qu'il[f] est tant estimé que nos louanges ne sauraient
atteindre à son mérite, et que notre Journée serait plus tôt

c. la présence d'un tel prince (T)
d. reçu comme parent (A)
e. vous avez (T)
f. que le roi de France est un prince tant estimé (T)

passée que chacun en eût dit ce qu'il lui en semble. Parquoi je vous prie, madame, donnez votre voix à quelqu'un qui dise encore quelque bien des hommes, s'il y en a!» Oisille dit à Hircan: «Il me semble que vous avez tant accoutumé de dire mal des femmes qu'il vous sera aisé de nous faire quelque bon conte à la louange d'un homme: parquoi je vous donne ma voix.» — «Ce me sera chose aisée à faire, dit Hircan, car il y a si peu que l'on m'a fait un conte à la louange d'un gentilhomme dont l'amour, la fermeté et la patience est si louable, que je n'en dois laisser perdre la mémoire.»

DIX-HUITIÈME NOUVELLE

Une belle jeune dame expérimente la foi d'un jeune écolier son ami, avant de lui permettre avantage sur son honneur.

En une des bonnes villes du royaume de France, y avait un seigneur de bonne maison qui s'était mis[a] aux écoles, désirant parvenir au savoir par qui la vertu et l'honneur se doivent acquérir entre les vertueux hommes. Et combien qu'il fût si savant qu'étant[b] en l'âge de dix-sept à dix-huit ans il semblait être la doctrine et l'exemple des autres. Amour toutefois, après toutes ces leçons, ne laissa pas de lui chanter la sienne. Et pour être mieux ouï et reçu, se cacha dessous le visage et les yeux de la plus belle dame qui fût en tout le pays, laquelle, pour* quelque procès, était venue en la ville. Mais avant qu'Amour s'essayât à vaincre ce gentilhomme par la beauté de cette dame, il avait gagné le cœur d'elle, en voyant les perfections qui étaient en ce seigneur: car en beauté, grâce, bon sens et beau parler n'y avait nul, de quelque état qu'il fût, qui le passât. Vous qui savez le prompt chemin que fait ce feu quand il se prend à un des bouts du cœur et de la fantaisie*, vous jugerez bien qu'entre deux si parfaits sujets n'arrêta guère Amour qu'il ne les eût à son commandement, et qu'il ne les rendît tous deux si remplis de

a. qui était aux écoles (A)
b. étant en l'âge (A)

sa claire lumière que leur penser, vouloir et parler
n'étaient que flamme de cet Amour. La jeunesse, qui en
lui engendrait crainte, lui faisait pourchasser son affaire
le plus doucement qu'il lui était possible. Mais elle, qui
était vaincue d'amour, n'avait point besoin de force.
Toutefois la honte *, qui accompagne les dames le plus
qu'elle peut, la garda pour quelque temps de montrer sa
volonté. Si * est-ce qu'à la fin la forteresse du cœur, où
l'honneur demeure, fut ruinée de telle sorte que la pauvre
dame s'accorda en ce dont elle n'avait point été discor-
dante. Mais pour expérimenter la patience, fermeté et
amour de son serviteur., lui octroya ce qu'il demanda avec
une trop difficile condition, l'assurant que, s'il la gardait
à jamais, elle l'aimerait parfaitement, et que, s'il y faillait *, il était sûr de ne l'avoir de sa vie : c'est qu'elle était
contente * de parler à lui dans un lit, tous deux couchés en
leurs chemises, par ainsi qu'il ne lui demandât rien davantage, sinon la parole et le baiser. Lui, qui ne pensait
point qu'il y eût joie digne d'être accomparée à celle
qu'elle lui promettait, lui accorda. Et le soir venu, la
promesse fut accomplie, de sorte que, pour * quelque
bonne chère * qu'elle lui fît, ni pour quelque tentation
qu'il eût, ne voulut fausser son serment. Et combien qu'il
n'estimait sa peine moindre que celle du purgatoire, si* fut
son amour si grand et son espérance si forte, étant sûr de la
continuation perpétuelle de l'amitié qu'avec si grande peine
il avait acquise, qu'il garda sa patience et se leva d'auprès
d'elle sans jamais lui faire aucun déplaisir. La dame,
comme je crois plus émerveillée* que contente de ce bien,
soupçonna incontinent ou que son amour ne fût si grande
qu'elle pensait, ou qu'il eût trouvé en elle moins de bien
qu'il n'estimait, et ne regarda pas à sa grande honnêteté,
patience et fidélité à garder son serment [1].

　　Elle se délibéra de faire encore une autre preuve de
l'amour qu'il lui portait, avant que tenir sa promesse. Et
pour y parvenir, le pria de parler à une fille qui était en sa
compagnie, plus jeune qu'elle et fort belle, et qu'il lui tînt
propos d'amitié afin que ceux qui le voyaient[c] venir en sa

　c. le voient (A)

maison si souvent pensassent que ce fût pour sa demoiselle, et non pour elle. Ce jeune seigneur, qui se tenait sûr
être autant aimé comme il aimait, obéit entièrement à tout
ce qu'elle lui commanda, et se contraignait, pour l'amour
d'elle, de faire l'amour à cette fille qui, le voyant tant
beau et bien parlant, crut sa mensonge plus qu'une autre
vérité et l'aima autant comme si elle eût été bien fort
aimée de lui. Et quand la maîtresse vit que les choses
étaient si avant et que toutefois ce seigneur ne cessait de
la sommer de sa promesse, lui accorda qu'il la vînt voir à
une heure après minuit, et qu'elle avait tant expérimenté
l'amour et l'obéissance qu'il lui portait que c'était raison
qu'il fût récompensé de sa longue patience. Il ne faut
point douter de la joie qu'en reçut cet affectionné serviteur, qui ne faillit* de venir à l'heure assignée. Mais la
dame, pour tenter la force de son amour, dit à sa belle
demoiselle : « Je sais bien l'amour qu'un tel seigneur vous
porte, dont je crois que vous n'avez moindre passion que
lui, et j'ai telle compassion de vous deux que je suis
délibérée de vous donner lieu et loisir de parler ensemble
longuement à vos aises. » La demoiselle fut si transportée
qu'elle ne lui sut feindre son affection, mais lui dit qu'elle
n'y voulait faillir*. Obéissant donc à son conseil, et par
son commandement, se dépouilla* et se mit en un beau
lit toute seule en une chambre, dont la dame laissa la
porte entr'ouverte, et alluma de la clarté dedans, pourquoi la beauté de cette fille pouvait être vue clairement.
Et en feignant de s'en aller se cacha si bien auprès du lit
qu'on ne la pouvait voir. Son pauvre serviteur, la cuidant* trouver comme elle lui avait promis, ne faillit* à
l'heure ordonnée d'entrer en la chambre le plus doucement qu'il lui fut possible. Et après qu'il eut fermé l'huis
et ôté sa robe et ses brodequins fourrés, s'en alla mettre
au lit où il pensait trouver ce qu'il désirait. Et ne sut si tôt
avancer ses bras pour embrasser celle qu'il cuidait* être
sa dame que la pauvre fille, qui le cuidait tout à elle, n'eût
les siens à l'entour de son cou, en lui disant tant de
paroles affectionnées, et d'un si beau visage, qu'il n'est si
saint ermite qui n'y eût perdu ses patenôtres. Mais quand
il la reconnut, tant à la vue qu'à l'ouïe, l'amour qui avec

si grande hâte l'avait fait coucher le fit encore plus tôt
lever, quand il connut que ce n'était celle pour qui il avait
tant souffert. Et avec un dépit tant contre la maîtresse que
contre la demoiselle, lui dit : « Votre folie et la malice de
celle qui vous a mise là ne me sauraient faire autre que je
suis. Mais mettez peine d'être femme de bien, car par
mon occasion * ne perdrez point ce beau nom ! » Et en ce
disant, tant courroucé qu'il n'était possible de plus, saillit * hors de la chambre et fut longtemps sans retourner où
était sa dame. Toutefois Amour, qui jamais n'est sans
espérance, l'assura que plus la fermeté de son amour était
grande et connue par tant d'expérience, plus la jouissance
en serait longue et heureuse. La dame, qui avait vu et
entendu tous ces propos, fut tant contente et ébahie de
voir la grandeur et fermeté de son amour qu'il lui tarda
bien qu'elle ne le pouvait revoir, pour lui demander
pardon des maux qu'elle lui avait faits à l'éprouver. Et
sitôt qu'elle le put trouver ne faillit * à lui dire tant
d'honnêtes et bons propos que non seulement il oublia
toutes ses peines mais les estima très heureuses, vu
qu'elles étaient tournées à la gloire de sa fermeté et à
l'assurance parfaite de son amitié, de laquelle, depuis
cette heure-là en avant, sans empêchement ni fâcherie il
eut la fruition telle qu'il la pouvait désirer.

« Je vous prie, mesdames, trouvez-moi une femme qui
ait été si ferme, si patiente et si loyale en amour que cet
homme ici a été ! Ceux qui ont expérimenté telles tentations trouvent celles que l'on peint en saint Antoine bien
petites au prix *, car qui peut être chaste et patient avec la
beauté, l'amour, le temps et le loisir des femmes sera
assez vertueux pour vaincre tous les diables. » — « C'est
dommage, dit Oisille, qu'il ne s'adressa à une femme
aussi vertueuse que lui, car c'eût été la plus parfaite et la
plus honnête amour dont l'on ouït jamais parler ! »
— « Mais je vous prie, dit Géburon, dites lequel tour
vous trouvez le plus difficile des deux. » — « Il me semble, dit Parlamente, que c'est le dernier : car le dépit est la
plus forte tentation de toutes les autres. » Longarine dit
qu'elle pensait que le premier fût le plus mauvais à faire,

car il fallait qu'il vainquît l'amour et soi-même pour tenir sa promesse. «Vous en parlez bien à votre aise, dit Simontaut, mais nous, qui savons que la chose vaut, en devons dire notre opinion. Quant est de moi, je l'estime à la première fois sot et à la dernière fou, car je crois qu'en tenant promesse à sa dame elle avait autant ou plus de peine que lui. Elle ne lui faisait faire ce serment sinon pour se feindre plus femme de bien qu'elle n'était, se tenant sûre qu'une forte amour ne se peut lier, ni par commandement, ni par serment, ni par chose qui soit au monde. Mais elle voulait feindre son vice si vertueux qu'il ne pouvait être gagné que par vertus héroïques. Et la seconde fois, il se montra fou de laisser celle qui l'aimait et valait mieux que celle où il avait serment au contraire, et si avait bonne excuse sur le dépit de quoi il était plein. » Dagoucin le reprit, disant qu'il était de contraire opinion et que, à la première fois, il se montra ferme, patient et véritable, et à la seconde loyal et parfait en amitié. «Et que savons-nous? dit Saffredent, s'il était de ceux qu'un chapitre nomme *de frigidis et maleficiatis* [2]? Mais si Hircan eût voulu parfaire sa louange, il nous devait conter comme il fut gentil compagnon quand il eut ce qu'il demandait, et à l'heure * pourrions juger si c'eût été vertu ou impuissance qui le fit [d] être si sage! » — «Vous pouvez bien penser, dit Hircan, que s'il le m'eût dit je ne l'eusse non plus celé que le demeurant! Mais à voir sa personne et connaître sa complexion, je l'estimerai toujours avoir été conduit plutôt de la force d'amour que de nulle impuissance ou froideur. » — «Or s'il était tel que vous dites, dit Simontaut, il devait rompre son serment, car si elle se fût courroucée pour si peu, elle eût été légèrement* apaisée. » — «Mais, ce dit Ennasuite, peut-être qu'à l'heure * elle ne l'eût pas voulu? » — «Et puis, dit Saffredent, n'était-il pas assez fort pour la forcer, puisqu'elle lui avait baillé le camp? » — «Sainte Marie! dit Nomerfide, comme vous y allez! Est-ce la façon d'acquérir la grâce d'une qu'on estime honnête et sage? » — «Il me semble, dit Saffredent, que l'on ne saurait faire

d. si ses vertus ou impuissance le fit (A)

plus d'honneur à une femme de qui l'on désire telles choses que de la prendre par force, car il n'y a si petite demoiselle qui ne veuille être bien longtemps priée. Et d'autres encore, à qui il faut donner beaucoup de présents avant que de les gagner; d'autres qui sont si sottes que par moyens* et finesses* on les peut avoir et gagner[e], et envers celles-là ne faut penser qu'à chercher les moyens. Mais quand on a affaire à une si sage qu'on ne la peut tromper, et si bonne qu'on ne la peut gagner par paroles ni présents, n'est-ce pas la raison de chercher tous les moyens que l'on peut pour en avoir la victoire? Et quand vous oyez dire qu'un homme a pris une femme par force, croyez que cette femme-là lui a ôté l'espérance de tous autres moyens, et n'estimez moins l'homme qui a mis en danger sa vie pour donner lieu à son amour. » Géburon, se prenant à rire, dit : « J'ai autrefois vu assiéger des places et prendre par force, pource qu'il n'était possible de faire parler, par argent ni par menaces, ceux qui les gardaient : car on dit que place qui parlemente est demi-gagnée[3]! » — « Il me semble, dit Ennasuite, que toutes les amours du monde soient fondées sur ces folies. Mais il y en a qui ont aimé et longuement persévéré, de qui l'intention n'a point été telle. » — « Si vous en savez une histoire, dit Hircan, je vous donne ma place pour la dire. » — « Je la sais, dit Ennasuite, et la dirai très volontiers. »

DIX-NEUVIÈME NOUVELLE

De deux amants qui, par désespoir d'être mariés ensemble, se rendirent en religion, l'homme à saint François et la fille à sainte Claire.

Au temps du marquis de Mantoue qui avait épousé la sœur du duc de Ferrare[1], y avait dans la maison de la duchesse une demoiselle nommée Poline, laquelle était tant aimée d'un gentilhomme serviteur du marquis que la

---

e. on ne les peut avoir et gagner (A)
   se laissent aller (T)

grandeur de son amour faisait émerveiller tout le monde,
vu qu'il était pauvre et tant gentil compagnon qu'il devait
chercher, pour * l'amour que lui portait son maître, quelque femme riche. Mais il lui semblait que tout le trésor du
monde était en Poline, lequel en l'épousant il cuidait *
posséder. La marquise, désirant que par sa faveur Poline
fût mariée plus richement, l'en dégoûtait * le plus qu'il
lui était possible et les empêchait souvent de parler ensemble, leur remontrant que, si le mariage se faisait, ils
seraient les plus pauvres et misérables de toute l'Italie.
Mais cette raison ne pouvait entrer l'entendement du
gentilhomme. Poline, de son côté, dissimulait le mieux
qu'elle pouvait son amitié; toutefois elle n'en pensait pas
moins. Cette amitié dura longuement, avec cette espérance que le temps leur apporterait quelque meilleure
fortune. Durant lequel vint une guerre, où ce gentilhomme fut pris prisonnier avec un Français qui n'était
moins amoureux en France que lui en Italie. Et quand ils
se trouvèrent compagnons de leurs fortunes[a], ils commencèrent à découvrir leurs secrets l'un à l'autre. Et
confessa le Français que son cœur était ainsi que le sien
prisonnier, sans lui nommer le lieu. Mais pour * être tous
deux au service du marquis de Mantoue, savait bien ce
gentilhomme français que son compagnon aimait Poline,
et pour * l'amitié qu'il avait en son bien et profit, lui
conseillait d'en ôter sa fantaisie *. Ce que le gentilhomme
italien jurait n'être en sa puissance, et que si le marquis
de Mantoue, pour récompense de sa prison et des bons
services qu'il lui avait fait, ne lui donnait s'amie, il s'irait
rendre Cordelier, et ne servirait jamais maître que Dieu.
Ce que son compagnon ne pouvait croire, ne voyant en
lui un seul signe de la religion, que la dévotion qu'il avait
en Poline. Au bout de neuf mois fut délivré le gentilhomme français, et par sa bonne diligence fit tant qu'il
mit son compagnon en liberté. Lequel après[b] pourchassa
le plus qu'il lui fut possible, envers le marquis et la
marquise, le mariage de Poline. Mais il n'y put advenir ni

a. leurs infortunes (T)
b. et pourchassa (A)

rien gagner, lui mettant devant les yeux la pauvreté où il
leur faudrait tous deux vivre, et aussi que de tous côtés les
parents n'en étaient d'opinion *. Et lui défendaient qu'il
n'eût plus à parler à elle, afin que cette fantaisie * s'en pût
aller par l'absence et impossibilité.

Et quand il vit qu'il était contraint d'obéir, demanda
congé * à la marquise de dire adieu à Poline, et puis que
jamais il ne parlerait à elle. Ce qui lui fut accordé. Et à
l'heure * il commença à lui dire : « Puisqu'ainsi est, Poline, que le ciel et la terre sont contre nous, non seulement pour nous empêcher de nous marier ensemble,
mais, qui plus est, pour nous ôter la vue et la parole, dont
notre maître et maîtresse nous ont fait si rigoureux
commandement qu'ils se peuvent bien vanter qu'en une
parole ils ont blessé deux cœurs, dont les corps ne sauraient plus faire que languir, montrant bien, par cet effet,
qu'onques * amour ni pitié n'entrèrent en leur estomac *
[…] ² Je sais bien que leur fin est de nous marier chacun
bien richement, car ils ignorent que la vraie richesse gît
au contentement. Mais si * m'ont-ils fait tant de mal et de
déplaisir qu'il est impossible que jamais de bon cœur je
leur puisse faire service. Je crois bien que, si je n'eusse
point parlé de mariage, ils ne sont pas si scrupuleux qu'ils
ne m'eussent assez laissé parler à vous. Mais ᶜ j'aimerais
mieux mourir que changer mon opinion * en pire et, après
vous avoir aimée d'une amour si honnête et vertueuse,
pourchasser ᵈ envers vous ce que je voudrais défendre
envers tous. Et pource qu'en ne vous voyant mon cœur,
qui ne peut demeurer vide, se remplirait de quelque
désespoir dont la fin serait malheureuse, je me suis délibéré, et de longtemps, de me mettre en religion : Non que
je ne sache très bien qu'en tous états l'homme se peut
sauver, mais pour avoir plus de loisir de contempler la
Bonté divine, laquelle, j'espère, aura pitié des fautes de
ma jeunesse et changera mon cœur pour aimer autant les
choses spirituelles qu'il a fait les temporelles. Et si Dieu
me fait la grâce de pouvoir gagner la sienne, mon labeur

c. vous assurant que (A)
d. après vous avoir aimée . et pourchassé envers vous (A)

sera incessamment employé à prier Dieu pour vous. Vous suppliant, par cette amour tant ferme et loyale qui a été entre nous deux, avoir mémoire de moi en vos oraisons et prier Notre-Seigneur qu'il me donne autant de constance en ne vous voyant point qu'il m'a donné de contentement en vous regardant. Et pource que j'ai toute ma vie espéré d'avoir de vous par mariage ce que l'honneur et la conscience permettent, je me suis contenté d'espérance ; mais maintenant que je la perds et que je ne puis jamais avoir de vous le traitement qui appartient à un mari, au moins pour dire adieu, je vous supplie me traiter en frère et que je vous puisse baiser. » La pauvre Poline, qui toujours lui avait été assez rigoureuse, connaissant l'extrémité de sa douleur et l'honnêteté de sa requête, qu'en tel désespoir se contentait d'une chose si raisonnable, sans lui répondre autre chose lui va jeter les bras au cou, pleurant avec une si grande véhémence que la parole, la voix et la force lui défaillirent, et se laissa tomber entre ses bras évanouie. Dont la pitié qu'il en eut, avec l'amour et la tristesse, lui en firent faire autant, tant qu'une de ses compagnes [e], les voyant tomber l'un d'un côté et l'autre de l'autre, appela du secours, qui à force de remèdes les fit revenir.

Alors Poline, qui avait désiré de dissimuler son affection, fut honteuse quand elle s'aperçut qu'elle l'avait montrée si véhémente. Toutefois la pitié du pauvre gentilhomme servit à elle de juste excuse, et, ne pouvant plus porter * cette parole de dire adieu pour jamais, s'en alla vitement, le cœur et les dents si serrés qu'en entrant en son logis, comme un corps sans esprit se laissa tomber sur son lit, et passa la nuit en si piteuses * lamentations que ses serviteurs pensaient qu'il eût perdu parents et amis, et tout ce qu'il pouvait avoir de biens sur la terre. Le matin, se recommanda à Notre-Seigneur et, après qu'il eut départi * à ses serviteurs le peu de bien qu'il avait et pris avec lui quelque somme d'argent, défendit à ses gens de le suivre, et s'en alla tout seul à la religion * de l'Observance [3] demander l'habit, délibéré de jamais n'en partir.

e. une des compagnes de Poline (T)

Le gardien, qui autrefois l'avait vu, pensa au commencement que ce fût moquerie ou songe, car il n'y avait
gentilhomme en tout le pays qui moins que lui eût grâce
ou condition de Cordelier, pource qu'il avait en lui toutes
les bonnes et honnêtes vertus que l'on eût su désirer en un
gentilhomme. Mais après avoir entendu ses paroles et vu
ses larmes coulant sur sa face comme ruisseaux, ignorant
dont * en venait la source, le reçut humainement. Et
bientôt après, voyant sa persévérance, lui bailla l'habit,
qu'il reçut bien dévotement : dont furent avertis le marquis et la marquise, qui le trouvèrent si étrange [4] qu'à
peine * le pouvaient-ils croire. Poline, pour ne se montrer
sujette à nulle amour, dissimula le mieux qu'il lui fut
possible le regret qu'elle avait de lui, en sorte que chacun
disait qu'elle avait bien tôt oublié la grande affection de
son loyal serviteur. Et ainsi passa cinq ou six mois sans
en faire autre démontrance *, durant lequel temps lui fut,
par quelque religieux, montré une chanson que son serviteur avait composée un peu après qu'il eut pris l'habit.
De laquelle le chant est italien et assez commun, mais
j'en ai voulu traduire les mots en français le plus près
qu'il m'a été possible, qui sont tels [5] :

Que dira-t-elle,
Que fera-t-elle,
Quand me verra de ses yeux
Religieux ?

Las ! la pauvrette,
Toute seulette,
Sans parler longtemps sera ;
Échevelée,
Déconsolée,
L'étrange cas pensera :
Son penser, par aventure,
En monastère et clôture
A la fin la conduira.
Que dira-t-elle ?

Que diront ceux
Qui de nous deux
Ont l'amour et bien privé,
Voyant qu'amour,
Par un tel tour,
Plus parfait ont approuvé ?
Regardant notre constance [f],
Ils en auront repentance,
Et chacun d'eux pleurera [g].
Que dira-t-elle ?

Et s'ils venaient,
Et nous tenaient
Propos pour nous divertir *,
Nous leur dirons
Que nous mourrons
Ici sans jamais partir :
Puisque leur rigueur rebelle
Nous fit prendre robe telle,
Nul de nous ne la lairra *.
Que dira-t-elle ?

Et si prier
De marier
Nous viennent pour nous tenter,
En nous disant
L'état plaisant
Qui nous pourrait contenter,
Nous répondrons que notre âme
Est de Dieu amie et femme,
Qui point ne la changera.
Que dira-t-elle ?

O amour forte,
Qui cette porte
Par regret m'a fait passer,
Fais qu'en ce lieu,
De prier Dieu
Je ne me puisse lasser.

f. ma conscience (A)
g. en pleurera (A)

Car notre amour mutuelle
Sera tant spirituelle
Que Dieu s'en contentera *.
    Que dira-t-elle ?

Laissons les biens
Qui sont liens
Plus durs à rompre que fer !
    Quittons la gloire
    Qui l'âme noire
Par orgueil mène en enfer.
Fuyons la concupiscence,
Prenons la chaste innocence
Que Jésus nous donnera.
    Que dira-t-elle ?

Viens donc, amie,
Ne tarde mie
Après ton parfait ami.
    Ne crains à prendre
    L'habit de cendre,
Fuyant ce monde ennemi.
Car, d'amitié vive et forte,
De sa cendre faut que sorte
Le Phénix qui durera.
    Que dira-t-elle ?

Ainsi qu'au monde
Fut pure et monde *
Notre parfaite amitié,
    Dedans le cloître,
    Pourra paraître
Plus grande de la moitié.
Car amour loyal et ferme,
Qui n'a jamais fin ni terme,
Droit au ciel nous conduira.
    Que dira-t-elle ?

Quand elle eut bien au long lu cette chanson, étant à part en une chapelle, se mit si fort à pleurer qu'elle arrosa tout le papier de larmes. Et n'eût été la crainte qu'elle avait de se montrer plus affectionnée qu'il n'appartient, n'eut failli* de s'en aller incontinent mettre en quelque ermitage, sans jamais voire créature au monde. Mais la prudence qui était en elle la contraignit encore pour quelque temps dissimuler. Et combien qu'elle eût pris résolution de laisser entièrement le monde, si* feignit-elle tout le contraire, et changeait si fort son visage qu'étant en compagnie ne ressemblait de rien à elle-même. Elle porta en son cœur cette délibération couverte* cinq ou six mois, se montrant plus joyeuse qu'elle n'avait de coutume. Mais un jour alla avec sa maîtresse à l'Observance ouïr la grand-messe, et ainsi que le prêtre, diacre et sous-diacre saillaient* du revestiaire* pour venir au grand autel, son pauvre serviteur, qui encore n'avait parfait l'an de sa probation, servait d'acolyte; portait les deux cannettes* en ses deux mains couvertes d'une toile de soie, et venait le premier, ayant les yeux contre terre. Quand Poline le vit en tel habillement où sa beauté et grâce étaient plutôt augmentées que diminuées, fut si émue et troublée que, pour couvrir la cause de la couleur qui lui venait au visage, se prit à toussir*. Et son pauvre serviteur, qui entendait mieux ce son-là que celui des cloches de son monastère, n'osa tourner sa tête mais, en passant devant elle, ne put garder ses yeux qu'ils ne prissent le chemin que si longtemps ils avaient tenu. Et en regardant piteusement* Poline, fut si saisi du feu qu'il pensait quasi éteint qu'en le voulant plus couvrir qu'il ne voulait tomba tout de son haut à terre devant elle. Et la crainte qu'il eut que la cause en fût connue lui fit dire que c'était le pavé de l'église qui était rompu en cet endroit.

Quand Poline connut que le changement d'habit ne lui pouvait changer le cœur, et qu'il y avait si longtemps qu'il s'était rendu religieux[h] que chacun excusait qu'elle l'eût oublié, se délibéra de mettre à exécution le désir qu'elle avait eu de rendre la fin de leur amitié semblable en habit, état et forme de vivre, comme elle avait été, vivant en une maison sous pareil maître et maîtresse. Et pource qu'elle avait, plus de quatre mois par avant, donné

h. rendu que chacun (A)

ordre à tout ce qui lui était nécessaire pour entrer en religion, un matin, demanda congé * à la marquise d'aller ouïr messe à Sainte-Claire, ce qu'elle lui donna, ignorant pourquoi elle le demandait. Et en passant devant les Cordeliers, pria le gardien de lui faire venir son serviteur, qu'elle appelait son parent. Et quand elle le vit en une chapelle à part *, lui dit : « Si mon honneur eût permis qu'aussitôt que vous je me fusse osée mettre en religion, je n'eusse tant attendu. Mais, ayant rompu par ma patience les opinions de ceux qui plutôt jugent mal que bien, je suis délibérée de prendre l'état, la robe et la vie telle que je vois la vôtre, sans m'enquérir quel il y fait. Car si vous y avez du bien, j'en aurai ma part, et si vous recevez du mal, je n'en veux être exempte. Car par tel chemin que vous irez en paradis je vous veux suivre, étant assurée que Celui qui est le vrai, parfait et digne d'être nommé Amour nous a tirés à son service, par une amitié honnête et raisonnable, laquelle il convertira par son saint Esprit du tout * en lui. Vous priant que vous et moi oublions le corps qui périt et tient du vieil Adam, pour recevoir et revêtir celui de notre époux Jésus-Christ [6]. » Ce serviteur religieux fut tant aise et tant content d'ouïr sa sainte volonté qu'en pleurant de joie lui fortifia son opinion le plus qu'il lui fut possible, lui disant que, puisqu'il ne pouvait plus avoir d'elle au monde autre chose que la parole, il serait bien heureux d'être en lieu où il aurait toujours moyen de la recouvrer, et qu'elle serait telle que l'un et l'autre n'en pourrait que mieux valoir, vivant en un état d'un amour, d'un cœur et d'un esprit tirés et conduits de la bonté de Dieu, lequel il suppliait les tenir en sa main, en laquelle nul ne peut périr. Et en ce disant et pleurant d'amour et de joie, lui baisa les mains. Mais elle abaissa son visage jusqu'à la main, et se donnèrent par vraie charité le saint baiser de dilection. Et en ce contentement se partit Poline, et entra en la religion * de sainte Claire où elle fut reçue et voilée. Ce qu'après elle fit entendre à Mme la marquise, qui en fut tant ébahie qu'elle ne le pouvait croire, mais s'en alla le lendemain au monastère pour la voir et s'efforcer de la divertir * de son propos. A quoi Poline lui fit réponse que, si elle avait eu puissance de lui ôter un mari de chair, l'homme du monde qu'elle avait le plus aimé, elle s'en devait contenter, sans chercher de la vouloir séparer de Celui qui était immortel et invisible, car il n'était pas en sa puissance ni de toutes les créatures du monde. La marquise, voyant son bon vouloir, la baisa, la laissant non sans grand regret. Et depuis vécurent Poline et son serviteur si saintement et dévotement en leurs Observances que l'on ne doit douter que Celui duquel la fin de la loi est charité ne leur dît, à la fin de leur vie, comme à la Madeleine, que leurs péchés leur étaient pardonnés vu qu'ils avaient beaucoup aimé [7], et qu'il ne les retirât en paix au lieu où la récompense passe* les mérites des hommes.

    « Vous ne pouvez ici nier, mesdames, que l'amour de l'homme ne se soit montrée la plus grande ; mais elle lui fut si bien rendue que je voudrais que tous ceux qui s'en mêlent fussent autant récompensés. » — « Il y aurait donc, dit Hircan, plus de fous et de folles déclarés qu'il n'y en eut onques* ? » — « Appelez-vous folie, dit Oisille, d'aimer honnêtement en la jeunesse, et puis de convertir cet amour du tout en Dieu ? » Hircan en riant lui répondit : « Si mélancolie et désespoir sont louables, je dirai que Poline et son serviteur sont bien dignes d'être loués. » — « Si* est-ce, dit Géburon, que Dieu a plusieurs moyens pour nous tirer à lui, dont les commencements semblent être mauvais, mais la fin en est bonne. » — « Encore ai-je opinion, dit Parlamente, que jamais homme n'aimera parfaitement Dieu qu'il n'ait parfaitement aimé quelque créature en ce monde. » — « Qu'appelez-vous parfaitement aimer ? dit Saffredent, estimez-vous parfaits amants ceux qui sont transis et qui adorent les dames de loin, sans oser montrer leur volonté ? » — « J'appelle parfaits amants, lui répondit Parlamente, ceux qui cherchent en ce qu'ils aiment quelque perfection, soit beauté, bonté ou bonne grâce, toujours tendant à la vertu, et qui ont le cœur si haut et si honnête qu'ils ne veulent, pour* mourir, mettre leur fin aux choses basses que l'honneur et la conscience réprouvent. Car l'âme, qui

n'est créée que pour retourner à son souverain Bien, ne fait, tant qu'elle est dedans ce corps, que désirer d'y parvenir. Mais à cause que les sens par lesquels elle en peut avoir nouvelles sont obscurs et charnels, par le péché du premier père, ne lui peuvent montrer que les choses visibles plus approchantes de la perfection, après quoi l'âme court, cuidant* trouver en une beauté extérieure, en une grâce visible et aux vertus morales la souveraine beauté, grâce et vertu. Mais quand elle les a cherchées et expérimentées, et elle n'y trouve point Celui qu'elle aime, elle passe outre, ainsi que l'enfant, selon sa petitesse, aime les poupines* et autres petites choses, les plus belles que son œil peut voir, et estime richesse d'assembler des petites pierres; mais, en croissant, aime les poupines vives* et amasse les biens nécessaires pour la vie humaine. Mais quand il connaît, par la plus grande expérience, qu'ès choses territoires*[i] n'y a perfection ni félicité, désire chercher le facteur*[j] et la source d'icelles. Toutefois, si Dieu ne lui ouvre l'œil de foi, serait en danger* de devenir, d'un ignorant, un infidèle* philosophe: car foi seulement peut montrer et faire recevoir le bien que l'homme charnel et animal ne peut entendre[8]. »
— « Ne voyez-vous pas bien, dit Longarine, que la terre non cultivée, portant beaucoup d'herbes et d'arbres, combien qu'ils soient inutiles est désirée pour* l'espérance qu'elle apportera bon fruit quand il y sera semé? Aussi le cœur de l'homme, qui n'a nul sentiment d'amour aux choses visibles, ne viendra jamais à l'amour de Dieu par la semence de parole, car la terre de son cœur est stérile, froide et damnée. » — « Voilà pourquoi, dit Saffredent, la plupart des docteurs ne sont spirituels, car ils n'aimeront jamais que le bon vin et les chambrières laides et ordes*, sans expérimenter que c'est d'aimer dame honnête! » — « Si je savais bien parler latin, dit Simontaut, je vous alléguerais que saint Jean dit que celui qui n'aime son frère qu'il voit, comment aimera-t-il Dieu qu'il ne voit pas[9]! Car par les choses visibles on est tiré à

i. transitoires (T)
j. la fontaine (T)

l'amour des invisibles. » — « Mais, dit Ennasuite, *quis est ille et laudabimus eum* [10] ainsi parfait que vous le dites ? » Répondit Dagoucin : « Il y en a qui aiment si fort et si parfaitement qu'ils aimeraient autant mourir que de sentir un désir contre l'honneur et la conscience de leur maîtresse, et si* ne veulent qu'elle ni autres s'en aperçoivent. » — « Ceux-là, dit Saffredent, sont de la nature de la camalercite*[11] qui vit de l'air. Car il n'y a homme au monde qui ne désire déclarer son amour et de savoir être aimé, et si* crois qu'il n'est si forte fièvre d'amitié qui soudain ne passe, quand on connaît le contraire. Quant à moi, j'en ai vu des miracles évidents. » — « Je vous prie, dit Ennasuite, prenez ma place et nous racontez de quelqu'un qui soit suscité* de mort à vie pour* connaître en sa dame le contraire de ce qu'il désirait. » — « Je crains tant, dit Saffredent, déplaire aux dames de qui j'ai été et serai toute ma vie le serviteur que, sans exprès commandement, je n'eusse osé raconter leurs imperfections. Mais pour obéir, je n'en célerai la vérité. »

VINGTIÈME NOUVELLE

Un gentilhomme est inopinément guéri du mal d'amour, trouvant sa demoiselle rigoureuse entre les bras de son palefrenier.

Au pays de Dauphiné y avait un gentilhomme nommé le seigneur de Rians[1] de la maison du Roi François premier, autant beau et honnête gentilhomme qu'il était possible de voir. Il fut longuement serviteur d'une dame veuve, laquelle il aimait et révérait tant que, de la peur qu'il avait de perdre sa bonne grâce, ne l'osait importuner de ce qu'il désirait le plus. Et lui, qui se sentait beau et digne d'être aimé, croyait fermement ce qu'elle lui jurait souvent : c'est qu'elle l'aimait plus que tous les hommes du monde et que, si elle était contrainte de faire quelque chose pour un gentilhomme, ce serait pour lui seulement, comme le plus parfait qu'elle avait jamais connu, et le priait de se contenter de cette honnête amitié. Et d'autre part l'assurait si fort que si elle connaissait qu'il prétendît davantage sans se contenter de la raison du tout * il la perdrait. Le pauvre gentilhomme non seulement se contentait, mais se tenait très heureux d'avoir gagné le cœur de celle où il pensait tant d'honnêteté. Il serait long de vous raconter le discours de son amitié, la longue fréquentation qu'il eut avec elle, les voyages qu'il faisait pour la venir voir. Mais pour venir à la conclusion, ce pauvre martyr d'un feu si plaisant que plus on brûle, plus on veut brûler, cherchait toujours le moyen d'augmenter son martyre. Un jour lui prit en fantaisie * d'aller voir en poste * celle qu'il aimait plus que lui-même et qu'il estimait par-dessus toutes les femmes du monde. Lui, arrivé en sa maison, demanda où elle était. On lui dit qu'elle ne faisait que venir de vêpres et était entrée en sa garenne * pour parachever son service *. Il descendit de cheval et s'en alla tout droit en cette garenne où elle était, et trouva ses femmes qui lui dirent qu'elle s'en était allée [a] toute seule promener en une grande allée. Il commença à plus que jamais espérer quelque bonne fortune pour lui et, le plus doucement qu'il put, sans faire un seul bruit, la chercha le mieux qu'il lui fut possible, désirant sur toutes choses de la pouvoir trouver seule. Mais quand il fut près d'un pavillon fait d'arbres pliés, lieu tant beau et plaisant qu'il n'était possible de plus, entra soudainement là comme celui à qui il tardait de voir ce qu'il aimait. Mais il trouva en son entrée la demoiselle couchée dessus l'herbe entre les bras d'un palefrenier de sa maison, aussi laid, ord * et infâme que de Rians était beau, fort, honnête et aimable. Je n'entreprends de vous peindre le dépit qu'il eut, mais il fut si grand qu'il eut puissance, en un moment, d'éteindre le feu, qu'à la longueur du temps ni à l'occasion n'avait su faire. Et autant rempli de dépit qu'il avait eu d'amour, lui dit : « Madame, prou * vous fasse ! Aujourd'hui, par votre méchanceté connue [b], suis guéri et délivré de la continuelle douleur dont honnêteté que j'estimais en vous était l'occasion *. » Et sans autre adieu, s'en retourna plus vite qu'il n'était venu. La pauvre

a. s'en allait (A)
b. votre méchanceté suis guéri (A)

femme ne lui fit autre réponse, sinon de mettre la main devant son visage : car puisqu'elle ne pouvait couvrir * sa honte, couvrit-elle ses yeux pour ne voir celui qui la voyait trop clairement, nonobstant sa dissimulation.

« Parquoi mesdames, je vous supplie, si vous n'avez volonté d'aimer parfaitement, ne vous pensez point dissimuler à un homme de bien et lui faire déplaisir pour votre gloire* : car les hypocrites sont payés de leurs loyers*, et Dieu favorise ceux qui aiment naïvement*. » — « Vraiment, dit Oisille, vous nous l'avez gardée bonne pour la fin de la Journée ! Et si ce n'était que nous avons tous juré de dire vérité, je ne saurais croire qu'une femme de l'état dont elle était sût être si méchante de l'âme, quant à Dieu, et du corps, laissant un si honnête gentilhomme pour un si vilain muletier. » — « Hélas, madame ! dit Hircan, si vous saviez la différence qu'il y a d'un gentilhomme, qui toute sa vie a porté le harnais et suivi la guerre, au prix d'un valet bien nourri sans bouger d'un lieu, vous excuseriez cette pauvre veuve ! » — « Je ne crois pas, Hircan, dit Oisille, quelque chose que vous en dites, que vous pussiez recevoir nulle excuse d'elle. » — « J'ai bien ouï dire, dit Simontaut, qu'il y a des femmes qui veulent avoir des évangélistes pour prêcher leur vertu et leur chasteté, et leur font la meilleure chère * qu'il leur est possible, et la plus privée, les assurant que, si la conscience et l'honneur ne les retenaient, elles leur accorderaient leurs désirs. Et les pauvres sots, quand en quelque compagnie parlent d'elles, jurent qu'ils mettraient leur doigt au feu sans brûler pour soutenir qu'elles sont femmes de bien, car ils ont expérimenté leur amour jusqu'au bout. Ainsi se font louer par les honnêtes hommes celles qui, à leurs semblables, se montrent telles qu'elles sont. Et choisissent ceux qui ne sauraient avoir hardiesse de parler et, s'ils en parlent, pour * leur vile et orde * condition ne seraient pas crus. » — « Voilà, dit Longarine, une opinion que j'ai autrefois ouï dire aux plus jaloux et soupçonneux hommes, mais c'est peint une chimère : car combien qu'il soit advenu à quelque pauvre malheureuse, si * est-ce chose qui ne se doit soupçonner en autre. » Or leur dit Parlamente : « Tant plus avant nous entrerons[c] en ce propos, et plus ces bons seigneurs ici draperont sur la tissure de Simontaut[2], et tout à nos dépens ! Parquoi vaut mieux aller ouïr vêpres, afin que ne soyons tant attendues que nous fûmes hier. »

La compagnie fut de son opinion, et en allant Oisille leur dit : « Si quelqu'un de nous rend grâces à Dieu d'avoir, en cette Journée, dit la vérité des histoires que nous avons racontées, Saffredent lui doit requérir pardon d'avoir remémoré * une si grande vilenie contre les dames. » — « Par ma foi, lui répondit Saffredent, combien que mon conte soit étrange, si * est-ce que je l'ai ouï dire à gens dignes de foi et véritables[d]. Mais quand je voudrais faire le rapport du cerf à vue d'œil, je vous ferais faire plus de signes de croix de ce que je sais des femmes que l'on en fait à sacrer * une église. » — « C'est bien loin de se repentir, dit Géburon, quand la confession aggrave le péché ! » — « Puisque vous avez telle opinion des femmes, dit Parlamente, elles vous devraient priver de leur honnête entretènement * et privautés. » Mais il lui répondit : « Aucunes * ont tant usé, en mon endroit, du conseil que vous leur donnez, en m'éloignant et séparant des choses justes et honnêtes, que si je pouvais dire pis et pis faire à toutes, je ne m'y épargnerais pas, pour les inciter à me venger de celle qui me tient si grand tort. » En disant ces paroles, Parlamente mit son touret de nez * et avec les autres entra dedans l'église, où ils trouvèrent vêpres très bien sonnées ; mais ils n'y trouvèrent pas un religieux pour les dire, pource qu'ils avaient entendu que dedans le pré s'assemblait cette compagnie pour y dire les plus plaisantes choses qu'il était possible. Et comme ceux qui aimaient mieux leurs plaisirs que les oraisons, s'étaient allés cacher dedans une fosse, le ventre contre terre, derrière une haie fort épaisse. Et là avaient si bien écouté les beaux contes qu'ils n'avaient point ouï sonner la cloche de leur monastère. Ce qui parut bien quand ils

c. entrons (A)

d. combien que mon conte soit véritable si est-ce que je l'ai ouï dire (A) arrivèrent en telle hâte que quasi l'haleine leur faillait * à commencer vêpres. Et quand elles furent dites, confessèrent à ceux qui leur demandaient l'occasion * de leur chant tardif et mal entonné que ç'avait été pour * les écouter. Parquoi, voyant leur bonne volonté, leur fut permis que tous les jours assisteraient derrière la haie, assis à leurs aises. Le souper se passa joyeusement en relevant les propos qu'ils n'avaient pas mis à fin dans le pré, qui durèrent tout le long du soir jusqu'à ce que la dame Oisille les pria de se retirer, afin que leur esprit fût prompt le lendemain après un long et bon repos, dont elle disait qu'une heure avant minuit valait mieux que trois après. Ainsi, s'en allant chacun en sa chambre, se partit cette compagnie, mettant fin à cette seconde Journée.

FIN DE LA SECONDE JOURNÉE

LA TROISIÈME JOURNÉE

En la troisième Journée, on devise les dames qui en leur amitié n'ont cherché nulle fin que l'honnêteté, et de l'hypocrisie et méchanceté des religieux.

PROLOGUE

Le matin, ne sut la compagnie si tôt venir en la salle qu'ils ne trouvassent Mme Oisille, qui avait plus de demi-heure avant étudié la leçon qu'elle devait lire. Et si le premier et second jour elle les avait rendus contents, elle n'en fit moins le troisième. Et n'eût été qu'un des religieux les vînt quérir pour aller à la grand-messe, leur contemplation les empêchant d'ouïr la cloche, ils ne l'eussent ouïe. La messe ouïe bien dévotement, et le dîner passe bien sobrement, pour n'empêcher par les viandes * leurs mémoires à s'acquitter chacun en son rang le mieux qu'il lui serait possible, se retirèrent en leurs chambres à visiter leurs registres, attendant l'heure accoutumée d'aller au pré. Laquelle venue, ne faillirent * à ce beau voyage. Et ceux qui avaient délibéré de dire quelque folie avaient déjà les visages si joyeux que l'on espérait d'eux occasion de bien rire. Quand ils furent assis, demandèrent à Saffredent à qui il donnait sa voix pour la troisième Journée : « Il me semble, dit-il, puisque la faute que je fis hier est si grande que vous dites, ne sachant histoire digne de la réparer, que je dois donner ma voix à Parlamente, laquelle pour * son bon sens saura si bien louer les dames qu'elle fera mettre en oubli la vérité que je vous ai dite. » — « Je n'entreprends pas, dit Parlamente, de réparer vos fautes, mais oui bien de me garder de les ensuivre ! Parquoi, je me délibère, usant de la vérité promise et jurée, de vous montrer qu'il y a des dames qui en leurs amitiés n'ont cherché nulle fin que l'honnêteté. Et pource que celle dont je vous veux parler était de bonne maison, je ne changerai rien en l'histoire que le nom, vous priant, mesdames, de penser qu'amour n'a point de puissance de changer un cœur chaste et honnête, comme vous verrez par l'histoire que je vous vais conter. »

VINGT ET UNIÈME NOUVELLE

L'honnête et merveilleuse * *amitié d'une fille de grande maison et d'un bâtard, et l'empêchement qu'une Reine donna à leur mariage, avec la sage réponse de la fille à la Reine.*

Il y avait en France une Reine qui, en sa compagnie, nourrissait * plusieurs filles de grandes et bonnes maisons. Entre autres, y en avait une nommée Rolandine, qui était bien proche sa parente [1]. Mais la Reine, pour * quelque intimité qu'elle portait à son père, ne lui faisait pas fort bonne chère *. Cette fille, combien qu'elle ne fût des plus belles, ni des laides aussi, était tant sage et vertueuse que plusieurs grands personnages la demandaient en mariage ; dont ils avaient froide réponse, car le père aimait tant son argent qu'il oubliait l'avancement de sa fille ; et sa maîtresse, comme j'ai dit, lui portait si peu de faveur qu'elle n'était point demandée de ceux qui se voulaient avancer en la bonne grâce de la Reine. Ainsi, par la négligence du père et par le dédain de sa maîtresse, cette pauvre fille demeura longtemps sans être mariée. Et comme celle qui se fâcha * à la longue, non tant pour * l'envie qu'elle eût d'être mariée que pour la honte qu'elle avait de ne l'être point, du tout * elle se retira à Dieu, laissant les mondanités et gorgiasetés * de la cour. Son passe-temps fut à prier Dieu ou à faire quelques ouvrages. Et en cette vie ainsi retirée passa ses jeunes ans, vivant tant honnêtement et saintement qu'il n'était possible de plus. Quand elle fut approchée des trente ans, il y avait un gentilhomme, bâtard d'une grande et bonne maison, autant gentil compagnon et homme de bien qu'il en fût de son temps ; mais la richesse l'avait du tout délaissé, et avait si peu de beauté qu'une dame, quelle elle fût, ne l'eût pour son plaisir choisi. Ce pauvre gentilhomme était demeuré sans parti, et comme souvent un malheureux

cherche l'autre, vint aborder cette demoiselle Rolandine,
car leurs fortunes, complexions et conditions étaient fort
pareilles. Et se complaignant l'un à l'autre de leurs infortunes, prirent une très grande amitié. Et se trouvant
tous deux compagnons de malheur, se cherchaient en tous
lieux pour se consoler l'un l'autre, et en cette longue
fréquentation s'engendra une très grande et longue amitié. Ceux qui avaient vu la demoiselle Rolandine si retirée
qu'elle ne parlait à personne, la voyant[a] incessamment
avec le bâtard de bonne maison, en furent incontinent
scandalisés, et dirent à sa gouvernante qu'elle ne devait
endurer ces longs propos. Ce qu'elle remontra à Rolandine, lui disant que chacun était scandalisé dont * elle
parlait tant à un homme qui n'était assez riche pour
l'épouser, ni assez beau pour être ami. Rolandine, qui
avait toujours été reprise de ses austérités plus que de ses
mondanités, dit à sa gouvernante : « Hélas, ma mère,
vous voyez que je ne puis avoir un mari selon la maison
d'où je suis, et que j'ai toujours fui ceux qui sont beaux et
jeunes de peur de tomber aux inconvénients où j'en ai vu
d'autres. Et je trouve ce gentilhomme ici sage et vertueux
comme vous savez, lequel ne me prêche que toutes bonnes choses et vertueuses : quel tort puis-je tenir à vous et à
ceux qui en parlent de me consoler avec lui de mes
ennuis * ? » La pauvre vieille, qui aimait sa maîtresse plus
qu'elle-même, lui dit : « Mademoiselle, je vois bien que
vous dites la vérité, et que vous êtes traitée de père et de
maîtresse autrement que vous ne le méritez. Si * est-ce
que, puisque l'on parle de votre honneur en cette sorte, et
fût-il votre propre frère, vous vous devez retirer de parler
à lui. » Rolandine lui dit en pleurant : « Ma mère, puisque
vous me le conseillez, je le ferai. Mais c'est une chose
étrange de n'avoir en ce monde une seule consolation ! »
Le bâtard, comme il avait accoutumé, la voulut venir
entretenir, mais elle lui déclara tout au long ce que sa
gouvernante lui avait dit et le pria, en pleurant, qu'il se
contentât pour un temps de ne lui parler point ; jusqu'à ce
que ce bruit * fût un peu passé ; ce qu'il fit à sa requête.

a. et la voyant (A)

Mais durant cet éloignement, ayant perdu l'un et l'autre leur consolation, commencèrent à sentir un tourment qui jamais de l'un ni l'autre n'avait été expérimenté. Elle ne cessait de prier Dieu et d'aller en voyage*, jeûner et faire abstinence, car cet amour, encore à elle inconnu, lui donnait une inquiétude si grande qu'elle ne la laissait une seule heure reposer. Au bâtard de bonne maison ne faisait Amour moindre effort, mais lui, qui avait déjà conlu* en son cœur de l'aimer et de tâcher à l'épouser, regardant avec l'amour l'honneur que ce lui serait s'il la pouvait avoir, pensa qu'il fallait chercher moyen* pour lui déclarer sa volonté, et surtout gagner sa gouvernante. Ce qu'il fit, en lui remontrant la misère où était tenue sa pauvre maîtresse, à laquelle on voulait ôter tout consolation. Dont la bonne vieille, en pleurant, le remercia de l'honnête affection qu'il portait à sa maîtresse. Et avisèrent ensemble le moyen comme il pourrait parler à elle : c'était que Rolandine ferait souvent semblant d'être malade d'une migraine où l'on craint fort le bruit, et quand ses compagnes iraient en la chambre de la Reine, ils demeureraient tous deux seuls, et là il la pourrait entretenir. Le bâtard en fut fort joyeux et se gouverna entièrement par le conseil de cette gouvernante, en sorte que quand il voulait il parlait à s'amie. Mais ce contentement ne lui dura guère, car la Reine, qui ne l'aimait pas fort, s'enquit que faisait tant Rolandine en la chambre. Et combien que quelqu'un dît que c'était pour* sa maladie, toutefois un autre, qui avait trop de mémoire des absents, lui dit que l'aise qu'elle avait d'entretenir le bâtard de bonne maison lui devait faire passer sa migraine. La Reine, qui trouvait les péchés véniels des autres mortels en elle, l'envoya quérir et lui défendit de parler jamais au bâtard, si ce n'était en sa chambre ou en sa salle. La demoiselle n'en fit nul semblant* mais lui dit : « Si j'eusse pensé, madame, que lui ou autre[b] vous eût déplu, je n'eusse jamais parlé à lui. » Toutefois pensa en elle-même qu'elle chercherait quelque autre moyen* dont la Reine ne saurait rien, ce qu'elle fit. Et les mercredi,

---

b. l'un ou l'autre (A)

vendredi et samedi qu'elle jeûnait, demeurait en sa chambre avec sa gouvernante, où elle avait loisir de parler, tandis que les autres soupaient, à celui qu'elle commençait à aimer très fort. Et tant plus le temps de leur propos était abrégé en contrainte, et plus leurs paroles étaient dites par grande affection, car ils dérobaient le temps comme fait un larron une chose précieuse. L'affaire ne sut être menée si secrètement que quelque valet ne le vît entrer là-dedans au jour du jeûne, et le redit en lieu où ne fut celé à la Reine, qui s'en courrouça si fort qu'onques * puis n'osa le bâtard aller en la chambre des demoiselles. Et pour ne perdre le bien de parler à elle tout entièrement, faisait souvent semblant d'aller en quelque voyage * et revenait au soir en l'église ou chapelle du château, habillé en Cordelier ou Jacobin *, ou dissimulé si bien que nul ne le connaissait. Et là s'en allait la demoiselle Rolandine avec sa gouvernante l'entretenir. Lui, voyant la grande amour qu'elle lui portait, n'eut crainte de lui dire : « Mademoiselle, vous voyez le hasard * où je me mets pour votre service, et les défenses que la Reine vous a faites de parler à moi ; vous voyez, d'autre part, quel père vous avez, qui ne pense en quelque manière que ce soit de vous marier. Il a tant refusé de bons partis que je n'en sache plus, ni près ni loin de lui, qui soit pour vous avoir. Je sais bien que je suis pauvre, et que vous ne sauriez épouser gentilhomme qui ne soit plus riche que moi. Mais si amour et bonne volonté étaient estimés un trésor, je penserais être le plus riche homme du monde. Dieu vous a donné de grands biens, et êtes en danger * d'en avoir encore plus : si j'étais si heureux que vous me voulussiez élire pour mari, je vous serais mari, ami et serviteur toute ma vie ; et si vous en prenez un égal à vous, chose difficile à trouver, il voudra être maître et regardera plus à vos biens qu'à votre personne, et à la beauté qu'à la vertu, et, en jouissant de l'usufruit de votre bien, traitera votre corps autrement qu'il ne le mérite. Le désir que j'ai d'avoir [c] ce contentement, et la peur que j'ai que vous n'en ayez point avec un autre me font vous

c. qu'ayez (T)

supplier que, par un même moyen, vous me rendez heureux, et vous la plus satisfaite et la mieux traitée femme qui onques * fût. » Rolandine, écoutant le même propos qu'elle avait délibéré de lui tenir, lui répondit d'un visage constant : « Je suis très aise dont * vous avez commencé le propos dont, longtemps a, j'avais délibéré vous parler, et auquel, depuis deux ans que je vous connais, je n'ai cessé de penser et repenser en moi-même toutes les raisons pour vous et contre vous que j'ai pu inventer. Mais à la fin, sachant que je veux prendre l'état de mariage, il est temps que je commence et que je choisisse avec lequel je penserai mieux vivre au repos de ma conscience. Je n'en ai su trouver un, tant soit-il beau, riche ou grand seigneur, avec lequel mon cœur et mon esprit se pût accorder, sinon à vous seul. Je sais qu'en vous épousant je n'offense [d] point Dieu, mais je fais ce qu'il commande. Et quant à Monseigneur mon père, il a si peu pourchassé mon bien et tant refusé que la loi veut que je me marie sans qu'il me puisse déshériter. Quand je n'aurai que ce qui m'appartient, en épousant un mari tel envers moi que vous êtes, je me tiendrai la plus riche du monde. Quant à la Reine ma maîtresse, je ne dois point faire de conscience * de lui déplaire pour obéir à Dieu, car elle n'en a point fait pour m'empêcher le bien qu'en ma jeunesse j'eusse pu avoir. Mais afin que vous connaissiez que l'amitié que je vous porte est fondée sur la vertu et sur l'honneur, vous me promettez que, si j'accorde ce mariage, jamais n'en pourchasserez [e] la consommation que mon père ne soit mort ou que je n'aie trouvé moyen de l'y faire consentir. » Ce que lui promit volontiers le bâtard. Et sur ces promesses, se donnèrent chacun un anneau en nom de mariage, et se baisèrent en l'église devant Dieu qu'ils prirent en témoin de leur promesse. Et jamais depuis n'y eut entre eux plus grande privauté que de baiser [2].

Ce peu de contentement donna grande satisfaction au cœur de ces deux parfaits amants, et furent un temps sans

---

d. offenserais (A)
e. de n'en pourchasser jamais (A)

se voir, vivant de cette sûreté. Il n'y avait guère lieu où l'honneur se pût acquérir que le bâtard de bonne maison n'y allât avec un grand contentement, qu'il ne pouvait demeurer pauvre[3] vu la riche femme que Dieu lui avait donnée. Laquelle en son absence conserva si longuement cette parfaite amitié qu'elle ne tînt compte d'homme au monde. Et combien que quelques-uns la demandassent en mariage, ils n'avaient néanmoins autre réponse d'elle sinon que, depuis qu'elle avait tant demeuré sans être mariée, elle ne voulait jamais l'être. Cette réponse fut entendue de tant de gens que la Reine en ouït parler, et lui demanda pour quelle occasion* elle tenait ce langage. Rolandine lui dit que c'était pour lui obéir, car elle savait bien qu'elle n'avait jamais eu envie de la marier au temps et au lieu où elle eût été honorablement pourvue et à son aise, et que l'âge et la patience lui avaient appris de se contenter de l'état où elle était. Et toutes les fois que l'on lui parlait de mariage elle faisait pareille réponse. Quand les guerres furent[f] passées et que le bâtard fut[g] retourné à la cour, elle ne parlait point à lui devant les gens, mais allait toujours en quelque église l'entretenir sous couleur de se confesser, car la Reine avait défendu à lui et à elle qu'ils n'eussent à parler tous deux sans être en grande compagnie, sur peine de leurs vies. Mais l'amour honnête, qui ne connaît nulles défenses, était plus prêt à trouver les moyens pour les faire parler ensemble que leurs ennemis n'étaient prompts à les guetter. Et sous l'habit de toutes les religions* qui se purent penser, continuaient leur honnête amitié. Jusqu'à ce que le Roi s'en alla en une maison de plaisance près de Tours, non tant près que les dames pussent aller à pied à autre église qu'à celle du château, qui était si mal bâtie à propos qu'il n'y avait lieu à se cacher où le confesseur n'eût été clairement connu. Toutefois si d'un côté l'occasion leur faillait*, Amour leur en trouvait une autre plus aisée. Car il arriva à la cour une dame de laquelle le bâtard était proche parent. Cette dame avec son fils furent logés en la

f. étaient (A)
g. était (A)

maison du Roi, et était la chambre de ce jeune prince avancée tout entière outre le corps de la maison où le Roi était, tellement que de sa fenêtre pouvait voir et parler à Rolandine, car les deux fenêtres étaient proprement à l'angle des deux corps d'une maison. En cette chambre, qui était sur la salle du Roi, là étaient logées toutes les demoiselles de bonne maison en la compagnie de Rolandine. Laquelle, avisant par plusieurs fois ce jeune prince à sa fenêtre, en fit avertir le bâtard par sa gouvernante, lequel, après avoir bien regardé le lieu, fit semblant de prendre fort grand plaisir de lire un livre des Chevaliers de la Table ronde, qui était en la chambre du prince. Et quand chacun s'en allait dîner, priait un valet de chambre le vouloir laisser achever de lire, et l'enfermer dedans la chambre, et qu'il la garderait bien. L'autre, qui le connaissait parent de son maître et homme sûr, le laissait lire tant qu'il lui plaisait. D'autre côté venait à sa fenêtre Rolandine qui, pour avoir occasion * d'y demeurer plus longuement, feignit d'avoir mal à une jambe et dînait et soupait de si bonne heure qu'elle n'allait plus à l'ordinaire des dames. Elle se mit à faire un lit * tout de réseul * de soie cramoisie, et l'attachait à la fenêtre où elle voulait demeurer seule. Et quand elle voyait qu'il n'y avait personne, elle entretenait son mari, qui pouvaient parler si haut que nul ne les eût su ouïr; et quand il s'approchait quelqu'un d'elle, elle toussait et faisait signe, par lequel le bâtard se pouvait bientôt retirer. Ceux qui faisaient le guet sur eux tenaient tout certain que l'amitié était passée, car elle ne bougeait d'une chambre où sûrement il ne la pouvait voir, pource que l'entrée lui en était défendue.

Un jour, la mère de ce jeune prince fut en la chambre de son fils et se mit à cette fenêtre où était ce gros livre; et n'y eut guère demeuré qu'une des compagnes de Rolandine, qui était à celle de leur chambre, salua cette dame et parla à elle. La dame lui demanda comment se portait Rolandine; elle lui dit qu'elle la verrait bien, s'il lui plaisait, et la fit venir à la fenêtre en son couvre-chef de nuit. Et après avoir parlé de sa maladie, se retirèrent chacune de son côté. La dame, regardant ce gros livre de la Table ronde, dit au valet de chambre qui en avait la garde : « Je m'ébahis comme les jeunes gens perdent le temps à lire tant de folies ! » Le valet de chambre lui répondit qu'il s'émerveillait * encore plus de ce que les gens estimés bien sages et âgés y étaient plus affectionnés que les jeunes ; et pour une merveille * lui conta comme le bâtard son cousin y demeurait quatre ou cinq heures tous les jours à lire ce beau livre. Incontinent frappa au cœur de cette dame l'occasion * pourquoi c'était, et donna charge au valet de chambre de se cacher en quelque lieu, et de regarder ce qu'il ferait. Ce qu'il fit, et trouva que le livre où il lisait était la fenêtre où Rolandine venait parler à lui. Et entendit plusieurs propos de l'amitié qu'ils cuidaient * tenir bien sûre [h]. Le lendemain, le raconta à sa maîtresse, qui envoya quérir le bâtard, et après plusieurs remontrances, lui défendit de ne s'y trouver plus. Et le soir elle parla à Rolandine, la menaçant, si elle continuait cette folle amitié, de dire à la Reine toutes ses menées. Rolandine, qui de rien ne s'étonnait *, jura que, depuis la défense de sa maîtresse, elle n'y avait point parlé, quelque chose que l'on dît, et qu'elle en sût la vérité tant de ses compagnes que des valets et serviteurs. Et quant à la fenêtre dont elle parlait, elle lui nia d'y avoir parlé au bâtard ; lequel, craignant que son affaire fût révélé, s'éloigna du danger et fut longtemps sans revenir à la cour, mais non sans écrire à Rolandine par si subtils moyens que, quelque guet que la Reine y mît, il n'était semaine qu'elle n'eût deux fois de ses nouvelles.

Et quand le moyen * des religieux dont il s'aidait fut failli *, il lui envoyait un petit page habillé des couleurs, puis de l'un, puis de l'autre, qui s'arrêtait aux portes où toutes les dames passaient, et là baillait ses lettres secrètement parmi la presse. Un jour, ainsi que la Reine allait aux champs, quelqu'un qui reconnut le page, et qui avait la charge de prendre garde en cet affaire [i], courut après. Mais le page qui était fin, se doutant que l'on le cherchait, entra en la maison d'une pauvre femme qui faisait sa potée auprès du feu, où il brûla incontinent ses lettres.

h. secrète (T)
i. ses affaires (A)

Le gentilhomme, qui le suivait, le dépouilla* tout nu, et
chercha par tout son habillement, mais n'y trouva rien,
parquoi le laissa aller. Et quand il fut parti, la vieille lui
demanda pourquoi il avait ainsi cherché ce jeune enfant.
Il lui dit : « Pour trouver quelques lettres que je pensais
qu'il portât. » — « Vous n'aviez garde, dit la vieille, de
les trouver, car il les avait bien cachées. » — « Je vous
prie, dit le gentilhomme, dites-moi en quel endroit
c'est ! », espérant bientôt les recouvrer. Mais quand il
entendit que c'était dedans le feu, connut bien que le page
avait été plus fin que lui. Ce qu'incontinent alla raconter à
la Reine. Toutefois, depuis cette heure-là, ne s'aida plus
le bâtard de page ni d'enfant, et y envoya un vieux
serviteur qu'il avait, lequel, oubliant la crainte de la mort
dont il savait bien que l'on faisait menacer de par la Reine
ceux qui se mêlaient de cet affaire, entreprit de porter
lettres à Rolandine. Et quand il fut entré au château où
elle était, s'en alla guetter à une porte au pied d'un grand
degré* où toutes les dames passaient. Mais un valet, qui
autrefois l'avait vu, le reconnut incontinent et l'alla dire
au maître d'hôtel de la Reine, qui soudainement le vint
chercher pour le prendre. Le valet, sage et avisé, voyant
qu'on le regardait de loin, se retourna vers la muraille
comme pour faire de l'eau, et là rompit ses lettres le plus
menu qu'il lui fut possible, et les jeta derrière une porte.
Sur l'heure, il fut pris et cherché de tous côtés, et quand
on ne lui trouva rien, on l'interrogea par serment s'il avait
apporté nulles lettres, lui gardant toutes les rigueurs et
persuasions qu'il fut possible pour lui faire confesser la
vérité. Mais, pour promesses ni pour menaces qu'on lui
fît, jamais n'en surent tirer autre chose. Le rapport en fut
fait à la Reine, et quelqu'un de la compagnie s'avisa qu'il
était bon de regarder derrière la porte auprès de laquelle
on l'avait pris. Ce qui fut fait, et trouva l'on ce que l'on
cherchait : c'étaient les pièces de la lettre. On envoya
quérir le confesseur du Roi lequel, après les avoir assemblées sur une table, lut la lettre tout du long, où la vérité
du mariage tant dissimulé se trouva clairement, car le
bâtard ne l'appelait que sa femme. La Reine, qui n'avait
délibéré de couvrir* la faute de son prochain comme elle

devait, en fit un très grand bruit * et commanda que, par tous les moyens, on fît confesser au pauvre homme la vérité de cette lettre et que, en la lui montrant, il ne la pourrait renier. Mais quelque chose qu'on lui dît ou qu'on lui montrât, il ne changea son premier propos. Ceux qui en avaient la garde le menèrent au bord de la rivière, et le mirent dedans un sac, disant qu'il mentait à Dieu et à la Reine contre la vérité prouvée. Lui, qui aimait mieux perdre sa vie que d'accuser son maître, leur demanda un confesseur et, après avoir fait de sa conscience le mieux qu'il lui était possible, leur dit : « Messieurs, dites à Monseigneur le bâtard mon maître que je lui recommande la vie de ma femme et de mes enfants, car de bon cœur je mets la mienne pour son service. Et faites de moi ce qu'il vous plaira, car vous n'en tirerez jamais parole qui soit contre mon maître. » A l'heure *, pour lui faire plus grand peur, le jetèrent dedans le sac en l'eau, lui criant : « Si tu veux dire vérité, tu seras sauvé ! » Mais voyant qu'il ne leur répondait rien, le retirèrent de là et firent le rapport de sa constance à la Reine, qui dit à l'heure * que le Roi son mari ni elle n'étaient point si heureux en serviteurs qu'un qui n'avait de quoi les récompenser. Et fit ce qu'elle put pour le retirer à son service, mais jamais ne voulut abandonner son maître. Toutefois, à la fin, par le congé * de sondit maître, il fut mis au service de la Reine, où il vécut heureux et content.

La Reine, après avoir connu la vérité du mariage par la lettre du bâtard, envoya quérir Rolandine et, avec un visage tout courroucé, l'appela plusieurs fois malheureuse en lieu de cousine, lui remontrant la honte qu'elle avait faite à la maison de son père et à tous ses parents de s'être mariée, et à elle qui était sa maîtresse, sans son consentement[j] ni congé *. Rolandine, qui de longtemps connaissait le peu d'affection que lui portait sa maîtresse, lui rendit la pareille, et pource que l'amour lui défaillait, la crainte n'y avait plus de lieu ; pensant aussi que cette correction faite[k] devant plusieurs personnes ne procédait

j. commandement (A)
k. correction devant (A)

pas d'amour qu'elle lui portât, mais pour lui faire une honte comme celle qu'elle estimait prendre plus de plaisir à la châtier que de déplaisir à la voir faillir *, lui répondit d'un visage aussi joyeux et assuré que la Reine montrait le sien troublé et courroucé : « Madame, si vous ne connaissiez votre cœur tel qu'il est, je vous mettrais au-devant la mauvaise volonté que de longtemps vous avez portée à Monsieur mon père et à moi. Mais vous le savez si bien que vous ne trouverez point étrange si tout le monde s'en doute. Et quant est de moi, Madame, je m'en suis bien aperçue à mon plus grand dommage, car quand il vous eût plu me favoriser, comme celles qui ne vous sont si proches que moi, je fusse maintenant mariée autant à votre honneur qu'au mien ; mais vous m'avez laissée comme une personne du tout oubliée en votre bonne grâce, en sorte que tous les bons partis que j'eusse su avoir me sont passés devant les yeux, par la négligence de Monsieur mon père et par le peu d'estime que vous avez fait de moi. Dont j'étais tombée en tel désespoir que, si ma santé eût pu porter l'état de religion, je l'eusse volontiers pris pour ne voir les ennuis * continuels que votre rigueur me donnait. En ce désespoir m'est venu trouver celui qui serait d'aussi bonne maison que moi, si l'amour de deux personnes était autant estimé que l'an-neau, car vous savez que son père passerait devant le mien. Il m'a longuement entretenue et aimée ; mais vous, Madame, qui jamais ne me pardonnâtes nulle petite faute, ni me louâtes de nul bon œuvre, combien que vous connaissez par expérience que je n'ai point accoutumé de parler de propos d'amour ni de mondanité, et que du tout * j'étais retirée à mener une vie plus religieuse qu'autre, avez incontinent trouvé étrange que je parlasse à un gentilhomme aussi malheureux en cette vie que moi, en l'amitié duquel je ne pensais ni ne cherchais autre chose que la consolation de mon esprit. Et quand du tout je m'en vis frustrée, j'entrai en tel désespoir que je délibérai de chercher autant mon repos que vous aviez envie de me l'ôter. Et à l'heure * eûmes paroles de ma-riage, lesquelles ont été consommées par promesse et anneau. Parquoi il me semble, Madame, que vous me tenez un grand tort de me nommer méchante, vu qu'en une si grande et parfaite amitié où je pouvais trouver les occasions si je voulais, il n'y a jamais eu entre lui et moi plus grande privauté que de baiser, espérant que Dieu me ferait la grâce qu'avant la consommation du mariage je gagnerais le cœur de Monsieur mon père à s'y consentir. Je n'ai point offensé Dieu ni ma conscience, car j'ai attendu jusqu'à l'âge de trente ans pour voir ce que vous et Monsieur mon père feriez pour moi, ayant gardé ma jeunesse en telle chasteté et honnêteté qu'homme vivant ne m'en saurait rien reprocher. Et par le conseil de la raison que Dieu m'a donnée, me voyant vieille et hors d'espoir de trouver parti selon ma maison, me suis délibérée d'en épouser un à ma volonté, non point pour satisfaire à la concupiscence des yeux, car vous savez qu'il n'est pas beau, ni à celle de chair, car il n'y a point eu de consommation charnelle, ni à l'orgueil, ni à l'ambition de cette vie, car il est pauvre et peu avancé ; mais j'ai regardé purement et simplement à la vertu qui est en lui, dont tout le monde est contraint de lui donner louange ; à la grande amour aussi qu'il m'a portée, qui me fait espérer de trouver avec lui repos et bon traitement. Et après avoir bien pesé tout le bien et le mal qui m'en pût advenir, je me suis arrêtée à la partie qui m'a semblé la meilleure, et que j'ai débattue en mon cœur deux ans durant : c'est d'user le demeurant de mes jours en sa compagnie. Et suis délibérée de tenir ce propos si ferme que tous les tourments que j'en saurais endurer, fût la mort, ne me feront départir de cette forte opinion. Parquoi Madame, il vous plaira excuser en moi ce qui est très excusable, comme vous-même l'entendez très bien, et me laissez vivre en paix, que j'espère trouver avec lui. »

La Reine, voyant son visage si constant et sa parole tant véritable, ne lui put répondre par raison. Et en continuant de la reprendre et injurier par colère, se prit à pleurer en disant : « Malheureuse que vous êtes, en lieu de vous humilier devant moi, et de vous repentir d'une faute si grande, vous parlez audacieusement, sans en avoir la larme à l'œil ; par cela montrez bien l'obstination et la dureté de votre cœur. Mais si le Roi et votre père me veulent croire, ils vous mettront en lieu où vous serez contrainte de parler autre langage ! » — « Madame, ce lui répondit Rolandine, pource que vous m'accusez de parler trop audacieusement, je suis délibérée de me taire, s'il ne vous plaît de me donner congé * de vous répondre. » Et quand elle eut commandement de parler, lui dit : « Ce n'est point à moi, Madame, à parler à vous, qui êtes ma maîtresse et la plus grande princesse de la chrétienté, audacieusement et sans la révérence que je vous dois, ce que je n'ai voulu ni pensé faire ; mais, puisque je n'ai avocat qui parle pour moi, sinon la vérité, laquelle moi seule je sais, je suis tenue de la déclarer sans crainte, espérant que, si elle est bien connue de vous, vous ne m'estimerez telle qu'il vous a plu me nommer. Je ne crains que créature mortelle entende comme je me suis conduite en l'affaire dont on me charge, puisque je sais que Dieu et mon honneur n'y sont en rien offensés. Et voilà qui me fait parler sans crainte, étant sûre que Celui qui voit mon cœur est avec moi. Et si un tel juge est [1] pour moi, j'aurais tort de craindre ceux qui sont sujets à son jugement. Et pourquoi donc dois-je pleurer, vu que ma conscience et mon cœur ne me reprennent point en cet affaire, et que je suis si loin de m'en repentir que, s'il était à recommencer, j'en ferais ce que j'ai fait ? Mais vous, Madame, avez grande occasion * de pleurer, tant pour le grand tort qu'en toute ma jeunesse m'avez tenu que pour celui que maintenant vous me faites de me reprendre devant tout le monde d'une faute qui doit être imputée plus à vous qu'à moi. Quand j'aurais offensé Dieu, le Roi, vous, mes parents et ma conscience, je serais bien obstinée si, de grande repentance, je ne pleurais. Mais d'une chose bonne, juste et sainte, dont jamais n'eût été bruit * que bien honorable, sinon que vous l'avez trop tôt éventé [m], montrant que l'envie que vous avez de mon déshonneur était plus grande que de conserver l'honneur de votre maison et de vos parents, je ne dois pleurer. Mais puisqu'ainsi il vous plaît, Madame, je

1. était (A)
m. et avez fait sortir un scandale (*ajout de* T)

ne suis pour vous contredire. Car quand vous m'ordonnerez telle peine qu'il vous plaira, je ne prendrai moins de plaisir de la souffrir sans raison que vous ferez à me la donner. Parquoi, Madame, commandez à Monsieur mon père quel tourment il vous plaît que je porte, car je sais qu'il n'y faudra* pas : au moins suis-je bien aise que seulement pour mon malheur il suive entièrement votre volonté, et qu'ainsi qu'il a été négligent à mon bien suivant votre vouloir, il sera prompt à mon mal pour vous obéir. Mais j'ai un Père au ciel, lequel, je suis assurée, me donnera autant de patience que je me vois par vous de grands maux préparés, et en Lui seul j'ai ma parfaite confiance. »

La Reine, si courroucée qu'elle n'en pouvait plus, commanda qu'elle fût emmenée de devant ses yeux et mise en une chambre à part, où elle ne pût parler à personne. Mais on ne lui ôta point sa gouvernante, par le moyen de laquelle elle fit savoir au bâtard toute sa fortune et ce qu'il lui semblait qu'elle devait faire. Lequel, estimant que les services qu'il avait faits au Roi lui pourraient servir de quelque chose, s'en vint en diligence à la cour. Et trouva le Roi aux champs, auquel il conta la vérité du fait, le suppliant qu'à lui qui était pauvre gentilhomme voulut faire tant de bien d'apaiser la Reine, en sorte que le mariage pût être consommé. Le Roi ne lui répondit rien, sinon : « M'assurez-vous que vous l'avez épousée ? » — « Oui, Sire, dit le bâtard, par paroles, de présent, seulement ; et, s'il vous plaît, la fin y sera mise. » Le Roi, baissant la tête et sans lui dire autre chose, s'en retourna droit au château. Et quand il fut auprès de là, il appela le capitaine de ses gardes, et lui donna charge de prendre le bâtard prisonnier. Toutefois un sien ami, qui connaissait le visage du Roi, l'avertit de s'absenter et de se retirer en une sienne maison près de là, et que, si le Roi le faisait chercher comme il soupçonnait, il lui ferait incontinent savoir pour s'enfuir hors du royaume ; si aussi les choses étaient adoucies, il le manderait pour retourner. Le bâtard le crut et fit si bonne diligence que le capitaine des gardes ne le trouva point.

Le Roi et la Reine ensemble regardèrent qu'ils feraient

de cette pauvre demoiselle qui avait l'honneur d'être leur parente ; et, par le conseil de la Reine, fut conclu qu'elle serait renvoyée à son père, auquel on manda toute la vérité du fait. Mais avant l'envoyer, firent parler à elle plusieurs gens d'Église et de Conseil, lui remontrant, puisqu'il n'y avait en son mariage que la parole, qu'il se pouvait facilement défaire, mais * que l'un et l'autre se quittassent, ce que le Roi voulait qu'elle fît pour garder l'honneur de la maison dont elle était. Elle leur fit réponse qu'en toutes choses elle était prête d'obéir au Roi, sinon à contrevenir à sa conscience ; mais ce que Dieu avait assemblé, les hommes ne le pouvaient séparer ; les priant de ne la tenter de choses si déraisonnable, car si amour et bonne volonté fondée sur la crainte de Dieu sont les vrais et sûrs liens de mariage, elle était si bien liée que fer, ni feu, ni eau ne pouvaient rompre son lien, sinon la mort, à laquelle seule et non à autre rendrait son anneau et son serment ; les priant de ne lui parler du contraire, car elle était si ferme en son propos qu'elle aimait mieux mourir en gardant sa foi que vivre après l'avoir niée. Les députés de par le Roi emportèrent cette constante réponse et, quand ils virent qu'il n'y avait remède de lui faire renoncer son mari, l'envoyèrent devers son père en si piteuse * façon que par où elle passait chacun pleurait. Et combien qu'elle eût failli *, la punition fut si grande et sa constance telle qu'elle fit estimer sa faute être vertu. Le père, sachant cette piteuse nouvelle, ne la voulut point voir, mais l'envoya à un château dedans une forêt, lequel il avait autrefois édifié pour une occasion bien digne d'être racontée [4], et la tint là longuement en prison, la faisant persuader que, si elle voulait quitter son mari, il la tiendrait pour sa fille et la mettrait en liberté. Toutefois elle tint ferme et aima mieux le lien de sa prison, en conservant celui de son mariage, que toute la liberté du monde sans son mari. Et semblait, à voir son visage, que toutes ses peines lui étaient passe-temps très plaisants, puisqu'elle les souffrait pour celui qu'elle aimait.

Que dirai-je ici des hommes ? Ce bâtard, tant obligé à elle, comme vous avez vu, s'enfuit en Allemagne où il avait beaucoup d'amis. Et montra bien, par sa légèreté,

que vraie et parfaite amour ne lui avait pas tant fait
pourchasser Rolandine que l'avarice et l'ambition. En
sorte qu'il devint tant amoureux d'une dame d'Allemagne
qu'il oublia à visiter par lettre celle qui pour lui soutenait
tant de tribulation. Car jamais la fortune, quelque rigueur
qu'elle leur tînt, ne leur put ôter le moyen de s'écrire l'un
à l'autre, sinon la folle et méchante amour où il se laissa
tomber, dont le cœur de Rolandine eut premier * un
sentiment tel qu'elle ne pouvait plus reposer. Et voyant
après ses écritures tant changées et refroidies du langage
accoutumé qu'elles ne ressemblaient plus aux passées,
soupçonna que nouvelle amitié la séparait de son mari, ce
que tous les tourments et peines qu'on lui avait pu donner
n'avaient su faire. Et parce que sa parfaite amour ne
voulait qu'elle assît jugement sur un soupçon, trouva
moyen d'envoyer secrètement un serviteur en qui elle se
fiait, non pour lui écrire et parler à lui, mais pour l'épier
et voir la vérité. Lequel, retourné du voyage, lui dit que
pour sûr il avait trouvé le bâtard bien fort amoureux d'une
dame d'Allemagne, et que le bruit * était qu'il pourchassait de l'épouser, car elle était fort riche. Cette nouvelle
apporta une si extrême douleur au cœur de cette pauvre
Rolandine que, ne la pouvant porter *, tomba bien grièvement malade. Ceux qui entendaient l'occasion * lui
dirent, de la part de son père, que puisqu'elle voyait la
grande méchanceté du bâtard, justement elle le pouvait
abandonner, et la persuadèrent de tout leur possible.
Mais, nonobstant qu'elle fût tourmentée jusqu'au bout,
si * n'y eut-il jamais remède de lui faire changer son
propos ; et montra en cette dernière tentation l'amour
qu'elle avait, et sa très grande vertu. Car ainsi que
l'amour se diminuait du côté de lui, ainsi augmentait du
sien : et demeura, malgré qu'il en eût, l'amour entier et
parfait, car l'amitié qui défaillait du côté de lui tourna en
elle. Et quand elle connut qu'en son cœur seul était
l'amour entier qui autrefois avait été départi en deux, elle
délibéra de le soutenir jusqu'à la mort de l'un ou de
l'autre. Parquoi la Bonté divine, qui est parfaite charité et
vraie amour, eut pitié de sa douleur et regarda sa patience, en sorte que, après peu de jours, le bâtard mourut

à la poursuite d'une autre femme. Dont elle, bien avertie de ceux qui l'avaient vu mettre en terre, envoya supplier son père qu'il lui plût qu'elle parlât à lui. Le père s'y en alla incontinent, qui jamais depuis sa prison n'avait parlé à elle. Et après avoir bien au long entendu ses justes raisons, en lieu de la[n] reprendre et tuer, comme souvent, par paroles il la menaçait, la prit entre ses bras et, en pleurant très fort, lui dit : « Ma fille, vous êtes plus juste que moi, car s'il y a eu faute en votre affaire, j'en suis la principale cause. Mais puisque Dieu l'a ainsi ordonné *, je veux satisfaire au passé. » Et après l'avoir amenée en sa maison, il la traitait comme sa fille aînée. Elle fut demandée en mariage par un gentilhomme du nom et armes de leur maison [5], qui était fort sage et vertueux, et estimait tant Rolandine, laquelle il fréquentait souvent, qu'il lui donnait louange de ce dont les autres la blâmaient, connaissant que sa fin n'avait été que pour la vertu. Le mariage fut agréable au père et à Rolandine, et fut incontinent conclu. Il est vrai qu'un frère qu'elle avait, seul héritier de la maison, ne voulait s'accorder qu'elle eût nul partage, lui mettant au-devant qu'elle avait désobéi à son père. Et après la mort du bon homme, lui tint de si grandes rigueurs que son mari, qui était un puîné, et elle avaient bien affaire de vivre. En quoi Dieu pourvut, car le frère, qui voulait tout tenir, laissa en un jour, par une mort subite, le bien qu'il tenait de sa sœur et le sien, quant et quant *. Ainsi, elle fut héritière d'une bonne et grosse maison où elle vécut saintement et honorablement en l'amour de son mari. Et après avoir élevé deux fils que Dieu leur donna, rendit joyeusement son âme à Celui où de tout temps elle avait sa parfaite confiance.

   « Or mesdames, je vous prie que les hommes qui nous veulent peindre tant inconstantes viennent maintenant ici, et me montrent l'exemple d'un aussi bon mari que cette-ci fut bonne femme, et d'une telle foi et persévérance : je suis sûre qu'il leur serait si difficile que j'aime mieux les en quitter * que de me mettre en cette peine.

n. de reprendre (A)

Mais non vous, mesdames, de vous prier, pour continuer notre gloire, ou du tout * n'aimer point, ou que ce soit aussi parfaitement. Et gardez bien que nul ne dise que cette demoiselle ait offensé son honneur, vu que par sa fermeté elle est occasion d'augmenter le nôtre. » — « En bonne foi, Parlamente, dit Oisille, vous nous avez raconté l'histoire d'une femme d'un très grand et honnête cœur. Mais ce qui donne autant de lustre à sa fermeté, c'est la déloyauté de son mari qui la voulait laisser pour une autre. » — « Je crois, dit Longarine, que cet ennui *-là lui fut le plus importable * : car il n'y a faix si pesant que l'amour de deux personnes bien unies ne puisse doucement supporter ; mais quand l'un faut * à son devoir et laisse toute la charge sur l'autre, la pesanteur est importable ! » — « Vous devriez donc, dit Géburon, avoir pitié de nous qui portons l'amour entière sans que vous y daigniez mettre le bout du doigt pour la soulager ! » — « Ah, Géburon ! dit Parlamente, souvent sont différents les fardeaux de l'homme et de la femme. Car l'amour de la femme, bien fondée sur Dieu et sur honneur, est si juste et raisonnable que celui qui se départ de telle amitié doit être estimé lâche et méchant envers Dieu et les hommes de bien[o]. Mais l'amour de la plupart des hommes[p] est tant fondée sur le plaisir que les femmes, ignorant leurs mauvaises volontés, s'y mettent aucunes fois bien avant ; et quand Dieu leur fait connaître la malice du cœur de celui qu'elles estimaient bon, s'en peuvent départir avec leur honneur et bonne réputation, car les plus courtes folies sont toujours les meilleures. » — « Voilà donc une raison, dit Hircan, forgée sur votre fantaisie *, de vouloir soutenir que les femmes honnêtes peuvent laisser honnêtement l'amour des hommes, et non les hommes celle des femmes, comme si leurs cœurs étaient différents ; mais combien que les visages et habits le soient, si * crois-je que les volontés sont toutes pareilles, sinon d'autant que la malice plus couverte * est la pire. » Parlamente, avec un peu de colère, lui dit : « J'entends

o. les hommes (A)
p. des hommes de bien (A)

bien que vous estimez celles les moins mauvaises de qui la malice est découverte ! » — « Or laissons ce propos là, dit Simontaut, car pour faire conclusion du cœur de l'homme et de la femme, le meilleur des deux n'en vaut rien ! Mais venons à savoir à qui Parlamente donnera sa voix, pour ouïr quelque beau conte. » — « Je la donne, dit-elle, à Géburon. » — « Or puisque j'ai commencé, dit-il, à parler des Cordeliers, je ne veux oublier ceux de Saint-Benoît, et ce qui est advenu d'eux de mon temps ; combien que je n'entends, en racontant une histoire d'un méchant religieux, empêcher la bonne opinion que vous avez des gens de bien. Mais vu que le Psalmiste dit que tout homme est menteur, et, en un autre endroit : "Il n'en est point qui fasse bien, jusqu'à un [6]", il me semble qu'on ne peut faillir * d'estimer l'homme tel qu'il est. Car s'il y a du bien, on le doit attribuer à Celui qui en est la source, et non à la créature, à laquelle, par trop donner de gloire et de louange, ou estimer de soi quelque chose de bon, la plupart des personnes sont trompées. Et afin que vous ne trouvez impossible que sous extrême austérité soit extrême concupiscence, entendez ce qui advint du temps du Roi François premier. »

VINGT-DEUXIÈME NOUVELLE

Un prieur réformateur, sous ombre de son hypocrisie, tente tous moyens pour séduire une sainte religieuse, dont enfin sa malice est découverte.

En la ville de Paris, il y avait un prieur de Saint-Martin-des-Champs, duquel je tairai le nom pour l'amitié que je lui ai portée [1]. Sa vie, jusqu'en l'âge de cinquante ans, fut si austère que le bruit * de sa sainteté courut par tout le royaume, tant qu'il n'y avait prince ni princesse qui ne lui fît grand honneur quand il les venait voir. Et ne se faisait réformation de religion * qui ne fût faite par sa main, car on le nommait le père de vraie religion. Il fut élu visiteur de la grande religion * des dames de Fontevrault, desquelles il était tant craint que, quand il venait en quelqu'un de leurs monastères, toutes les religieuses tremblaient de la crainte qu'elles avaient de lui. Et pour l'apaiser des grandes rigueurs qu'il leur tenait, le traitaient comme elles eussent fait la personne du Roi. Ce qu'au commencement il refusait, mais à la fin, venant sur cinquante-cinq ans, commença à trouver fort bon le traitement qu'il avait au commencement déprisé *. Et s'estimant lui-même le bien public de toute religion *, désira de conserver sa santé mieux qu'il n'avait accoutumé : et combien que sa règle portât de jamais ne manger chair, il s'en dispensa lui-même, ce qu'il ne faisait à nul autre, disant que sur lui était tout le faix de la religion. Parquoi si bien se festoya que d'un moine bien maigre il en fit un bien gras. Et à cette mutation de vivre se fit une mutation de cœur telle qu'il commença à regarder les visages dont paravant avait fait conscience *, et en regardant les beautés que les voiles rendent plus désirables, commença à les convoiter. Donc, pour satisfaire à cette convoitise, chercha tant de moyens * subtils qu'en lieu de faire fin de pasteur il devint loup, tellement que, en plusieurs bonnes religions *, s'il s'en trouvait quelqu'une un peu sotte, il ne faillait * à la décevoir. Mais, après avoir longuement continué cette méchante vie, la Bonté divine qui prit pitié des pauvres brebis égarées ne voulut plus endurer la gloire de ce malheureux régner, ainsi que vous verrez.

Un jour, allant visiter un couvent près de Paris qui se nomme Gif², advint qu'en confessant toutes les religieuses en trouva une nommée Marie Héroët³, dont la parole était si douce et agréable qu'elle promettait le visage et le cœur être de même. Parquoi seulement pour * l'ouïr fut ému d'une passion d'amour qui passait toutes celles qu'il avait eues aux autres religieuses. Et en parlant à elle, se baissa fort pour la regarder, et aperçut la bouche si rouge et si plaisante qu'il ne se put tenir de lui hausser le voile pour voir si les yeux accompagnaient le demeurant; ce qu'il trouva, dont son cœur fut rempli d'une ardeur si véhémente qu'il perdit le boire et le manger, et toute contenance, combien qu'il la dissimulait. Et quand il fut retourné en son prieuré, il ne pouvait trouver repos, parquoi en grande inquiétude passait les jours et les nuits, en cherchant les moyens comme il pourrait parvenir à son

désir et faire d'elle comme il avait fait de plusieurs autres.
Ce qu'il craignait être difficile, pource qu'il la trouvait
sage en paroles, et d'un esprit si subtil qu'il ne pouvait
avoir grande espérance. Et d'autre part se voyait si laid et
si vieux qu'il délibéra de ne lui en parler point, mais de
chercher à la gagner par crainte. Parquoi, bientôt après,
s'en retourna audit monastère de Gif, auquel lieu se
montra plus austère qu'il n'avait jamais fait, se courrou-
çant à toutes les religieuses, reprenant l'une que son voile
n'était pas assez bas, l'autre qu'elle haussait trop la tête,
et l'autre qu'elle ne faisait pas bien la révérence en
religieuse. En tous ces petits cas se montrait si austère
que l'on le craignait comme un Dieu peint en jugement.
Et lui, qui avait les gouttes*, se travailla* tant de visiter
les lieux réguliers que, environ l'heure de vêpres, heure
par lui apostée*, se trouva au dortoir. L'abbesse lui dit :
« Père révérend, il est temps de dire vêpres. » A quoi il
répondit : « Allez, mère, allez ! Faites-les dire, car je suis
si las que je demeurerai ici, non pour reposer, mais pour
parler à sœur Marie, de laquelle j'ai ouï très mauvais
rapport : car l'on m'a dit qu'elle caquette comme si c'était
une mondaine. » L'abbesse, qui était tante de sa mère, le
pria de la vouloir chapitrer et la lui laissa toute seule,
sinon un jeune religieux qui était avec lui. Quand il se
trouva seul avec sœur Marie, commença à lui lever le
voile et lui commander qu'elle le regardât. Elle lui répondit que sa règle lui défendait de regarder les hommes.
« C'est bien dit, ma fille, lui dit-il, mais il ne faut pas que
vous estimiez qu'entre nous religieux soyons hommes. »
Parquoi sœur Marie, craignant faillir* par désobéissance,
le regarda au visage : elle le trouva si laid qu'elle pensa
faire plus de pénitence que de péché à le regarder. Le
beau père, après lui avoir dit plusieurs propos de la
grande amitié qu'il lui portait, lui voulut mettre la main
au tétin, qui fut par elle repoussé comme elle devait. Et
fut si courroucé qu'il lui dit : « Faut-il qu'une religieuse
sache qu'elle ait des tétins ? » Elle lui dit : « Je sais que
j'en ai, et certainement que vous ni autre n'y toucherez
point, car je ne suis pas si jeune et ignorante que je
n'entende bien ce qui est péché de ce qui ne l'est pas ! » Et

quand il vit que ses propos ne la pouvaient gagner, lui en
va bailler d'un autre *, disant : « Hélas, ma fille, il faut
que je vous déclare mon extrême nécessité : c'est que j'ai
une maladie que tous les médecins trouvent incurable,
sinon que je me réjouisse et me joue avec quelque femme
que j'aime bien fort. De moi, je ne voudrais pour *
mourir faire un péché mortel ; mais quand l'on viendrait
jusque là, je sais que simple fornication n'est nullement à
comparer à pécher d'homicide. Parquoi, si vous aimez
ma vie, en sauvant votre conscience de crudélité *, vous
me la sauverez. » Elle lui demanda quelle façon de jeu il
entendait faire. Il lui dit qu'elle pouvait bien reposer sa
conscience sur la sienne, et qu'il ne ferait chose dont
l'une ni l'autre fût chargée. Et pour lui montrer le
commencement du passe-temps qu'il demandait, la vint
embrasser et essayer de la jeter sur un lit. Elle, connaissant sa méchante intention, se défendit si bien de paroles
et de bras qu'il n'eut pouvoir de toucher qu'à ses habillements. A l'heure *, quand il vit toutes ses inventions et
efforts être tournés en rien, comme un homme furieux, et
non seulement hors de conscience, mais de raison naturelle, lui mit la main sous la robe, et tout ce qu'il put
toucher des ongles égratigna en telle fureur que la pauvre
fille, en criant bien fort, de tout son haut tomba à terre,
tout évanouie. Et à ce cri entra l'abbesse dans le dortoir
où elle était, laquelle, étant à vêpres, se souvint avoir
laissé cette religieuse avec le beau père, qui était fille de
sa nièce. Dont elle eut un scrupule en sa conscience, qui
lui fit laisser vêpres et aller à la porte du dortoir écouter
que l'on faisait. Mais, oyant la voix de sa nièce, poussa la
porte que le jeune moine tenait. Et quand le prieur vit
venir l'abbesse, en lui montrant sa nièce évanouie lui dit :
« Sans faute, notre mère, vous avez grand tort que vous
ne m'avez dit les conditions de sœur Marie ! Car, ignorant
sa débilité *, je l'ai fait tenir debout devant moi et, en la
chapitrant, s'est évanouie comme vous voyez. » Ils la
firent revenir avec vinaigre et autres choses propices, et
trouvèrent que de sa chute elle était blessée à la tête. Et
quand elle fut revenue, le prieur, craignant qu'elle contât
à sa tante l'occasion * de son mal, lui dit à part : « Ma

fille, je vous commande, sur peine d'inobédience et d'être damnée, ce que vous n'ayez jamais à parler de ce que je vous ai fait ici, car entendez que l'extrémité d'amour m'y a contraint. Et puisque je vois que vous ne voulez aimer, je ne vous en parlerai jamais que cette fois, vous assurant que, si vous me voulez aimer, je vous ferai élire abbesse de l'une des trois meilleures abbayes de ce royaume. » Mais elle lui répondit qu'elle aimait mieux mourir en chartre * perpétuelle que d'avoir jamais autre ami que Celui qui était mort pour elle en la croix, avec lequel elle aimait mieux souffrir tous les maux que le monde pourrait donner que contre lui avoir tous les biens ; et qu'il n'eût plus à lui parler de ces propos, ou elle le dirait à la mère abbesse, mais qu'en se taisant elle s'en tairait. Ainsi s'en alla ce mauvais pasteur lequel, pour se montrer tout autre qu'il n'était et pour encore avoir le plaisir de regarder celle qu'il aimait, se retourna vers l'abbesse, lui disant : « Ma mère, je vous prie, faites chanter à toutes vos filles un *Salve Regina* en l'honneur de cette Vierge où j'ai mon espérance. » Ce qui fut fait, durant lequel ce renard ne fit que pleurer, non d'autre dévotion que de regret qu'il avait de n'être venu au-dessus de la sienne. Et toutes les religieuses, pensant que ce fût d'amour à la Vierge Marie, l'estimaient un saint homme. Sœur Marie, qui connaissait sa malice, priait en son cœur[a] de confondre celui qui déprisait * tant la virginité.

Ainsi s'en alla cet hypocrite à Saint-Martin, auquel lieu ce méchant feu qu'il avait en son cœur ne cessa de brûler jour et nuit, et de chercher toutes les inventions possibles pour venir à ses fins. Et pource que sur toutes choses il craignait l'abbesse, qui était femme vertueuse, il pensa le moyen de l'ôter de ce monastère. S'en alla vers Mme de Vendôme, pour l'heure demeurant à La Fère où elle avait édifié un couvent de saint Benoît nommé le Mont d'Olivet[4]. Et comme celui qui était le souverain réformateur, lui donna à entendre que l'abbesse dudit Mont d'Olivet n'était pas assez suffisante * pour gouverner une telle

a. en son cœur Notre-Seigneur (T)

communauté, la bonne dame le pria de lui en donner une autre qui fût digne de cet office. Et lui, qui ne demandait autre chose, lui conseilla de prendre l'abbesse de Gif pour la plus suffisante qui fût en France. Mme de Vendôme incontinent l'envoya quérir, et lui donna la charge de son monastère du Mont d'Olivet. Le prieur de Saint-Martin, qui avait en sa main les voix de toute la religion *, fit élire à Gif une abbesse à sa dévotion. Et après cette élection, il s'en alla audit lieu de Gif essayer encore une autre fois si, par prière ou par douceur, il pourrait gagner sœur Marie Héroët. Et voyant qu'il n'y avait nul ordre *, retourna désespéré à son prieuré de Saint-Martin, auquel lieu, pour venir à sa fin et pour se venger de celle qui lui était trop cruelle, de peur que son affaire fût éventée, fit dérober secrètement les reliques dudit prieuré de Gif, de nuit. Et mit à sus * au confesseur de léans *, fort vieil et homme de bien, que c'était lui qui les avait dérobées; et pour cette cause, le mit en prison à Saint-Martin. Et durant qu'il le tenait prisonnier, suscita deux témoins, lesquels ignoramment * signèrent ce que M. de Saint-Martin leur commanda : c'était qu'ils avaient vu dedans un jardin ledit confesseur avec sœur Marie en acte vilain et déshonnête. Ce qu'il voulut faire avouer au vieux religieux. Toutefois lui, qui savait toutes les fautes de son prieur, le supplia l'envoyer en chapitre, et que là, devant tous les religieux, il dirait la vérité de tout ce qu'il en savait. Le prieur, craignant que la justification du confesseur fût sa condamnation, ne voulut point entériner cette requête. Mais, le trouvant ferme en son propos, le traita si mal en prison que les uns disent qu'il y mourut, et les autres qu'il le contraignit de laisser son habit et de s'en aller hors du royaume de France. Quoi qu'il en soit, jamais depuis on ne le vit.

Quand le prieur estima avoir une telle prise sur sœur Marie, s'en alla en la religion *, où l'abbesse faite à sa poste * ne le contredisait en rien. Et là commença de vouloir user de son autorité de visiteur, et fit venir toutes les religieuses l'une après l'autre en une chambre, pour les ouïr en forme de visitation. Et quand ce fut au rang de sœur Marie qui avait perdu sa bonne tante, il commença à

lui dire : « Sœur Marie, vous savez de quel crime vous
êtes accusée, et que la dissimulation que vous faites
d'être tant chaste ne vous a de rien servi, car on connaît
bien que vous êtes le contraire. » Sœur Marie lui répondit
d'un visage assuré : « Faites-moi venir celui qui m'accuse, et vous verrez si devant moi il demeurera en sa
mauvaise opinion. » Il lui dit : « Il ne nous faut autre
preuve, puisque le confesseur a été convaincu. » Sœur
Marie lui dit : « Je le pense si homme de bien qu'il n'aura
point confessé une telle mensonge. Mais quand ainsi
serait, faites-le venir devant moi et je prouverai le
contraire de son dire. » Le prieur, voyant qu'en nulle
sorte ne la pouvait étonner *, lui dit : « Je suis votre père
qui désire sauver votre honneur ; pour cette cause, je
remets cette vérité à votre conscience, à laquelle j'ajou-
terai foi. Je vous demande et conjure, sur peine de péché
mortel, de me dire vérité, assavoir mon * si vous étiez
vierge quand vous fûtes remise céans. » Elle lui répondit :
« Mon père, l'âge de cinq ans que j'avais doit être seul
témoin de ma virginité. » — « Or bien donc, ma fille, dit
le prieur, depuis ce temps-là avez-vous point perdu cette
fleur ? » Elle lui jura que non, et que jamais n'y avait
trouvé empêchement que de lui. A quoi il dit qu'il ne le
pouvait croire, et que la chose gisait en preuve : « Quelle
preuve, dit-elle, vous en plaît-il faire ? » — « Comme je
fais aux autres, dit le prieur, car ainsi que je suis visiteur
des âmes, aussi suis-je visiteur des corps. Vos abbesses et
prieures ont passé par mes mains : vous ne devez craindre
que je visite votre virginité. Parquoi jetez-vous sur le lit,
et mettez le devant de votre habillement sur votre visage. » Sœur Marie lui répondit par colère : « Vous
m'avez tant tenu de propos de la folle amour que vous me
portez, que j'estime plutôt que vous me voulez ôter ma
virginité que de la visiter. Parquoi entendez que jamais je
ne m'y consentirai ! » Alors il lui dit qu'elle était excom-
muniée de refuser l'obéissance * de sainte religion, et que
si elle ne s'y consentait il la déshonorerait en plein chapitre et dirait le mal qu'il savait d'entre elle et le confesseur. Mais elle, d'un visage sans peur, lui répondit :
« Celui qui connaît le cœur de ses serviteurs m'en rendra

autant d'honneur devant lui que vous me sauriez faire de honte devant les hommes ; parquoi, puisque votre malice en est jusque là, j'aime mieux qu'elle parachève sa cruauté envers moi que le désir de son mauvais vouloir, car je sais que Dieu est juste juge. » A l'heure * il s'en alla assembler tout le chapitre et fit venir devant lui à genoux sœur Marie, à laquelle il dit par un merveilleux * dépit : « Sœur Marie, il me déplaît que les bonnes admonitions que je vous ai données ont été inutiles en votre endroit, et que vous êtes tombée en tel inconvénient que je suis contraint de vous imposer pénitence contre ma coutume : c'est que, ayant examiné votre confesseur sur aucuns crimes à lui imposés *, m'a confessé avoir abusé de votre personne au lieu où les témoins disent l'avoir vu. Parquoi, ainsi que je vous avais élevée en état honorable et maîtresse des novices, j'ordonne que vous soyez mise non seulement la dernière de toutes, mais mangeant à terre devant toutes les sœurs pain et eau, jusqu'à ce que l'on connaisse votre contrition suffisante d'avoir grâce. » Sœur Marie, étant avertie par une de ses compagnes qui entendait toute son affaire que, si elle répondait chose qui déplût à son prieur, il la mettrait *in pace,* c'est-à-dire en chartre * perpétuelle, endura cette sentence, levant les yeux au ciel, priant Celui qui a été sa résistance contre le péché vouloir être sa patience contre sa tribulation. Encore défendit le prieur de Saint-Martin que, quand sa mère ou ses parents viendraient, l'on ne la souffrît de trois ans parler à eux, ni écrire, sinon lettres faites en communauté.

Ainsi s'en alla ce malheureux homme sans plus y revenir, et fut cette pauvre fille longtemps en la tribulation que vous avez ouïe. Mais sa mère, qui sur tous ses enfants l'aimait, voyant qu'elle n'avait plus de nouvelles d'elle, s'en émerveilla * fort et dit à un sien fils, sage et honnête gentilhomme, qu'elle pensait que sa fille était morte, mais que les religieuses, pour avoir la pension annuelle, lui dissimulaient ; le priant, en quelque façon que ce fût, de trouver moyen de voir sadite sœur. Incontinent il s'en alla à la religion *, en laquelle on lui fit les excuses accoutumées : c'est qu'il y avait trois ans que sa sœur ne bougeait du lit. Dont il ne se tint pas content, et leur jura que, s'il ne la voyait, il passerait par-dessus les murailles et forcerait le monastère. De quoi elles eurent si grande peur qu'elles lui amenèrent sa sœur à la grille, laquelle l'abbesse tenait de si près qu'elle ne pouvait dire à son frère chose qu'elle n'entendît. Mais elle, qui était sage, avait mis par écrit tout ce qui est ici dessus, avec mille autres inventions que ledit prieur avait trouvées pour la décevoir*, que je laisse à conter pour* la longueur. Si* ne veux-je oublier à dire que, durant que sa tante était abbesse, pensant qu'il fût refusé par sa laideur, fit tenter sœur Marie par un beau et jeune religieux, espérant que, si par amour elle obéissait à ce religieux, après il la pourrait avoir par crainte. Mais dans un jardin où ledit jeune religieux lui tint propos avec gestes si déshonnêtes que j'aurais honte de les remémorer, la pauvre fille courut à l'abbesse qui parlait au prieur, criant: « Ma mère, ce sont diables en lieu de religieux, ceux qui vous viennent visiter! » Et à l'heure* le prieur, qui eut grande peur d'être découvert, commença à dire en riant: « Sans faute, ma mère, sœur Marie a raison! » Et en prenant sœur Marie par la main, lui dit devant l'abbesse: « J'avais entendu que sœur Marie parlait fort bien et avait le langage si à main* que l'on l'estimait mondaine. Et pour cette occasion* je me suis contraint, contre mon naturel, lui tenir tous les propos que les hommes mondains tiennent aux femmes, ainsi que j'ai trouvé par écrit — car d'expérience, j'en suis ignorant comme le jour que je fus né —; et en pensant que ma vieillesse et laideur lui faisaient tenir propos si vertueux, j'ai commandé à mon jeune religieux de lui en tenir de semblables, à quoi vous voyez qu'elle a vertueusement résisté. Dont je l'estime si sage et vertueuse que je veux que, dorénavant, elle soit la première après vous et maîtresse des novices, afin que son bon vouloir croisse toujours de plus en plus en vertu. »

Cet acte ici, et plusieurs autres, fit ce bon religieux, durant trois ans qu'il fut amoureux de la religieuse. Laquelle, comme j'ai dit, bailla par la grille à son frère tout le discours de sa piteuse* histoire. Ce que le frère porta à sa mère, laquelle, toute désespérée, vint à Paris où elle trouva la Reine de Navarre, sœur unique du Roi, à qui elle montra ce piteux discours en lui disant : « Madame, fiez-vous une autre fois en vos hypocrites ! Je pensais avoir mis ma fille aux faubourgs et chemin de paradis, et je l'ai mise en celui d'enfer, entre les mains des pires diables qui y puissent être. Car les diables ne nous tentent, s'il ne nous plaît, et ceux-ci nous veulent avoir par force où l'amour défaut ! » La Reine de Navarre fut en grande peine, car entièrement elle se confiait en ce prieur de Saint-Martin, à qui elle avait baillé la charge des abbesses de Montivilliers et de Caen, ses belles-sœurs [5]. D'autre côté le crime si grand lui donna telle horreur et envie de venger l'innocence de cette pauvre fille qu'elle communiqua au chancelier du Roi, pour lors légat en France, de l'affaire. Et fut envoyé quérir le prieur de Saint-Martin, lequel ne trouva nulle excuse, sinon qu'il avait soixante-dix ans. Et parlant à la Reine de Navarre, la pria sur tous les plaisirs qu'elle lui voudrait jamais faire, et pour récompense de tous ses services et de tous ceux qu'il avait désir de lui faire, qu'il lui plût de faire cesser ce procès, et qu'il confesserait que sœur Marie Héroët était une perle d'honneur et de virginité. La Reine de Navarre, oyant cela, fut tant émerveillée * qu'elle ne sut que lui répondre, mais le laissa là, et le pauvre homme tout confus se retira en son monastère, où il ne voulut plus être vu de personne, et ne vécut qu'un an après. Et sœur Marie Héroët, estimée comme elle devait par les vertus que Dieu avait mises en elle, fut ôtée de l'abbaye de Gif où elle avait eu tant de mal, et faite abbesse, par le don du Roi, de l'abbaye de Gy près de Montargis [6], laquelle elle réforma. Et vécut comme celle qui était pleine de l'esprit de Dieu, le louant toute sa vie de ce qu'il lui avait plu lui redonner son honneur et repos.

« Voilà, mesdames, une histoire qui est bien pour montrer ce que dit l'Évangile [b] : que Dieu par les choses faibles confond les fortes, et par les inutiles aux yeux des

---

b. l'Évangile et saint Paul aux Corinthiens (T)

hommes la gloire * de ceux qui cuident * être quelque
chose et ne sont rien [7]. Et pensez, mesdames, que sans la
grâce de Dieu il n'y a homme où l'on doive croire nul
bien, ni si forte tentation dont avec lui l'on n'emporte
victoire, comme vous pouvez voir par la confusion de
celui qu'on estimait juste, et par l'exaltation de celle qu'il
voulait faire trouver pécheresse et méchante. En cela est
vérifié le dire de Notre-Seigneur : « Qui s'exaltera sera
humilié, et qui s'humiliera sera exalté [8]. » — « Hélas ! ce
dit Oisille, hé, que ce prieur a trompé de gens de bien !
Car j'ai vu qu'on se fiait en lui plus qu'en Dieu. » — « Ce
ne serait pas moi, dit Nomerfide, car j'ai une si grande
horreur quand je vois un religieux, que seulement je ne
m'y saurais confesser, estimant qu'ils sont pires que tous
les autres hommes, et ne hantent * jamais maison qu'ils
n'y laissent quelque honte ou quelque zizanie [9] ! » — « Il y
en a de bons, dit Oisille, et ne faut pas que pour * les
mauvais ils soient jugés. Mais les meilleurs, ce sont ceux
qui moins hantent les maisons séculières et les femmes. »
— « Vous dites vrai, dit Ennasuite, car moins on les voit,
moins on les connaît, et plus on les estime, pource que la
fréquentation les montre tels qu'ils sont ! » — « Or laissons le moutier où il est [10], dit Nomerfide, et voyons à
qui Géburon donnera sa voix. » Géburon, pour réparer sa
faute, si faute était d'avoir déchiffré * la malheureuse et
abominable vie d'un méchant religieux afin de se garder
de l'hypocrisie de ses semblables, ayant telle estime de
Mme Oisille qu'on doit avoir d'une dame sage et non
moins sobre à dire le mal que prompte à exalter et publier
le bien qu'elle connaissait en autrui, lui donna sa voix :
« Ce sera, dit-il, à Mme Oisille, afin qu'elle dise quelque
chose en faveur de sainte religion. » — « Nous avons tant
juré, dit Oisille, de dire la vérité, que je ne saurais
soutenir cette partie. Et aussi, en faisant votre conte, vous
m'avez remis en mémoire une si piteuse * histoire que je
suis contrainte de la dire, pource que je suis voisine du
pays où, de mon temps, elle est advenue ; et afin, mesdames, que l'hypocrisie de ceux qui s'estiment plus religieux que les autres ne vous enchante l'entendement, de
sorte que votre foi, divertie de son droit chemin, estime

trouver salut en quelque autre créature qu'en Celui seul qui n'a voulu avoir compagnon à notre création et rédemption, lequel est tout-puissant pour nous sauver en la vie éternelle et, en cette temporelle, nous consoler et délivrer de toutes nos tribulations, connaissant que souvent l'ange Satan se transforme en ange de lumière, afin que l'œil extérieur, aveuglé par l'apparence de sainteté et dévotion, ne s'arrête à ce qu'il doit fuir, il m'a semblé bon la vous raconter, pource qu'elle est advenue de mon temps [11].

VINGT-TROISIÈME NOUVELLE

Trois meurtres advenus en une maison, à savoir en la personne du seigneur, de sa femme et de leur enfant, par la méchanceté d'un cordelier [1].

Au pays de Périgord, il y avait un gentilhomme qui avait telle dévotion à saint François qu'il lui semblait que tous ceux qui portaient son habit devaient être semblables au bon saint, pour l'honneur duquel il avait fait faire en sa maison chambre et garde-robe pour loger lesdits frères, par le conseil desquels il conduisait ses affaires, voire jusqu'aux moindres de son ménage, s'estimant cheminer sûrement en suivant leur bon conseil. Or advint un jour que la femme dudit gentilhomme, qui était belle et non moins sage et vertueuse, avait fait un beau fils, dont l'amitié que le mari lui portait augmenta doublement. Et pour festoyer la commère, envoya quérir un sien beau-frère. Et ainsi que l'heure du souper approchait, arriva un Cordelier, duquel je célerai le nom pour l'honneur de la religion *. Le gentilhomme fut fort aise quand il vit son père spirituel, devant lequel il cachait nul secret. Et après plusieurs propos tenus entre sa femme, son beau-frère et lui, se mirent à table pour souper. Durant lequel ce gentilhomme, regardant sa femme qui avait assez de beauté et de bonne grâce pour être désirée d'un mari, commença à demander tout haut une question au beau père : « Mon père, est-il vrai qu'un homme pèche mortellement de coucher avec sa femme pendant qu'elle est en couche ? » Le beau père, qui avait la contenance et la parole toute contraire à son cœur, lui répondit avec un visage colère : « Sans faute, monsieur, je pense que ce soit un des grands péchés qui se fassent en mariage, et ne fût-ce que l'exemple de la benoîte vierge Marie, qui ne voulut entrer au temple jusqu'après les jours de sa purification, combien qu'elle n'en eût nul besoin, si ne devriez-vous jamais faillir* à vous abstenir d'un petit plaisir, vu que la bonne vierge Marie s'abstenait, pour obéir à la loi, d'aller au temple où était toute sa consolation. Et, outre cela, messieurs les docteurs en médecine disent qu'il y a grand danger pour la lignée qui en peut venir. » Quand le gentilhomme entendit ces paroles, il en fut bien marri, car il espérait que son beau père lui baillerait congé* ; mais il n'en parla plus avant. Le beau père, durant ces propos, après avoir plus bu qu'il n'était besoin, regardant la demoiselle, pensa bien en lui-même que, s'il en était le mari, il ne demanderait point conseil au beau père de coucher avec sa femme. Et ainsi que le feu peu à peu s'allume, tellement qu'il vient à embraser toute la maison, or pource le *frater* ᵃ commença de brûler par telle concupiscence que, soudainement, délibéra de venir à fin du désir que plus de trois ans durant avait porté couvert en son cœur.

Et après que les tables furent levées, prit le gentilhomme par la main et, le menant auprès du lit de sa femme, lui dit devant elle : « Monsieur, pource que je connais la bonne amour qui est entre vous et mademoiselle que voici, laquelle, avec la grande jeunesse qui est en vous, vous tourmente si fort que sans faute j'en ai grande compassion, j'ai pensé de vous dire un secret de notre sainte théologie : c'est que la loi, qui pour les maris indiscrets* est si rigoureuse, ne veutᵇ permettre que ceux qui sont de bonne conscience comme vous soient frustrés de l'intelligence. Parquoi, monsieur, si je vous ai dit devant les gens l'ordonnance de la sévérité de la loi, à vous qui êtes homme sage n'en dois celer la douceur.

a. ce pauvre *frater* (T)
b. si rigoureuse qu'elle ne veut (A)

Sachez, mon fils, qu'il y a femmes et femmes, comme aussi hommes et hommes. Premièrement, nous [c] faut savoir de madame que voici, vu qu'il y a trois semaines qu'elle est accouchée, si elle est hors du flux de sang. » A quoi répondit la demoiselle qu'elle était toute nette. « Adonc, dit le Cordelier, mon fils, je vous donne congé * d'y coucher sans en avoir scrupule, mais * que vous me promettez deux choses. » Ce que le gentilhomme fit volontiers. « La première, dit le beau père, c'est que vous n'en parlerez à nullui *, mais y viendrez secrètement ; l'autre, que vous n'y viendrez qu'il ne soit deux heures après minuit, afin que la digestion de la bonne dame ne soit empêchée par vos folies. » Ce que le gentilhomme lui promit et jura par tels serments que celui qui le connaissait plus sot que menteur en fut tout assuré. Et après plusieurs propos se retira le beau père en sa chambre, leur donnant la bonne nuit avec une grande bénédiction. Mais en se retirant prit le gentilhomme par la main, lui disant : « Sans faute, monsieur, vous viendrez et ne ferez plus veiller la pauvre commère ! » Le gentilhomme, en la baisant, lui dit : « M'amie, laissez-moi la porte de votre chambre ouverte. » Ce qu'entendit très bien le beau père. Ainsi se retirèrent chacun en sa chambre. Mais sitôt que le père fut retiré, ne pensa pas à dormir ni reposer car, incontinent qu'il n'ouït plus nul bruit en la maison, environ l'heure qu'il avait accoutumé d'aller à matines, s'en va le plus doucement qu'il put droit en la chambre, et là, trouvant la porte ouverte de la chambre où le maître était attendu, va finement * éteindre la chandelle et, le plus tôt qu'il put, se coucha auprès d'elle sans jamais lui dire un seul mot. La demoiselle, cuidant * que ce fût son mari, lui dit : « Comment, mon ami ! Vous avez très mal retenu la promesse que fîtes hier au soir à notre confesseur de ne venir ici jusqu'à deux heures ! » Le Cordelier, plus attentif à l'heure * à la vie active qu'à la vie contemplative, avec la crainte qu'il avait d'être connu, pensa plus à satisfaire au méchant désir dont dès longtemps avait eu le cœur empoisonné qu'à lui faire nulle réponse, dont la

c. vous (T)

dame fut fort étonnée. Et quand le Cordelier vit approcher
l'heure que le mari devait venir, se leva d'auprès de la
demoiselle et, le plus tôt qu'il put, retourna en sa chambre.

Et tout ainsi que la fureur de la concupiscence lui avait
ôté le dormir, ainsi [d] la crainte, qui toujours suit la méchanceté, ne lui permit de trouver aucun repos, mais s'en
alla au portier de la maison et lui dit : « Mon ami, monsieur, m'a commandé de m'en aller incontinent en notre
couvent faire quelques prières où il a dévotion. Parquoi,
mon ami, je vous prie, baillez-moi ma monture et m'ou-
vrez la porte, sans que personne en entende rien, car
l'affaire est nécessaire * et secret. » Le portier, qui savait
bien qu'obéir au Cordelier était service agréable à son
seigneur, lui ouvrit secrètement la porte et le mit dehors.
En cet instant s'éveilla le gentilhomme, lequel, voyant
approcher l'heure qui lui était donnée du beau père pour
aller voir sa femme, se leva en sa robe de nuit et s'en alla
coucher vitement où, par l'ordonnance de Dieu, sans
congé * d'homme il pouvait aller. Et quand sa femme
l'ouït parler auprès d'elle, s'en émerveilla * si fort qu'elle
lui dit, ignorant ce qui était passé : « Comment, monsieur ! Est-ce la promesse que vous avez faite au beau
père de garder si bien votre santé et la mienne, de ce que
non seulement vous êtes venu ici avant l'heure, mais
encore y retournez ? Je vous supplie, monsieur, pen-
sez-y ! » Le gentilhomme fut si troublé d'ouïr cette nouvelle qu'il ne put dissimuler son ennui * et lui dit : « Quels
propos me tenez-vous ? Je sais, pour vérité, qu'il y a trois
semaines que je ne couchai avec vous, et vous me repre-
nez d'y venir trop souvent ! Si ces propos continuaient,
vous me feriez penser que ma compagnie vous fâche et
me contraindriez, contre ma coutume et vouloir, de chercher ailleurs le plaisir que selon Dieu je dois prendre avec
vous ! » La demoiselle, qui pensait qu'il se moquât, lui
répondit : « Je vous supplie, monsieur, en cuidant * me
tromper, ne vous trompez point, car nonobstant que vous
n'ayez parlé à moi quand vous y êtes venu, si * ai-je bien

d. au commencement (A)

connu que vous y étiez!» A l'heure* le gentilhomme connut qu'eux deux étaient trompés, et lui fit grand jurement qu'il n'y était point venu. Dont la dame prit telle tristesse qu'avec pleurs et larmes elle lui dit qu'il fît diligence de savoir qui ce pouvait être, car en leur maison ne couchait que le frère et le Cordelier. Incontinent le gentilhomme, poussé de soupçon au Cordelier, s'en alla hâtivement en la chambre où il pensait le trouver, laquelle il trouva vide. Et pour être mieux assuré s'il s'en était fui, envoya quérir l'homme qui gardait sa porte et lui demanda s'il savait ce qu'était devenu le Cordelier; lequel lui conta toute la vérité. Le gentilhomme, de cette méchanceté certain, retourna en la chambre de sa femme et lui dit : «Pour certain, m'amie, celui qui a couché avec vous et a fait tant de belles œuvres est notre père confesseur!» La demoiselle, qui toute sa vie avait aimé son honneur, entra en un tel désespoir que, oubliant toute humanité et nature de femme, le supplia à genoux la venger de cette grande injure. Parquoi soudain, sans autre délai, le gentilhomme monta à cheval et poursuivit le Cordelier.

La demoiselle demeura seule en son lit, n'ayant auprès d'elle conseil ni consolation que son petit enfant de nouveau né. Considérant le cas horrible et merveilleux* qui lui était advenu, sans excuser son ignorance, se réputa* comme coupable et la plus malheureuse du monde. Et alors elle, qui n'avait jamais appris des Cordeliers sinon la confiance des bonnes œuvres, la satisfaction des péchés par austérité de vie, jeûnes et disciplines, qui du tout* ignorait la grâce donnée par notre bon Dieu par le mérite de son Fils, la rémission des péchés par son sang, la réconciliation du Père avec nous par sa mort, la vie donnée aux pécheurs par sa seule bonté et miséricorde, se trouva si troublée en l'assaut de ce désespoir, fondé sur l'énormité et gravité du péché, sur l'amour du mari et l'honneur du lignage, qu'elle estima la mort trop plus heureuse que sa vie [2]. Et, vaincue de sa tristesse, tomba en tel désespoir qu'elle fut non seulement divertie* de l'espoir que tout chrétien doit avoir en Dieu, mais du tout* aliénée du sens commun, oubliant sa propre nature.

Alors, vaincue de la douleur, poussée du désespoir, hors
de la connaissance de Dieu et de soi-même, comme
femme enragée et furieuse, prit une corde de son lit et, de
ses propres mains, s'étrangla. Et qui pis est, étant en
l'agonie de cette cruelle mort, le corps qui combattait
contre icelle* se remua de telle sorte qu'elle donna du
pied sur le visage de son petit enfant, duquel l'innocence
ne le put garantir qu'il ne suivît par mort sa douloureuse
et dolente mère. Mais en mourant fit un tel cri qu'une
femme, qui couchait en la chambre, se leva en grande
hâte pour allumer la chandelle. Et à l'heure*, voyant sa
maîtresse pendue et étranglée à la corde du lit, l'enfant
étouffé et mort dessous son pied, s'en courut tout effrayée
en la chambre du frère de sa maîtresse, lequel elle amena
pour voir ce piteux* spectacle.

Le frère, ayant mené tel deuil que doit et peut mener un
qui aimait sa sœur de tout son cœur, demanda à la
chambrière qui avait commis un tel crime. La chambrière
lui dit qu'elle ne savait, et qu'autre que son maître n'était
entré en la chambre, lequel, n'y avait guère, en était
parti. Le frère, allant en la chambre du gentilhomme et ne
le trouvant point, crut assurément qu'il avait commis le
cas, et prenant[e] son cheval sans autrement s'en enquérir,
courut après lui, et l'atteignit en un chemin, là où il
retournait de poursuivre son Cordelier, bien dolent de ne
l'avoir attrapé. Incontinent que le frère de la demoiselle
vit son beau-frère, commença à lui crier : «Méchant et
lâche, défendez-vous, car aujourd'hui j'espère que Dieu
me vengera de vous par cette épée!» Le gentilhomme,
qui se voulait excuser, vit l'épée de son beau-frère si près
de lui qu'il avait plus besoin de se défendre que de
s'enquérir de la cause de leur débat. Et lors se donnèrent
tant de coups et à l'un et à l'autre que le sang perdu et la
lasseté* les contraignit de se seoir à terre, l'un d'un côté
et l'autre de l'autre. Et en reprenant leur haleine, le
gentilhomme lui demanda : «Quelle occasion*, mon
frère, a converti la grande amitié que nous nous sommes
toujours portée en si cruelle bataille?» Le beau-frère lui

e. prit (A)

répondit : « Mais quelle occasion * vous a mû de faire mourir ma sœur, la plus femme de bien qui onques * fut ? Et encore, si méchamment que, sous couleur de vouloir coucher avec elle, l'avez pendue et étranglée à la corde de votre lit ! » Le gentilhomme, entendant cette parole, plus mort que vif, vint à son frère, et l'embrassant lui dit : « Est-il bien possible que vous ayez trouvé votre sœur en l'état que vous dites ? » Et quand le frère l'en assura : « Je vous prie, mon frère, dit le gentilhomme, que vous oyez la cause pour laquelle je me suis parti de la maison. » Et à l'heure * il lui fit le conte du méchant Cordelier. Dont le frère fut fort étonné *, et encore plus marri que contre raison il l'avait assailli. Et en lui demandant pardon lui dit : « Je vous ai fait tort, pardonnez-moi ! » Le gentilhomme lui répond : « Si je vous ai fait tort, j'en ai ma punition, car je suis si blessé que je n'espère jamais en échapper. » Le beau-frère essaya de le remonter à cheval le mieux qu'il put et le ramena en sa maison, où le lendemain il trépassa. Et dit et confessa devant tous les parents dudit gentilhomme que lui-même était cause de sa mort. Dont, pour satisfaire à la justice, fut conseillé le beau-frère d'aller demander sa grâce au Roi François, premier de ce nom. Parquoi, après avoir fait enterrer honorablement mari, femme et enfant, s'en alla le jour du saint vendredi pourchasser sa rémission à la cour. Et la rapporta maître François Olivier [3], lequel l'obtint pour le pauvre beau-frère, étant icelui * Olivier chancelier d'Alençon, et depuis, par ses vertus, élu du Roi pour chancelier de France.

« Mesdames, je crois que, après avoir entendu cette histoire très véritable, il n'y a aucune de vous qui ne pense deux fois à loger tels pèlerins en sa maison ; et savez qu'il n'y a plus dangereux venin que celui qui est dissimulé. » — « Pensez, dit Hircan, que ce mari était un bon sot d'aller mener un tel galant souper auprès d'une si belle et honnête femme ! » — « J'ai vu le temps, dit Géburon, qu'en notre pays il n'y avait maison où il n'y eût chambre dédiée pour les beaux pères. Mais maintenant, ils sont tant connus qu'on les craint plus qu'aventuriers ! »

— « Il me semble, dit Parlamente, qu'une femme étant dans le lit, si ce n'est pour lui administrer les sacrements de l'Église, ne doit jamais faire entrer prêtre en sa chambre. Et quand je les y appellerai, on me pourra bien juger en danger de mort ! » — « Si tout le monde était ainsi que vous austère, dit Ennasuite, les pauvres prêtres seraient pis qu'excommuniés d'être séparés de la vue des femmes ! » — « N'en ayez point de peur, dit Saffredent, car ils n'en auront jamais faute ! » — « Comment ! dit Simontaut, ce sont ceux qui par mariage nous lient aux femmes et qui essaient, par leur méchanceté, à nous en délier et faire rompre le serment qu'ils nous ont fait faire. » — « C'est grande pitié, dit Oisille, que ceux qui ont l'administration des sacrements en jouent ainsi à la pelotte : on les devrait brûler tout en vie ! » — « Vous feriez mieux de les honorer que de les blâmer[f], dit Saffredent, et de les flatter que de les injurier, car ce sont ceux qui ont puissance de brûler et déshonorer les autres : parquoi *sinite eos* [4]. Et sachons qui aura la voix d'Oisille. » La compagnie trouva l'opinion de Saffredent très bonne et, laissant là les prêtres, pour changer de propos, pria Mme Oisille de donner sa voix à quelqu'un. « Je la donne, dit-elle, à Dagoucin, car je le vois entrer en contemplation telle qu'il me semble préparé à dire quelque bonne chose. » — « Puisque je ne puis ni n'ose, répondit Dagoucin, dire ce que je pense, à tout le moins parlerai-je d'un à qui telle cruauté porta nuisance * et puis profit. Combien qu'Amour fort et puissant s'estime tant qu'il veut aller tout nu, et lui est chose très ennuyeuse et à la fin importable * d'être couvert, si * est-ce, mesdames, que bien souvent ceux qui, pour obéir à son conseil, s'avancent[g] trop de le découvrir, s'en trouvent mauvais marchands. Comme il advint à un gentilhomme de Castille, duquel vous orrez * l'histoire. »

f. brûler (T)
g. s'avançant (A)

VINGT-QUATRIÈME NOUVELLE

Gentille * invention d'un gentilhomme pour manifester ses amours à une Reine, et ce qu'il en advint.

En la maison du Roi et Reine de Castille, desquels les noms ne seront dits, y avait un gentilhomme si parfait en toutes beautés et bonnes conditions qu'il ne trouvait point son pareil en toutes les Espagnes. Chacun avait ses vertus en admiration, mais encore plus son étrangeté, car l'on ne connut jamais qu'il aimât ni servît aucune dame. Et si * en avait en la cour en très grand nombre qui étaient dignes de faire brûler la glace ; mais il n'y en eut point qui eût puissance de prendre ce gentilhomme, lequel avait nom Élisor.

La Reine, qui était femme de grande vertu, mais non du tout exempte de la flamme laquelle moins est connue et plus brûle, regardant ce gentilhomme qui ne servait nulle de ses femmes, s'en émerveilla *. Et un jour, lui demanda s'il était possible qu'il aimât aussi peu qu'il en faisait le semblant *. Il lui répondit que, si elle voyait son cœur comme sa contenance, elle ne lui ferait point cette question. Elle, désirant savoir ce qu'il voulait dire, le pressa si fort qu'il confessa qu'il aimait une dame qu'il pensait être la plus vertueuse de toute la chrétienté. Elle fit tous ses efforts, par prières et commandements, de vouloir savoir qui elle était, mais il ne fut point possible : dont elle fit semblant d'être fort courroucée contre lui, et jura qu'elle ne parlerait jamais à lui s'il ne lui nommait celle qu'il aimait tant. Dont il fut si fort ennuyé * qu'il fut contraint de lui dire qu'il aimerait autant mourir s'il[a] fallait qu'il lui confessât. Mais, voyant qu'il perdait sa vue et bonne grâce par faute de dire une vérité tant honnête qu'elle ne devait être mal prise de personne, lui dit avec grande crainte : « Madame, je n'ai la force, puissance ni hardiesse de le vous dire, mais la première fois que vous irez à la chasse, je vous ferai voir ; et suis sûr que vous jugerez que c'est la plus belle et parfaite dame

a. que s'il (A)

du monde. » Cette réponse fut cause que la Reine alla plus
tôt à la chasse qu'elle n'eût fait. Élisor qui en fut averti
s'apprêta pour l'aller servir comme il avait accoutumé. Et
fit faire un grand miroir d'acier en façon de hallecret * et,
le mettant devant son estomac *, le couvrit très bien d'un
grand manteau de frise * noire qui était tout bordé de
cannetille* et d'or frisé bien richement. Il était monté sur
un cheval maureau*, fort bien enarnaché de tout ce qui
était nécessaire au cheval. Et, quelque métal qu'il y eût,
était tout d'or, émaillé de noir, à ouvrage de mauresque.
Son chapeau était de soie noire, auquel était attaché une
riche enseigne * où y avait pour devise un Amour, couvert par force *, tout enrichi de pierrerie. L'épée et le
poignard n'étaient moins beaux et bien faits, ni de moins
bonne devises. Bref, il était fort bien en ordre*, et
encore plus adroit à cheval ; et le savait si bien mener que
tous ceux qui le voyaient laissaient le passe-temps de la
chasse pour regarder les courses et les sauts que faisait
faire Élisor à son cheval. Après avoir conduit la Reine
jusqu'au lieu où étaient les toiles [1], en telles courses et
grands sauts comme je vous ai dit, commença à descendre de son gentil cheval, et vint pour prendre la Reine et
la descendre de dessus sa haquenée. Et ainsi qu'elle lui
tendait les bras, il ouvrit son manteau de devant son
estomac *, et la prenant entre les siens, lui montrant son
hallecret * de miroir, lui dit : « Madame, je vous supplie
regarder ici ! » Et sans attendre réponse, la mit doucement
à terre. La chasse finée *, la Reine retourna au château
sans parler à Elisor. Mais après souper, elle l'appela, lui
disant qu'il était le plus grand menteur qu'elle avait
jamais vu, car il lui avait promis de lui montrer à la
chasse celle qu'il aimait le plus, ce qu'il n'avait fait.
Parquoi elle avait délibéré de jamais ne faire cas ni estime
de lui. Élisor, ayant peur que la Reine n'eût entendu * ce
qu'il lui avait dit, lui répondit qu'il n'avait failli * à son
commandement, car il lui avait montré non la femme
seulement, mais la chose du monde qu'il aimait le plus.
Elle, faisant la méconnue *, lui dit qu'elle n'avait point
entendu * qu'il lui eût montré une seule de ses femmes.
« Il est vrai, Madame, dit Élisor, mais qui vous ai-je

montré, en vous descendant de cheval ? » — « Rien, dit la
Reine, sinon un miroir devant votre estomac *. » — « En
ce miroir, Madame, dit Élisor, qu'est-ce que vous avez
vu ? » — « Je n'y ai vu que moi seule ! » répondit la Reine.
Élisor lui dit : « Donc, Madame, pour obéir à votre
commandement, vous ai-je tenu promesse, car il n'y a, ni
aura jamais autre image en mon cœur que celle que vous
avez vue au-dehors de mon estomac *[2]. Et cette-là seule
veux-je aimer, révérer et adorer, non comme femme,
mais comme mon Dieu en terre, entre les mains de
laquelle je mets ma mort et ma vie. Vous suppliant que
ma parfaite et grande affection, qui a été ma vie[b] tant que
je l'ai portée couverte *, ne soit ma mort en la découvrant. Et si ne suis digne de vous regarder ni être accepté
pour serviteur, au moins souffrez que je vive comme j'ai
accoutumé du contentement que j'ai, dont mon cœur a
osé choisir pour le fondement de son amour un si parfait
et digne lieu, duquel je ne puis avoir autre satisfaction
que de savoir que mon amour est si grande et parfaite que
je me doive contenter d'aimer seulement, combien que
jamais je ne puisse être aimé. Et s'il ne vous plaît, pour la
connaissance de cette grande amour, m'avoir plus agréable que vous n'avez accoutumé, du moins ne m'ôtez la
vie, qui consiste au bien que j'ai de vous voir comme j'ai
accoutumé. Car je n'ai de vous nul bien qu'autant qu'il en
faut pour mon extrême nécessité et, si j'en ai moins, vous
aurez[c] moins de serviteurs, en perdant le meilleur et le
plus affectionné que vous eûtes onques * ni pourriez jamais avoir. » La Reine, ou pour se montrer autre qu'elle
n'était, ou pour expérimenter à la longue l'amour qu'il lui
portait, ou pour * en aimer quelque autre qu'elle ne voulait laisser pour lui, ou bien le réservant, quand celui
qu'elle aimait ferait quelque faute, pour lui bailler sa
place, dit d'un visage ni content ni courroucé : « Élisor, je
ne vous dirai[d] point, comme ignorant l'autorité d'amour,
quelle folie vous a ému de prendre une si grande et

b. cause de ma vie (T)
c. avez (A)
d. demanderai (T)

difficile opinion * que de m'aimer, car je sais que le cœur de l'homme est si peu à son commandement qu'il ne le fait pas aimer et haïr où il veut. Mais pource que vous avez si bien couvert * votre opinion, je désire de savoir combien il y a que vous l'avez prise. » Élisor, regardant son visage tant beau, et voyant qu'elle s'enquérait de sa maladie, espéra qu'elle y voulait donner quelque remède. Mais, voyant sa contenance si grave et si sage qui l'interrogeait, d'autre part^e tombait en une crainte, pensant être devant le juge dont il doutait * sentence être contre lui donnée. Si * est-ce qu'il lui jura que cet amour prit racine à son cœur dès le temps de sa grande jeunesse, mais qu'il n'en avait senti nulle peine, sinon depuis sept ans. Non peine, à dire vrai, mais une maladie donnant tel contentement que la guérison était la mort. « Puisqu'ainsi est, dit la Reine, que vous avez déjà expérimenté une si longue fermeté, je ne dois être moins^f légère à vous croire que vous avez été à me dire votre affection. Parquoi, s'il est ainsi que vous me dites, je veux faire telle preuve de la vérité que je n'en puisse jamais douter. Et après la preuve de la peine faite, je vous estimerai tel envers moi que vous-même jurez être. Et vous connaissant tel que vous dites, vous me trouverez telle que vous désirez. » Élisor la supplia de faire de lui telle preuve qu'il lui plairait, car il n'y avait chose si difficile qui ne lui fût très aisée pour avoir cet honneur qu'il pût connaître l'affection qu'il lui portait, la suppliant derechef de lui commander ce qu'il lui plairait qu'il fît. Elle lui dit : « Élisor, si vous m'aimez autant comme vous dites, je suis sûre que, pour avoir ma bonne grâce, rien ne vous sera fort * à faire. Parquoi je vous commande, sur tout le désir que vous avez de l'avoir et crainte de la perdre, que, dès demain au matin, sans plus me voir, vous partiez de cette compagnie, et vous en alliez en lieu où vous n'orrez * de moi, ni moi de vous, une seule nouvelle jusque d'hui en sept ans. Vous, qui avez passé sept ans en cet amour, savez bien que m'ai-

---

e. Mais voyant d'autre part la contenance de celle qui l'interrogeait si grave et si sage (T)

f. plus (T)

mez. Mais quand j'aurai fait cette expérience sept ans durant, je saurai à l'heure * et croirai ce que votre parole ne me peut faire croire ni entendre. » Élisor, ayant ce cruel commandement, d'un côté douta qu'elle le voulait éloigner de sa présence, et, d'autre côté, espérant que la preuve parlerait mieux pour lui que sa parole, accepta son commandement et lui dit : « Si j'ai vécu sept ans sans nulle espérance, portant ce feu couvert *, à cette heure qu'il est connu de vous, passerai ces sept ans en meilleure patience et espérance que je n'ai fait les autres. Mais, Madame, en obéissant à votre commandement, par lequel je suis privé de tout bien que j'avais en ce monde, quelle espérance me donnez-vous, au bout des sept ans, de me connaître plus fidèle et loyal serviteur ? » La Reine lui dit, tirant un anneau de son doigt : « Voilà un anneau que je vous donne : coupons-le tous deux par la moitié. J'en garderai la moitié et vous l'autre, afin que, si le long temps avait puissance de m'ôter la mémoire de votre visage, je vous puisse connaître par cette moitié d'anneau semblable à la mienne. » Le gentilhomme prit l'anneau et le rompit en deux, et en bailla une moitié à la Reine et retint l'autre. Et, en prenant congé d'elle, plus mort que ceux qui ont rendu l'âme, s'en alla le pauvre Élisor en son logis donner ordre à son partement *. Ce qu'il fit en telle sorte qu'il envoya tout son train en sa maison, et lui seul avec un valet s'en alla en un lieu si solitaire que nul de ses parents et amis durant les sept ans n'en purent avoir nouvelles. De la vie qu'il mena durant ce temps, et de l'ennui * qu'il porta * pour * cette absence, ne s'en put rien savoir. Mais ceux qui aiment ne le peuvent ignorer.

Au bout des sept ans justement, ainsi que la Reine allait à la messe, vint à elle un ermite portant une grande barbe qui, en lui baisant la main, lui présenta une requête qu'elle ne regarda soudainement, combien qu'elle avait accoutumé de tenir en sa main toutes les requêtes qu'on lui présentait, quelque pauvres que ce fussent[g]. Ainsi qu'elle était à moitié de la messe, ouvrit sa requête dans laquelle trouva la moitié de l'anneau qu'elle avait baillé à

g. par quelque personne que ce fût (T)

Élisor, dont elle fut fort ébahie et non moins joyeuse. Et avant lire ce qui était dedans, commanda soudain à son aumônier qu'il lui fît venir ce grand ermite qui lui avait présenté la requête. L'aumônier le chercha par tous côtés, mais il ne fut possible d'en savoir nouvelles, sinon que quelqu'un lui dit l'avoir vu monter à cheval, mais il ne savait quel chemin il prenait. En attendant la réponse de l'aumônier, la Reine lut la requête qu'elle trouva être une épître aussi bien faite qu'il était possible. Et si n'était le désir que j'ai de la vous faire entendre, je ne l'eusse jamais osé traduire, vous priant de penser, mesdames, que le langage castillan est sans comparaison mieux déclarant cette passion qu'un autre. Si * est-ce que la substance en est telle :

> Le Temps m'a fait, par sa force et puissance,
> Avoir d'amour parfaite connaissance,
> Le Temps après m'a été ordonné
> En tel travail * durant ce temps donné,
> Que l'incrédule, par le Temps, peut bien voir
> Ce que l'amour ne lui a fait savoir.
> Le Temps, lequel avait fait amour maître
> Dedans mon cœur, l'a montré enfin être
> Tout tel qu'il est : parquoi, en le voyant
> Ne l'ai trouvé tel comme en le croyant.
> Le Temps m'a fait voir sur quel fondement
> Mon cœur voulait aimer si fermement :
> Ce fondement était votre beauté
> Sous qui était couverte * cruauté.
> Le Temps m'a fait voir beauté être rien,
> Et cruauté cause de tout mon bien,
> Parquoi je fus de la beauté chassé,
> Dont le regard j'avais tant pourchassé.
> Ne voyant plus votre beauté tant belle,
> J'ai mieux senti votre rigueur rebelle.
> Je n'ai laissé vous obéir pourtant,
> Dont je me tiens très heureux et content,
> Vu que le Temps, cause de l'amitié,
> A eu de moi par sa longueur pitié,
> En me faisant un si honnête tour

Que je n'ai eu désir de ce retour,
Fors seulement pour vous dire en ce lieu
Non un bonjour, mais un parfait adieu.
Le Temps m'a fait voir Amour pauvre et nu
Tout tel qu'il est, et dont * il est venu [3],
Et par le Temps, le temps j'ai regretté
Autant ou plus que l'avais souhaité,
Conduit d'Amour qui aveuglait mes sens,
Dont rien de lui fors regret je ne sens.
Mais en voyant cet amour décevable,
Le Temps m'a fait voir l'Amour véritable
Que j'ai connu en ce lieu solitaire
Où par sept ans m'a fallu plaindre et taire :
J'ai, par le Temps, connu l'Amour d'en haut,
Lequel étant connu, l'autre défaut.
Par le Temps suis du tout à lui rendu,
Et par le Temps de l'autre défendu.
Mon cœur et corps lui donne en sacrifice,
Pour faire à lui, et non à vous, service.
En vous servant, rien m'avez estimé :
Ce rien il a, en offensant, aimé [4].
Mort me donnez pour vous avoir servie,
En le fuyant, il me donne la vie.
Or par ce Temps, Amour plein de bonté
A l'autre amour si vaincu et dompté

Que, mis à rien, est retourné à vent,
Qui fut pour moi trop doux et décevant.
Je le vous quitte * et rends du tout entier,
N'ayant de vous ni de lui nul métier *,
Car l'autre Amour, parfait [h] et perdurable
Me joint à lui d'un lien immuable.
A lui m'en vais, là me veux asservir,
Sans plus ni vous, ni votre dieu servir.
Je prends congé de cruauté, de peine,
Et du tourment, du dédain, de la haine,
Du feu brûlant dont vous êtes remplie
Comme en beauté très parfaite accomplie.
Je ne puis mieux dire adieu à tous maux,

h. parfaite (A)

A tous malheurs et douloureux travaux *,
Et à l'enfer de l'amoureuse flamme
Qu'en un seul mot vous dire : Adieu, Madame !
Sans nul espoir, où que sois ou soyez,
Que je vous voie, ni que plus me voyiez [5].

Cette épître ne fut pas lue sans grandes larmes et
étonnement *, accompagnés de regrets incroyables. Car
la perte qu'elle avait faite d'un serviteur rempli d'un
amour si parfait devait être estimée si grande que nul
trésor, ni même son royaume, ne lui pouvaient ôter le
titre d'être la plus pauvre et misérable dame du monde,
car elle avait perdu ce que tous les biens du monde ne
pouvaient recouvrer. Et après avoir achevé d'ouïr la
messe et retourné en sa chambre, fit un tel deuil que sa
cruauté avait mérité. Et n'y eut montagne, roche ni forêt
où elle n'envoyât chercher cet ermite. Mais Celui qui
l'avait retiré de ses mains le garda d'y retomber, et le tira
plus tôt en paradis qu'elle n'en sût nouvelle en ce monde.

« Par cette exemple, ne doit le serviteur confesser ce
qui lui peut nuire, et en rien aider. Et encore moins
mesdames, par incrédulité devez-vous demander preuves
si difficiles que, en ayant la preuve, vous perdiez le
serviteur. » — « Vraiment, Dagoucin, dit Géburon,
j'avais toute ma vie ouï estimer la dame à qui le cas est
advenu la plus vertueuse du monde ; mais maintenant je la
tiens la plus folle qui onques * fût. » — « Toutefois, dit
Parlamente, il me semble qu'elle ne lui faisait point de
tort de vouloir éprouver sept ans s'il aimait autant qu'il
lui disait : car les hommes ont tant accoutumé de mentir
en pareil cas que, avant que de s'y fier[i] (si fier il s'y faut),
on n'en peut faire trop longue preuve. » — « Les dames,
dit Hircan, sont bien plus sages qu'elles ne soulaient *
car, en sept jours de preuve, elles ont autant de sûreté
d'un serviteur que les autres avaient par sept ans ! » —
« Si * en a-t-il, dit Longarine en cette compagnie, que
l'on a aimée plus de sept ans à toutes preuves d'arquebu-

i. s'y fier si fort (A)

se⁶, encore n'a l'on su gagner leur amitié.» — «Par Dieu, dit Simontaut, vous dites vrai : mais aussi les doit-on mettre au rang du vieux temps, car au nouveau ne seraient-elles point reçues ! » — «Et encore, dit Oisille, fut bien tenu * ce gentilhomme à la dame par le moyen de laquelle il retourna entièrement son cœur à Dieu.» — «Ce lui fut grand heur, dit Saffredent, de trouver Dieu par les chemins car, vu l'ennui * où il était, je m'ébahis qu'il ne se donna au diable.» Ennasuite lui dit : «Et quand vous avez été mal traité de votre dame, vous êtes-vous donné à un tel maître ? » — «Mille et mille fois m'y suis donné, dit Saffredent, mais le diable, voyant que tous les tourments d'enfer ne m'eussent su faire pis que ceux qu'elle me donnait, ne me daigna jamais prendre, sachant qu'il n'est point de diable plus importable * qu'une dame bien aimée et qui ne veut point aimer.» — «Si j'étais comme vous, dit Parlamente à Saffredent, avec telle opinion que vous avez, je ne servirais femme ! » — «Mon affection, dit Saffredent, est toujours telle, et mon erreur si grandeʲ, que là où je ne puis commander, encore me tiens-je très heureux de servir : car la malice des dames ne peut vaincre l'amour que je leur porte. Mais je vous prie, dites moi : en votre conscience, louez-vous cette dame d'une si grande rigueur ? » — «Oui, dit Oisille, car je crois qu'elle ne voulait aimer ni être aimée.» — «Si elle avait cette volonté, dit Simontaut, pourquoi lui donnait-elle quelque espérance après sept ans passés ? » — «Je suis de votre opinion, dit Longarine, car cellesᵏ qui ne veulent point aimer ne donnent nulle occasion * de continuer l'amour qu'on leur porte.» — «Peut-être, dit Nomerfide, qu'elle en aimait quelque autre qui ne valait cet honnête homme-là, et que pour un pire elle laissa le meilleur.» — «Par ma foi, dit Saffredent, je pense qu'elle faisait provision de lui, pour le prendre à l'heure * qu'elle laisserait celui que pour lors elle aimait mieux ! » Mme Oisille, voyant que sous couleur de blâmer et reprendre en la Reine de Castille ce qui,

j. mon cœur si grand (T)
k. ceux (A)

à la vérité, n'est à louer ni en elle, ni en autre, les
hommes se débordaient si fort à médire des femmes, et
que les plus sages et honnêtes étaient aussi peu épargnées
que les plus folles et impudiques, ne put endurer que l'on
passât plus outre, mais prit la parole et dit : « Je vois bien
que tant plus nous mettrons ces propos en avant, et plus
ceux qui ne veulent être mal traités diront de nous le pis
qu'il leur sera possible. Parquoi je vous prie, Dagoucin,
donnez votre voix à quelqu'une ! » — « Je la donne, dit-il,
à Longarine, étant assuré qu'elle nous en dira quelqu'une
qui ne sera point mélancolique, et si * n'épargnera
homme ni femme pour dire vérité. » — « Puisque vous
m'estimez si véritable, dit Longarine, je prendrai la hardiesse de raconter un cas advenu à un bien grand prince,
lequel passe en vertu tous les autres de son temps. Et vous
direz que la chose dont on doit moins user sans extrême
nécessité, c'est de mensonge ou dissimulation, qui est un
vice laid et infâme, principalement aux princes et grands
seigneurs en la bouche et contenance desquels la vérité
est mieux séante qu'en nul autre. Mais il n'y a si grand
prince en ce monde, combien qu'il eût tous les honneurs
et richesses qu'on saurait désirer, qui ne soit sujet à
l'empire et tyrannie d'Amour. Et semble que plus le
prince est noble et de grand cœur, plus Amour fait son
effort pour l'asservir sous sa forte main : car ce glorieux
dieu ne tient compte des choses communes et fidèles, et
ne prend plaisir sa majesté qu'à faire tous les jours miracles, comme d'affaiblir les forts, fortifier les faibles,
donner intelligence aux ignorants, ôter les sens aux plus
savants, favoriser aux passions et détruire raison. Et en
telles mutations * prend plaisir l'amoureuse divinité. Et
pource que les princes n'en sont exempts, aussi ne sont ils
de nécessité en laquelle les met le désir de la servitude
d'amour[1]. Et par cette nécessité leur est non seulement
permis, mais mandé d'user de mensonge, hypocrisie et
fiction *, qui sont les moyens de vaincre leurs ennemis,
selon la doctrine de maître Jean de Meun [7]. Or puisqu'en

---

1. de nécessité. Or s'ils ne sont quittes de la nécessité en quoi les met
le désir de la servitude d'amour (A)

tel acte est louable à un prince la condition qui en tous
autres est à désestimer, je vous raconterai les inventions
d'un jeune prince, par lesquelles il trompa ceux qui ont
accoutumé de tromper tout le monde. »

VINGT-CINQUIÈME NOUVELLE

*Subtil moyen dont usait un grand prince pour jouir de la
femme d'un avocat de Paris* [1].

En la ville de Paris, y avait un avocat plus estimé que
nul autre de son état ; et pour * être cherché d'un chacun à
cause de sa suffisance *, était devenu le plus riche de tous
ceux de sa robe. Mais voyant qu'il n'avait eu nuls enfants
de sa première femme, espéra d'en avoir d'une seconde.
Et, combien que son corps fût vicieux[a], son cœur ni son
espérance n'étaient point morts : parquoi il alla choisir
une des plus belles filles qui fût dedans la ville, de l'âge
de dix-huit à dix-neuf ans, fort belle de visage et de teint,
mais encore plus de taille et d'embonpoint *. Laquelle il
aima et traita le mieux qu'il lui fut possible, mais si *
n'eut-elle de lui non plus d'enfants que la première, dont
à la longue se fâcha[b]*. Mais la jeunesse, qui ne peut
souffrir un ennui *, lui fit chercher récréation ailleurs
qu'en sa maison, et alla aux danses et banquets, toutefois
si honnêtement que son mari n'en pouvait prendre mauvaise opinion *, car elle était toujours en la compagnie de
celles à qui il avait fiance.

Un jour qu'elle était à une noce, s'y trouva un bien
grand prince qui, en me faisant le conte, m'a défendu de
le nommer. Si * vous puis-je bien dire que c'était le plus
beau et de la meilleure grâce qui ait été devant, ni qui, je
crois, sera après lui en ce royaume. Ce prince, voyant
cette jeune et belle dame de laquelle les yeux et contenance le convièrent à l'aimer, vint à parler à elle d'un tel
langage et d'une telle grâce qu'elle eût volontiers com-

a. vieil (T)
b. elle se fâcha (T)

mencé cette harangue *. Ne lui dissimula point que de
long temps elle avait en son cœur l'amour dont il la priait,
et qu'il ne se donnât point de peine pour la persuader à
une chose où, par la seule vue, Amour l'avait fait
consentir. Ayant ce jeune prince par la naïveté * d'Amour
ce qui méritait bien être acquis par le temps, mercia le
dieu qui le favorisait et, depuis cette heure-là, pourchassa
si bien son affaire qu'ils accordèrent ensemble le moyen
comme ils se pourraient voir hors de la vue des autres. Le
lieu et le temps accordés, le jeune prince ne faillit * à s'y
trouver. Et pour garder l'honneur de sa dame, y alla en
habit dissimulé. Mais à cause des mauvais garçons qui
couraient la nuit par la ville, auxquels il ne se voulait faire
connaître, prit en sa compagnie quelques gentilshommes
auxquels il se fiait. Et au commencement de la rue où elle
se tenait, les laissa disant : « Si vous n'oyez point de bruit
dedans un quart d'heure, retirez-vous en vos logis, et sur
les trois ou quatre heures, revenez ici me quérir. » Ce
qu'ils firent et, oyant nul bruit, se retirèrent. Le jeune
prince s'en alla tout droit chez son avocat, et trouva la
porte ouverte comme on lui avait promis. Mais en montant le degré * rencontra le mari qui avait en sa main une
bougie, duquel il fut plus tôt vu qu'il ne le put aviser *.
Mais Amour, qui donne entendement et hardiesse où il
baille les nécessités, fit que le jeune prince s'en vint tout
droit à lui, et lui dit : « Monsieur l'avocat, vous savez la
fiance que moi et tous ceux de ma maison avons eue en
vous, et je vous tiens de mes meilleurs et fidèles serviteurs. J'ai bien voulu venir ici vous visiter privément *,
tant pour vous recommander mes affaires que pour vous
prier de me donner à boire, car j'en ai grand besoin, et de
ne dire à personne du monde que je sois ici venu car, de
ce lieu, m'en faut aller en un autre où je ne veux être
connu. » Le bon homme avocat fut tant aise de l'honneur
que ce prince lui faisait, de venir ainsi privément en sa
maison, qu'il le mena en sa chambre et dit à sa femme
qu'elle apprêta la collation des meilleurs fruits et confitures * qu'elle eût ; ce qu'elle fit très volontiers, et apporta
la collation la plus honnête qu'il lui fut possible. Et
nonobstant que l'habillement qu'elle portait d'un couvre-

chef et d'un manteau la montrât plus belle qu'elle n'avait accoutumé si * ne fit pas semblant le jeune prince de la regarder ni connaître, mais parlait toujours à son mari de ses affaires, comme à celui qui les avait maniées de longue main. Et ainsi que la dame tenait à genoux les confitures devant le prince, et que le mari alla au buffet pour lui donner à boire, elle lui dit que, au partir * de la chambre, il ne faillît d'entrer en une garde-robe, à main droite, où bientôt après elle l'irait voir. Incontinent après qu'il eut bu, remercia l'avocat, lequel le voulut à toutes forces accompagner. Mais il l'assura que, là où il allait, n'avait que faire de compagnie. Et en se tournant vers sa femme, lui dit : « Aussi je ne vous veux faire tort de vous ôter ce bon mari, lequel est de mes anciens serviteurs. Vous êtes si heureuse de l'avoir que vous avez bien l'occasion * d'en louer Dieu et de le bien servir et obéir. Et en faisant le contraire, seriez bien malheureuse ! » En disant ces honnêtes propos, s'en alla le jeune prince et, fermant la porte après soi pour n'être suivi au degré *, entra dedans la garde-robe où, après que le mari fut endormi, se trouva la belle dame qui le mena dedans un cabinet le mieux en ordre * qu'il était possible, combien que les deux plus belles images qui y fussent étaient lui et elle, en quelque habillement qu'ils se voulussent mettre. Et là, je ne fais doute qu'elle ne lui tînt toutes ses promesses.

De là se retira à l'heure qu'il avait dit à ses gentils-hommes, lesquels il trouva au lieu où il leur avait commandé de l'attendre. Et pource que cette vie dura assez longuement, choisit le jeune prince un plus court chemin pour y aller : c'est qu'il passait par un monastère de religieux. Et avait si bien fait envers le prieur que toujours environ minuit le portier lui ouvrait la porte, et pareillement quand il s'en retournait. Et pource que la maison où il allait était près de là, ne menait personne avec lui. Et combien qu'il menât la vie que je vous dis, si * était-il prince craignant et aimant Dieu. Et ne faillait * jamais, combien qu'à l'aller il ne s'arrêtât point, de demeurer au retour longtemps en oraison en l'église. Qui donna grande occasion * aux religieux, qui entrant et

saillant * de matines^c le voyaient à genoux, d'estimer que
ce fût le plus saint homme du monde.

Ce prince avait une sœur qui fréquentait fort cette
religion *. Et comme celle qui aimait son frère plus que
toutes autres créatures, le recommandait aux prières d'un
chacun qu'elle pouvait connaître bon. Et un jour qu'elle
le recommandait d'affection au prieur de ce monastère, il
lui dit : « Hélas, Madame ! qui est-ce que vous me re-
commandez ! Vous me parlez de l'homme du monde aux
prières duquel j'ai plus envie d'être recommandé car, si
cettui-là n'est saint et juste (alléguant le passage que
" Bienheureux est qui peut mal faire et ne le fait pas [2] "),
je n'espère pas d'être trouvé tel ! » La sœur, qui eut envie
de savoir quelle connaissance ce beau père avait de la
bonté de son frère, l'interrogea si fort qu'en lui baillant ce
secret, sous le voile de la confession, lui dit : « N'est-ce
pas une chose admirable de voir un prince jeune et beau
laisser ses plaisirs et son repos pour venir bien souvent
ouïr nos matines, non comme prince cherchant l'honneur
du monde, mais comme un simple religieux vient tout
seul se cacher en une de nos chapelles ? Sans faute, cette
bonté rend les religieux et moi si confus qu'auprès de lui
ne sommes dignes d'être appelés religieux. » La sœur, qui
entendit ces paroles, ne sut que croire car, nonobstant que
son frère fût bien mondain, si * savait-elle qu'il avait la
conscience très bonne, la foi et amour de Dieu bien
grande. Mais de chercher superstitions ni cérémonies
autres qu'un bon chrétien doit faire, ne l'en eût jamais
soupçonné. Parquoi elle s'en vint à lui, et lui conta la
bonne opinion que les religieux avaient de lui, dont il ne
se put garder de rire avec un visage tel qu'elle, qui le
connaissait comme son propre cœur, connut qu'il y avait
quelque chose cachée sous sa dévotion. Et ne cessa jamais qu'il ne lui eût dit la vérité : ce qu'elle m'a fait
mettre ici en écrit [3], afin que vous connaissiez, mesdames, qu'il n'y a malice d'avocat ni finesse * de religieux
(qui sont coutumiers de tromper tous autres) qu'Amour,
en cas de nécessité, ne déçoive * et fasse tromper par

---

c. lui ouvraient la porte (*ajout de* T)

ceux mêmes qui n'ont autre expérience que de bien aimer. Et puisqu'Amour sait tromper les trompeurs, nous autres, simples et ignorantes, le devons bien craindre! »

« Encore, dit Géburon, que je me doute bien qui c'est, si * faut-il que je dise qu'il est louable en cette chose : car l'on voit peu de grands seigneurs qui se soucient de l'honneur des femmes, ni du scandale public, mais * qu'ils aient leur plaisir. Et souvent sont contents qu'on pense pis qu'il n'y a. » — « Vraiment, dit Oisille, je voudrais que tous les jeunes seigneurs y prissent exemple, car le scandale est souvent pire que le péché. » — « Pensez, dit Nomerfide, que les prières qu'il faisait au monastère où il passait étaient bien fondées! » — « Si n'en devez-vous point juger, dit Parlamente, car peut-être, au retour, que la repentance était telle que le péché lui était pardonné. » — « Il est bien difficile, dit Hircan, de se repentir d'une chose si plaisante! Quant est de moi, je m'en suis souventes fois confessé, mais non pas guère repenti. » — « Il vaudrait mieux, dit Oisille, ne se confesser point, si l'on n'a bonne repentance. » — « Or madame, dit Hircan, le péché me déplaît bien, et suis marri d'offenser Dieu, mais le plaisir [d] me plaît toujours! » — « Vous et vos semblables, dit Parlamente, voudriez bien qu'il n'y eût été ni Dieu ni loi, sinon celle que votre affection ordonnerait! » — « Je vous confesse, dit Hircan, que je voudrais que Dieu prît aussi grand plaisir à mes plaisirs comme je fais, car je lui donnerais souvent matière de se réjouir! » — « Si * ne ferez-vous pas un Dieu nouveau, dit Géburon, parquoi faut obéir à celui que nous avons. Laissons ces disputes aux théologiens, afin que Longarine donne sa voix à quelqu'un. » — « Je la donne, dit-elle, à Saffredent. Mais je le prie qu'il nous fasse le plus beau conte qu'il se pourra aviser, et qu'il ne regarde point tant à dire mal des femmes que, là où il aura du bien, il en veuille montrer la vérité. » — « Vraiment, dit Saffredent, je l'accorde, car j'ai en main l'histoire d'une folle et d'une sage : vous prendrez l'exemple qu'il

d. péché (A)

vous plaira le mieux. Et connaîtrez que, tout ainsi qu'Amour fait faire aux méchants des méchancetés, en un cœur honnête fait faire choses dignes de louange. Car Amour, de soi, est bon, mais la malice du sujet lui fait souvent prendre un nouveau surnom de fou, léger, cruel ou vilain. Mais à l'histoire qu'à présent je vous raconterai, pourrez voir qu'Amour ne change point le cœur, mais le montre tel qu'il est, fou aux folles, et sage aux sages. »

VINGT-SIXIÈME NOUVELLE

Plaisant discours d'un grand seigneur pour avoir la jouissance d'une dame de Pampelune.

Il y avait, au temps du Roi Louis douzième, un jeune seigneur nommé monsieur d'Avannes, fils du sire d'Albret, frère du Roi Jean de Navarre [1], avec lequel ledit seigneur d'Avannes demeurait ordinairement. Or était ce jeune seigneur de l'âge de quinze ans tant beau et tant plein de toute bonne grâce qu'il semblait n'être fait que pour être aimé et regardé. Ce qu'il était de tous ceux qui le voyaient, et plus que de nul autre, d'une dame demeurant en la ville de Pampelune en Navarre, laquelle était mariée à un fort riche homme, avec lequel vivait si honnêtement que, combien qu'elle ne fut âgée que de vingt-trois ans, pource que son mari approchait le cinquantième, s'habillait si honnêtement qu'elle semblait plus veuve que mariée. Et jamais à noces ni à fêtes homme ne la vit aller sans son mari, duquel elle estimait tant la bonté et vertu qu'elle le préférait à la beauté de tous autres. Et le mari, l'ayant expérimentée si sage, y prit telle sûreté qu'il lui commettait * toutes les affaires de sa maison. Un jour, fut convié ce riche gentilhomme avec sa femme à une noce de l'une de leurs parentes [a], auquel lieu, pour honorer les noces, se trouva le jeune seigneur d'Avannes, qui naturellement aimait les danses comme celui qui en son temps ne trouvait son pareil. Et après le dîner que les danses commencèrent, fut prié ledit sei-

---

a. noces de leurs parentes (A)

gneur d'Avannes par le riche homme de vouloir danser.
Ledit seigneur lui demanda qui il voulait qu'il menât. Il
lui répondit : « Monseigneur, s'il y en avait une plus belle
et plus à mon commandement que ma femme, je vous la
présenterais, vous suppliant me faire cet honneur de la
mener danser. » Ce que fit le jeune prince, duquel la
jeunesse était si grande qu'il prenait plus de plaisir à
sauter et danser qu'à regarder la beauté des dames. Et
celle qu'il menait, au contraire, regardait plus la grâce et
beauté dudit seigneur d'Avannes que la danse où elle
était, combien que par sa grande prudence elle n'en fît un
seul semblant *. L'heure du souper venue, monseigneur
d'Avannes, disant adieu à la compagnie, se retira au
château où le riche homme sur sa mule l'accompagna. Et
en allant lui dit : « Monseigneur, vous avez ce jourd'hui
tant fait d'honneur à mes parents et à moi que ce me serait
grande ingratitude si je ne m'offrais avec toutes mes
facultés * à vous faire service. Je sais, monseigneur, que
tels seigneurs que vous, qui avez pères rudes et avaricieux, avez souvent plus faute d'argent que nous qui, par
petit train et bon ménage *, ne pensons que d'en amasser.
Or est-il ainsi que Dieu, m'ayant donné une femme selon
mon désir, ne m'a voulu donner en ce monde totalement
mon paradis, m'ôtant la joie que les pères ont des enfants.
Je sais, monseigneur, qu'il ne m'appartient pas de vous
adopter pour tel, mais, s'il vous plaît de me recevoir pour
serviteur et me déclarer vos petites affaires tant que cent
mille écus de mon bien se pourront étendre, je ne faudrai * vous secourir en vos nécessités. » Monseigneur
d'Avannes fut fort joyeux de cet offre, car il avait un père
tel que l'autre lui avait déchiffré *, et après l'avoir mercié
le nomma par alliance son père.

   De cette heure-là, ledit riche homme prit telle amour au
seigneur d'Avannes que matin et soir ne cessait de s'enquérir s'il lui fallait quelque chose. Et ne cela à sa femme
la dévotion qu'il avait audit seigneur et à son service,
dont elle l'aima doublement. Et depuis cette heure, le
seigneur d'Avannes n'avait faute de chose qu'il désirât. Il
allait souvent voir ce riche homme, boire et manger avec
lui et, quand il ne le trouvait point, sa femme baillait tout

ce qu'il demandait; et davantage, parlait à lui si sagement, l'admonestant d'être sage et vertueux, qu'il la
craignait et aimait plus que toutes les femmes de ce
monde. Elle, qui avait Dieu et honneur devant les yeux,
se contentait de sa vue et parole où gît la satisfaction
d'honnêteté et bon amour. En sorte que jamais ne lui fit
signe pourquoi il pût juger qu'elle eût autre affection à lui
que fraternelle et chrétienne. Durant cette amitié couverte*, monseigneur d'Avannes, par l'aide des dessus-
dits, était fort gorgias* et bien en ordre*. Commença à
venir en l'âge de dix-sept ans et de chercher les dames
plus qu'il n'avait de coutume. Et combien qu'il eût plus
volontiers aimé la sage dame que nulle, si* est-ce que la
peur qu'il avait de perdre son amitié, si elle entendait tels
propos, le fit taire et s'amuser ailleurs. Et s'alla[b] adresser
à une gentille femme, près de Pampelune, qui avait maison en la ville, laquelle avait épousé un jeune homme qui
surtout aimait les chevaux, chiens et oiseaux. Et commença, pour l'amour d'elle, à lever* mille passe-temps
comme tournois, courses, luttes, masques*, festins et
autres jeux, en tous lesquels se trouvait cette jeune
femme. Mais à cause que son mari était fort fantastique*
et, ses père et mère la connaissant[c] fort légère et belle,
jaloux de son honneur, la tenait de si près que ledit
seigneur d'Avannes ne pouvait avoir d'elle autre chose
que la parole bien courte en quelque bal, combien qu'en
peu de propos ledit seigneur d'Avannes aperçut bien
qu'autre chose ne défaillait à leur amitié que le temps et le
lieu. Parquoi il vint à son bon père le riche homme, et lui
dit qu'il avait grand dévotion d'aller visiter Notre-Dame
de Montserrat, le priant de retenir en sa maison tout son
train, parce qu'il voulait aller seul. Ce qu'il lui accorda.
Mais sa femme, qui avait en son cœur ce grand prophète
Amour, soupçonna incontinent la vérité du voyage* et ne
se put tenir de dire à monseigneur d'Avannes: « Monsieur, monsieur, la Notre-Dame que vous adorez n'est
pas hors des murailles de cette ville! Parquoi je vous

b. et alla (A)
c   connaissaient (A)

supplie sur toutes choses regarder à votre santé.» Lui,
qui la craignait et aimait, rougit si fort à cette parole
que, sans parler, il lui confessa la vérité. Et sur cela s'en
alla.

Et quand il eut acheté une couple de beaux chevaux
d'Espagne, s'habilla en palefrenier et déguisa tellement
son visage que nul ne le connaissait. Le gentilhomme
mari de la folle dame, qui sur toutes choses aimait les
chevaux, vit les deux que menait monseigneur d'Avannes. Incontinent les vint acheter et, après les avoir ache-
tés, regarda le palefrenier qui les menait fort bien, et lui
demanda s'il le voulait servir. Le seigneur d'Avannes lui
dit que oui, et qu'il était un pauvre palefrenier qui ne
savait autre métier que panser les chevaux, en quoi il
s'acquitterait si bien qu'il en serait content. Le gentilhomme en fut fort aise et lui donna la charge de tous ses
chevaux. Et, entrant en sa maison, dit à sa femme qu'il
lui recommandait ses chevaux et son palefrenier, et qu'il
s'en allait au château. La dame, tant pour complaire à son
mari que pour * n'avoir^d meilleur passe-temps, alla visiter les chevaux, et regarda le palefrenier nouveau qui lui
sembla de bonne grâce; toutefois elle ne le connaissait
point. Lui, qui vit qu'il n'était point connu, lui vint faire
la révérence en la façon d'Espagne et lui baisa la main; et
en la baisant la serra si fort qu'elle le reconnut, car en la
danse lui avait-il mainte fois fait tel tour. Et dès l'heure *
ne cessa la dame de chercher lieu où elle pût parler à lui à
part. Ce qu'elle fit le soir même, car elle, étant conviée
en un festin où son mari la voulait mener, feignit être
malade et n'y pouvoir aller. Le mari, qui ne voulait
faillir * à ses amis, lui dit : «M'amie, puisqu'il ne vous
plaît y venir, je vous prie avoir regard sur mes chiens et
chevaux, afin qu'il n'y faille rien.» La dame trouva cette
commission très agréable, mais sans en faire autre semblant * lui répondit, puisqu'en meilleure chose ne la voulait employer, elle lui donnerait à connaître par les moindres combien elle désirait lui complaire. Et n'était pas
encore à peine le mari hors la porte qu'elle descendit en

d. pour avoir (A)

l'étable, où elle trouva que quelque chose défaillait ; et pour y donner ordre donna tant de commissions aux valets de côté et d'autre qu'elle demeura toute seule avec le maître palefrenier. Et de peur que quelqu'un survînt, lui dit : « Allez-vous-en dedans notre jardin, et m'attendez en un cabinet qui est au bout de l'allée. » Ce qu'il fit si diligemment qu'il n'eût loisir de la mercier. Et après qu'elle eut donné ordre à toute l'écurie, s'en alla voir ses chiens où elle fit pareille diligence de les faire bien traiter, tant qu'il semblait que de maîtresse elle fût devenue chambrière. Et après retourna en sa chambre où elle se trouva si lasse qu'elle se mît dedans le lit, disant qu'elle voulait reposer. Toutes ses femmes la laissèrent seule, fors une à qui elle se fiait, à laquelle elle dit : « Allez-vous-en au jardin, et me faites venir celui que vous trouverez au bout de l'allée. » La chambrière y alla, et trouva le palefrenier qu'elle amena incontinent à sa dame, laquelle fit sortir dehors ladite chambrière pour guetter quand son mari viendrait. Monseigneur d'Avannes, se voyant seul avec la dame, se dépouilla * des habillements de palefrenier, ôta son faux nez et sa fausse barbe et, non comme craintif palefrenier, mais comme beau seigneur qu'il était, sans demander congé * à la dame, audacieusement se coucha auprès d'elle où il fut reçu ainsi que le plus beau fils qui fût de son temps devait être de la plus belle et folle dame du pays. Et demeura là jusqu'à ce que le seigneur retournât ; à la vue duquel, reprenant son masque, laissa la place que par finesse * et malice il usurpait. Le gentilhomme, entrant en sa cour, entendit la diligence qu'avait fait sa femme de bien lui obéir, dont la mercia très fort. « Mon ami, dit la dame, je ne fais que mon devoir. Il est vrai, qui ne prendrait garde sur ces méchants garçons, vous n'auriez chien qui ne fût galeux, ni cheval qui ne fût bien maigre. Mais puisque je connais leur paresse et votre bon vouloir, vous serez mieux servi que ne fûtes onques *. » Le gentilhomme, qui pensait bien avoir choisi le meilleur palefrenier de tout le monde, lui demanda que lui en semblait : « Je vous confesse, monsieur, dit-elle, qu'il fait aussi bien son métier que serviteur qu'eussiez pu choisir. Mais si * a-t-il

besoin d'être sollicité, car c'est le plus endormi valet que
je vis jamais ! »

Ainsi longuement demeurèrent le seigneur et la dame
en meilleure amitié qu'auparavant. Et perdit tout le soupçon et la jalousie qu'il avait d'elle, pource qu'autant
qu'elle avait aimé les festins, danses et compagnies, elle
était ententive * à son ménage, et se contentait bien souvent de ne porter sur sa chemise qu'une chamarre * en
lieu qu'elle avait accoutumé d'être quatre heures à s'accoutrer * : dont elle était louée de son mari et d'un chacun, qui n'entendaient pas que le pire diable chassait le
moindre. Ainsi vécut cette jeune dame, sous l'hypocrisie
et habit de femme de bien, en telle volupté que raison,
conscience, ordre ni mesure n'avaient plus de lieu en elle.
Ce que ne put porter * longuement la jeunesse et délicate
complexion du seigneur d'Avannes, mais commença à
devenir tant pâle et maigre que, sans porter masque, on le
pouvait bien déconnaître *. Mais le fol amour qu'il avait à
cette femme lui rendit tellement les sens hébétés qu'il
présumait de sa force ce qui eût défailli en celle d'Hercule. Dont à la fin, contraint de maladie, et conseillé par
la dame qui ne l'aimait tant malade que sain, demanda
congé * à son maître de se retirer chez ses parents. Qui le
lui donna à grand regret, lui faisant promettre que, quand
il serait sain, il retournerait en son service. Ainsi s'en alla
le seigneur d'Avannes à beau pied, car il n'avait à traver-
ser que la longueur d'une rue. Et arrivé en la maison du
riche homme son bon père, n'y trouva que sa femme, de
laquelle l'amour vertueuse qu'elle lui portait n'était point
diminuée pour * son voyage *. Mais quand elle le vit si
maigre et décoloré, ne se put tenir de lui dire : « Je ne sais,
monseigneur, comme il va de votre conscience ; mais
votre corps n'a point amendé de ce pèlerinage, et me
doute fort que le chemin que vous avez fait la nuit vous
ait plus fait de mal que celui du jour, car si vous fussiez
allé en Jérusalem à pied, vous en fussiez venu plus hâlé,
mais non pas si maigre et faible. Or comptez cette-ci pour
une [2], et ne servez plus telles images * qui, en lieu de
ressusciter les morts font mourir les vivants. Je vous en
dirais davantage, mais si votre corps a péché, il en a telle

punition que j'ai pitié d'y ajouter quelque fâcherie nouvelle. » Quand le seigneur d'Avannes eut entendu tous
ces propos, il ne fut pas moins marri que honteux, et lui
dit : « Madame, j'ai autrefois ouï dire que la repentance
suit le péché, et maintenant je l'éprouve à mes dépens,
vous priant excuser ma jeunesse qui ne se peut châtier *
que par expérimenter du mal qu'elle ne veut croire. »
    La dame changeant ses propos, le fit coucher en un
beau lit où y fut quinze jours, ne vivant que de restaurants *. Et lui tinrent le mari et la dame si bonne compagnie qu'il en avait toujours l'un ou l'autre auprès de lui.
Et combien qu'il eût fait les folies que vous avez ouïes
contre la volonté et conseil de la sage dame, si * ne
diminua-t-elle jamais l'amour vertueuse qu'elle lui portait, car elle espérait toujours qu'après avoir passé ses
premiers jours en folies il se retirerait et contraindrait
d'aimer honnêtement, et par ce moyen serait en tout à
elle. Et durant ces quinze jours qu'il fut en sa maison, elle
lui tint tant de bons propos tendant à l'amour de vertu
qu'il commença avoir horreur de la folie qu'il avait faite.
Et regardant la dame qui en beauté passait * la folle,
connaissant de plus en plus les grâces et vertus qui étaient
en elle, il ne se put garder, un jour qu'il faisait assez
obscur, chassant toute crainte dehors, de lui dire : « Madame, je ne vois meilleur moyen, pour être tel et si
vertueux que vous me prêchez et désirez, que de mettre
mon cœur et être entièrement amoureux de la vertu. Je
vous supplie, madame, me dire s'il ne vous plaît pas m'y
donner toute aide et faveur à vous possible. » La dame,
fort joyeuse de lui voir tenir ce langage, lui dit : « Et je
vous promets, monseigneur, que si vous êtes amoureux
de la vertu comme il appartient à tel seigneur que vous, je
vous servirai pour y parvenir de toutes les puissances que
Dieu a mises en moi. » — « Or madame, dit monseigneur
d'Avannes, souvienne-vous de votre promesse, et entendez que Dieu, inconnu de l'homme sinon par la foi, a
daigné prendre la chair semblable à celle de péché, afin
qu'en attirant notre chair à l'amour de son humanité, tirât
aussi notre esprit à l'amour de sa divinité. Et s'est voulu
servir des moyens visibles pour nous faire aimer par foi

les choses invisibles [3]. Aussi cette vertu que je désire aimer toute ma vie est chose invisible, sinon par les effets du dehors. Parquoi est besoin qu'elle prenne quelque corps pour se faire connaître entre les hommes, ce qu'elle a fait se revêtant du vôtre pour le plus parfait qu'elle a pu trouver. Parquoi je vous reconnais et confesse non seulement vertueuse, mais la seule vertu ; et moi, qui la vois reluire sous le voile du plus parfait corps qui onques * fût, la veux servir et honorer toute ma vie, laissant pour elle toute autre amour vaine et vicieuse. » La dame, non moins contente qu'émerveillée * d'ouïr ces propos, dissimula si bien son contentement qu'elle lui dit : « Monseigneur, je n'entreprends pas de répondre à votre théologie, mais, comme celle qui est plus craignant le mal que croyant le bien, vous voudrais bien supplier de cesser en mon endroit les propos dont vous estimez si peu celles qui les ont crus. Je sais très bien que je suis femme, non seulement comme une autre, mais tant imparfaite que [e] la vertu ferait plus grand acte de me transformer en elle que de prendre ma forme, sinon quand elle voudrait être inconnue en ce monde ; car sous tel habit que le mien ne pourrait la vertu être connue telle qu'elle est. Si * est-ce, monseigneur, que pour * mon imperfection je ne laisse à vous porter telle affection que doit et peut faire femme craignant Dieu et son honneur. Mais cette affection ne sera déclarée jusqu'à ce que votre cœur soit susceptible de la patience que l'amour vertueux commande. Et à l'heure *, monseigneur, je sais quel langage il faut tenir. Mais pensez que vous n'aimez pas tant votre propre bien, personne et honneur que je l'aime. » Le seigneur d'Avannes, craintif, ayant la larme à l'œil, la supplia très fort que, pour sûreté * de ses paroles, elle le voulût baiser, ce qu'elle refusa, lui disant que pour lui elle ne romprait point la coutume du pays. Et en ce débat survint la mari, auquel dit monseigneur d'Avannes : « Mon père, je me sens tant tenu * à vous et à votre femme que je vous supplie pour jamais me réputer * votre fils. » Ce que le bon homme fit très volontiers. « Et pour sûreté de cette

e. mais imparfaite et que (A)

amitié, je vous prie, dit monseigneur d'Avannes, que je vous baise. » Ce qu'il fit, après lui dit : « Si ce n'était de peur d'offenser la loi, j'en ferais autant à ma mère votre femme. » Le mari, voyant cela, commanda à sa femme de le baiser, ce qu'elle fit sans faire semblant* de vouloir ni non vouloir ce que son mari lui commandait. A l'heure, le feu que la parole avait commencé d'allumer au cœur du pauvre seigneur, commença à s'augmenter par le baiser, tant par être si fort requis que cruellement refusé.

Ce fait, s'en alla ledit seigneur d'Avannes au château voir le Roi son frère, où il fit fort beaux contes de son voyage* de Montserrat. Et là entendit que le Roi son frère s'en voulait aller à Olite et Taffares [4] ; et pensant que le voyage serait long, entra en une grande tristesse, qui le mit jusqu'à délibérer d'essayer, avant partir, si la sage dame lui portait point meilleure volonté qu'elle n'en faisait le semblant. Et s'en alla loger en une maison de la ville, en la rue où elle était, et prit un logis vieux, mauvais et fait de bois, auquel environ minuit mit le feu. Dont le bruit fut si grand par toute la ville qu'il vint à la maison du riche homme lequel, demandant par la fenêtre où c'était qu'était le feu, entendit que c'était chez monseigneur d'Avannes, où il alla incontinent avec tous les gens de sa maison. Et trouva le jeune seigneur tout en chemise en la rue, dont il eut si grand pitié qu'il le prit entre ses bras et, le couvrant de sa robe, le mena en sa maison le plus tôt qu'il lui fut possible. Et dit à sa femme qui était dedans le lit : « M'amie, je vous donne en garde ce prisonnier : traitez-le comme moi-même ! » Et sitôt qu'il fut parti, ledit seigneur d'Avannes, qui eût bien voulu être traité en mari, sauta légèrement dedans le lit, espérant que l'occasion et le lieu aussi feraient changer propos à cette sage dame. Mais il trouva le contraire car, ainsi qu'il saillit* d'un côté dedans le lit, elle sortit de l'autre et prit son chamarre*, duquel vêtue vint à lui au chevet du lit, et lui dit : « Monseigneur, avez-vous pensé que les occasions puissent muer un chaste cœur ? Croyez qu'ainsi que l'or s'éprouve en la fournaise [5], aussi un cœur chaste au milieu des tentations s'y trouve plus fort et vertueux, et se refroidit tant plus il est assailli de son

contraire. Parquoi, soyez sûr que si j'avais autre volonté
que celle que je vous ai dite, je n'eusse failli * à trouver
des moyens *; desquels, n'en voulant user, je ne tiens
compte, vous priant que, si vous voulez que je continue
l'affection que je vous porte, ôtez non seulement la volonté, mais la pensée de jamais, pour chose que sussiez
faire, me trouver autre que je suis. » Durant ces paroles
arrivèrent ses femmes, et elle commanda qu'on apportât
la collation de toutes sortes de confitures *. Mais il
n'avait pour l'heure ni faim ni soif, tant était désespéré
d'avoir failli * à son entreprise, craignant que la démonstration qu'il avait faite de son désir lui fît perdre la
privauté qu'il avait envers elle.

Le mari, ayant donné ordre au feu, retourna et pria tant
monseigneur d'Avannes, qu'il demeurât pour cette nuit
en sa maison. Et fut ladite nuit passée en telle sorte que
ses yeux furent plus exercés à pleurer qu'à dormir. Et
bien matin leur alla dire adieu dedans le lit où, en baisant
la dame, connut bien qu'elle avait plus de pitié de son
offense que de mauvaise volonté contre lui : qui fut un
charbon ajouté davantage à son amour. Après dîner s'en
alla avec le Roi à Taffares, mais avant partir s'en alla
encore redire adieu à son bon père et à sa dame qui,
depuis le premier commandement de son mari, ne fit plus
de difficulté de le baiser comme son fils. Mais soyez sûr
que plus la vertu empêchait son œil et contenance de
montrer la flamme cachée, plus elle s'augmentait et devenait importable *, en sorte que, ne pouvant porter * la
guerre que l'amour et l'honneur faisaient en son cœur,
laquelle toutefois avait délibéré de jamais ne montrer,
ayant perdu la consolation de la vue et parole de celui
pour qui elle vivait, tomba en une fièvre continue, causée
d'un humeur mélancolique, tellement que les extrémités
du corps lui vinrent toutes froides, et au-dedans brûlait
incessamment. Les médecins, en la main desquels ne
pend pas la santé des hommes, commencèrent à douter si
fort de sa maladie, à cause d'une opilation * qui la rendait
mélancolique en extrémité, qu'ils dirent au mari et
conseillèrent d'avertir sadite femme de penser à sa
conscience, et qu'elle était en la main de Dieu. (Comme

si ceux qui sont en santé n'y étaient point!) Le mari, qui aimait sa femme parfaitement, fut si triste de leurs paroles que, pour sa consolation, écrivit à monseigneur d'Avannes, le suppliant de prendre la peine de les venir visiter, espérant que sa vue profiterait à la malade. A quoi ne tarda ledit seigneur d'Avannes, incontinent les lettres reçues, mais s'en vint en poste * à la maison de son bon père. Et à l'entrée trouva les femmes et serviteurs de léans * menant tel deuil que méritait leur maîtresse, dont ledit seigneur fut si étonné * qu'il demeura à la porte comme une personne transie, et jusqu'à ce qu'il vît son bon père lequel, en l'embrassant, se prit à pleurer si fort qu'il ne put mot dire. Et mena le seigneur d'Avannes où était la pauvre malade, laquelle, tournant ses yeux languissants vers lui, le regarda et lui bailla la main en le tirant de toute sa puissance à elle. Et en le baisant et embrassant, fit un merveilleux plaint * et lui dit : « O Monseigneur, l'heure est venue qu'il faut que toute dissimulation cesse, et que je confesse la vérité que j'ai tant mis de peine à vous celer : c'est que, si m'avez porté grande affection, croyez que la mienne n'a été moindre ; mais la mienne a passé * la vôtre d'autant que j'ai eu la douleur de la celer contre mon cœur et volonté. Car entendez, monseigneur, que Dieu et mon honneur ne m'ont jamais permis de la vous déclarer, craignant d'ajouter en vous ce que je désirais de diminuer. Mais sachez que le non que si souvent je vous ai dit m'a fait tant de mal au prononcer qu'il est cause de ma mort, de laquelle je me contente *, puisque Dieu m'a fait la grâce de mourir premier * que la violence de mon amour ait mis tache à ma conscience et renommée : car de moindre feu que le mien ont été ruinés plus grands et plus forts édifices. Or m'en vais-je contente puisque, devant * mourir, je vous ai pu déclarer mon affection égale à la vôtre, hormis que l'honneur des hommes et des femmes n'est pas semblable. Vous suppliant, monseigneur, que dorénavant vous ne craindrez vous adresser aux plus grandes et vertueuses dames que vous pourrez, car en tels cœurs habitent les plus grandes passions et plus sagement conduites. Et la grâce, beauté et honnêteté qui sont en

vous ne permettent que votre amour sans fruit travaille. Je
ne vous prierai point de prier Dieu pour moi, car je sais
que la porte de paradis n'est point refusée aux vrais
amants, et qu'amour est un feu qui punit si bien les
amoureux en cette vie qu'ils sont exempts de l'âpre tourment de purgatoire. Or adieu, Monseigneur, je vous recommande votre bon père mon mari, auquel je vous prie
conter à la vérité ce que vous savez de moi, afin qu'il
connaisse combien j'ai aimé Dieu et lui. Et gardez-vous
de vous trouver devant mes yeux, car dorénavant ne veux
penser qu'à aller recevoir les promesses qui me sont
promises de Dieu avant la constitution du monde. » Et en
ce disant le baisa et l'embrassa de toutes les forces de ses
faibles bras. Ledit seigneur, qui avait le cœur aussi mort
par compassion qu'elle par douleur, sans avoir puissance
de lui dire un seul mot, se retira hors de sa vue sur un lit
qui était dedans la chambre, où il s'évanouit plusieurs
fois.

A l'heure *, la dame appela son mari et, après lui avoir
fait plusieurs remonstrations * honnêtes, lui recommanda
monseigneur d'Avannes, l'assurant qu'après lui c'était la
personne du monde qu'elle avait le plus aimée. Et en
baisant son mari lui dit adieu. Et à l'heure lui fut apporté
le Saint-Sacrement de l'autel, après l'Extrême-Onction,
lesquels elle reçut avec telle joie comme celle qui est sûre
de son salut. Et voyant que la vue lui diminuait et les
forces lui défaillaient, commença à dire bien haut son *In
manus* [6]. A ce cri, se leva le seigneur d'Avannes de
dessus le lit et, en la regardant piteusement *, lui vit
rendre avec un doux soupir sa glorieuse âme à Celui dont
elle était venue. Et quand il s'aperçut qu'elle était morte,
il courut au corps mort, duquel vivant en crainte il approchait, et le vint embrasser et baiser de telle sorte qu'à
grand-peine le lui put-on ôter d'entre les bras. Dont le
mari fut fort étonné, car jamais n'avait estimé qu'il lui
portât telle affection. Et en lui disant : « Monseigneur,
c'est trop ! », se retirèrent tous deux. Et après avoir pleuré
longuement, monseigneur d'Avannes conta tous les discours de son amitié, et comme jusqu'à sa mort elle ne lui
avait fait un seul signe où il trouvât autre chose que

rigueur. Dont le mari, plus content que jamais, augmenta le regret et la douleur qu'il avait de l'avoir perdue. Et toute sa vie fit service à monseigneur d'Avannes. Mais, depuis cette heure, ledit seigneur d'Avannes, qui n'avait que dix-huit ans, s'en alla à la cour, où il demeura beaucoup d'années sans vouloir ni voir ni parler à femme du monde, pour* le regret qu'il avait de sa dame. Et porta plus de dix ans le noir.

« Voilà, mesdames, la différence d'une folle et sage dame, auxquelles se montrent les différents effets d'amour, dont l'une en reçut mort glorieuse et louable, et l'autre renommée honteuse et infâme qui fît sa vie trop longue. Car autant que la mort du saint est précieuse devant Dieu, la mort du pécheur est très mauvaise. » — « Vraiment, Saffredent, ce dit Oisille, vous nous avez raconté une histoire autant belle qu'il en soit point. Et qui aurait connu le personnage comme moi la trouverait encore meilleure, car je n'ai point vu un plus beau gentilhomme, ni de meilleure grâce, que le seigneur d'Avannes. » — « Pensez, ce dit Saffredent, que voilà une sage femme qui, pour se montrer plus vertueuse par dehors qu'elle n'était au cœur, et pour dissimuler un amour que la raison de nature voulait qu'elle portât à un si honnête seigneur, s'alla laisser mourir par faute de se donner le plaisir qu'elle désirait couvertement*! » — « Si elle eût ce désir, dit Parlamente, elle avait assez de lieu et d'occasion pour lui montrer; mais sa vertu fut si grande que jamais son désir ne passa sa raison. » — « Vous me le peindrez, dit Hircan, comme il vous plaira, mais je sais bien que toujours un pire diable met l'autre dehors, et que l'orgueil cherche plus la volupté entre les dames que ne fait là crainte ni l'amour de Dieu. Aussi que leurs robes sont si longues et bien tissues de dissimulation que l'on ne peut connaître ce qui est dessous car, si leur honneur n'en était non plus taché que le nôtre, vous trouveriez que Nature n'a rien oublié en elles non plus qu'en nous. Et pour* la contrainte qu'elle se font de n'oser prendre le plaisir qu'elle désirent, ont changé ce vice en un plus grand qu'elles tiennent plus honnête : c'est une gloire et

cruauté, par qui elles espèrent acquérir nom d'immortalité, et ainsi se glorifiant, de résister au vice de la loi de la Nature (si Nature est vicieuse), se font non seulement semblables aux bêtes inhumaines et cruelles, mais aux diables desquels elles prennent l'orgueil et la malice. »
— « C'est dommage, dit Nomerfide, dont * vous avez une femme de bien, vu que, non seulement vous désestimez la vertu des choses, mais la voulez montrer être vice ! » — « Je suis bien aise, dit Hircan, d'avoir une femme qui n'est point scandaleuse, comme aussi je ne veux point être scandaleux. Mais quant à la chasteté de cœur, je crois qu'elle et moi sommes enfants d'Adam et d'Ève : parquoi en bien nous mirant n'auront besoin de couvrir notre nudité de feuilles, mais plutôt confesser notre fragilité [7]. » — « Je sais bien, ce dit Parlamente, que nous avons tous besoin de la grâce de Dieu, pource que nous sommes tous enclos en péché [f]; si * est-ce que nos tentations ne sont pareilles aux vôtres, et si nous péchons par orgueil, nul tiers n'en a dommage, ni notre corps et nos mains n'en demeurent souillés. Mais votre plaisir gît à déshonorer les femmes, et votre honneur à tuer les hommes en guerre, qui sont deux points formellement contraires à la loi de Dieu. » — « Je vous confesse, ce dit Géburon, ce que vous dites, mais Dieu qui a dit : "Quiconque regarde par concupiscence est déjà adultère en son cœur, et quiconque hait son prochain est homicide [8]." A votre avis, les femmes en sont-elles exemptes non plus que nous ? » — « Dieu, qui juge le cœur, dit Longarine, en donnera sa sentence ; mais c'est beaucoup que les hommes ne nous puissent accuser, car la bonté de Dieu est si grande que, sans accusateur, il ne nous jugera point. Et connaît si bien la fragilité de nos cœurs qu'encore nous aimera-t-il de ne l'avoir point mise à exécution. » — « Or je vous prie, dit Saffredent, laissons cette dispute, car elle sent plus sa prédication que son conte ! Et je donne ma voix à Ennasuite, la priant qu'elle n'oublie point à nous faire rire. » — « Vraiment, dit-elle, je n'ai garde d'y faillir *, et vous dirai qu'en venant ici délibérée

f. enclins à péché (T)

pour vous conter une belle histoire pour cette Journée,
l'on m'a fait un conte de deux serviteurs d'une princesse,
si plaisant que, de force de rire, il m'a fait oublier la
mélancolie de la piteuse histoire, que je remettrai à demain, car mon visage serait trop joyeux pour la vous faire
trouver bonne ! »

VINGT-SEPTIÈME NOUVELLE

*Témérité d'un sot secrétaire qui sollicita d'amour la
femme de son compagnon, dont il reçut grande honte.*

En la ville d'Amboise, où demeurait l'un des serviteurs
de cette princesse qui la servait de valet de chambre,
homme honnête et qui volontiers festoyait les gens qui
venaient en sa maison, et principalement ses compagnons, il n'y a pas longtemps que l'un des secrétaires de
sa maîtresse vint loger chez lui et y demeura dix ou douze
jours. Ledit secrétaire était si laid qu'il semblait mieux un
roi de cannibales que chrétien. Et combien que son hôte
le traitât en frère et ami, et le plus honnêtement qu'il lui
était possible, si * lui fit-il un tour d'un homme qui non
seulement oublie toute honnêteté, mais qui ne l'eut jamais en son cœur : c'est de pourchasser par amour déshonnête et illicite la femme de son compagnon, qui
n'avait en elle chose aimable que le contraire de la volupté ; c'est qu'elle était autant femme de bien qu'il y en
eût point en la ville où elle demeurait. Et elle, connaissant
la méchante volonté du secrétaire, aimant mieux par une
dissimulation déclarer son vice que par un soudain refus
le couvrir *, fit semblant de trouver bons ses propos.
Parquoi lui, qui cuidait * l'avoir gagnée, sans regarder à
l'âge qu'elle avait de cinquante ans, et qu'elle n'était des
belles, sans considérer le bon bruit * qu'elle avait d'être
femme de bien et d'aimer son mari, la pressait incessamment.

Un jour entre autres, son mari étant en la maison, et
eux en une salle, elle feignit qu'il ne tenait qu'à trouver
lieu sûr pour parler à lui seule, ainsi qu'il désirait ; mais
incontinent lui dit qu'il ne fallait que monter au galetas.

Soudain elle se leva et le pria d'aller devant, et qu'elle irait après. Lui, en riant avec une douceur de visage semblable à un grand magot quand il festoie quelqu'un, s'en monta légèrement par les degrés * et, sur le point qu'il attendait ce qu'il avait tant désiré, brûlant d'un feu non clair comme celui du genièvre, mais comme un gros charbon de forge, écoutait si elle viendrait après lui. Mais en lieu d'ouïr ses pieds, il ouït sa voix disant : « Monsieur le secrétaire, attendez un peu, je m'en vais savoir à mon mari s'il lui plaît bien que je voise * après vous ! » Pensez, mesdames, quelle mine put faire en pleurant celui qui en riant était si laid ! Lequel incontinent descendit les larmes aux yeux, la priant pour l'amour de Dieu qu'elle ne voulût rompre par sa parole l'amitié de lui e₁ de son compagnon. Elle lui répondit[a] : « Je suis sûre que vous l'aimez tant que vous ne me voudriez dire chose qu'il ne pût entendre. Parquoi je lui vais dire. » Ce qu'elle fit, quelque prière ou contrainte qu'il voulût mettre au-devant. Dont il fut aussi honteux en s'enfuyant que le mari fut content d'entendre l'honnête tromperie dont sa femme avait usé. Et lui plut tant la vertu de sa femme qu'il ne tint compte du vice de son compagnon, lequel était assez puni d'avoir emporté sur lui la honte qu'il voulait faire en sa maison.

« Il me semble, mesdames[b], que par ce conte les gens de bien doivent apprendre à ne retenir chez eux ceux desquels la conscience, le cœur et l'entendement ignorent Dieu, l'honneur et le vrai amour. » — « Encore que votre conte soit court, dit Oisille, si * est-il aussi plaisant que j'en ai point ouï, et en l'honneur d'une honnête femme. » — « Par Dieu, dit Simontaut, ce n'est pas grand honneur à une honnête femme de refuser un si laid homme que vous peignez ce secrétaire ! Mais s'il eût été beau et honnête, en cela se fût montrée la vertu. Et pource que je me doute qui il est, si j'étais en mon rang, je vous en ferais un conte qui est aussi plaisant que cettui-ci. » —

a. répond (A)
b. Il me semble que (A)

« A cela ne tienne, dit Ennasuite, car je vous donne ma voix. » Et à l'heure * Simontaut commença ainsi : « Ceux qui ont accoutumé de demeurer en la Cour ou en quelques bonnes villes estiment tant leur savoir ^{c} qu'il leur semble que tous autres hommes ne sont rien au prix d'eux. Mais si * ne reste-t-il pourtant qu'en tous pays et de toutes conditions de gens, n'y en ait toujours assez de fins et malicieux. Toutefois, à cause de l'orgueil de ceux qui pensent être les plus fins, la moquerie, quand ils font quelque faute, en est beaucoup plus agréable, comme je désire vous montrer par un conte naguère advenu. »

VINGT-HUITIÈME NOUVELLE

*Un secrétaire pensait affiner * quelqu'un qui l'affina, et ce qu'il en advint* [1].

Étant le Roi François premier de ce nom en la ville de Paris, et sa sœur la Reine de Navarre en sa compagnie, laquelle avait un secrétaire nommé Jean [2] qui n'était pas de ceux qui laissent tomber le bien en terre sans le recueillir, en sorte qu'il n'y avait président ni conseiller qu'il ne connût, marchand ni riche homme qu'il ne fréquentât et auquel il n'eût intelligence ; en ce temps aussi vint en ladite ville un marchand de Bayonne nommé Bernard du Ha, lequel, tant pour ses affaires qu'à cause que le lieutenant-criminel ^{a} était de son pays, s'adressait à lui pour avoir conseil et secours à ses affaires. Ce secrétaire de la Reine de Navarre allait aussi souvent visiter ce lieutenant, comme bon serviteur de son maître et maîtresse. Un jour de fête, allant ledit secrétaire chez le lieutenant, ne trouva ni lui ni sa femme, mais oui bien Bernard du Ha qui, avec une vielle ou autre instrument, apprenait à danser aux chambrières de léans * les branles * de Gascogne. Quand le secrétaire le vit, lui voulut faire accroire qu'il faisait le plus mal du monde et que si la lieutenante et son mari le savaient, ils seraient très mal

---

c. le savoir (A)
a. lieutenant civil (T)

contents de lui. Et après lui avoir bien peint la crainte
devant les yeux jusqu'à se faire prier de n'en parler point,
lui demanda : « Que me donnerez-vous, et je n'en parlerai
point ? », Bernard du Ha, qui n'avait pas si grand peur
qu'il en faisait semblant, voyant que le secrétaire lui
cuidait * tromper, lui promit de lui bailler un pâté du
meilleur jambon de Basque[b] qu'il mangeât jamais. Le
secrétaire qui en fut très content le pria qu'il pût avoir son
pâté le dimanche ensuivant après dîner, ce qu'il lui promit. Et assuré de cette promesse, s'en alla voir une dame
de Paris qu'il désirait sur toutes choses épouser, et lui dit :
« Mademoiselle, je viendrai dimanche souper avec vous,
s'il vous plaît, mais il ne vous faut soucier que d'avoir
bon pain et bon vin, car j'ai si bien trompé un sot
Bayonnais que le demeurant sera à ses dépens ; et par ma
tromperie vous ferai manger le meilleur jambon de Basque[c] qui fût jamais mangé dans Paris. » La demoiselle,
qui le crut, assembla deux ou trois des plus honnêtes de
ses voisines, et les assura de leur donner une viande *
nouvelle et dont jamais elles n'avaient tâté.

Quand le dimanche fut venu, le secrétaire, cherchant
son marchand, le trouva sur le pont au Change. Et en le
saluant gracieusement, lui dit : « A tous les diables soyez-
vous donné, vu la peine que vous m'avez fait prendre à
vous chercher ! » Bernard du Ha lui répondit qu'assez de
gens avaient pris plus de peine que lui qui n'avaient pas, à
la fin, été récompensés de tels morceaux. Et en disant
cela lui montra le pâté qu'il avait sous son manteau, assez
grand pour nourrir un camp. Dont le secrétaire fut si
joyeux que, encore qu'il eût la bouche parfaitement laide
et grande, en faisant le doux la rendit si petite que l'on
n'eût pas cuidé * qu'il eût su mordre dedans le jambon.
Lequel il prit hâtivement et, sans convoyer[d] le marchand,
s'en alla le porter à la demoiselle qui avait grande envie
de savoir si les vivres de Guyenne étaient aussi bons que
ceux de Paris. Et quand le souper fut venu, ainsi qu'ils
mangeaient leur potage, le secrétaire leur dit : « Lais-

b. Pâques (A)
c. Pâques (A)
d. convier (T)

sons^e-là ces viandes* fades, et tâtons de cet aiguillon d'amour de vin!» En disant cela, ouvrit^f ce grand pâté et, cuidant* entamer^g le jambon, le trouva si dur qu'il n'y pouvait mettre le couteau. Et après s'y être efforcé plusieurs fois, s'avisa qu'il était trompé et trouva que c'était un sabot de bois, qui sont des souliers de Gascogne. Il était emmanché d'un bout de tison, et poudré par-dessus de poudre de fer avec de l'épice qui sentait fort bon. Qui fut bien peineux, ce fut le secrétaire, tant pour avoir été trompé de celui qu'il cuidait tromper que pour avoir trompé celle à qui il voulait et pensait dire vérité! Et d'autre part lui fâchait fort de se contenter d'un potage pour son souper. Les dames, qui étaient aussi marries que lui, l'eussent accusé d'avoir fait la tromperie sinon qu'elles connurent bien à son visage qu'il en était plus marri qu'elles. Et après ce léger souper, s'en alla ce secrétaire bien colère. Et voyant que Bernard du Ha lui avait failli* de promesse, lui voulut aussi rompre la sienne. Et s'en alla chez le lieutenant-criminel^h, délibéré de lui dire le pis qu'il pourrait dudit Bernard. Mais il ne put venir si tôt que ledit Bernard n'eût déjà conté tout le mystère au lieutenant, qui donna sa sentence au secrétaire, disant qu'il avait appris à ses dépens à tromper les Gascons. Et n'en rapporta autre consolation que sa honte.

« Ceci advient à plusieurs, lesquels, cuidant être trop fins, s'oublient en leurs finesses*; parquoi il n'est tel que de ne faire à autrui chose qu'on ne voulût être faite à soi-même. » — « Je vous assure, dit Géburon, que j'ai vu souvent advenir de pareilles choses, et de ceux que l'on estimait sots de villages tromper bien de fines gens, car il n'est rien plus sot que celui qui pense être fin, ni rien plus sage que celui qui connaît son rien*. » — « Encore, ce dit Parlamente, sait-il quelque chose qui connaît ne se connaître pas³! » — « Or, dit Simontaut, de peur que l'heure ne satisfasse à votre propos, je donne ma voix à Nomerfide, car je suis sûr que par sa rhétorique elle ne

e. Laissez (A)
f. ouvre (A)
g. trouver (A)
h. lieutenant civil (T)

nous tiendra pas longuement. » — « Or bien, dit-elle, je
vous en vais bailler un tout[i] tel que vous l'espérez de
moi. Je ne m'ébahis point, mesdames, si Amour baille à
un prince un moyen de se sauver du danger, car ils sont
nourris * avec tant de gens savants que je m'émerveille-
rais * beaucoup plus s'ils étaient ignorants de quelques
choses. Mais l'invention d'Amour se montre plus clairement que moins il y a d'esprit aux sujets. Et pour cela
vous veux-je raconter un tour que fit un prêtre appris *
seulement d'Amour, car de toutes autres choses était-il si
ignorant qu'à peine savait-il lire sa messe. »

VINGT-NEUVIÈME NOUVELLE

*Un bon Jannin de village, de qui la femme faisait l'amour
avec son curé, se laissa aisément tromper [1].*

En la comté du Maine, en un riche village nommé
Carrelles, y avait un riche laboureur qui, en sa vieillesse,
épousa une belle jeune femme, et n'eut de lui nuls enfants. Mais de cette perte se réconforta à avoir plusieurs
amis. Et quand les gentilshommes et gens d'apparence lui
faillirent *, elle retourna à son dernier recours qui était
l'église, et prit pour compagnon de son péché celui qui
l'en pouvait absoudre : ce fut son curé, qui souvent venait
visiter sa brebis. Le mari, vieux et pesant, n'en avait
nulle doute *, mais à cause qu'il était rude et robuste, sa
femme jouait son mystère le plus secrètement qu'il lui
était possible, craignant que, si son mari l'apercevait, il
ne la tuât. Un jour, ainsi qu'il était dehors, sa femme,
pensant qu'il ne revînt si tôt, envoya quérir monsieur le
curé pour la venir confesser. Et ainsi qu'ils faisaient
bonne chère ensemble, son mari arriva si soudainement
qu'il n'eut loisir de se retirer de la maison ; mais, regardant le moyen de se cacher, monta par le conseil de sa
femme dedans un grenier, et couvrit la trappe par où il
monta d'un van à vanner. Le mari entra en la maison, et
elle, de peur qu'il eût quelque soupçon, le festoya si bien

i. un tour (A)

à son dîner qu'elle n'épargna point le boire, dont il prit si bonne quantité, avec la lasseté * qu'il avait du labour des champs, qu'il lui prit envie de dormir, étant assis en une chaise devant son feu. Le curé, qui s'ennuyait d'être si longuement en ce grenier, n'oyant point de bruit en la chambre, s'avança sur la trappe et, en élongeant le cou le plus qu'il lui fut possible, avisa* que le bonhomme dormait. Et en le regardant s'appuya par mégarde sur le van si lourdement que van et homme trébuchèrent à bas auprès du bon homme qui dormait, lequel se réveilla à ce bruit. Et le curé, qui fût plus tôt levé que l'autre ne l'eût aperçu, lui dit : « Mon compère, voilà votre van, et grand merci ! » Et ce disant, s'enfuit. Et le pauvre laboureur, tout étonné *, demanda à sa femme : « Qu'est cela ? » Elle lui répondit : « Mon ami, c'est votre van que le curé avait emprunté, lequel il vous est venu rendre. » Et lui, tout en grondant, lui dit : « C'est bien rudement rendre ce qu'on a emprunté, car je pensais que la maison tombât par terre ! » Par ce moyen se sauva le curé aux dépens du bonhomme, qui n'en trouva rien mauvais que la rudesse dont il avait usé en rendant son van.

« Mesdames, le Maître qu'il servait le sauva pour cette heure-là, afin de plus longuement le posséder et tourmenter. » — « N'estimez pas, dit Géburon, que les gens simples et de bas état soient exempts de malice non plus que nous, mais en ont bien davantage : car regardez-moi larrons, meurtriers, sorciers, faux-monnayeurs et toutes ces manières de gens desquels l'esprit n'a jamais repos ! Ce sont tous pauvres gens et mécaniques *. » — « Je ne trouve point étrange, dit Parlamente, que la malice y soit plus qu'aux autres, mais oui bien que l'amour les tourmente parmi le travail * qu'ils ont d'autres choses, ni qu'en un cœur vilain * une passion si gentille * se puisse mettre. » — « Madame, dit Saffredent, vous savez que maître Jean de Meun a dit que
      Aussi bien sont amourettes
      Sous bureau * que sous brunettes *[2].
Et aussi l'amour de qui le conte parle n'est pas de celle qui fait porter les harnais ! Car tout ainsi que les pauvres

gens n'ont les biens et les honneurs, aussi ont-ils leurs
commodités de nature plus à leur aise que nous n'avons.
Leurs viandes* ne sont si friandes, mais ils ont meilleur
appétit, et se nourrissent mieux de gros pain que nous de
restaurant*. Ils n'ont pas les lits si beaux ni si bien faits
que les nôtres, mais ils ont le sommeil meilleur que nous,
et le repos plus grand. Ils n'ont point les dames peintes et
parées dont nous idolâtrons, mais ils ont la jouissance de
leurs plaisirs plus souvent que nous, et sans crainte de
paroles, sinon des bêtes et des oiseaux qui les voient. En
ce que nous avons ils défaillent, et en ce que nous
n'avons ils abondent. » — « Je vous prie, dit Nomerfide,
laissons-là ce paysan avec sa paysanne et, avant vêpres,
achevons notre Journée, à laquelle Hircan mettra la fin. »
— « Vraiment, dit-il, je vous en garde une aussi piteuse*
et étrange que vous en avez point ouï. Et combien qu'il
me fâche fort de raconter chose qui soit à la honte d'une
d'entre vous, sachant que les hommes tant pleins de
malice font toujours conséquence de la faute d'une seule
pour blâmer toutes les autres, si* est-ce que l'étrange cas
me fera oublier ma crainte. Et aussi, peut-être que
l'ignorance d'une découverte fera les autres plus sages.
Et je dirai donc cette nouvelle sans crainte. »

TRENTIÈME NOUVELLE

Merveilleuse exemple de la fragilité humaine qui, pour
couvrir* son honneur, encourt de mal en pis* [1].*
    Au temps du Roi Louis douzième, étant lors légat
d'Avignon un de la maison d'Amboise, neveu du légat de
France nommé Georges [2], y avait au pays de Languedoc
une dame, de laquelle je tairai le nom pour* l'amour de
sa race, qui avait mieux de quatre mille ducats [a] de rente.
Elle demeura veuve fort jeune, mère d'un seul fils. Et tant
pour* le regret qu'elle avait de son mari que pour*
l'amour de son enfant, délibéra de ne se jamais remarier.
Et, pour en fuir l'occasion, ne voulut point fréquenter

---

a. écus (T)

sinon toutes gens de dévotion, car elle pensait que l'occasion faisait le péché, et ne savait pas que le péché forge l'occasion. La jeune dame veuve se donna du tout au service divin, fuyant entièrement toutes compagnies de mondanité, tellement qu'elle faisait conscience* d'assister à noces ou d'ouïr sonner les orgues en une église. Quand son fils vint à l'âge de sept ans, elle prit un homme de sainte vie pour son maître d'école, par lequel il pût être endoctriné en toute sainteté et dévotion. Quand le fils commença à venir en l'âge de quatorze à quinze ans, Nature, qui est maître d'école bien secret, le trouvant bien[b] nourri et plein d'oisiveté, lui apprit autre leçon que son maître d'école ne faisait : commença à regarder les choses qu'il trouvait belles. Entre autres, une demoiselle qui couchait en la chambre de sa mère, dont nul[c] ne se doutait, car on ne se gardait non plus de lui que d'un enfant, et aussi qu'en toute la maison on n'oyait parler que de Dieu. Ce jeune galant commença à pourchasser secrètement cette fille, laquelle vint dire à sa maîtresse, qui aimait et estimait tant de son fils qu'elle pensait que cette fille lui dît pour le lui[d] faire haïr. Mais elle en pressa tant sadite maîtresse qu'elle lui dit : « Je saurai s'il est vrai et le châtierai si je le connais tel que vous dites ; mais aussi, si vous lui mettez à sus* un tel cas et il ne soit vrai, vous en porterez la peine ! » Et pour en savoir l'expérience, lui commanda de bailler assignation à son fils de venir à minuit coucher avec elle en la chambre de la dame, en un lit auprès de la porte, où cette fille couchait toute seule. La demoiselle obéit à sa maîtresse, et quand ce vint au soir, la dame se mit en la place de sa demoiselle, délibérée, s'il était vrai ce qu'elle disait, de châtier si bien son fils qu'il ne coucherait jamais avec femme qu'il ne lui en souvînt.

En cette pensée et colère, son fils s'en vint coucher avec elle. Et elle, qui encore pour le voir coucher ne pouvait croire qu'il voulût faire chose déshonnête, atten-

---

b. trop (T)
c. dont ne se doutait (A)
d. le faire haïr (A)

dit à parler à lui jusqu'à ce qu'elle connût quelque signe de sa mauvaise volonté, ne pouvant croire, par choses petites, que son désir pût aller jusqu'au criminel. Mais sa patience fut si longue, et la nature si fragile, qu'elle convertit sa colère en un plaisir trop abominable, oubliant le nom de mère. Et tout ainsi que l'eau par force retenue court avec plus d'impétuosité, quand on la laisse aller, que celle qui court ordinairement, ainsi cette pauvre dame tourna sa gloire à la contrainte qu'elle donnait à son corps. Quand elle vint à descendre le premier degré de son honnêteté, se trouva soudainement portée jusqu'au dernier. Et en cette nuit-là, engrossa de celui lequel elle voulait garder d'engrossir les autres. Le péché ne fut pas sitôt fait que le remords de conscience l'émut à un si grand tourment que la repentance ne la laissa toute sa vie. Qui fut si âpre à ce commencement qu'elle se leva d'auprès de son fils, lequel avait toujours pensé que ce fût sa demoiselle, et entra en un cabinet où, remémorant sa bonne délibération et sa méchante exécution, passa toute la nuit à pleurer et crier toute seule. Mais en lieu de s'humilier et reconnaître l'impossibilité de notre chair, qui sans l'aide de Dieu ne peut faire que péché, voulant par elle-même et par ses larmes satisfaire au passé, et par sa prudence éviter le mal de l'avenir, donnant toujours l'excuse de son péché à l'occasion et non à la malice à laquelle n'y a remède que la grâce de Dieu, pensa de faire chose parquoi, à l'avenir, ne saurait plus tomber en tel inconvénient. Et comme s'il n'y avait qu'une espèce de péché à damner la personne, mit toutes ses forces à éviter cettui-là seul. Mais la racine de l'orgueil, que le péché extérieur doit guérir, croissait toujours dedans son cœur[e], en sorte qu'en évitant un mal elle en fit plusieurs autres. Car le lendemain au matin, sitôt qu'il fut jour, elle envoya quérir le gouverneur de son fils et lui dit : « Mon fils commence à croître ; il est temps de le mettre hors de la maison. J'ai un mien parent qui est delà les monts avec monseigneur le grand-maître de Chaumont[3], lequel se nomme le capitaine de Montesson, qui sera très aise de le

e. croissait toujours en sorte que (A)

prendre en sa compagnie. Et pource, dès cette heure ici,
emmenez-le. Et afin que je n'aie nul regret à lui, gardez
qu'il ne me vienne dire adieu. » En ce disant, lui bailla
argent nécessaire pour faire son voyage. Et dès le matin
fit partir le jeune homme, qui en fut fort aise : car il ne
désirait autre chose que, après la jouissance de s'amie,
s'en aller à la guerre.

La dame demeura longuement en grande tristesse et
mélancolie. Et n'eût été la crainte de Dieu, eut maintes
fois désiré la fin du malheureux fruit dont elle était
pleine. Elle feignit d'être malade afin qu'elle vêtît son
manteau pour couvrir son imperfection, et quand elle fut
prête d'accoucher, regarda qu'il n'y avait homme du
monde en qui elle eût tant de fiance qu'en un sien frère
bâtard, auquel elle avait fait beaucoup de biens ; et lui
conta sa fortune, mais elle ne dit pas que ce fût de son
fils, le priant de vouloir donner secours à son honneur, ce
qu'il fit. Et quelques jours avant qu'elle dût accoucher, la
pria de vouloir changer l'air de sa maison, et qu'elle
recouvrerait plus tôt sa santé en la sienne. Alla en bien
petite compagnie, et trouva là une sage-femme venue
pour la femme de son frère qui, une nuit, sans la connaître, reçut son enfant. Et se trouva une belle fille. Le
gentilhomme la bailla à une nourrice et la fit nourrir *
sous le nom d'être sienne. La dame, ayant là demeuré un
mois, s'en alla toute saine en sa maison où elle vécut plus
austèrement que jamais en jeûnes et disciplines. Mais
quand son fils vint à être grand, voyant que pour l'heure
n'y avait guerre en Italie, envoya supplier sa mère lui
permettre de retourner en sa maison. Elle, craignant de
retomber en tel mal dont elle venait, ne le voulut permettre, sinon qu'en la fin il la pressa si fort qu'elle n'avait
aucune raison de lui refuser son congé *. Mais elle lui
manda qu'il n'eût jamais à se trouver devant elle s'il
n'était marié à quelque femme qu'il aimât bien fort, et
qu'il ne regardât point aux biens, mais * qu'elle fût gentille * femme c'était assez. Durant ce temps, son frère
bâtard, voyant la fille qu'il avait en charge devenue
grande et belle en perfection, pensa de la mettre en
quelque maison bien loin, où elle serait inconnue. Et par

le conseil de la mère, la donna à la Reine de Navarre nommée Catherine [4]. Cette fille vint à croître jusqu'à l'âge de douze à treize ans, et fut si belle et honnête que la Reine de Navarre lui portait grande amitié, et désirait fort de la marier bien et hautement. Mais à cause qu'elle était pauvre, se trouvait trop [f] de serviteurs, mais point de mari. Un jour, advint que le gentilhomme qui était son père inconnu, retournant delà les monts, vint en la maison de la Reine de Navarre où, sitôt qu'il eut avisé * sa fille, il en fut amoureux. Et pource qu'il avait congé * de sa mère d'épouser telle femme qu'il lui plairait, ne s'enquit sinon si elle était gentille * femme. Et sachant que oui, la demanda pour femme à ladite Reine qui très volontiers la lui bailla, car elle savait bien que le gentilhomme était riche et, avec la richesse, beau et honnête.

Le mariage consommé, le gentilhomme récrivit à sa mère, disant que dorénavant ne lui pouvait nier * la porte de sa maison, vu qu'il lui menait une belle fille aussi parfaite que l'on saurait désirer. La dame, qui s'enquit quelle alliance il avait prise, trouva que c'était la propre fille d'eux deux, dont elle eut un deuil si désespéré qu'elle cuida * mourir soudainement, voyant que tant plus donnait d'empêchement à son malheur, et plus elle était le moyen dont il augmentait. Elle, qui ne sut autre chose faire, s'en alla au légat d'Avignon auquel elle confessa l'énormité de son péché, demandant conseil comme elle se devait conduire. Le légat, satisfaisant à sa conscience, envoya quérir plusieurs docteurs en théologie, auxquels il communiqua l'affaire sans nommer les personnages. Et trouva, par leur conseil, que la dame ne devait jamais rien dire de cette affaire à ses enfants, car, quant à eux, vu l'ignorance, ils n'avaient point péché, mais qu'elle en devait toute sa vie faire pénitence sans leur en faire un seul semblant *. Ainsi s'en retourna la pauvre dame en sa maison, où bientôt après arrivèrent son fils et sa belle-fille, lesquels s'entr'aimaient si fort que jamais mari ni femme n'eurent plus d'amitié ensemble [g] :

f. prou (T)
g. amitié et semblance (A)

car elle était sa fille, sa sœur et sa femme; et lui à elle, son père, frère et mari[5]. Ils continuèrent toujours en cette grande amitié, et la pauvre dame, en son extrême pénitence, ne les voyait jamais faire bonne chère qu'elle ne se retirât pour pleurer.

«Voilà, mesdames, comme il en prend à celles qui cuident* par leurs forces et vertu vaincre Amour et Nature avec toutes les puissances que Dieu y a mises. Mais le meilleur serait, connaissant sa faiblesse, ne jouter point tel ennemi, et se retirer au vrai Ami et lui dire avec le Psalmiste: «Seigneur, je souffre force: répondez pour moi[6]!» — «Il n'est pas possible, dit Oisille, d'ouïr raconter un plus étrange cas que cettui-ci. Et me semble que tout homme et femme doit ici baisser la tête sous la crainte de Dieu, voyant que, pour cuider* bien faire, tant de mal est advenu.» — «Sachez, dit Parlamente, que le premier pas que l'homme marche en la confiance de soi-même s'éloigne d'autant de la confiance de Dieu.» — «Celui est sage, dit Géburon, qui ne connaît ennemi que soi-même, et qui tient sa volonté et son propre conseil pour suspect, quelque apparence de bonté et de sainteté qu'il y ait.» — «Il n'y a, dit Longarine, apparence de bien si grand qui doive faire hasarder une femme de coucher avec un homme, quelque parent qu'il lui soit: car le feu auprès des étoupes n'est point sûr.» — «Sans point de faute, dit Ennasuite, ce devrait être quelque glorieuse* folle qui, par sa rêverie des Cordeliers[7], pensait être si sainte qu'elle était impeccable*, comme plusieurs d'entre eux veulent persuader à croire que par nous-mêmes le pouvons être, qui est un erreur trop grand.» — «Est-il possible, Longarine, dit Oisille, qu'il y en ait d'assez fous pour croire cette opinion?» — «Ils font bien mieux, dit Longarine, car ils disent qu'il se faut habituer à la vertu de chasteté. Et pour éprouver leurs forces, parlent avec les plus belles qui se peuvent trouver et qu'ils aiment le mieux. Et avec baisers et attouchements de mains, expérimentent si leur chair est en tout morte. Et quand par tel plaisir ils se sentent émouvoir, ils se séparent, jeûnent et prennent de grandes disciplines. Et quand ils ont maté leur chair jusque-là et que, pour * parler ni baiser, ils n'ont point d'émotion [h], ils viennent à essayer la forte tentation qui est de coucher ensemble et s'embrasser sans nulle concupiscence. Mais pour un qui en est échappé, en sont venus tant d'inconvénients que l'archevêque de Milan, où cette religion s'exerçait, fut contraint de les séparer et mettre les femmes au couvent des femmes, et les hommes au couvent des hommes [8]. » — « Vraiment, dit Géburon, c'est bien l'extrémité de la folie de se vouloir rendre de soi-même impeccable * et chercher si fort les occasions de pécher ! » Ce dit Saffredent : « Il y en a qui font au contraire, car ils fuient tant qu'ils peuvent les occasions : encore la concupiscence les suit. Et le bon saint Jérôme, après s'être bien fouetté et s'être caché dedans les déserts, confessa ne pouvoir éviter le feu qui brûlait dedans ses moelles. Parquoi se faut recommander à Dieu car, s'il ne nous tient à force, nous prenons grand plaisir à trébucher. » — « Mais vous ne regardez pas ce que je vois ! dit Hircan, c'est que tant que nous avons raconté nos histoires, les moines, derrière cette haie, n'ont point ouï la cloche de leurs vêpres. Et maintenant, quand nous avons commencé à parler de Dieu, ils s'en sont allés, et sonnent à cette heure le second coup ! » — « Nous ferons bien de les suivre, dit Oisille, et d'aller louer Dieu dont * nous avons passé cette Journée aussi joyeusement qu'il est possible. » Et en ce disant se levèrent et s'en allèrent à l'église, où ils ouïrent dévotement vêpres. Et après s'en allèrent souper, débattant des propos passés et remémorant plusieurs cas advenus de leur temps, pour voir lesquels seraient dignes d'être retenus. Et après avoir passé joyeusement tout le soir, allèrent prendre leur doux repos, espérant le lendemain ne faillir * à continuer l'entreprise qui leur était si agréable. Ainsi fut mis fin à la tierce Journée.

FIN DE LA TROISIÈME JOURNÉE

h. dévotion (A)

LA QUATRIÈME JOURNÉE

En la quatrième Journée, on devise principalement de la vertueuse patience et longue attente des dames pour gagner leurs maris; et la prudence dont ont usé les hommes envers les femmes, pour conserver l'honneur de leurs maisons et lignage.

Mme Oisille, selon sa bonne coutume, se leva le lendemain beaucoup plus matin que les autres et, en méditant son livre de la Sainte Écriture, attendit la compagnie qui peu à peu se rassembla. Et les plus paresseux s'excusèrent sur la parole de Dieu disant : « J'ai une femme, je n'y puis aller si tôt[1]. » Parquoi Hircan et sa femme Parlamente trouvèrent la leçon bien commencée. Mais Oisille sut très bien chercher le passage où l'Écriture reprend ceux qui sont négligents d'ouïr cette sainte parole, et non seulement leur lisait le texte, mais[a] leur faisait tant de bonnes et saintes expositions qu'il n'était possible de s'ennuyer à l'ouïr. La leçon * finie, Parlamente lui dit : « J'étais marrie d'avoir été paresseuse quand je suis arrivée ici, mais puisque ma faute est occasion de vous avoir fait si bien parler à moi, ma paresse m'a doublement profité, car j'ai eu repos de corps à dormir davantage, et d'esprit à vous ouïr si bien dire ! » Oisille lui dit : « Or, pour pénitence, allons à la messe prier Notre-Seigneur nous donner la volonté et le moyen d'exécuter ses commandements. Et puis, qu'il commande ce qu'il lui plaira. » En disant ces paroles, se trouvèrent à l'église où ils ouïrent la messe dévotement. Et après se mirent à table, où Hircan n'oublia point de se moquer de la paresse de sa femme. Après le dîner, s'en allèrent reposer pour étudier leur rôle ; et quand l'heure fut venue, se trouvèrent au lieu accoutumé. Oisille demanda à Hircan à qui il donnait sa voix pour commencer la Journée :

a. et (A)

« Si ma femme, dit-il, n'eût commencé celle d'hier, je lui eusse donné ma voix car, combien que j'aie toujours pensé qu'elle m'ait aimé plus que tous les hommes du monde, si * est-ce qu'à ce matin elle m'a montré m'aimer mieux que Dieu ni sa parole, laissant votre bonne leçon pour me tenir compagnie. Mais puisque je ne la puis bailler à la plus sage de la compagnie, je la baillerai au plus sage d'entre nous, qui est Géburon. Mais je le prie qu'il n'épargne point les religieux ! » Géburon lui dit : « Il ne m'en fallait point prier : je les avais bien pour recommandés, car il n'y a pas longtemps que j'en ai ouï faire un conte à M. de Saint-Vincent, ambassadeur de l'Empereur ², qui est digne de n'être mis en oubli. Et je le vous vais raconter. »

TRENTE ET UNIÈME NOUVELLE

Exécrable cruauté d'un cordelier pour parvenir à sa détestable paillardise, et la punition qui en fut faite ¹.

Aux terres sujettes à l'Empereur Maximilien d'Autriche, y avait un couvent de Cordeliers fort estimé, auprès duquel un gentilhomme avait sa maison. Et avait pris telle amitié aux religieux de léans * qu'il n'avait bien qu'il ne leur donnât, pour avoir part en leurs bienfaits, jeûnes et disciplines. Et entre autres y avait léans un grand et beau Cordelier que ledit gentilhomme avait pris pour son confesseur, lequel avait telle puissance de commander en la maison dudit gentilhomme comme lui-même. Ce Cordelier, voyant la femme de ce gentilhomme tant belle et sage qu'il n'était possible de plus, en devint si fort amoureux qu'il en perdit boire, manger et toute raison naturelle. Et un jour, délibérant d'exécuter son entreprise, s'en alla tout seul en la maison du gentilhomme et, ne le trouvant point, demanda à la demoiselle où il était allé. Elle lui dit qu'il était allé en une terre où il devait demeurer deux ou trois jours, mais que, s'il avait affaire à lui, elle lui enverrait homme exprès. Il dit que non, et commença à aller et venir par la maison, comme homme qui avait quelque affaire d'importance en son entende-

ment. Et quand il fut sailli * hors de la chambre, elle dit à
l'une de ses femmes, dont elle n'avait que deux : « Allez
après le beau père, et sachez que c'est qu'il veut, car je
lui trouve le visage d'un homme qui n'est pas content. »
La chambrière s'en va à la cour lui demander s'il voulait
rien *. Il lui dit que oui et, la tirant en un coin, prit un
poignard qu'il avait en sa manche et lui mit dans la gorge.
Ainsi qu'il eut achevé, arriva en la cour un serviteur à
cheval, lequel venait de quérir la rente d'une ferme.
Incontinent qu'il fut à pied salua le Cordelier qui, en
l'embrassant, lui mit par derrière le poignard en la gorge
et ferma la porte du château sur lui. La demoiselle,
voyant que sa chambrière ne revenait point, s'ébahit
pourquoi elle demeurait tant avec ce Cordelier, et dit à
l'autre chambrière : « Allez voir à quoi il tient que votre
compagne ne vient. » La chambrière s'en va et, sitôt que
le beau père la vit, il la tira à part en un coin et fit comme
de sa compagne. Et quand il se vit seul en la maison, s'en
vint à la demoiselle et lui dit qu'il y avait longtemps qu'il
était amoureux d'elle, et que l'heure était venue qu'il
fallait qu'elle lui obéît. La demoiselle, qui ne s'en fût
jamais doutée, lui dit : « Mon père, je crois que, si j'avais
une volonté si malheureuse, me voudriez lapider le premier [2] ! » Le religieux lui dit : « Sortez en cette cour, et
vous verrez ce que j'ai fait. » Quand elle vit ses deux
chambrières et son valet morts, elle fut si très effrayée de
peur qu'elle demeura comme une statue sans sonner mot.
A l'heure * le méchant, qui ne voulait point jouir pour
une heure, ne la voulut prendre par force, mais lui dit :
« Mademoiselle, n'ayez peur : vous êtes entre les mains
de l'homme du monde qui plus vous aime. » Disant cela il
dépouilla son grand habit, dessous lequel en avait vêtu un
petit, lequel il présenta à la demoiselle en lui disant que,
si elle ne le prenait, il la mettrait au rang des trépassés
qu'elle voyait devant les yeux.
   La demoiselle, plus morte que vive, délibéra de feindre
lui vouloir obéir, tant pour sauver sa vie que pour gagner
le temps qu'elle espérait que son mari reviendrait. Et par
le commandement dudit Cordelier, commença à se dé-
coiffer le plus longuement qu'elle put ; et quand elle fut

en cheveux, le Cordelier ne regarda à la beauté qu'ils avaient, mais les coupa hâtivement. Et ce fait, la fit dépouiller * tout en chemise, et lui vêtit le petit habit qu'il portait, reprenant le sien accoutumé. Et le plus tôt qu'il put s'en part de léans *, menant avec lui son petit Cordelier que si longtemps il avait désiré. Mais Dieu, qui a pitié de l'innocent en tribulation, regarda les larmes de cette pauvre demoiselle, en sorte que le mari, ayant fait ses affaires plus tôt qu'il ne cuidait *, retourna en sa maison par le même chemin où sa femme s'en allait. Mais quand le Cordelier l'aperçut de loin, il dit à la demoiselle : « Voici votre mari que je vois venir. Je sais que, si vous le regardez, il vous voudra tirer hors de mes mains : parquoi marchez devant moi, et ne tournez la tête nullement du côté de là où il ira car, si vous faites un seul signe, j'aurai plus tôt mon poignard en votre gorge qu'il ne vous aura délivrée de mes mains ! » En ce disant, le gentilhomme approcha et lui demanda dont * il venait. Il lui dit : « De votre maison, où j'ai laissé mademoiselle qui se porte très bien et vous attend. »

Le gentilhomme passa outre sans apercevoir sa femme, mais un serviteur qui était avec lui, lequel avait toujours accoutumé d'entretenir le compagnon du Cordelier nommé frère Jean, commença à appeler sa maîtresse, pensant que ce fût frère Jean. La pauvre femme, qui n'osait tourner l'œil du côté de son mari, ne lui répondit mot ; mais son valet, pour le voir au visage, traversa le chemin et, sans répondre rien, la demoiselle lui fit signe de l'œil qu'elle avait tout plein de larmes. Le valet s'en va après son maître et lui dit : « Monsieur, en traversant le chemin, j'ai avisé * le compagnon du Cordelier qui n'est point frère Jean, mais ressemble tout à fait à mademoiselle votre femme, qui, avec un œil plein de larmes, m'a jeté un piteux * regard. » Le gentilhomme lui dit qu'il rêvait et n'en tint compte. Mais le valet, persistant, le supplia lui donner congé * d'aller après, et qu'il attendît au chemin voir si c'était ce qu'il pensait. Le gentilhomme lui accorda, et demeura pour voir que son valet lui apporterait. Mais quand le Cordelier ouït derrière lui le valet qui appelait frère Jean, se doutant que la demoiselle eut été connue, vint avec un grand bâton ferré qu'il tenait, et en donna un si grand coup par le côté au valet qu'il l'abattit du cheval à terre. Incontinent saillit * sur son corps et lui coupa la gorge. Le gentilhomme, qui de loin vit trébucher son valet, pensant qu'il fût tombé par quelque fortune *, court après pour le relever. Et sitôt que le Cordelier le vit, il lui donna de son bâton ferré comme il avait fait à son valet, et le jeta par terre, et se jeta sur lui. Mais le gentilhomme, qui était fort et puissant, embrassa le Cordelier de telle sorte qu'il ne lui donna pouvoir de lui faire mal, et lui fit saillir * le poignard des poings, lequel sa femme incontinent alla prendre et le bailla à son mari, et de toute sa force tint le Cordelier par le chaperon *. Et le mari lui donna plusieurs coups de poignard, en sorte qu'il lui requit pardon et confessa sa méchanceté. Le gentilhomme ne le voulut point tuer, mais pria sa femme d'aller en sa maison quérir ses gens et quelque charrette pour le mener. Ce qu'elle fit : dépouillant * son habit ; courut tout en chemise, le tête rase, jusqu'en sa maison. Incontinent accoururent toutes ses gens pour aller à leur maître lui aider à amener le loup qu'il avait pris. Et le trouvèrent dans le chemin, où il fut pris, lié et mené en la maison du gentilhomme. Lequel après le fit conduire en la justice de l'Empereur en Flandres, où il confessa sa mauvaise volonté. Et fut trouvé, par sa confession et preuve * qui fut faite par commissaires sur le lieu, qu'en ce monastère y avait été mené un grand nombre de gentilles * femmes et autres belles filles, par les moyens que ce Cordelier y voulait mener cette demoiselle. Ce qu'il eut fait sans la grâce de Notre-Seigneur, qui aide toujours à ceux qui ont espérance en lui. Et fut ledit monastère spolié de ses larcins et des belles filles qui étaient dedans, et les moines y enfermés dedans brûlèrent avec ledit monastère, pour perpétuelle mémoire de ce crime, par lequel se peut connaître qu'il n'y a rien plus dangereux[a] qu'amour quand il est fondé sur vice, comme il n'est rien plus humain ni louable que quand il habite en un cœur vertueux.

a. cruel (T)

« Je suis bien marri, mesdames, de quoi la vérité ne
nous amène des contes autant à l'avantage des Cordeliers
comme elle fait à leur désavantage, car ce me serait grand
plaisir, pour * l'amour que je porte à leur ordre, d'en
savoir quelqu'un où je les puisse bien louer. Mais nous
avons tant juré de dire vérité que je suis contraint, après le
rapport de gens si dignes de foi, de ne la celer, vous
assurant, quand les religieux feront acte de mémoire à
leur gloire, que je mettrai grand peine de le [b] faire trouver
beaucoup meilleur que je n'ai fait à dire la vérité de
cette-ci. » — « En bonne foi, Géburon, dit Oisille, voilà
un amour qui se devait nommer cruauté. » — « Je m'ébahis, dit Simontaut, comment il eut la patience, la voyant
en chemise et au lieu où il en pouvait être maître, qu'il ne
la prît par force. » — « Il n'était friand, dit Saffredent,
mais il était gourmand car, pour * l'envie qu'il avait de
s'en saouler tous les jours, il ne se voulait point amuser
d'en tâter. » — « Ce n'est point cela, dit Parlamente, mais
entendez que tout homme furieux * est toujours peureux,
et la crainte qu'il avait d'être surpris et qu'on lui ôtât sa
proie lui faisait emporter son agneau, comme un loup sa
brebis, pour la manger à son aise. » — « Toutefois, dit
Dagoucin, je ne saurais croire qu'il lui portât amour [c], et
aussi qu'en un cœur si vilain que le sien, ce vertueux dieu
eût su [d] habiter. » — « Quoi que soit, dit Oisille, il en fut
bien puni. Je prie à Dieu que de pareilles entreprises
puissent saillir * telles punitions. Mais à qui donnerez-
vous votre voix ? » — « A vous, madame, dit Géburon :
vous ne faudrez * de nous en dire quelque bonne. » —
« Puisque je suis en mon rang, dit Oisille, je vous en
raconterai une bonne, pource qu'elle est advenue de mon
temps, et que celui même qui l'a vue me l'a contée. Je
suis sûre que vous n'ignorez point que la fin de tous nos
malheurs est la mort. Mais, mettant fin à notre malheur,
elle se peut nommer notre félicité et sûr repos. Le malheur donc de l'homme, c'est désirer la mort et ne la

b. grand peine à leur (A)
c. qu'il ne lui portât amour (A)
d. n'y eût su (A)

pouvoir avoir. Parquoi la plus grande punition que l'on puisse donner à un malfaiteur n'est pas la mort, mais c'est de donner un tourment continuel si grand qu'il la fait désirer, et si petit qu'il ne la peut avancer, ainsi qu'un mari bailla à sa femme, comme vous orrez *. »

TRENTE-DEUXIÈME NOUVELLE

Punition plus rigoureuse que la mort d'un mari envers sa femme adultère [1].

Le Roi Charles, huitième de ce nom, envoya en Allemagne un gentilhomme nommé Bernage [2], sieur de Sivray près Amboise, lequel, pour faire bonne diligence, n'épargnait jour ni nuit pour avancer son chemin ; de sorte que, un soir bien tard, arriva en un château d'un gentilhomme où il demanda logis, ce qu'à grand peine put avoir. Toutefois, quand le gentilhomme entendit qu'il était serviteur d'un tel Roi, s'en alla au-devant de lui et le pria de ne se mal contenter de la rudesse de ses gens car, à cause de quelques parents de sa femme qui lui voulaient mal, il était contraint tenir ainsi la maison fermée. Aussi ledit Bernage lui dit l'occasion * de sa légation, en quoi le gentilhomme s'offrit de faire tout son service à lui possible au Roi son maître. Et le mena dedans sa maison, où il le logea et festoya honorablement.

Il était heure de souper. Le gentilhomme le mena en une belle salle tendue de belle tapisserie. Et ainsi que la viande * fut apportée sur la table, vit sortir de derrière la tapisserie une femme, la plus belle qu'il était possible de regarder ; mais elle avait sa tête toute tondue, le demeurant du corps habillé de noir, à l'allemande. Après que ledit seigneur eut lavé * avec le seigneur de Bernage, l'on porta l'eau à cette dame qui lava et s'alla seoir au bout de la table, sans parler à nullui *, ni nul à elle. Le seigneur de Bernage la regarda bien fort, et lui sembla une des plus belles dames qu'il avait jamais vues, sinon qu'elle avait le visage bien pâle et la contenance bien triste. Après qu'elle eut mangé un peu, elle demanda à boire, ce que lui apporta un serviteur de léans *, dedans un émerveillable * vaisseau *, car c'était la tête d'un mort, dont les yeux ᵃ étaient bouchés d'argent. Et ainsi but deux ou trois fois la demoiselle. Après qu'elle eut soupé et fait laver les mains, fit une révérence au seigneur de la maison et s'en retourna derrière la tapisserie, sans parler à personne. Bernage fut tant ébahi de voir chose si étrange qu'il en devint tout triste et pensif. Le gentilhomme, qui s'en aperçut, lui dit : « Je vois bien que vous vous étonnez de ce que vous avez vu en cette table. Mais, vu l'honnêteté que je trouve en vous, je ne vous veux celer que c'est, afin que vous ne pensiez qu'il y ait en moi telle cruauté sans grande occasion *. Cette dame que vous avez vue est ma femme, laquelle j'ai plus aimée que jamais homme pourrait aimer femme, tant que, pour l'épouser, j'oubliai toute crainte, en sorte que je l'amenai ici dedans malgré ses parents. Elle aussi me montrait tant de signes d'amour que j'eusse hasardé dix mille vies pour la mettre céans à son aise et à la mienne, où nous avons vécu un temps à tel repos et contentement que je me tenais le plus heureux gentilhomme de la chrétienté. Mais en un voyage que je fis, où mon honneur me contraignit d'aller, elle oublia tant son honneur, sa conscience et l'amour qu'elle avait en moi qu'elle fut amoureuse d'un jeune gentilhomme que j'avais nourri * céans. Dont à mon retour je me cuidai * apercevoir ; si * est-ce que l'amour que je lui portais était si grand que je ne me pouvais défier d'elle jusqu'à la fin que l'expérience me creva les yeux : et vis ce que je craignais plus que la mort. Parquoi l'amour que je lui portais fut convertie en fureur et désespoir, en telle sorte que je la guettai de si près qu'un jour, feignant aller dehors, me cachai en la chambre où maintenant elle demeure, où bientôt après mon partement * elle se retira ; et y fit venir ce jeune gentilhomme, lequel je vis entrer avec la privauté qui n'appartenait qu'à moi avoir à elle. Mais quand je vis qu'il voulait monter sur le lit auprès d'elle, je saillis * dehors et le pris entre ses bras, où je le tuai. Et pource que le crime de ma femme me sembla si grand qu'une telle mort n'était suffisante pour la punir, je

a. de laquelle les pertuis (T)

lui ordonnai une peine que je pense qu'elle a plus désagréable que la mort : c'est de l'enfermer en ladite chambre où elle se retirait pour prendre ses plus grandes
délices, et en la compagnie de celui qu'elle aimait trop
mieux que moi. Auquel lieu je lui ai mis dans une armoire
tous les os de son ami, tendus comme une chose précieuse en un cabinet. Et afin qu'elle n'en oublie la mémoire, en buvant et mangeant lui fais servir à table, au
lieu de coupe, la tête de ce méchant, et là tout devant
moi, afin qu'elle voie vivant celui qu'elle a fait son
mortel ennemi par sa faute, et mort pour l'amour d'elle
celui duquel elle avait préféré l'amitié à la mienne. Et
ainsi elle voit à dîner et à souper les deux choses qui plus
lui doivent déplaire : l'ennemi vivant et l'ami mort, et
tout par son péché. Au demeurant, je la traite comme
moi-même, sinon qu'elle va tondue, car l'arraiement *
des cheveux n'appartient à l'adultère, ni le voile à l'im-
pudique. Parquoi s'en va rasée, montrant qu'elle a perdu
l'honneur de la chasteté [b] et pudicité. S'il vous plaît de
prendre la peine de la voir, je vous y mènerai. »
    Ce que fit volontiers Bernage ; lesquels descendirent à
bas, et trouvèrent qu'elle était en une très belle chambre,
assise toute seule devant un feu. Le gentilhomme tira un
rideau qui était devant une grande armoire, où il vit
pendus tous les os d'un homme mort. Bernage avait
grande envie de parler à la dame, mais, de peur du mari,
il n'osa. Le gentilhomme qui s'en aperçut lui dit : « S'il
vous plaît lui dire quelque chose, vous verrez quelle grâce
et parole elle a. » Bernage lui dit à l'heure * : « Madame,
votre patience est égale au tourment : je vous tiens la plus
malheureuse femme du monde. » La dame, ayant la larme
à l'œil, avec une grâce tant humble qu'il n'était possible
de plus, lui dit : « Monsieur, je confesse ma faute être si
grande que tous les maux que le seigneur de céans —
lequel je ne suis digne de nommer mon mari — me
saurait faire ne me sont rien au prix du regret que j'ai de
l'avoir offensé. » En disant cela se prit fort à pleurer. Le
gentilhomme tira Bernage par le bras et l'emmena. Le

b   virginité (A)

lendemain au matin, s'en partit pour aller faire la charge que le Roi lui avait donnée. Toutefois, disant adieu au gentilhomme, ne se put tenir de lui dire : « Monsieur, l'amour que je vous porte et l'honneur et privauté que vous m'avez faite en votre maison me contraignent à vous dire qu'il me semble, vu la grande repentance de votre pauvre femme, que vous lui devez user de miséricorde. Et aussi vous êtes jeune, et n'avez nuls enfants ; et serait grand dommage de perdre une si belle maison que la vôtre, et que ceux qui ne vous aiment peut-être point en fussent héritiers. » Le gentilhomme, qui avait délibéré de ne parler jamais à sa femme, pensa longuement aux propos que lui tint le seigneur de Bernage. Et enfin connut qu'il disait vérité, et lui promit que, si elle persévérait en cette humilité, il en aurait quelque fois* pitié. Ainsi s'en alla Bernage faire sa charge. Et quand il fut retourné devant le Roi son maître, lui fit tout au long le conte que le prince trouva tel comme il disait. Et entre autres choses, ayant parlé de la beauté de la dame, envoya son peintre nommé Jean de Paris[3], pour lui rapporter cette dame au vif*. Ce qu'il fit après le consentement de son mari, lequel, après longue pénitence, pour* le désir qu'il avait d'avoir enfants, et pour la pitié qu'il eut de sa femme qui en si grande humilité recevait cette pénitence, la reprit avec soi. Et en eut depuis beaucoup de beaux enfants.

« Mesdames, si toutes celles à qui pareil cas est advenu buvaient en tels vaisseaux*, j'aurais grand peur que beaucoup de coupes dorées seraient converties en têtes de morts ! Dieu nous en veuille garder, car si sa bonté ne nous retient, il n'y a aucun d'entre nous qui ne puisse faire pis ; mais, ayant confiance en lui, il gardera celles qui confessent ne se pouvoir par elles-mêmes garder. Et celles qui se confient en leurs forces sont en grand danger d'être tentées jusqu'à confesser leur infirmité. Et en [ai][c] vu plusieurs qui ont trébuché en tel cas, dont l'honneur[d]

c. Et en est vu (A) ; Et vous assure que s'en sont trouvées (T)
d. l'humilité (T)

sauvait celles que l'on estimait les moins vertueuses. Et dit le vieux proverbe : "Ce que Dieu garde est bien gardé". » — « Je trouve, dit Parlamente, cette punition autant raisonnable qu'il est possible, car tout ainsi que l'offense est pire que la mort, aussi est la punition pire que la mort. » Dit Ennasuite : « Je ne suis pas de votre opinion, car j'aimerais mieux toute ma vie voir les os de tous mes serviteurs en mon cabinet que de mourir pour eux, vu qu'il n'y a méfait qui ne se puisse amender, mais après la mort n'y a point d'amendement. » — « Comment sauriez-vous amender la honte ? dit Longarine, car vous savez que, quelque chose que puisse faire une femme après un tel méfait, ne saurait réparer son honneur. » — « Je vous prie, dit Ennasuite, dites-moi si [1]a Madeleine n'a pas plus d'honneur entre les hommes maintenant, que sa sœur qui était vierge [4] ? » — « Je vous confesse, dit Longarine, qu'elle est louée entre nous de la grande amour qu'elle a portée à Jésus-Christ, et de sa grande pénitence. Mais si * lui demeure le nom de pécheresse. » — « Je ne me soucie, dit Ennasuite, quel nom les hommes me donnent ; mais * que Dieu me pardonne et mon mari aussi, il n'y a rien pourquoi je voulusse mourir. » — « Si cette demoiselle aimait son mari comme elle devait, dit Dagoucin, je m'ébahis comme elle ne mourait de deuil en regardant les os de celui à qui, par son péché, elle avait donné la mort. » — « Comment [e] Dagoucin, dit Simontaut, êtes-vous encore à savoir que les femmes n'ont ni amour ni regret ? » — « Je suis encore à le savoir, dit Dagoucin, car je n'ai jamais osé tenter leur amour, de peur d'en trouver moins que j'en désire. » — « Vous vivez donc de foi et d'espérance, dit Nomerfide, comme le pluvier du vent [5] ? Vous êtes bien aisé à nourrir ! » — « Je me contente, dit-il, de l'amour que je sens en moi, et de l'espoir qu'il y a au cœur des dames ; mais si je le savais comme je l'espère, j'aurais si extrême contentement que je ne le saurais porter * sans mourir. » — « Gardez-vous bien de la peste, dit Géburon, car de cette maladie-là, je vous en assure [6] ! Mais je voudrais savoir à

_____

e. Cependant (A)

qui Mme Oisille donnera sa voix. » — « Je la donne, dit-elle, à Simontaut, lequel je sais bien qu'il n'épargnera personne. » — « Autant vaut, dit-il, que vous mettez à sus * que je suis un peu médisant ! Si ne lairrai *-je à vous montrer que ceux que l'on disait médisants ont dit vérité. Je crois, mesdames, que vous n'êtes pas si sottes que de croire en toutes les nouvelles que l'on vous vient conter, quelque apparence qu'elles puissent avoir de sainteté, si la preuve n'y est si grande qu'elle ne puisse être remise en doute. Aussi, sous telles espèces de miracles, y a souvent des abus. Et pource, j'ai eu envie de vous raconter un miracle qui ne sera moins à la louange d'un prince fidèle qu'au déshonneur d'un méchant ministre d'église. »

TRENTE-TROISIÈME NOUVELLE

Abomination d'un prêtre incestueux qui engrossa sa sœur sous prétexte de sainte vie, et la punition qui en fut faite.

Le comte Charles d'Angoulême, père du Roi François, prince fidèle et craignant Dieu, était à Cognac que l'on lui raconta[a] qu'en un village près de là, nommé Cherves, y avait une fille vierge vivant si austèrement que c'était chose admirable, laquelle toutefois était trouvée grosse. Ce qu'elle ne dissimulait point, et assurait tout le peuple que jamais elle n'avait connu homme et qu'elle ne savait comme le cas lui était advenu, sinon que ce fût œuvre du Saint-Esprit. Ce que le peuple croyait facilement, et la tenaient et réputaient * entre eux comme pour une seconde Vierge Marie, car chacun connaissait que, dès son enfance, elle était si sage que jamais n'eut en elle un seul signe de mondanité *. Elle jeûnait non seulement les jeûnes commandés de l'Église, mais plusieurs fois la semaine à sa dévotion, et tant que l'on disait quelque service en l'église elle n'en bougeait. Parquoi sa vie était si estimée de tout le commun que chacun par miracle la venait voir, et était bien heureux qui lui pouvait toucher la robe. Le curé de la paroisse était son frère, homme d'âge

a. étant à Cognac lui fut averti que (T)

et de bien austère vie, aimé et estimé de ses paroissiens, et tenu pour un saint homme ; lequel tenait de si rigoureux propos à sadite sœur qu'il la fit enfermer en une maison, dont le peuple était mal content. Et en fut le bruit* si grand que, comme je vous ai dit, les nouvelles en vinrent aux oreilles du Comte. Lequel, voyant l'abus* où le peuple était, désirant les en ôter, envoya un maître des requêtes et un aumônier, deux fort gens de bien, pour en savoir la vérité. Lesquels allèrent sur le lieu et s'informèrent du cas le plus diligemment qu'ils purent, s'adressant au curé qui était tant ennuyé de cet affaire qu'il les pria d'assister à la vérification laquelle il espérait faire.

Le lendemain ledit curé dès le matin chanta la messe où sa sœur assista, toujours à genoux, bien fort grosse. Et à la fin de la messe, le curé prit le *Corpus Domini* et, en la présence de toute l'assistance, dit à sa sœur : « Malheureuse que tu es, voici Celui qui a souffert mort et passion pour toi, devant lequel je te demande si tu es vierge comme tu m'as toujours assuré ! » Laquelle hardiment lui répondit que oui. « Et comment donc est-il possible que tu sois grosse et demeurée vierge ? » Elle répondit : « Je n'en puis rendre autre raison sinon que ce soit la grâce du Saint-Esprit qui fait en moi ce qu'il lui plaît. Mais si ne puis-je nier la grâce que Dieu m'a faite de me conserver vierge. Et n'eus jamais volonté d'être mariée. » A l'heure* son frère lui dit : « Je te baillerai le corps précieux de Jésus-Christ, lequel tu prendras à ta damnation* s'il est autrement que tu me le dis, dont messieurs qui sont ici présents de par monseigneur le comte seront témoins. » La fille, âgée de près de trente[b] ans, jura par tel serment : « Je prends le corps de Notre-Seigneur ici présent[c] à ma damnation devant vous, messieurs, et vous, mon frère, si jamais homme ne m'attoucha non plus que vous. » Et en ce disant reçut le corps de Notre-Seigneur. Le maître des requêtes et aumônier du Comte, ayant vu cela, s'en allèrent tout confus, croyant qu'avec tel serment mensonge ne saurait avoir lieu. Et en firent le

b. seize (T)
c. ici présent devant vous à ma damnation (A)

rapport au Comte, le voulant persuader à croire ce qu'ils croyaient. Mais lui, qui était sage, après y avoir bien pensé, leur fit derechef dire les paroles du jurement, lesquelles ayant bien pourpensées leur dit[d] : « Elle vous a dit que jamais homme ne lui toucha non plus que son frère. Et je pense, pour vérité, que son frère lui a fait cet enfant, et veut couvrir * sa méchanceté sous une si grande dissimulation. Mais nous, qui croyons un Jésus-Christ venu, n'en devons plus attendre d'autre. Parquoi allez-vous en, et mettez le curé en prison : je suis sûr qu'il confessera la vérité. » Ce qui fut fait selon son commandement, non sans grandes remontrances pour * le scandale qu'ils faisaient à cet homme de bien. Et sitôt que le curé fut pris, il confessa sa méchanceté, et comme il avait conseillé à sa sœur de tenir les propos qu'elle tenait pour couvrir * la vie qu'ils avaient menée ensemble, non seulement d'une excuse légère, mais d'un faux donné à entendre par lequel ils demeuraient honorés de tout le monde. Et dit, quand on lui mit au devant * qu'il avait été si méchant de prendre le corps de Notre-Seigneur pour la faire jurer dessus, qu'il n'était pas si hardi et qu'il avait pris un pain non sacré ni bénit. Le rapport en fut fait au comte d'Angoulême, lequel commanda à la justice de faire ce qu'il appartenait. L'on attendit que sa sœur fut accouchée et, après avoir fait un beau fils, furent brûlés le frère et la sœur ensemble, dont tout le peuple eut un merveilleux ébahissement, ayant vu sous si saint manteau un monstre si horrible, et sous une vie tant louable et sainte régner un si détestable vice.

« Voilà, mesdames, comme la foi du bon Comte ne fut vaincue par signes ni miracles extérieurs, sachant très bien que nous n'avons qu'un Sauveur lequel, en disant *Consummatum est* a montré qu'il ne laissait point de lieu à un autre successeur pour faire notre salut. » — « Je vous promets, dit Oisille, que voilà une grande hardiesse sous[e] une extrême hypocrisie, de couvrir du manteau de Dieu et

---

d. lesquelles ayant bien pensées : elle vous a dit (A)
e. pour (A)

des vrais chrétiens un péché si énorme!» — «J'ai ouï dire, dit Hircan, que ceux qui, sous couleur d'une commission de Roi, font cruautés et tyrannies, sont punis doublement pource qu'ils couvrent leur injustice de la justice royale. Aussi voyez-vous les hypocrites, combien qu'ils prospèrent quelque temps sous le manteau de Dieu et de sainteté, si * est-ce que, quand le Seigneur Dieu lève son manteau, il les découvre et les met tout nus. Et à l'heure * leur nudité, ordure et vilenie est d'autant trouvée plus laide que la couverture était ^f honorable. » — « Il n'est rien plus plaisant, dit Nomerfide, que de parler naïvement *, ainsi que le cœur le pense. » — « C'est pour * engraisser [1], répondit Longarine, et je crois que vous donnez votre opinion selon votre condition. » — « Je vous dirai, dit Nomerfide, je vois que les fous, si on ne les tue, vivent plus longuement que les sages, et n'y entends qu'une raison : c'est qu'ils ne dissimulent point leurs passions. S'ils sont courroucés, ils frappent ; s'ils sont joyeux, ils rient ; et ceux qui cuident * être sages dissimulent tant leurs imperfections qu'ils en ont tous les cœurs empoisonnés [2]. » — « Et je pense, dit Géburon, que vous dites vérité et que l'hypocrisie, soit envers Dieu, soit envers les hommes ou la Nature, est cause de tous les maux que nous avons. » — « Ce serait belle chose, dit Parlamente, que notre cœur fût si rempli par foi de Celui qui est toute vertu et toute joie que nous le puissions librement montrer à chacun ! » — « Ce sera à l'heure *, dit Hircan, qu'il n'y aura plus de chair sur nos os. » — « Si * est-ce, dit Oisille, que l'esprit de Dieu, qui est plus fort que la mort, peut mortifier notre cœur sans mutation ni ruine de corps. » — « Madame, dit Saffredent, vous parlez d'un don de Dieu qui n'est encore commun aux hommes ! » — « Il est commun, dit Oisille, à ceux qui ont la foi. Mais pource que cette matière ne se laisserait entendre à ceux qui sont charnels, sachons à qui Simontaut donne sa voix. » — « Je la donne, dit Simontaut, à Nomerfide, car puisqu'elle a le cœur joyeux, sa parole ne sera point triste. » — « Et vraiment, dit Nomerfide, puis-

f. est dite (A)

que vous avez envie de rire, je vous en vais prêter l'occasion et, pour vous montrer combien la peur et l'ignorance nuit, et que faute d'entendre * un propos est souvent cause de beaucoup de mal, je vous dirai ce qu'il advint à deux Cordeliers de Niort, lesquels, pour * mal entendre * le langage d'un boucher, cuidèrent * mourir. »

TRENTE-QUATRIÈME NOUVELLE

*Deux Cordeliers trop curieux d'écouter eurent si belles affres qu'ils en cuidèrent * mourir.*

Il y a un village entre Niort et Fors nommé Gript, lequel est au seigneur de Fors. Un jour advint que deux Cordeliers venant de Niort arrivèrent bien tard en ce lieu de Gript, et logèrent en la maison d'un boucher. Et pource qu'entre leur chambre et celle de l'hôte n'y avait que des ais * bien mal joints, leur prit envie d'écouter ce que le mari disait à sa femme étant dedans le lit. Et vinrent mettre leurs oreilles tout droit au chevet du lit du mari, lequel, ne se doutant de ses hôtes, parlait à sa femme privément * de son ménage, en lui disant : « M'amie, il me faut demain lever matin pour aller voir nos Cordeliers, car il y en a un bien gras, lequel il nous faut tuer. Nous le salerons incontinent et en ferons bien notre profit ! » Et combien qu'il entendait de ses pourceaux, lesquels il appelait cordeliers, si * est-ce que les deux pauvres frères, qui oyaient cette conjuration, se tinrent tout assurés que c'était pour eux, et en grande peur et crainte attendaient l'aube du jour. Il y en avait un d'eux fort gras et l'autre assez maigre. Le gras se voulait confesser à son compagnon, disant qu'un boucher ayant perdu l'amour et crainte de Dieu ne ferait non plus de cas de l'assommer qu'un bœuf ou autre bête. Et vu qu'ils étaient enfermés en leur chambre, de laquelle ils ne pouvaient sortir sans passer par celle de l'hôte, ils se devaient tenir bien sûrs de leur mort, et recommander leurs âmes à Dieu. Mais le jeune, qui n'était pas si vaincu de peur que son compagnon, lui dit que, puisque la porte leur était fermée, fallait essayer à passer par la fenêtre, et qu'aussi

bien ils ne sauraient avoir pis que la mort. A quoi le gras
s'accorda. Le jeune ouvrit la fenêtre et, voyant qu'elle
n'était trop haute de terre, sauta légèrement en bas et
s'enfuit le plus tôt et le plus loin qu'il put, sans attendre
son compagnon. Lequel essaya le danger*, mais la pesanteur le contraignit de demeurer en bas, car au lieu de
sauter il tomba si lourdement qu'il se blessa fort en une
jambe.

Et quand il se vit abandonné de son compagnon et qu'il
ne pouvait le suivre, regarda à l'entour de lui où il se
pourrait cacher. Et ne vit rien qu'un tect* à pourceaux où
il se traîna le mieux qu'il put. Et ouvrant une porte pour
se cacher dedans, en échappa deux grands pourceaux en
la place desquels se mit le pauvre Cordelier, et ferma le
petit huis sur lui, espérant, quand il orrait* le bruit des
gens passant, qu'il appellerait et trouverait secours. Mais
sitôt que le matin fut venu le boucher apprêta ses grands
couteaux et dit à sa femme qu'elle lui tînt compagnie pour
aller tuer son pourceau gras. Et quand il arriva au tect
auquel le Cordelier s'était caché, commença à crier bien
haut, en ouvrant la petite porte : « Saillez* dehors, maître
cordelier, saillez dehors, car aujourd'hui j'aurai de vos
boudins ! » Le pauvre Cordelier, ne se pouvant soutenir
sur sa jambe, saillit à quatre pieds hors du tect, criant tant
qu'il pouvait miséricorde. Et si le pauvre frère eut grand
peur, le boucher et sa femme n'en eurent pas moins, car
ils pensaient que saint François fût courroucé contre eux
de ce qu'ils nommaient une bête cordelier, et se mirent à
genoux devant le pauvre frère, demandant pardon à saint
François et à sa religion*, en sorte que le Cordelier criait
d'un côté miséricorde au boucher, et le boucher à lui
d'autre[1] : tant que les uns et les autres furent un quart
d'heure sans se pouvoir assurer*. A la fin, le beau père,
connaissant que le boucher ne lui voulût point de mal, lui
conta la cause pourquoi il s'était caché en ce tect, dont
leur peur tourna incontinent en ris, sinon que le pauvre
Cordelier, qui avait mal en la jambe, ne se pouvait très
bien panser*. Son compagnon, qui l'avait laissé au besoin, courut toute la nuit, tant qu'au matin il vint en la
maison du seigneur de Fors où il se plaignait de ce

boucher, lequel il soupçonnait d'avoir tué son compagnon, vu qu'il n'était venu après lui. Ledit seigneur de Fors envoya incontinent au lieu de Gript pour en savoir la vérité, laquelle sue ne se trouva point matière de pleurer, mais ne faillit * à le raconter à sa maîtresse madame la duchesse d'Angoulême, mère du Roi François, premier de ce nom².

« Voilà, mesdames, comment il ne faut pas bien écouter le secret là où on n'est point appelé, et entendre mal les paroles d'autrui. » — « Ne savais-je pas bien, dit Simontaut, que Nomerfide ne nous ferait point pleurer, mais bien fort rire ? En quoi il me semble que chacun de nous s'est bien acquitté ! » — « Et qu'est-ce à dire, dit Oisille ª, que nous sommes plus enclins à rire d'une folie que d'une chose sagement faite ? » — « Pource, dit Hircan, qu'elle nous est plus agréable, d'autant qu'elle est plus semblable à notre nature, qui de soi n'est jamais sage. Et chacun prend plaisir à son semblable : les fous aux folies, et les sages à la prudence. » — « Je crois, dit Simontaut ᵇ, qu'il n'y a ni sages ni fous qui se sussent garder de rire de cette histoire. » — « Il y en a, dit Géburon, qui ont le cœur tant adonné à l'amour de sapience que, pour choses que sussent ouïr, on ne les saurait faire rire, car ils ont une joie en leurs cœurs et un contentement si modéré que nul accident ne les peut muer *. » — « Qui ᶜ sont ceux-là ? dit Hircan. » — « Les philosophes du temps passé, répondit Géburon, dont la tristesse et la joie est quasi point sentie ; au moins n'en montraient-ils nul semblant tant ils estimaient grand vertu se vaincre eux-mêmes et leur passion. » — « Et je trouve aussi bon comme ils font, dit Saffredent, de vaincre une passion vicieuse ; mais d'une passion naturelle qui ne tend à nul mal, cette victoire-là me semble inutile. » — « Si * est-ce, dit Géburon, que les Anciens estimaient cette vertu grande. » — « Il n'est pas dit aussi, répondit Saffre-

a. Nomerfide (T)
b. dit-il (A)
c. Où (A)

dent, qu'ils fussent tous sages, mais y en avait plus d'apparence de sens et de vertu qu'il n'y avait d'effet. » — « Toutefois vous verrez qu'*ils* reprennent toutes choses mauvaises, dit Géburon, et même Diogène marche sur le lit de Platon qui était trop curieux* à son gré, pour montrer qu'il déprisait* et voulait mettre sous le pied la vaine gloire et convoitise de Platon en disant : "Je conculque* et déprise l'orgueil de Platon." » — « Mais vous ne dites pas tout, dit Saffredent, car Platon lui répondit que c'était par un autre orgueil [d]. » — « A dire la vérité, dit Parlamente, il est impossible que la victoire de nous-même se fasse par nous-même sans un merveilleux* orgueil, qui est le vice que chacun doit le plus craindre, car il s'engendre de la mort et ruine de toutes les autres vertus [e]. » — « Ne vous ai-je pas lu au matin, dit Oisille, que ceux qui ont cuidé* être plus sages que les autres hommes et qui, par une lumière de raison, sont venus jusqu'à connaître un Dieu créateur de toutes choses, toutefois, pour* s'attribuer cette gloire, et non à Celui dont elle venait, estimant leur labeur avoir gagné ce savoir, ont été faits non seulement plus ignorants et déraisonnables que les autres hommes, mais que les bêtes brutes ? Car, ayant erré* en leurs esprits, s'attribuant ce qu'à Dieu seul appartient, ont montré leurs erreurs par le désordre de leurs corps, oubliant et pervertissant l'ordre de leur sexe, comme saint Paul aujourd'hui nous montre en l'épître qu'il écrivait aux Romains [3]. » — « Il n'y a nul de nous, dit Parlamente, qui par cette épître ne confesse que tous les péchés extérieurs ne sont que les fruits de l'infélicité intérieure, laquelle plus est couverte de vertu et de miracles plus est difficile à arracher. » — « Entre nous hommes, dit Hircan, sommes plus près de notre salut que vous autres car, ne dissimulant point nos fruits, connaissons facilement notre racine. Mais vous, qui ne les osez mettre dehors et qui faites tant de belles œuvres apparentes, à grand peine connaîtrez-vous cette racine

---

d. d'autant que Diogène usait d'un tel mépris de netteté par une certaine gloire et arrogance (*ajout de* T)

e. ruine de tous les autres (T)

d'orgueil qui croît sous si belle couverture *. » — « Je vous confesse, dit Longarine, que si la parole de Dieu ne nous montre, par la foi, la lèpre d'infidélité cachée en notre cœur, Dieu nous fait grand grâce quand nous trébuchons en quelque offense visible par laquelle notre peste couverte se puisse clairement voir. Et bien heureux sont ceux que la foi a tant humiliés qu'ils n'ont point besoin d'expérimenter leur nature pécheresse par les effets du dehors. » — « Mais regardons, dit Simontaut, de là où nous sommes venus : en partant d'une très grande folie, nous sommes tombés en la philosophie et la théologie. Laissons ces disputes à ceux qui savent mieux rêver * que nous, et sachons de Nomerfide à qui elle donne sa voix. » — « Je la donne, dit-elle, à Hircan, mais je lui recommande l'honneur des dames. » — « Vous ne le pouvez dire en meilleur endroit, dit Hircan, car l'histoire que j'ai apprêtée est toute telle qu'il la faut pour vous obéir. Si * est-ce que, par cela, je vous apprendrai à confesser que la nature des femmes et des hommes est de soi encline à tout vice si elle n'est préservée de Celui à qui l'honneur de toute victoire doit être rendu. Et pour abattre [f] l'audace que vous prenez quand on en dit quelqu'une [g] à votre honneur, je vous en vais montrer un exemple qui est très véritable. »

TRENTE-CINQUIÈME NOUVELLE

*Industrie d'un sage mari pour divertir * l'amour que sa femme portait à un Cordelier.*

En la ville de Pampelune y avait une dame estimée belle et vertueuse, et la plus chaste et dévote qui fût au pays. Elle aimait son mari et lui obéissait si bien qu'entièrement il se confiait en elle. Cette dame fréquentait incessamment le service divin et les sermons, et persuadait son mari et ses enfants à y demeurer comme elle. Laquelle, étant en l'âge de trente ans que les dames ont

f. vous abattre (A)
g. on en dit à votre h. (A)

accoutumé de quitter le nom de belles pour être nommées sages, en un premier jour de carême alla à l'église pour prendre mémoire de la mort[1], où elle trouva le sermon que commençait un Cordelier tenu de tout le peuple un saint homme, pour* sa très grande austérité et bonté de vie qui le rendait maigre et pâle, mais non tant qu'il ne fût un des beaux hommes du monde. La dame écouta dévotement son sermon, ayant les yeux fermes à regarder cette vénérable personne, et l'oreille et l'esprit prêts à l'écouter. Parquoi la douceur de ses paroles pénétra les oreilles de ladite dame jusqu'au cœur, et la beauté et grâce de son visage passa par les yeux et blessa si fort l'esprit de la dame qu'elle fut comme une personne ravie[2]. Après le sermon, regarda soigneusement où le prêcheur dirait la messe, et là assista et prit les cendres de sa main, qui était aussi belle et blanche que dame la saurait avoir. Ce que regarda plus la dévote que la cendre qu'il lui baillait. Croyant assurément qu'un tel amour spirituel et quelques plaisirs qu'elle en sentait n'eussent su blesser sa conscience, elle ne faillait* point tous les jours d'aller au sermon et d'y mener son mari. Et l'un et l'autre donnaient tant de louange au prêcheur qu'en tables et ailleurs ils ne tenaient autres propos. Ainsi ce feu, sous titre de spirituel, fut si charnel que le cœur qui en fut si embrasé brûla tout le corps de cette pauvre dame. Et tout ainsi qu'elle était tardive* à sentir cette flamme, ainsi elle fut prompte à enflammer, et sentit plus tôt le contentement de sa passion qu'elle ne connut être passionnée. Et comme toute surprise de son ennemi Amour, ne résista plus à nul de ses commandements. Mais le plus fort était que le médecin de ses douleurs était ignorant de son mal. Parquoi, ayant mis dehors toute la crainte qu'elle devait avoir de montrer sa folie devant un si sage homme, son vice et sa méchanceté à un si vertueux homme de bien, se mit à lui écrire l'amour qu'elle lui portait, le plus doucement qu'elle put pour le commencement. Et bailla ses lettres à un petit page, lui disant ce qu'il avait à faire, et que surtout il se gardât que son mari ne le vît aller aux Cordeliers. Le page, cherchant son plus droit chemin, passa par la rue où son maître était assis en une boutique.

Le gentilhomme, le voyant passer, s'avança pour regarder où il allait. Et quand le page l'aperçut, tout étonné*
sa cacha dans une maison. Le maître, voyant cette contenance, le suivit et, en le prenant par le bras, lui demanda
où il allait. Et voyant ses excuses sans propos et son
visage effrayé, le menaça de le bien battre s'il ne lui disait
où il allait. Le pauvre page lui dit : « Hélas, monsieur, si
je le vous dis, madame me tuera ! » Le gentilhomme,
doutant* que sa femme fît un marché sans lui, assura le
page qu'il n'aurait nul mal s'il lui disait vérité, et qu'il lui
ferait tout plein de bien ; aussi que, s'il mentait, il le
mettrait en prison pour jamais. Le petit page, pour avoir
du bien et pour éviter le mal, lui conta tout le fait et lui
montra les lettres que sa maîtresse écrivait au prêcheur.
Dont le mari fut autant émerveillé* et marri comme il
avait été tout assuré, toute sa vie, de la loyauté de sa
femme où jamais n'avait connu faute. Mais lui, qui était
sage, dissimula sa colère et, pour connaître du tout l'intention de sa femme, va faire une réponse comme si le
prêcheur la merciait de sa bonne volonté, lui déclarant
qu'il n'en avait moins de son côté. Le page, ayant juré à
son maître de mener sagement cet affaire, alla porter à sa
maîtresse la lettre contrefaite, qui en eut telle joie que son
mari s'aperçut bien qu'elle avait changé son visage ; car,
en lieu d'emmaigrir pour* le jeûne du carême, elle était
plus belle et plus fraîche qu'à carême prenant.

Déjà était la mi-carême que la dame ne laissa, ni pour*
Passion ni pour* Semaine Sainte, sa manière accoutumée
de mander par lettres au prêcheur sa furieuse* fantaisie*.
Et lui semblait, quand le prêcheur tournait les yeux du
côté où elle était, ou qu'il parlait de l'amour de Dieu, que
tout était pour l'amour d'elle. Et tant que ses yeux pouvaient montrer ce qu'elle pensait, elle ne les épargnait
pas. Le mari ne faillait* point à lui faire pareille réponse.
Après Pâques, il lui récrivit au nom du prêcheur qui la
priait lui enseigner le moyen qu'il la pût voir secrètement.
Elle, à qui l'heure tardait, conseilla à son mari d'aller
visiter quelques terres qu'ils avaient dehors. Ce qu'il lui
promit, et demeura caché en la maison d'un sien ami. La
dame ne faillit* point d'écrire au prêcheur qu'il était

heure de la venir voir, parce que son mari était dehors. Le gentilhomme, voulant expérimenter jusqu'au bout le cœur de sa femme, s'en alla au prêcheur, le priant pour l'amour de Dieu lui vouloir prêter son habit. Le prêcheur, qui était homme de bien, lui dit que leur règle le défendait et que pour rien ne le prêterait pour servir en masques *. Le gentilhomme l'assura qu'il n'en voulait point abuser et que c'était pour chose nécessaire à son bien et salut. Le Cordelier, qui le connaissait homme de bien et dévot, lui prêta. Et avec cet habit qui couvrait tout le visage, en sorte que l'on ne pouvait voir les yeux, prit le gentilhomme une fausse barbe et un faux nez semblables à ceux du prêcheur. Aussi, avec du liège en ses souliers, se fit de sa propre grandeur. Ainsi habillé, s'en vint au soir en la chambre de sa femme qui l'attendait en grand dévotion. La pauvre sotte n'attendit pas qu'il vînt à elle mais, comme femme hors du sens, le courut embrasser. Lui, qui tenait le visage baissé de peur d'être connu, commença à faire le signe de la croix, faisant semblant de la fuir, en disant toujours, sans autre propos : « Tentation ! tentation ! » La dame lui dit : « Hélas, mon père, vous avez raison, car il n'en est point de plus forte que celle qui vient d'amour, à laquelle vous m'avez promis donner remède ; vous priant, maintenant que nous en avons le loisir, avoir pitié de moi. » Et en ce disant, s'efforçait de l'embrasser ; lequel, fuyant par tous les côtés de la chambre avec grands signes de croix, criait toujours : « Tentation ! tentation ! » Mais quand il vit qu'elle le cherchait de trop près, prit un gros bâton qu'il avait sous son manteau, et la battit si bien qu'il lui fit passer sa tentation sans être connu d'elle. S'en alla incontinent rendre les habits au prêcheur, l'assurant qu'ils lui avaient porté bonheur.

Le lendemain, faisant semblant de revenir de loin, retourna en sa maison où il trouva sa femme au lit. Et comme ignorant sa maladie, lui demanda la cause de son mal, qui lui répondit qu'était un catarrhe et qu'elle ne se pouvait aider de bras ni de jambes. Le mari, qui avait belle envie de rire, fit semblant d'en être bien marri. Et pour la réjouir, lui dit sur le soir qu'il avait convié à souper le saint homme prédicateur. Mais elle lui dit

soudain : « Jamais ne vous advienne, mon ami, de convier
telles gens, car ils portent malheur en toutes les maisons
où ils vont. » — « Comment, m'amie, dit le mari, vous
m'avez tant loué cettui-ci ! Je pense, quant à moi, s'il y a
un saint homme au monde que c'est lui. » La dame lui
répondit : « Ils sont bons en l'église et en la prédication,
mais aux maisons sont Antéchrist. Je vous prie, mon ami,
que je ne le voie point, car ce serait assez, avec le mal que
j'ai, pour me faire mourir. » Le mari lui dit : « Puisque
vous ne le voulez voir, vous ne le verrez point ; mais si *
lui donnerai-je à souper céans. » — « Faites, dit-elle ce
qu'il vous plaira, mais * que je ne le voie point, car je
hais telles gens comme diables. » Le mari, après avoir
baillé à souper au beau père, lui dit : « Mon père, je vous
estime tant aimé de Dieu qu'il ne vous refusera aucune
requête. Parquoi je vous supplie avoir pitié de ma pauvre
femme, laquelle depuis huit jours en çà est possédée du
malin esprit, de sorte qu'elle veut mordre et égratigner
tout le monde. Il n'y a croix ni eau benoîte dont elle fasse
cas. J'ai cette foi que, si vous mettez la main sur elle, le
diable s'en ira, dont je vous prie autant que je puis. » Le
beau père dit : « Mon fils, toute chose est possible au
croyant. Croyez-vous pas fermement que la bonté de
Dieu ne refuse nul qui en foi lui demande grâce ? » — « Je
le crois, mon père », dit le gentilhomme. — « Assurez-
vous aussi, mon fils, dit le Cordelier, qu'il peut ce qu'il
veut et qu'il n'est moins puissant que bon. Allons forts en
foi pour résister à ce lion rugissant, et lui arrachons la
proie qui est acquise à Dieu par le sang de son fils
Jésus-Christ ! » Ainsi le gentilhomme mena cet homme de
bien où était sa femme couchée sur un petit lit. Qui fut si
étonnée * de le voir, pensant que ce fût celui qui l'avait
battue, qu'elle entra en merveilleuse * colère ; mais,
pour * la présence de son mari, baissa les yeux et devint
muette. Le mari dit au saint homme : « Tant que je suis
devant elle, le diable ne la tourmente guère. Mais sitôt
que je m'en irai, vous lui jetterez de l'eau benoîte : vous
verrez à l'heure * le malin esprit faire son office. » Le
mari le laissa tout seul avec sa femme et demeura à la
porte pour voir leur contenance. Quand elle ne vit plus

personne que le beau père, elle commença à crier comme
femme hors du sens en l'appelant méchant, vilain, menteur[a], meurtrier, trompeur. Le beau père, pensant pour
vrai qu'elle fût possédée d'un malin esprit, lui voulut
prendre la tête pour dire dessus les oraisons, mais elle
l'égratigna et mordit de telle sorte qu'il fut contraint de
parler de plus loin. Et en jetant force eau benoîte disait
beaucoup de bonnes oraisons. Quand le mari vit qu'il en
avait bien fait son devoir, entra en la chambre et le mercia
de la peine qu'il en avait prise. Et à son arrivée, sa femme
cessa ses injures et malédictions, et baisa la croix bien
doucement, pour* la crainte qu'elle avait de son mari.
Mais le saint homme, qui l'avait vue tant enragée, croyait
fermement que, à sa prière, Notre Seigneur eût jeté le
diable dehors. Et s'en alla louant Dieu de ce grand miracle. Le mari, voyant sa femme bien châtiée de sa folle
fantaisie, ne lui voulut point déclarer ce qu'il avait fait,
car il se contentait d'avoir vaincu son opinion par sa
prudence et l'avoir mise en telle sorte qu'elle haïssait
mortellement ce qu'elle avait aimé. Et détestant sa folie,
s'adonna du tout au mari et au ménage, mieux qu'elle
n'avait fait paravant.

   « Par ceci, mesdames, pouvez-vous connaître le bon
sens d'un mari et la fragilité d'une femme de bien, et je
pense, quand vous avez bien regardé en ce miroir, en lieu
de vous fier à vos propres forces, vous apprendrez à vous
retourner à Celui en la main duquel gît votre honneur. »
— « Je suis bien aise, dit Parlamente, de quoi vous êtes
devenu prêcheur des dames ! Et le serais encore plus si
vous vouliez continuer ces beaux sermons à toutes celles
à qui vous parlez ! » — « Toutes les fois, dit Hircan, que
vous me voudrez écouter, je vous assure que je n'en dirai
pas moins. » — « C'est-à-dire, dit Simontaut, que quand
vous n'y serez pas, il dira autrement ! » — « Il en fera ce
qu'il lui plaira, dit Parlamente, mais je veux croire, pour
mon contentement, qu'il dit toujours ainsi. » — « A tout
le moins, l'exemple qu'il a allégué servira à celles qui

a. *Omis dans* A.

cuident * que l'amour spirituelle ne soit point dangereuse.
Mais il me semble qu'elle l'est plus que toutes les autres. » — « Si * me semble-t-il, dit Oisille, qu'aimer un
homme de bien, vertueux et craignant Dieu, n'est point
chose à dépriser *, et que l'on n'en peut que mieux
valoir. » — « Madame, dit Parlamente, je vous prie croire
qu'il n'est rien plus sot ni plus aisé à tromper qu'une
femme qui n'a jamais aimé. Car amour de soi est une
passion qui a plus tôt saisi le cœur que l'on ne s'en avise,
et est cette passion si plaisante que, si elle se peut aider de
la vertu pour lui servir de manteau, à grand peine sera-
t-elle connue qu'il n'en vienne quelque inconvénient. »
— « Quel inconvénient saurait-il venir, dit Oisille, d'aimer un homme de bien ? » — « Madame, répondit Parlamente, il y a assez d'hommes estimés hommes de bien.
Mais être homme de bien envers les dames, garder leur
honneur et conscience, je crois que de ce temps ne s'en
trouverait point jusqu'à un. Et celles qui s'y fient, le
croyant autrement, s'en trouvent en fin trompées ; et entrent en celle amitié de par Dieu, dont bien souvent elles [b]
saillent * par le diable. Car j'en ai assez vu qui, sous
couleur de parler de Dieu, commençaient une amitié dont
à la fin se voulaient retirer, et ne pouvaient, pource que
l'honnête couverture * les tenait en sujétion. Car une
amour vicieuse de soi-même se défait, et ne peut durer en
un bon cœur ; mais la vertueuse est celle qui a les liens de
soie si déliés * que l'on en est plus tôt pris que l'on ne les
peut voir. » — « A ce que vous dites, dit Ennasuite,
jamais femme ne voudrait aimer homme. Mais votre loi
est si âpre qu'elle ne durera pas. » — « Je le sais bien, dit
Parlamente, mais je ne lairrai * pas, pour cela, désirer que
chacun se contentât de son mari comme je fais du mien. »
Ennasuite, qui par ce mot se sentit touchée, en changeant
de couleur lui dit : « Vous devez juger que chacun a le
cœur comme vous, ou vous pensez être plus parfaite que
toutes les autres ! » — « Or, ce dit Parlamente de peur
d'entrer en dispute, sachons à qui Hircan donnera sa
voix. » — « Je la donne, dit-il, à Ennasuite, pour la

b. ils en (A)

récompenser contre ma femme. » — « Or puisque je suis
en mon rang, dit Ennasuite, je n'épargnerai homme ni
femme, afin de faire tout égal, et vois bien que vous ne
pouvez vaincre votre cœur à confesser la vertu et bonté
des hommes. Qui me fait reprendre le propos dernier par
une semblable histoire. »

TRENTE-SIXIÈME NOUVELLE

Un président de Grenoble, averti du mauvais gouverne-
ment de sa femme, y mit si bon ordre que son honneur
n'en fut intéressé, et si * s'en vengea.

C'est qu'en la ville de Grenoble y avait un Président
dont je ne dirai le nom, mais il n'était pas français [1]. Il
avait une belle femme, et vivaient ensemble en grande
paix. Cette femme, voyant que son mari était vieux, prit
en amour un jeune clerc nommé Nicolas. Quand le mari
allait au matin au Palais, Nicolas entrait en sa chambre et
tenait sa place. De quoi s'aperçut un serviteur du Président, qui l'avait bien servi trente ans. Et, comme loyal à
son maître, ne se put garder de lui dire. Le Président, qui
était sage, ne le voulut croire légèrement, mais dit qu'il
avait envie de mettre division entre lui et sa femme et
que, si la chose était vraie comme il disait, il la lui
pourrait bien montrer et, s'il ne la lui montrait, il estime-
rait qu'il aurait controuvé * cette mensonge pour séparer
l'amitié de lui et de sa femme. Le valet l'assura qu'il lui
ferait voir ce qu'il lui disait. Et un matin, sitôt que le
Président fut allé à la Cour et Nicolas entré en la chambre, le serviteur envoya l'un de ses compagnons mander à
son maître qu'il pouvait venir, et se tint toujours à la porte
pour guetter que Nicolas ne saillît *. Le Président, sitôt
qu'il vit le signe que lui fit un de ses serviteurs, feignant
se trouver mal, laissa la Cour et s'en alla hâtivement en sa
maison où il trouva son vieux serviteur à la porte de la
chambre, l'assurant pour vrai que Nicolas était dedans,
qui ne faisait guère que d'entrer. Le seigneur lui dit : « Ne
bouge de cette porte, car tu sais bien qu'il n'y a autre
entrée ni issue en ma chambre que cette-ci, sinon un petit

cabinet duquel moi seul porte la clef. » Le Président entra
dans la chambre et trouva sa femme et Nicolas couchés
ensemble, lequel, en chemise, se jeta à genoux à ses
pieds et lui demanda pardon. Sa femme, de l'autre côté,
se mit à pleurer. Lors dit le Président : « Combien que le
cas que vous avez fait soit tel que vous pouvez estimer,
si * est-ce que je ne veux, pour vous, que ma maison soit
déshonorée et les filles que j'ai eues de vous désavan-
cées *. Parquoi, dit-il, je vous commande que vous ne
pleurez point et oyez[a] ce que je ferai. Et vous, Nicolas,
cachez-vous en mon cabinet, et ne faites un seul bruit. »
Quand il eut ainsi fait, va ouvrir la porte et appela son
vieux serviteur, et lui dit : « Ne m'as-tu pas assuré que tu
me montrerais Nicolas avec ma femme ? Et, sur ta parole,
je suis venu ici en danger * de tuer ma pauvre femme ! Je
n'ai rien trouvé de ce que tu m'as dit. J'ai cherché par
toute cette chambre, comme je te veux montrer. » Et en ce
disant, fit regarder son valet sous les lits et par tous côtés.
Et quand le valet ne trouva rien, tout étonné dit à son
maître : « Il faut que le diable l'ait emporté, car je l'ai vu
entrer ici et si * n'est point sailli * par la porte ; mais je
vois bien qu'il n'y est pas. » A l'heure *, le maître lui dit :
« Tu es bien malheureux serviteur de vouloir mettre entre
ma femme et moi une telle division. Parquoi je te donne
congé de t'en aller et, pour tous les services que tu m'as
faits, te veux payer ce que je te dois et davantage. Mais
va-t'en bien tôt, et te garde d'être en cette ville vingt-
quatre heures passées. » Le Président lui donna cinq ou
six paiements des années à venir et, sachant qu'il était
loyal, espérait lui faire autre bien. Quand le serviteur s'en
fut allé pleurant, le Président fit saillir * Nicolas de son
cabinet et, après avoir dit à sa femme et à lui ce qu'il lui
semblait de leur méchanceté, leur défendit d'en faire
aucun semblant * à personne. Et commanda à sa femme
de s'habiller plus gorgiasement * qu'elle n'avait accoutumé, et de se trouver en toutes compagnies, danses et
fêtes ; et à Nicolas qu'il eût à faire meilleure chère * qu'il
n'avait fait auparavant, mais * que, sitôt qu'il lui dirait à

a. voyez (T)

l'oreille : « Va-t'en ! », il se gardât bien de demeurer à la
ville trois heures après son commandement. Et ce fait,
s'en retourna au Palais sans faire semblant de rien. Et
durant quinze jours, contre sa coutume, se mit à festoyer
ses amis et voisins. Et après le banquet, avait des tam-
bourins pour faire danser les dames. Un jour qu'il [b] voyait
que sa femme ne dansait point, commanda à Nicolas de la
mener danser. Lequel, cuidant * qu'il eût oublié les fautes
passées, la mena danser joyeusement. Mais quand la
danse fut achevée, le Président, feignant lui commander
quelque chose en sa maison, lui dit à l'oreille : « Va-t'en,
et ne retourne jamais ! » Or fut Nicolas bien marri de
laisser sa dame, mais non moins joyeux d'avoir la vie
sauve. Après que le Président eut mis en l'opinion de tous
ses parents et amis et de tout le pays la grande amour qu'il
portait à sa femme, un beau jour du mois de mai, alla
cueillir en son jardin une salade de telles herbes que, sitôt
que sa femme en eut mangé, ne vécut pas vingt-quatre
heures. Dont il fit si grand deuil par semblant que nul ne
pouvait soupçonner qu'il fût occasion * de cette mort. Et
par ce moyen se vengea de son ennemi et sauva l'honneur
de sa maison.

« Je ne veux pas, mesdames, pour cela louer la
conscience du Président, mais oui bien montrer la légèreté d'une femme et la grand patience [c] et prudence d'un
homme ; vous suppliant, mesdames, ne vous courroucer
de la vérité qui parle quelquefois aussi bien contre vous
que contre les hommes. Et les hommes et les femmes sont
communs aux vices et vertus. » — « Si toutes celles, dit
Parlamente, qui ont aimé leurs valets étaient contraintes à
manger de telles salades, j'en connais qui n'aimeraient
point tant leurs jardins comme elles font, mais en arra-
cheraient les herbes pour éviter celle qui rend l'honneur à
la lignée par la mort d'une folle mère. » Hircan, qui
devinait bien pourquoi elle le disait, répondit en colère :
« Une femme de bien ne doit jamais juger un autre de ce

b. un jour il (A)
c. sapience (T)

qu'elle ne voudrait faire. » Parlamente répondit : « Savoir n'est pas jugement et sottise ^d; si * est-ce que cette pauvre femme-là porta la peine que plusieurs méritent. Et crois que le mari, puisqu'il s'en voulait venger, se gouverna avec une merveilleuse * prudence et sapience. » — « Et aussi avec une grande malice, ce dit Longarine, et longue et cruelle vengeance, qui montrait bien n'avoir Dieu ni conscience devant les yeux. » — « Et qu'eussiez-vous donc voulu qu'il eût fait, dit Hircan, pour se venger de la plus grande injure que la femme peut faire à l'homme ? » — « J'eusse voulu, dit-elle, qu'il l'eût tuée en sa colère, car les docteurs disent que le péché est rémissible pource que les premiers mouvements ne sont pas en la puissance de l'homme : parquoi il en eût pu avoir grâce. » — « Oui, dit Géburon, mais ses filles et sa race eussent à jamais porté cette note *. » — « Il ne la devait point tuer, dit Longarine, car, puisque sa grande colère était passée, elle eût vécu avec lui en femme de bien et n'en eût jamais été mémoire. » — « Pensez-vous, dit Saffredent, qu'il fût apaisé pour tant qu'il dissimulât sa colère ? Je pense, quant à moi, que le dernier jour qu'il fit sa salade, il était aussi courroucé que le premier ; car il y en a aucuns * desquels les premiers mouvements n'ont jamais intervalle * jusqu'à ce qu'ils aient mis à effet leur passion. Et me faites grand plaisir de dire que les théologiens estiment ces péchés-là faciles à pardonner, car je suis de leur opinion. » — « Il fait bon regarder à ses paroles, dit Parlamente, devant gens si dangereux que vous ! Mais ce que j'ai dit se doit entendre quand la passion est si forte que soudainement elle occupe tant les sens que la raison n'y peut avoir lieu. » — « Aussi, dit Saffredent, je m'arrête à votre parole et veux par cela conclure qu'un homme bien fort amoureux, quoi qu'il fasse, ne peut pécher, sinon de péché véniel. Car je suis sûr que, si l'amour le tient parfaitement lié, jamais la raison ne sera écoutée, ni en son cœur, ni en son entendement. Et si nous voulons dire vérité, il n'y a nul de nous qui n'ait expérimenté cette furieuse * folie, que je pense non seulement être pardon-

d. folie (T)

née facilement, mais encore je crois que Dieu ne se
courrouce point de tel péché, vu que c'est un degré * pour
monter à l'amour parfaite de lui, où jamais nul ne monta
qu'il n'ait passé par l'échelle de l'amour de ce monde.
Car saint Jean dit : "Comment aimerez-vous Dieu que
vous ne voyez point, si vous n'aimez celui que vous
voyez [2] ?" » — « Il n'y a si beau passage en l'Écriture, dit
Oisille, que vous ne tirez à votre propos. Mais gardez-
vous de faire comme l'araignée qui convertit toute bonne
viande * en venin. Et si vous assure [e] qu'il est dangereux
d'alléguer l'Écriture sans propos ni nécessité. » — « Appelez-vous dire vérité être sans propos ni nécessité ? dit
Saffredent. Vous voulez donc dire que quand, en parlant
à vous autres incrédules, nous appelons Dieu à notre aide,
nous prenons son nom en vain. Mais s'il y a péché, vous
seules en devez porter la peine, car vos incrédulités nous
contraignent à chercher tous les serments dont nous nous [f]
pouvons aviser. Et encore ne pouvons-nous allumer le feu
de charité en vos cœurs de glace. » — « C'est signe, dit
Longarine, que vous mentez car, si la vérité était en votre
parole, elle est si forte qu'elle vous ferait croire. Mais il y
a danger que les filles d'Ève croient trop tôt ce serpent. »
— « J'entends bien, Parlamente, dit Saffredent, que les
femmes sont invincibles aux hommes. Parquoi je me
tairai, afin d'écouter à qui Ennasuite donnera sa voix. »
— « Je la donne, dit-elle, à Dagoucin, car je crois qu'il ne
voudrait parler contre les dames. » — « Plût à Dieu, dit
Dagoucin, qu'elles répondissent autant à ma faveur que je
voudrais parler pour la leur ! Et pour vous montrer que je
me suis étudié * d'honorer les vertueuses en ramentevant * leurs bonnes œuvres, je vous en vais raconter une.
Et ne veux pas nier, mesdames, que la patience du gentilhomme de Pampelune et du Président de Grenoble n'ait
été grande, mais la vengeance n'en a été moindre. Et
quand il faut louer un homme vertueux, il ne faut point
tant donner de gloire à une seule vertu qu'il faille la faire
servir de manteau à couvrir * un très grand vice. Mais

e. vous advisez (A)
f. nous pouvons (A)

celui est louable qui pour l'amour de la vertu seule fait
œuvre vertueuse, comme j'espère vous faire voir par la
patience de vertu d'une dame qui ne cherchait autre fin en
toute sa bonne œuvre que l'honneur de Dieu et le salut de
son mari. »

TRENTE-SEPTIÈME NOUVELLE

*Prudence d'une femme pour retirer son mari de la folle
amour qui le tourmentait* [1].

Il y avait une dame en la maison de Loué, tant sage et
vertueuse qu'elle était aimée et estimée de tous ses voisins. Son mari, comme il devait, se fiait en elle de tous
ses affaires, qu'elle conduisait si sagement que sa maison, par son moyen, devint une des plus riches maisons et
des mieux meublées qui fût au pays d'Anjou ni de Touraine. Ayant vécu ainsi longuement avec son mari, duquel elle porta plusieurs beaux enfants, la félicité à laquelle succède toujours son contraire commença à se
diminuer, pource que son mari, trouvant l'honnête repos
insupportable, l'abandonna pour chercher son travail *.
Et prit une coutume que, aussitôt que sa femme était
endormie, se levait d'auprès d'elle et ne retournait qu'il
ne fût près du matin. La dame de Loué trouva cette façon
de faire mauvaise, tellement qu'en entrant en une grande
jalousie, de laquelle ne voulait faire semblant *, oublia
les affaires de la maison, sa personne et sa famille,
comme celle qui estimait avoir perdu le fruit de ses
labeurs, qui était le grand amour de son mari, pour lequel
continuer n'y avait peine qu'elle ne portât volontiers.
Mais, l'ayant perdu, comme elle voyait, fut si négligente
de tout le demeurant de sa maison que bientôt l'on connut
le dommage que son absence [a] y faisait : car son mari d'un
côté dépendait * sans ordre, et elle ne tenait plus la main
au ménage, en sorte que la maison fut bientôt rendue si
brouillée que l'on commençait à couper les bois et enga-
ger les terres. Quelqu'un de ses parents, qui connaissait la

a. sa négligence (T)

maladie, lui remontra la faute qu'elle faisait et que, si l'amour de son mari ne lui faisait aimer le profit de sa maison, au moins elle eût regard à ses pauvres enfants. La pitié desquels lui fit reprendre ses esprits, et essaya par tous les moyens de regagner l'amour de son mari. Et un jour[b] fit le guet quand il se lèverait d'auprès d'elle, et se leva pareillement avec son manteau de nuit. Faisant faire son lit et, en disant ses heures *, attendait le retour de son mari. Et quand il entrait, allait au-devant de lui le baiser, et lui portait un bassin et de l'eau pour laver ses mains. Lui, étonné de cette nouvelle façon, lui dit qu'il ne venait que du retrait * et que, pour cela, n'était métier * qu'elle se levât[c]. A quoi elle répondit que, combien que ce n'était pas grand chose, si * était-il honnête de laver ses mains quand on venait d'un lieu ord * et sale, désirant par là lui faire connaître et abominer sa méchante vie. Mais, pour * cela, il ne s'en corrigeait point, et continua ladite dame bien un an cette façon de faire. Et quant elle vit que ce moyen ne lui servait de rien, un jour, attendant son mari qui demeurait plus qu'il n'avait de coutume, lui prit envie de l'aller chercher. Et tant alla de chambre en chambre qu'elle le trouva couché en une arrière garde-robe, et endormi avec la plus laide, orde * et sale chambrière qui fût léans *. Et lors se pensa qu'elle lui apprendrait à laisser une si honnête femme pour une si sale et orde : prit de la paille et l'alluma au milieu de la chambre. Mais quand elle vit que la fumée eût aussitôt tué son mari qu'éveillé, le tira par le bras en criant : « Au feu ! au feu ! » Si le mari fut honteux et marri, étant trouvé par une si honnête femme avec une telle ordure, ce n'était pas sans grande occasion *. Lors sa femme lui dit : « Monsieur, j'ai essayé un an durant à vous retirer de cette malheurté *[d] par douceur et patience, et vous montrer que, en lavant le dehors, vous deviez nettoyer le dedans. Mais quand j'ai vu que tout ce que je faisais était de nulle valeur, j'ai mis peine de m'aider de l'élément qui doit

b. le lendemain (T)
c. qu'il se lavât (T)
d. méchanceté (T)

mettre fin à toutes choses, vous assurant, monsieur, que si cette-ci ne vous corrige, je ne sais si une seconde fois je vous pourrais retirer du danger comme j'ai fait. Je vous supplie de penser qu'il n'est plus grand désespoir que l'amour et, si je n'eusse eu Dieu devant les yeux, je n'eusse point enduré ce que j'ai fait. » Le mari, bien aise d'en échapper à si bon compte, lui promit jamais ne lui donner occasion de se tourmenter pour lui, ce que très volontiers la dame crut. Et, du consentement du mari, chassa dehors ce qu'il lui déplaisait. Et depuis cette heure-là, vécurent ensemble en si grande amitié que même les fautes passées, par le bien qui en était advenu, leur étaient augmentation de contentement.

« Je vous supplie, mesdames, si Dieu vous donne de tels maris, que ne vous désespériez point jusqu'à ce que vous ayez longuement essayé tous les moyens pour les réduire *, car il y a vingt-quatre heures au jour esquelles * l'homme peut changer d'opinion ; et une femme se doit tenir plus heureuse d'avoir gagné son mari par patience et longue attente que si la fortune et les parents lui en donnaient un plus parfait. » — « Voilà, dit Oisille, un exemple qui doit servir à toutes les femmes mariées. » — « Il prendra cet exemple qui voudra, dit Parlamente, mais quant à moi il ne me serait possible d'avoir si longue patience car, combien qu'en tous états patience soit une belle vertu, j'ai opinion qu'en mariage amène en fin inimitié, pource qu'en souffrant injure de son semblable on est contraint de s'en séparer le plus que l'on peut ; et de cette étrangeté-là vient un dépris * de la faute du déloyal, et en ce dépris peu à peu l'amour diminue, car d'autant aime l'on la chose que l'on estime la valeur. » — « Mais il y a danger, dit Ennasuite, que la femme impatiente trouve un mari furieux qui lui donnera douleur en lieu de patience. » — « Et que saurait faire un mari, dit Parlamente, que ce qui a été raconté en cette histoire ? » — « Quoi ! dit Ennasuite, battre très bien sa femme, la faire coucher en la couchette et celle qu'il aimerait au grand lit. » — « Je crois, dit Parlamente, qu'une femme de bien ne serait point si marrie d'être battue par colère que d'être déprisée par une qui ne la vaut pas. Et après avoir porté la peine de la séparation d'une telle amitié, ne saurait faire le mari chose dont elle se sût plus soucier. Et aussi dit le conte que la peine qu'elle prit à le retirer fut pour l'amour qu'elle avait à ses enfants, ce que je crois. » — « Et trouvez-vous grand patience à elle, dit Nomerfide, d'aller mettre le feu sous le lit où son mari dormait ? » — « Oui, dit Longarine, car quand elle vit la fumée, elle l'éveilla et, par aventure, ce fut où elle fit le plus de faute, car de tels maris que ceux-là, les cendres en seraient bonnes à faire la buée * ! » — « Vous êtes cruelle, Longarine, ce dit Oisille, mais si * n'avez-vous pas ainsi vécu avec le vôtre. » — « Non, dit Longarine, car, Dieu merci, ne m'en a pas donné d'occasion *, mais de le regretter toute ma vie en lieu de m'en plaindre. » — « Et si vous eût été tel, dit Nomerfide, qu'eussiez-vous fait ? » — « Je l'aimais tant, dit Longarine, que je crois que je l'eusse tué et me fusse tuée, car mourir après telle vengeance m'eût été chose plus agréable que vivre loyalement avec un déloyal. » — « A ce que je vois, dit Hircan, vous n'aimez vos maris que pour vous. S'ils vous sont selon votre désir, vous les aimez bien, et s'ils vous font la moindre faute du monde, ils ont perdu le labeur de leur semaine pour * un samedi [2]. Par ainsi voulez-vous être maîtresses, dont, quant à moi, j'en suis d'opinion *, mais * que tous les maris s'y accordent ! » — « C'est raison, dit Parlamente, que l'homme nous gouverne comme notre chef, mais non pas qu'il nous abandonne ou traite mal. » — « Dieu a mis si bon ordre, dit Oisille, tant à l'homme qu'à la femme que, si l'on n'en abuse, je tiens mariage le plus beau et le plus sûr état qui soit au monde. Et suis sûre que tous ceux qui sont ici, quelque mine qu'ils en fassent, en pensent autant. Et d'autant que l'homme se dit plus sage que la femme il sera plus repris si la faute vient de son côté. Mais, ayant assez mené ce propos, sachons à qui Dagoucin donne sa voix. » — « Je la donne, dit-il, à Longarine. » — « Vous me faites grand plaisir, dit-elle, car j'ai un conte qui est digne de suivre le vôtre. Or puisque nous sommes à louer la vertueuse patience des dames, je vous en montrerai une plus louable que celle de qui a été présentement parlé, et de tant plus est-elle à estimer qu'elle était femme de ville, qui de leur coutume ne sont nourries *e si vertueusement que les autres. »

TRENTE-HUITIÈME NOUVELLE

Mémorable charité d'une femme de Tours envers son mari putier [1].

En la ville de Tours, y avait une bourgeoise belle et honnête, laquelle pour * ses vertus était non seulement aimée, mais crainte et estimée de son mari. Si * est-ce que, suivant la fragilité des hommes qui s'ennuyent de manger bon pain, il fut amoureux d'une métayère qu'il avait. Et souvent s'en partait de Tours pour aller visiter sa métairie où il demeurait toujours deux ou trois jours. Et quand il retournait à Tours, il était toujours si morfondu * que sa pauvre femme avait assez à faire à le guérir. Et sitôt qu'il était sain, ne faillait * point à retourner au lieu où pour * le plaisir oubliait tous ses maux. Sa femme qui sur tout aimait sa vie et sa santé, le voyant revenir ordinairement en si mauvais état, s'en alla à la métairie où elle trouva la jeune femme que son mari aimait, à laquelle, sans colère, mais d'un très gracieux courage *a, dit qu'elle savait bien que son mari la venait voir souvent, mais qu'elle était mal contente de ce qu'elle le traitait si mal qu'il s'en retournait toujours morfondu * en la maison. La pauvre femme, tant pour * la révérence de sa dame que pour la force de la vérité, ne lui put nier le fait duquel elle requit pardon. La dame voulut voir le lit et b la chambre où son mari couchait, qu'elle trouva si froide et sale et mal en point qu'elle en eut pitié. Incontinent envoya quérir un bon lit garni de linceuls *, mante * et courtepointe, selon que son mari l'aimait, fit accoutrer * et tapisser la chambre, lui donna de la vaisselle honnête

e. mariées (T)
a. visage (T)
b. de (A)

pour le servir à boire et à manger, une pipe * de bon vin, des dragées et confitures *. Et pria la métayère qu'elle ne lui renvoyât plus son mari si morfondu *. Le mari ne tarda guère qu'il ne retournât, comme il avait accoutumé, voir sa métayère, et s'émerveilla * fort de trouver son pauvre logis si bien en ordre *, et encore plus quand elle lui donna à boire en une coupe d'argent. Et lui demanda dont * étaient venus tous ces biens. La pauvre femme lui dit en pleurant que c'était sa femme qui avait eu tant de pitié de son mauvais traitement qu'elle avait ainsi meublé sa maison, et lui avait recommandé sa santé. Lui, voyant la grande bonté de sa femme que *, pour tant de mauvais tours qu'il lui avait faits, lui rendait tant de biens, estimant sa faute aussi grande que le tour qu'elle lui avait fait honnête[c], après avoir donné argent à sa métayère, la priant pour l'avenir vouloir vivre en femme de bien, s'en retourna à sa femme, à laquelle il confessa sa dette *; et que, sans le moyen de cette grande douceur et bonté, il était impossible qu'il eût jamais laissé la vie qu'il menait. Et depuis vécurent en bonne paix, laissant entièrement la vie passée.

« Croyez, mesdames, qu'il y a bien peu de maris que patience et amour de la femme ne puisse gagner à la longue, ou ils sont plus durs qu'une pierre que l'eau faible et molle, par la longueur du temps, vient à caver *. » Ce dit Parlamente : « Voilà une femme sans cœur *, sans fiel et sans foie ! » — « Que voulez-vous, dit Longarine, elle expérimentait ce que Dieu commande, de faire bien à ceux qui font mal. » — « Je pense, dit Hircan, qu'elle était amoureuse de quelque Cordelier qui lui avait donné en pénitence de faire si bien traiter son mari aux champs que, cependant qu'il irait, elle eût le loisir de le bien traiter en la ville ! » — « Or çà, dit Oisille, vous montrez bien de la malice en votre cœur : d'un bon acte faites un mauvais jugement. Mais je crois plutôt qu'elle était si mortifiée en l'amour de Dieu qu'elle ne se souciait plus que du salut de l'âme de son mari. » — « Il me

c. que l'honnête tour que sa femme lui avait fait (A)

semble, dit Simontaut, qu'il avait plus d'occasion* de
retourner à sa femme quand il avait froid en sa métairie
que quand il y était si bien traité. » — « A ce que je vois,
dit Saffredent, vous n'êtes pas de l'opinion* d'un riche
homme de Paris qui n'eût su laisser son accoutrement*
quand il était couché avec sa femme qu'il n'eût été
morfondu* ; mais quand il allait voir sa chambrière en la
cave, sans bonnet et sans souliers, au fond de l'hiver, il
ne s'en trouvait jamais mal. Et était sa femme bien belle,
et sa chambrière bien laide ! » — « N'avez-vous pas ouï
dire, dit Géburon, que Dieu aide toujours aux fous, aux
amoureux et aux ivrognes ? peut-être que cettui-là était lui
seul tous les trois ensemble. » — « Par cela voudriez-vous
conclure, dit Parlamente, que Dieu nuirait aux sages, aux
chastes et aux sobres ? » — « Ceux, dit Géburon [d], qui par
eux-mêmes se peuvent aider n'ont point besoin d'aide.
Car Celui qui a dit qu'il est venu pour les malades et non
point pour les sains [2] est venu par la loi de sa miséricorde
secourir à nos infirmités, rompant les arrêts de la rigueur
de sa justice. Et qui se cuide* sage est fou devant Dieu.
Mais, pour finer* notre sermon, à qui donnera sa voix
Longarine ? » — « Je la donne, dit-elle, à Saffredent. »
— « J'espère donc, dit Saffredent, vous montrer par
exemple que Dieu ne favorise pas aux amoureux, car
nonobstant, mesdames, qu'il ait été dit par ci-devant que
le vice est commun aux femmes et aux hommes, si*
est-ce que l'invention d'une finesse* sera trouvée plus
promptement et subtilement d'une femme que d'un
homme, et je vous en dirai un exemple. »

TRENTE-NEUVIÈME NOUVELLE

Bonne invention pour chasser le lutin.

Un seigneur de Grignols, qui était chevalier d'honneur
à la Reine de France Anne, duchesse de Bretagne [1],
retournant en sa maison dont il avait été absent plus de
deux ans, trouva sa femme en une autre terre là auprès. Et

---

d. Ceux qui… *fait partie de la réplique de Parlamente* (A)

s'enquérant de l'occasion *, lui dit qu'il revenait un esprit
en sa maison qui les tourmentait tant que nul n'y pouvait
demeurer. M. de Grignols, qui ne croyait point en bour-
des *, lui dit que quand ce serait le diable même il ne le
craignait, et emmena sa femme en sa maison. La nuit, fit
allumer force chandelles pour voir plus clairement cet
esprit. Et après avoir veillé longuement sans rien ouïr
s'endormit. Mais incontinent fut réveillé par un grand
soufflet qu'on lui donna sur la joue, et ouït une voix
criant : Brenigne ! Brenigne ! laquelle avait été sa grand-
mère. Lors appela la ᵃ femme qui couchait auprès d'eux,
pour allumer de la chandelle, parce qu'elles étaient toutes
éteintes, mais elle ne s'osa lever. Incontinent sentit le
seigneur de Grignols qu'on lui ôtait la couverture de
dessus lui, et ouït un grand bruit de tables, tréteaux et
escabelles qui tombaient en la chambre, lequel dura
jusqu'au jour. Et fut le seigneur de Grignols plus fâché de
perdre son repos que de peur de l'esprit, car jamais ne
crut que ce fût un esprit. La nuit ensuivant, se délibéra de
prendre cet esprit. Et un peu après qu'il fut couché, fit
semblant de ronfler très fort, et mit la main tout ouverte
près son visage. Ainsi qu'il attendait cet esprit, sentit
quelque chose approcher de lui, parquoi ronfla plus fort
qu'il n'avait accoutumé. Dont l'esprit s'éprivoya * si fort
qu'il lui bailla un grand soufflet. Et tout à l'instant prit
ledit seigneur de Grignols la main dessus son visage,
criant à sa femme : « Je tiens l'esprit ! » Laquelle incontinent se leva et alluma de la chandelle. Et trouvèrent que
c'était la chambrière qui couchait en leur chambre, laquelle, se mettant à genoux, leur demanda pardon, et leur
promit confesser vérité, qui était que l'amour qu'elle
avait longuement portée à un serviteur de léans * lui avait
fait entreprendre ce beau mystère, pour chasser hors de la
maison maître et maîtresse, afin qu'eux deux, qui en
avaient la garde, eussent moyen de faire grande chère *,
ce qu'ils faisaient quand ils étaient tout seuls. Monseigneur de Grignols, qui était homme assez rude, commanda qu'ils fussent battus en sorte qu'il leur souvînt à

a. sa (A)

jamais de l'esprit, ce qui fut fait, et puis chassés dehors.
Et par ce moyen fut délivrée la maison du tourment des
esprits qui deux ans durant y avaient joué leur rôle.

« C'est chose émerveillable*, mesdames, de penser
aux effets de ce puissant dieu Amour qui, ôtant toute
crainte aux femmes, leur apprend à faire toute peine aux
hommes pour parvenir à leur intention. Mais autant
qu'est vitupérable* l'intention de la chambrière, le bon
sens du maître est louable qui savait très bien que l'esprit
s'en va et ne retourne plus. » — « Vraiment, dit Géburon,
Amour ne favorisa pas à cette heure-là le valet et la
chambrière ; et confesse que le bon sens du maître lui
servit beaucoup. » — « Toutefois, dit Ennasuite, la
chambrière vécut longtemps, par sa finesse*, à son
aise. » — « C'est un aise bien malheureux, dit Oisille,
quand il est fondé sur péché, et prend fin par honte de
punition. » — « Il est vrai, madame, dit Ennasuite, mais
beaucoup de gens ont de la douleur et de la peine pour*
vivre justement qui n'ont pas le sens d'avoir en leur vie
tant de plaisir que ceux-ci. » — « Si* suis-je de cette
opinion, dit Oisille, qu'il n'y a nul parfait plaisir si la
conscience n'est en repos. » — « Comment ! dit Simontaut, l'Italien veut maintenir que tant plus le péché est
grand, de tant plus il est plaisant. » — « Vraiment, celui
qui a inventé ce propos, dit Oisille, est lui-même vrai
diable ! Parquoi laissons-le là, et sachons à qui Saffredent
donnera sa voix. » — « A qui ? dit-il, il n'y a plus que
Parlamente à tenir son rang, mais quand il y en aurait un
cent d'autres, je lui donnerais toujours ma voix d'être
celle de qui nous devons apprendre. » — « Or puisque je
suis pour mettre fin à la Journée, dit Parlamente, et que je
vous promis hier de vous dire l'occasion* pourquoi le
père de Rolandine fit faire le château où il la tint si
longtemps prisonnière ², je la vais donc raconter. »

QUARANTIÈME NOUVELLE

Un seigneur fit mourir son beau-frère, ignorant l'alliance.

Ce seigneur père de Rolandine, qui s'appelait le comte de Jossebelin [a][1], eut plusieurs sœurs dont les unes furent mariées bien richement, les autres religieuses, et une qui demeura en sa maison sans être mariée, plus belle sans comparaison que toutes les autres, laquelle était tant aimé de [b] son frère que lui n'avait femme ni enfants qu'il préférât à elle. Aussi fut demandée en mariage de beaucoup de bons lieux, mais, de peur de l'éloigner et par trop aimer son argent, n'y voulut jamais entendre ; qui fut la cause dont elle passa grande partie de son âge sans être mariée, vivant très honnêtement en la maison de son frère où il y avait un jeune et beau gentilhomme, nourri * dès son enfance en ladite maison, lequel crût en sa croissance tant en beauté et vertu qu'il gouvernait * son maître tout paisiblement, tellement que quand il mandait quelque chose à sa sœur, était toujours par cettui-là. Et lui donna tant d'autorité et de privauté, l'envoyant soir et matin devers sa sœur, qu'à la longue fréquentation s'engendra une grande amitié entre eux. Mais, craignant le gentilhomme sa vie s'il offensait son maître, et la demoiselle son honneur, ne prirent en leur amitié autre contentement que de la parole, jusqu'à ce que le seigneur de Jossebelin dît souvent à sa sœur qu'il voudrait qu'il lui eût coûté beaucoup et que ce gentilhomme eût été de maison de même elle [2], car il n'avait jamais vu homme qu'il aimât tant pour son beau-frère que lui. Il lui redit tant de fois ces propos que, les ayant débattus avec le gentilhomme, estimèrent que, s'ils se mariaient ensemble, on leur pardonnerait aisément. Et Amour, qui croit volontiers ce qu'il veut, leur fit entendre qu'il ne leur en pourrait que bien venir. Et sur cette espérance conclurent et parfirent

a. Josselin (T)
b. aimait (A)

le mariage, sans que personne en sût rien qu'un prêtre et
quelques femmes.

Et après avoir vécu quelques années au plaisir
qu'homme et femme mariés peuvent prendre ensemble,
comme la plus belle couple qui fût en la chrétienté, et de
la plus grande et parfaite amitié, Fortune, envieuse de
voir deux personnes si à leurs aises, ne les voulut souffrir
mais leur suscita un ennemi qui, épiant cette demoiselle,
aperçut sa grande félicité, ignorant toutefois le mariage.
Et vint dire au seigneur de Jossebelin que le gentilhomme
auquel il se fiait tant allait trop souvent en la chambre de
sa sœur, et aux heures où les hommes ne doivent entrer.
Ce qui ne fut cru pour la première fois, de la fiance qu'il
avait à sa sœur et au gentilhomme. Mais l'autre rechargea
tant de fois, comme celui qui aimait l'honneur de la
maison, qu'on y mit un guet tel que les pauvres gens, qui
n'y pensaient en nul mal, furent surpris. Car un soir que
le seigneur de Jossebelin fut averti que le gentilhomme
était chez sa sœur, s'y alla incontinent et trouva les deux
pauvres aveuglés d'amour couchés ensemble. Dont le
dépit lui ôta la parole et, en tirant son épée, courut après
le gentilhomme pour le tuer. Mais lui, qui était aisé * de
sa personne, s'enfuit tout en chemise et, ne pouvant
échapper par la porte, se jeta par une fenêtre dedans un
jardin. La pauvre demoiselle, tout en chemise, se jeta à
genoux devant son frère et lui dit : « Monsieur, sauvez la
vie de mon mari, car je l'ai épousé ! Et s'il y a offense
n'en punissez que moi, parce que ce qu'il en a fait a été à
ma requête. » Le frère, outré de courroux, ne lui répondit
sinon : « Quand il serait votre mari cent mille fois, si * le
punirai-je comme un méchant serviteur qui m'a trompé. »
En disant cela se mit à la fenêtre et cria tout haut qu'on le
tuât. Ce qui fut promptement exécuté par son commandement et devant les yeux de lui et de sa sœur. Laquelle,
voyant ce piteux * spectacle auquel nulle prière n'avait su
remédier, parla à son frère comme femme hors du sens :
« Mon frère, je n'ai ni père ni mère, et suis en tel âge que
je me puis marier à ma volonté. J'ai choisi celui que
mainte fois vous m'avez dit que voudriez que j'eusse
épousé. Et, pour * avoir fait par votre conseil ce que je

puis selon la loi faire sans vous, vous avez fait mourir l'homme du monde que vous avez le mieux aimé. Or puisqu'ainsi est que ma prière ne l'a pu garantir de la mort, je vous supplie, pour toute l'amitié que vous m'avez jamais portée, me faire en cette même heure compagne de sa mort, comme j'ai été de toutes ses fortunes. Par ce moyen, en satisfaisant à votre cruelle et injuste colère, vous mettrez en repos le corps et l'âme de celle qui ne veut ni ne peut vivre sans lui. » Le frère, nonobstant qu'il fût ému jusqu'à perdre la raison, si * eut-il tant de pitié de sa sœur que, sans lui accorder ni nier * sa requête, la laissa. Et après qu'il eut bien considéré ce qu'il avait fait, et entendu que le gentilhomme mort [c] avait épousé sa sœur, eût bien voulu n'avoir point commis un tel crime. Si * est-ce que la crainte qu'il eut que sa sœur en demandât justice ou vengeance lui fit faire un château au milieu d'une forêt, auquel il la mit, et défendit qu'aucun ne parlât à elle.

Après quelque temps, pour satisfaire à sa conscience, essaya de la regagner et lui fit parler de mariage. Mais elle lui manda qu'il lui en avait donné un si mauvais déjeuner qu'elle ne voulait plus souper de telle viande *, et qu'elle espérait vivre de telle sorte qu'il ne serait point l'homicide du second mari. Car à peine * penserait-elle qu'il pardonnât à un autre, d'avoir fait un si méchant tour à l'homme du monde qu'il aimait le mieux [3]. Et que, nonobstant quelle fût faible et impuissante pour s'en venger, elle espérait en Celui qui était vrai juge et qui ne laisse mal aucun impuni, avec l'amour duquel seul elle voulait user le demeurant de sa vie en son ermitage. Ce qu'elle fit car, jusqu'à la mort, elle n'en bougea, vivant en telle patience et austérité qu'après sa mort chacun y courait comme à une sainte. Et depuis qu'elle fut trépassé, la maison de son frère allait tellement en ruine que de six fils qu'il avait, n'en demeura un seul, et moururent tous fort misérablement. Et à la fin l'héritage demeura, comme vous avez ouï en l'autre conte, à sa fille Rolandine, laquelle avait succédé à la prison faite pour sa tante.

c. qu'il (A)

« Je prie à Dieu, mesdames, que cet exemple vous soit si profitable que nulle de vous ait envie de soi marier pour son plaisir, sans le consentement de ceux à qui on doit porter obéissance. Car mariage est un état de si longue durée qu'il ne doit être commencé légèrement, ni sans l'opinion de nos meilleurs amis et parents. Encore ne peut-on si bien faire qu'il n'y ait pour le moins autant de peine que de plaisir. » — « En bonne foi, dit Oisille, quand il n'y aurait point de Dieu ni loi pour apprendre les filles ^d à être sages, cet exemple est suffisant pour leur donner plus de révérence à leurs parents que de s'adresser * à se marier à leur volonté. » — « Si *, est-ce, madame, dit Nomerfide, que qui a un bon jour en l'an n'est pas toute sa vie malheureuse. Elle eut le plaisir de voir et de parler longuement à celui qu'elle aimait plus qu'elle-même ; et puis elle en eut la jouissance par mariage, sans scrupule de conscience. J'estime ce contentement si grand qu'il me semble qu'il passe * l'ennui * qu'elle porta *. » — « Vous voulez donc dire, dit Saffredent, que les femmes ont plus de plaisir de coucher avec un mari que de déplaisir de le voir tuer devant leurs yeux ? » — « Ce n'est pas mon intention, dit Nomerfide, car je parlerais contre l'expérience que j'ai des femmes, mais j'entends qu'un plaisir non accoutumé, comme d'épouser l'homme du monde que l'on aime le mieux, doit être plus grand que de le perdre par mort, qui est chose commune. » — « Oui, dit Géburon, par mort naturelle, mais cette-ci était trop cruelle. Car je trouve bien étrange, vu que le seigneur n'était son père ni son mari, mais seulement son frère, et qu'elle était en l'âge que les lois permettent aux filles [de se marier à leur volonté] ^e, comme il osa exercer une telle cruauté. » — « Je ne le trouve point étrange, dit Hircan, car il ne tua pas sa sœur qu'il aimait tant et sur qui il n'avait point de justice, mais se prit au gentilhomme, lequel il avait nourri * comme fils et aimé comme frère ; et après l'avoir honoré et enrichi à

d. folles (T)

e. permettent aux filles d'eux marier sans leur volonté (A) permettent de se marier à sa volonté (T)

son service, pourchassa le mariage de sa sœur, chose qui en rien ne lui appartenait. » — « Aussi, dit Nomerfide, le plaisir n'est pas commun ni accoutumé qu'une femme de si grande maison épouse un gentilhomme serviteur par amour. Si la mort est étrange, le plaisir aussi est nouveau, et d'autant plus grand qu'il a pour son contraire l'opinion de tous les sages hommes, et pour son aide le contentement d'un cœur plein d'amour et le repos de l'âme, vu que Dieu n'y est point offensé. Et quant à la mort, que vous dites cruelle, il me semble que, puisqu'elle est nécessaire, la plus brève est la meilleure, car on sait bien que ce passage est indubitable ; mais je tiens heureux ceux qui ne demeurent point longuement aux faubourgs et qui, de la félicité qui se peut seule nommer en ce monde félicité, volent soudain à celle qui est éternelle. » — « Qu'appelez-vous les faubourgs de la mort ? » dit Simontaut. — « Ceux qui ont beaucoup de tribulations en l'esprit, répondit Nomerfide, ceux aussi qui ont été longuement malades et qui, par extrémité de douleur corporelle ou spirituelle, sont venus à dépriser * la mort et trouver son heure trop tardive, je dis que ceux-là ont passé par les faubourgs, et vous diront les hôtelleries où ils ont plus crié que reposé. Cette dame ne pouvait faillir * de perdre son mari par mort, mais elle a été exempte, par la colère de son frère, de voir son mari longuement malade ou fâché *. Et elle, convertissant l'aise qu'elle avait avec lui au service de Notre-Seigneur, se pouvait dire bien heureuse. » — « Ne faites-vous point cas de la honte qu'elle reçut, dit Longarine, et de sa prison ? » — « J'estime, dit Nomerfide, que la personne qui aime parfaitement, d'un amour joint au commandement de son Dieu, ne connaît honte ni déshonneur, sinon quand elle défaut * ou diminue de la perfection de son amour. Car la gloire de bien aimer ne connaît nulle honte. Et quant à la prison de son corps, je crois que, pour * la liberté de son cœur, qui était joint à Dieu et à son mari, ne la sentait point, mais estimait la solitude très grande liberté. Car qui ne peut voir ce qu'il aime n'a nul plus grand bien que d'y penser incessamment, et la prison n'est jamais étroite où la pensée se peut promener à son aise. » — « Il n'est rien plus vrai que ce que dit Nomerfide, dit Simontaut, mais celui qui par fureur fit cette séparation se devait dire malheureux, car il offensait Dieu, l'amour et l'honneur. » — « En bonne foi, dit Géburon, je m'ébahis des différentes amours des femmes, et vois bien que celles qui en ont plus d'amour ont plus de vertu, mais celles qui en ont moins, se voulant feindre vertueuses, le dissimulent. » — « Il est vrai, dit Parlamente, que le cœur honnête envers Dieu et les hommes aime plus fort que celui qui est vicieux, et ne craint point que l'on voie le fond de son intention. » — « J'ai toujours ouï dire, dit Simontaut, que les hommes ne doivent point être repris de pourchasser les femmes, car Dieu a mis au cœur de l'homme l'amour et la hardiesse pour demander, et en celui de la femme, la crainte et la chasteté pour refuser. Si l'homme, ayant usé des puissances qui lui sont données, a été puni, on lui fait tort. » — « Mais c'est grand cas, dit Longarine, de l'avoir longuement loué à sa sœur, et me semble que ce soit folie ou cruauté à celui qui garde une fontaine de louer la beauté de son eau à un qui languit de soif en la regardant, et puis le tuer quand il veut en prendre. » — « Pour vrai, dit Parlamente, le frère fut l'occasion d'allumer le feu par si douces paroles qu'il ne devait point éteindre à coups d'épée. » — « Je m'ébahis, dit Saffredent, pourquoi l'on trouve mauvais qu'un simple gentilhomme, n'usant d'autre force que de service et non de suppositions*, vienne à épouser une femme de grande maison, vu que les sages philosophes tiennent que le moindre homme de tous vaut mieux que la plus grande et vertueuse femme qui soit. » — « Pource, dit Dagoucin, que pour entretenir la chose publique en paix, l'on ne regarde que les degrés* des maisons, les grâces des personnes et les ordonnances des lois, sans peser[f] l'amour et les vertus des hommes, afin de ne confondre point la monarchie. Et de là vient que les mariages qui sont faits entre pareils, et selon le jugement des parents et des hommes, sont bien souvent si différents de cœur, de complexions* et de conditions qu'en lieu de prendre un état pour mener à

---

f. priser (T)

salut, ils entrent aux faubourgs d'enfer. » — « Aussi en a l'on bien vu, dit Géburon, qui se sont pris par amour, ayant les cœurs, les conditions et complexions semblables, sans regarder à la différence des maisons et de lignage, qui n'ont pas laissé de s'en repentir, car cette grande amitié indiscrète tourne souvent à jalousie et en fureur *. » — « Il me semble, dit Parlamente, que l'une ni l'autre n'est louable, mais que les personnes qui se soumettent à la volonté de Dieu, ne regardent ni à la gloire, ni à l'avarice, ni à la volupté [4], mais par une amour vertueuse, et du consentement des parents, désirent de vivre en l'état de mariage, comme Dieu et Nature l'ordonnent. Et combien que nul état n'est sans tribulation, si * ai-je vu ceux-là vivre sans repentance. Et nous ne sommes pas si malheureux en cette compagnie que nul de tous les mariés ne soit de ce nombre-là. » Hircan, Géburon, Simontaut et Saffredent jurèrent qu'ils s'étaient mariés en pareille intention et que jamais ils ne s'en étaient repentis. Mais quoi qu'il en fût de la vérité, celles à qui il touchait en furent si contentes que, ne pouvant ouïr un meilleur propos à leur gré, se levèrent pour en aller rendre grâces à Dieu où les religieux étaient prêts à dire vêpres. Le service fini, s'en allèrent souper, non sans plusieurs propos de leurs mariages, qui dura encore tout du long du soir, racontant les fortunes qu'ils avaient eues durant le pourchas * du mariage de leurs femmes. Mais parce que l'un rompait la parole de l'autre, l'on ne put retenir les contes tout du long, qui n'eussent été moins plaisant à écrire que ceux qu'ils disaient dans le pré. Ils y prirent si grand plaisir et s'amusèrent tant que l'heure du coucher fut plus tôt venue qu'ils ne s'en aperçurent. La dame Oisille départit * la compagnie, qui s'alla coucher si joyeusement que je pense que ceux qui étaient mariés ne dormirent pas si longtemps que les autres, racontant leurs amitiés passées et démontrant la présente. Ainsi se passa doucement la nuit jusqu'au matin.

FIN DE LA QUATRIÈME JOURNÉE

LA CINQUIÈME JOURNÉE

En la cinquième journée, on devise de la vertu des filles et femmes qui ont eu leur honneur en plus grande recommandation * que leur plaisir ; de celles aussi qui ont fait le contraire, et de la simplicité de quelques autres.

PROLOGUE

Quand le matin fut venu, Mme Oisille leur prépara un déjeuner spirituel d'un si bon goût qu'il était suffisant pour fortifier le corps et l'esprit; où toute la compagnie fut fort attentive, en sorte qu'il leur semblait bien jamais n'avoir ouï sermon qui leur profitât tant. Et quand ils ouïrent sonner le dernier coup de la messe, s'allèrent exercer à la contemplation des saints propos qu'ils avaient entendus. Après la messe ouïe et s'être un peu promenés, se mirent à table, promettant la Journée présente devoir être aussi belle que nulle des passées. Et Saffredent leur dit qu'il voudrait que le pont demeurât encore un mois à faire, pour * le plaisir qu'il prenait à la bonne chère * qu'ils faisaient; mais l'abbé de léans * y faisait faire bonne diligence, car ce n'était pas sa consolation de vivre entre tant de gens de bien, en la présence desquels n'osait faire venir ses pèlerines accoutumées. Et quand ils se furent reposés quelque temps après dîner, retournèrent à leur passe-temps accoutumé. Après que chacun eut pris son siège au pré, demandèrent à Parlamente à qui elle donnait sa voix. «Il me semble, dit-elle, que Saffredent saura bien commencer cette Journée, car je lui vois le visage qui n'a point d'envie de nous faire pleurer.» — «Vous serez donc bien cruelles, mesdames, dit Saffredent, si vous n'avez[a] pitié d'un Cordelier dont je vous vais conter l'histoire. Et encore que, par celles qu'aucuns d'entre nous ont ci-devant faites des religieux, vous pourriez penser que sont cas advenus aux pauvres

a. n'aviez (A)

demoiselles, dont la facilité d'exécution a fait sans crainte commencer l'entreprise. Mais afin que vous connaissiez que l'aveuglement de leur folle concupiscence leur ôte toute crainte et prudente considération, je vous en conterai d'un [1] qui advint en Flandres. »

QUARANTE ET UNIÈME NOUVELLE

Étrange et nouvelle pénitence donnée par un Cordelier confesseur à une jeune demoiselle.

L'année que Mme Marguerite d'Autriche vint à Cambrai de la part de l'Empereur son neveu pour traiter la paix entre lui et le Roi Très Chrétien, de la part duquel se trouva sa mère Mme Louise de Savoie, était[a] en la compagnie de ladite dame Marguerite la comtesse d'Egmont, qui emporta en cette compagnie le bruit * d'être la plus belle de toutes les Flamandes [1]. Au retour de cette grande assemblée, s'en retourna la comtesse d'Egmont en sa maison et, le temps des Avents venu, envoya en un couvent de Cordeliers demander un prêcheur suffisant * et homme de bien, tant pour prêcher que pour confesser elle et toute sa maison. Le gardien chercha le plus cru digne qu'il eut de faire tel office, pour * les grands biens qu'ils recevaient de la maison d'Egmont et de celle de Fiennes dont elle était. Comme ceux qui sur tous autres religieux désiraient gagner la bonne estime et amitié des grandes maisons, envoyèrent un prédicateur, le plus apparent * de leur couvent, lequel, tout le long des Avents, fit très bien son devoir. Et avait la comtesse grand contentement de lui.

La nuit de Noël, que la comtesse voulait recevoir son Créateur, fit venir son confesseur. Et après s'être confessée en une chapelle bien fermée, afin que la confession fût plus secrète, laissa le lieu à sa dame d'honneur, laquelle, après soi être confessée, envoya sa fille passer par les mains de ce bon confesseur. Et après qu'elle eut

a. et était (A)

tout dit ce qu'elle savait, connut le beau père quelque
chose de son secret, qui lui donna envie et hardiesse de
lui bailler une pénitence non accoutumée. Et lui dit : « Ma
fille, vos péchés sont si grands que, pour y satisfaire, je
vous baille en pénitence de porter ma corde sur votre
chair toute nue. » La fille, qui ne lui voulait désobéir, lui
dit : « Baillez-la-moi, mon père, et je ne faudrai * de la
porter. » — « Ma fille, dit le beau père, il ne serait pas
bon de votre main : il faut que les miennes propres, dont
vous devez avoir l'absolution, la vous aient premièrement
ceinte, puis après vous serez absoute de tous vos péchés. » La fille en pleurant répond qu'elle n'en ferait rien.
« Comment ! dit le confesseur, êtes-vous une hérétique,
qui refusez les pénitences selon que Dieu et notre mère
sainte Église l'ont ordonné ? » — « J'use de la confession,
dit la fille, comme l'Église le commande, et veux bien
recevoir l'absolution et faire la pénitence, mais je ne veux
point que vous y mettiez les mains, car en cette sorte je
refuse votre pénitence. » — « Par ainsi, dit le confesseur,
ne vous puis-je donner l'absolution. » La demoiselle se
leva de devant lui, ayant la conscience bien troublée, car
elle était si jeune qu'elle avait peur d'avoir failli * au
refus qu'elle avait fait au père. Quand ce vint après la
messe, que la comtesse d'Egmont reçut le *corpus Domini,* sa dame d'honneur, voulant aller après, demanda à
sa fille si elle était prête. La fille, en pleurant, dit qu'elle
n'était pas confessée. « Et qu'avez-vous tant fait avec ce
prêcheur ? » dit la mère. — « Rien, dit la fille, car, refu-
sant la pénitence qu'il m'a baillée, m'a refusé aussi l'absolution. » La mère s'enquit sagement, et connut
l'étrange façon de pénitence que le beau père voulait
donner à sa fille. Et après l'avoir fait confesser à un autre,
reçurent * toutes ensemble. Et retournée la comtesse de
l'église, la dame d'honneur lui fit la plainte * du prêcheur, dont elle fut bien marrie et étonnée, vu la bonne
opinion qu'elle avait de lui. Mais son courroux ne la put [b]
garder qu'elle ne rît bien fort, vu la nouvelleté de la
pénitence. Si * est-ce que le rire n'empêcha pas aussi

b. peut (A)

qu'elle ne le fît prendre et battre en sa cuisine, où à force de verges il confessa la vérité. Et après, elle l'envoya pieds et mains liés à son gardien, le priant qu'une autre fois il baillât commission à plus gens de bien de prêcher la parole de Dieu.

« Regardez, mesdames, si en une maison si honorable ils n'ont point de peur de déclarer leurs folies, qu'ils peuvent faire aux pauvres lieux où ordinairement ils vont faire leurs quêtes, où les occasions leur sont présentées si faciles que c'est miracle quand ils échappent sans scandale. Qui me fait vous prier, mesdames, de tourner votre mauvaise estime en compassion. Et pensez que celui qui aveugle les Cordeliers n'épargne par les dames quand il le^c trouve à propos. » — « Vraiment, dit Oisille, voilà un bien méchant Cordelier ! Être religieux, prêtre et prédicateur, et user de telle vilenie au jour de Noël, en l'église et sous le manteau de confession, qui sont toutes circonstances qui aggravent le péché ! » — « Il semble à vous ouïr parler, dit Hircan, que les Cordeliers doivent être anges, ou plus sages que les autres. Mais vous en avez tant ouï d'exemples que vous les devez penser beaucoup pires. Et il me semble que cettui-ci est bien à excuser, se trouvant tout seul, de nuit, enfermé avec une belle fille. » — « Voire, dit Oisille, mais c'était la nuit de Noël ! » — « Et voilà qui augmente son excuse, dit Simontaut, car, tenant la place de Joseph auprès d'une belle vierge, il voulait essayer à faire un petit enfant, pour jouer au vif * le mystère de la Nativité ! » — « Vraiment, dit Parlamente, s'il eût pensé à Joseph et à la vierge Marie, il n'eût pas eu la volonté si méchante. Toutefois, c'était un homme de mauvais vouloir, vu que pour si peu d'occasion * il faisait une si méchante entreprise. » — « Il me semble, dit Oisille, que la comtesse en fit si bonne punition que ses compagnons y pouvaient prendre exemple. » — « Mais à savoir mon *, dit Nomerfide, si elle fit bien de scandaliser ainsi son prochain, et s'il eût pas mieux valu qu'elle lui eût remontré ses fautes doucement

c. les (A)

que de les divulguer ainsi[d]. » — « Je crois, dit Géburon, que c'eût été bien fait, car il est commandé de corriger notre prochain entre nous et lui, avant que le dire à personne ni à l'Église[2]. Aussi, depuis qu'un homme est éhonté *, à grand peine * jamais se peut-il amender, parce que la honte retire autant de gens de péché que la conscience. » — « Je crois, dit Parlamente, qu'envers chacun se doit user le conseil de l'Évangile, sinon envers ceux qui la prêchent et font le contraire, car il ne faut point craindre à scandaliser ceux qui scandalisent tout le monde. Et me semble que c'est grand mérite de les faire connaître tels qu'ils sont, afin que nous ne prenons pas un doublet * pour un bon rubis. Mais à qui donnera Saffredent sa voix ? » — « Puisque vous le demandez, ce sera à vous-même, dit Saffredent, à qui nul d'entendement ne la doit refuser. » — « Or puisque vous me la donnez, je vous en vais conter une dont je puis servir de témoin. Et j'ai toujours ouï dire que tant plus la vertu est en un sujet débile et faible assaillie de son très fort et puissant contraire, c'est à l'heure * qu'elle est plus louable et se montre mieux telle qu'elle est : car si le fort se défend du fort, ce n'est chose émerveillable *, mais si le faible en a victoire, il en a gloire de tout le monde. Pour * connaître les personnes dont je veux parler, il me semble que je ferais tort à la vertu que j'ai vue cachée sous un si pauvre vêtement que nul n'en tenait compte, si je ne parlais de celle par laquelle ont été faits des actes si honnêtes. Ce qui me contraint le vous raconter. »

QUARANTE-DEUXIÈME NOUVELLE

*Continence d'une jeune fille contre l'opiniâtre poursuite amoureuse d'un des grands seigneurs de France, et l'heureux succès * qu'en eut la demoiselle[1].*

En une des meilleures villes de Touraine, demeurait un seigneur de grande et bonne maison, lequel y avait été nourri * dès sa grande jeunesse. Des perfections, grâce,

d. de divulguer ainsi son prochain (A)

beauté et grandes vertus de ce jeune prince, ne vous en dirai autre chose sinon qu'en son temps ne trouva jamais son pareil. Étant en l'âge de quinze ans, il prenait plus de plaisir à courir et chasser que non pas à regarder les belles dames. Un jour, étant en une église, regarda une jeune fille, laquelle avait autrefois, en son enfance, été nourrie * au château où il demeurait. Et après la mort de sa mère, son père se remaria, parquoi elle se retira en Poitou avec son frère. Cette fille, qui avait nom Françoise, avait une sœur bâtarde que son père aimait très fort. Et la maria en un sommelier d'échansonnerie de ce jeune prince, dont elle tint aussi grand état que nul de sa maison. Le père vint à mourir, et laissa pour le partage de Françoise ce qu'il tenait auprès de cette bonne ville, parquoi, après qu'il fut mort, elle se retira où était son bien. Et à cause qu'elle était à marier et jeune de seize ans, ne se voulait tenir seule en sa maison, mais se mit en pension chez sa sœur la sommelière. Le jeune prince, voyant cette fille assez belle pour une claire brune, et d'une grâce qui passait * celle de son état (car elle semblait mieux gentille * femme ou princesse que bourgeoise), il la regarda longuement. Lui, qui jamais encore n'avait aimé, sentit en son cœur un plaisir non accoutumé. Et quand il fut retourné en sa chambre, s'enquit de celle qu'il avait vue en l'église, et reconnut qu'autrefois en sa jeunesse était-elle allée au château jouer aux poupines * avec sa sœur, à laquelle il la fit reconnaître. Sa sœur l'envoya quérir et lui fit fort bonne chère *, la priant de la venir souvent voir. Ce qu'elle faisait quand il y avait quelques noces ou assemblées, où le jeune prince la voyait tant volontiers qu'il pensa * à l'aimer bien fort. Et pource qu'il la connaissait de bas et pauvre lieu, espéra recouvrer facilement ce qu'il en demandait. Mais, n'ayant moyen de parler à elle, lui envoya un gentilhomme de sa chambre pour faire sa pratique *, auquel elle, qui était sage, craignant Dieu, dit qu'elle ne croyait pas que son maître, qui était si beau et honnête prince, s'amusât à regarder une chose si laide qu'elle, vu qu'au château où il demeurait il en avait de si belles qu'il ne fallait point en chercher en la ville, et qu'elle pensait qu'il le disait de lui-même, sans le commandement de son maître. Quand le jeune prince entendit cette réponse, Amour, qui s'attache plus fort où plus il trouve de résistance, lui fit plus chaudement qu'il n'avait fait poursuivre son entreprise. Et lui écrivit une lettre, la priant vouloir entièrement croire ce que le gentilhomme lui dirait. Elle, qui savait très bien lire et écrire, lut sa lettre tout du long, à laquelle, quelque prière que lui en fit le gentilhomme, n'y voulut jamais répondre disant qu'il n'appartenait pas à si basse personne d'écrire à un tel prince, mais qu'elle le suppliait ne la penser si sotte qu'elle estimât qu'il eût une telle opinion d'elle que de lui porter tant d'amitié ; et aussi que, s'il pensait à cause de son pauvre état la cuider * avoir à son plaisir, il se trompait, car elle n'avait le cœur moins honnête que la plus grande princesse de la chrétienté, et n'estimait trésor au monde au prix de l'honnêteté et de la conscience ; le suppliant ne la vouloir empêcher de toute sa vie garder ce trésor, car pour * mourir elle ne changerait d'opinion *. Le jeune prince ne trouva pas cette réponse à son gré, toutefois l'en aima-t-il très fort et ne faillit * de faire mettre toujours son siège à l'église où elle allait à la messe. Et durant le service, adressait toujours ses yeux à cette image *. Mais quand elle l'aperçut, changea de lieu et alla en une autre chapelle, non pour fuir de le voir, car elle n'eût pas été créature raisonnable si elle n'eût pris plaisir à le regarder, mais elle craignait être vue de lui, ne s'estimant digne d'en être aimée par honneur ou par mariage, ne voulant aussi d'autre part que ce fût par folie et plaisir. Et quand elle vit qu'en quelque lieu de l'église qu'elle se pût mettre le prince se faisait dire la messe tout auprès, ne voulut plus aller en cette église-là, mais allait tous les jours à la plus éloignée qu'elle pouvait. Et quand quelques noces allaient[a] au château, ne s'y voulait plus retrouver, combien que la sœur du prince l'envoyât quérir souvent, s'excusant sur quelque maladie. Le prince, voyant qu'il ne pouvait parler à elle, s'aida de son sommelier et lui promit de grands biens s'il lui aidait en cette affaire. Ce

a. se faisaient (T)

que le sommelier s'offrit volontiers, tant pour plaire à son maître que pour le fruit qu'il en espérait. Et tous les jours contait au prince ce qu'elle disait et faisait, mais que surtout fuyait les occasions * qui lui étaient possibles de le voir. Si * est-ce que la grande envie qu'il avait de parler à elle à son aise lui fit chercher un expédient.

C'est qu'un jour il alla mener ses grands chevaux, dont il commençait bien à savoir le métier, en une grand place de la ville, devant la maison de son sommelier où Françoise demeurait. Et après avoir fait maintes courses et sauts qu'elle pouvait bien voir, se laissa tomber de son cheval dedans une grande fange *, si mollement qu'il ne se fit point de mal. Si * est-ce qu'il se plaignit assez, et demanda s'il y avait point de logis pour changer ses habillements. Chacun présentait sa maison, mais quelqu'un dit que celle du sommelier était la plus prochaine et la plus honnête, aussi fut-elle choisie sur toutes. Il trouva la chambre bien accoutrée et se dépouilla * en chemise, car tous ses habillements étaient souillés de la fange, et se mit dedans un lit. Et quand il vit que chacun fut retiré pour aller quérir ses habillements, excepté le gentilhomme, appela son hôte et son hôtesse et leur demanda où était Françoise. Ils eurent bien à faire à la trouver, car, sitôt qu'elle avait vu ce jeune prince entrer en sa maison, s'en était allée cacher au plus secret lieu de léans *. Toutefois sa sœur la trouva, qui la pria ne craindre point venir parler à un si honnête et vertueux prince. «Comment, ma sœur, dit Françoise, vous que je tiens ma mère, me voudriez-vous conseiller d'aller parler à un jeune seigneur duquel vous savez que je ne puis ignorer la volonté?» Mais sa sœur lui fit tant de remontrances et promesses de ne la laisser seule qu'elle alla avec elle, portant un visage si pâle et défait qu'elle était plus pour engendrer pitié que concupiscence. Le jeune prince, quand il la vit près de son lit, il la prit par la main qu'elle avait froide et tremblante, et lui dit: «Françoise, m'estimez-vous si mauvais homme, et si étrange et cruel que je mange les femmes en les regardant? Pourquoi avez-vous pris une si grande crainte de celui qui ne cherche que votre honneur et avantage? Vous savez qu'en tous lieux qu'il m'a été possible j'ai cherché de vous voir et parler à vous. Ce que je n'ai su. Et pour me faire plus de dépit, avez fui les lieux où j'avais accoutumé vous voir à la messe, afin qu'en tout je n'eusse non plus de contentement de la vue que j'avais de la parole. Mais tout cela ne vous a de rien servi, car je n'ai cessé que je ne sois venu ici par les moyens que vous avez pu voir, et me suis mis au hasard * de me rompre le cou, me laissant tomber volontairement pour avoir le contentement de parler à vous à mon aise. Parquoi je vous prie, Françoise, puisque j'ai acquis ce loisir ici avec un si grand labeur, qu'il ne soit point inutile, et que je puisse par ma grande amour gagner la vôtre. » Et quand il eut longtemps attendu sa réponse, et vu qu'elle avait les larmes aux yeux et la vue contre terre, la tirant à lui le plus qu'il lui fut possible, la cuida * embrasser et baiser. Mais elle lui dit : « Non, Monseigneur, non : ce que vous cherchez ne se peut faire car, combien que je sois un ver de terre au prix de vous, j'ai mon honneur si cher que j'aimerais mieux mourir que de l'avoir diminué, pour quelque plaisir que ce soit en ce monde. Et la crainte que j'ai que [b] ceux qui vous ont vu venir céans se doutent [c] de cette vérité me donne la peur et tremblement que j'ai. Et puisqu'il vous plaît de me faire cet honneur de parler à moi, vous me pardonnerez aussi si je vous réponds selon que mon honneur me le commande. Je ne suis point si sotte, Monseigneur, ni si aveuglée, que je ne voie et connaisse bien la beauté et grâces que Dieu a mises en vous, et que je ne tienne la plus heureuse du monde celle qui possédera le corps et l'amour d'un tel prince. Mais de quoi me sert tout cela, puisque ce n'est pour moi ni pour femme de ma sorte, et que seulement le désirer serait à moi parfaite folie ? Quelle raison puis-je estimer qui vous fait adresser à moi, sinon que les dames de votre maison (lesquelles vous aimez, si la beauté et la grâce est aimée de vous) sont si vertueuses que vous n'osez leur demander ni espérer avoir d'elles ce que la petitesse de mon état vous fait espérer avoir de moi ? Et

suis sûre que, quand de telles personnes que moi auriez ce
que demandez, ce serait un moyen pour entretenir votre
maîtresse deux heures davantage, en lui contant vos vic-
toires au dommage des plus faibles. Mais il vous plaira,
Monseigneur, penser que je ne suis de cette condition.
J'ai été nourrie * en votre maison, où j'ai appris que c'est
d'aimer ; mon père et ma mère ont été vos bons serviteurs. Parquoi il vous plaira, puisque Dieu ne m'a fait
princesse pour vous épouser, ni d'état pour être tenue à
maîtresse et amie, ne me vouloir mettre en rang des
pauvres malheureuses, vu que je vous désire et estime
celui des plus heureux princes de la chrétienté. Et si, pour
votre passe-temps, vous voulez des femmes de mon état,
vous en trouverez assez, en cette ville, de plus belles que
moi sans comparaison, qui ne vous donneront la peine de
les prier tant. Arrêtez-vous donc à celles à qui vous ferez
plaisir en achetant leur honneur, et ne travaillez * plus
celle qui vous aime plus que soi-même. Car s'il fallait
que votre vie ou la mienne fût aujourd'hui demandée de
Dieu, je me tiendrais bien heureuse d'offrir la mienne
pour sauver la vôtre, car ce n'est faute d'amour qui me
fait fuir votre présence, mais c'est plutôt pour * en avoir
trop à votre conscience et à la mienne ; car j'ai mon
honneur plus cher que ma vie. Je demeurerai, s'il vous
plaît, Monseigneur, en votre bonne grâce, et prierai toute
ma vie Dieu pour votre prospérité et santé. Il est bien vrai
que cet honneur que vous me faites me fera entre les gens
de ma sorte mieux estimer, car qui est l'homme de mon
état, après vous avoir vu, que je daignasse regarder ? Par
ainsi demeurera mon cœur en liberté, sinon de l'obligation où je veux à jamais être de prier Dieu pour vous, car
autre service ne vous puis-je jamais faire. » Le jeune
prince, voyant cette honnête réponse, combien qu'elle ne
fût selon son désir, si * ne la pouvait moins estimer
qu'elle était. Il fit ce qu'il lui fut possible pour lui faire
croire qu'il n'aimerait jamais femme qu'elle, mais elle
était si sage qu'une chose si déraisonnable ne pouvait
entrer en son entendement. Et durant ces propos, combien que souvent on dît que ses habillements étaient
venus du château, avait tant de plaisir et d'aise qu'il fit

dire qu'il dormait, jusqu'à ce que l'heure du souper fût venue, où il n'osait faillir* à sa mère qui était une des plus sages dames du monde. Ainsi s'en alla le jeune homme de la maison de son sommelier, estimant plus que jamais l'honnêteté de cette fille.

Il en parlait souvent au gentilhomme qui couchait en sa chambre, lequel, pensant qu'argent faisait plus qu'amour, lui conseilla de faire offrir à cette fille quelque honnête somme pour se condescendre[d] à son vouloir. Le jeune prince, duquel la mère était le trésorier, n'avait que peu d'argent pour ses menus plaisirs qu'il prit avec tout ce qu'il put emprunter, et se trouva la somme de cinq cents écus qu'il envoya à cette fille par le gentilhomme, la priant de vouloir changer d'opinion. Mais quand elle vit le présent, dit au gentilhomme : « Je vous prie, dites à Monseigneur que j'ai le cœur* si bon et si honnête que, s'il fallait obéir à ce qu'il me commande, la beauté et les grâces qui sont en lui m'auraient déjà vaincue. Mais là où ils n'ont eu puissance contre mon honneur, tout l'argent du monde n'y en saurait avoir, lequel vous lui remporterez, car j'aime mieux l'honnête pauvreté que tous les biens qu'on saurait désirer. » Le gentilhomme, voyant cette rudesse, pensa qu'il la fallait avoir par cruauté, et vint à la menacer de l'autorité et puissance de son maître. Mais elle, en riant, lui dit : « Faites peur de lui à celles qui ne le connaissent point, car je sais bien qu'il est si sage et si vertueux que tels propos ne viennent de lui, et suis sûre qu'il vous désavouera quand vous les conterez. Mais quand il serait ainsi que vous le dites, il n'y a tourment ni mort qui me sût faire changer d'opinion, car, comme je vous ai dit, puisqu'Amour n'a tourné mon cœur, tous les maux ni tous les biens que l'on saurait donner à personne ne me sauraient détourner d'un pas du propos où je suis. » Ce gentilhomme, qui avait promis à son maître de la lui gagner, lui porta cette réponse avec un merveilleux* dépit, et le persuada à poursuivre par tous moyens possibles, lui disant que ce n'était point son honneur de n'avoir su gagner une telle femme.

d. pour la faire condescendre (T)

Le jeune prince, qui ne voulait point user d'autres moyens que ceux que l'honnêteté commande, et craignant aussi que, s'il en était quelque bruit et que sa mère le sût, elle aurait occasion * de s'en courroucer bien fort, n'osait rien entreprendre. Jusqu'à ce que son gentilhomme lui bailla un moyen si aisé qu'il pensait déjà la tenir. Et pour l'exécuter, parlerait au sommelier, lequel, délibéré de servir son maître en quelque façon que ce fût, pria un jour sa femme et sa belle-sœur d'aller visiter leurs vendanges en une maison qu'il avait auprès de la forêt, ce qu'elles lui promirent. Quand le jour fut venu, il le fit savoir au jeune prince, lequel se délibéra d'y aller tout seul avec ce gentilhomme, et fit tenir sa mule prête secrètement pour partir quand il en serait heure. Mais Dieu voulut que, ce jour-là, sa mère accoutrait * un cabinet le plus beau du monde, et pour lui aider avait avec elle tous ses enfants. Et là s'amusa ce jeune prince, jusqu'à ce que l'heure promise fût passée. Si * ne tint-il à son sommelier, lequel avait mené sa sœur en sa maison en croupe derrière lui, et fit faire la malade à sa femme en sorte que, ainsi qu'ils étaient à cheval, lui vint dire qu'elle n'y saurait aller. Et quand il vit que l'heure tardait que le prince devait venir, dit à sa belle-sœur : « Je crois bien que nous pouvons retourner à la ville. » — « Et qui nous en garde ? » dit Françoise. — « C'est, ce dit le sommelier, que j'attendais ici Monseigneur qui m'avait promis de venir. » Quand sa sœur entendit cette méchanceté, lui dit : « Ne l'attendez point, mon frère, car je sais bien que pour aujourd'hui il ne viendra point. » Le frère la crut et la ramena. Et quand elle fut en la maison, montra sa colère extrême en disant à son beau-frère qu'il était le valet du diable, qu'il faisait plus qu'on ne lui commandait. Car elle était assurée que c'était de son invention et du gentilhomme, et non du jeune prince, duquel il aimait mieux gagner de l'argent en le confortant * dans ses folies que de faire office de bon serviteur ; mais que, puisqu'elle le connaissait tel, elle ne demeurerait jamais en sa maison. Et sur ce, elle envoya quérir son frère pour la mener en son pays, et se délogea incontinent d'avec sa sœur. Le sommelier, ayant failli * à son entreprise, s'en alla au

château pour entendre à quoi il tenait que le jeune prince
n'était venu ; et ne fut^e guère là qu'il ne le trouvât sur sa
mule, tout seul avec le gentilhomme en qui il se fiait ; et
lui demanda : « Et puis, est-elle encore là ? » Il lui conta
tout ce qu'il avait fait. Le jeune prince fut bien marri
d'avoir failli * à sa délibération, qu'il estimait être le
moyen dernier et extrême qu'il pouvait prendre là^f. Et
voyant qu'il n'y avait point de remède, la chercha tant
qu'il la trouva en une compagnie où elle ne pouvait le
fuir ; qui se courrouça fort à elle des rigueurs qu'elle lui
tenait et de ce qu'elle voulait laisser la compagnie de son
frère. Laquelle lui dit qu'elle n'en avait jamais trouvé une
pire, ni plus dangereuse pour elle, et qu'il était bien
tenu * à son sommelier, vu qu'il ne le servait seulement
du corps et des biens, mais aussi de l'âme et de la
conscience. Quand le prince connut qu'il n'y avait autre
remède, délibéra de ne l'en presser^g plus, et l'eut toute sa
vie en bonne estime.

Un serviteur dudit prince, voyant l'honnêteté de cette
fille, la voulut épouser, à quoi jamais ne se voulut accorder sans le commandement et congé * du jeune prince
auquel elle avait mis toute son affection, ce qu'elle lui fit
entendre. Et, par son bon vouloir, fut fait le mariage où
elle a vécu toute sa vie en bonne réputation. Et lui a fait le
jeune prince beaucoup de grands biens.

« Que dirons-nous ici, mesdames ? Avons-nous le cœur
si bas que nous fassions nos serviteurs nos maîtres, vu
que cette-ci n'a su être vaincue ni d'amour ni de tourment ? Je vous prie qu'à son exemple nous demeurions
victorieuses de nous-mêmes, car c'est la plus louable
victoire que nous puissions avoir. » — « Je ne vois qu'un
mal, dit Oisille : que les actes vertueux de cette fille n'ont
été du temps des historiens^h, car ceux qui ont tant loué
leur Lucrèce l'eussent laissée au bout de la plume pour
écrire bien au long les vertus de cette-ci, pource que je les

e. et ce ne fut (A)
f. par lequel il la pouvait prendre (T)
g. prêcher (A)
h. historiens romains (T)

trouve si grandes que je ne les pourrais croire sans le grand serment que nous avons fait de dire vérité. » — « Je ne trouve pas sa vertu telle que vous la peignez, dit Hircan, car vous avez vu assez de malades dégoûtés délaisser les bonnes et salutaires viandes * pour manger les mauvaises et dommageables. Aussi peut-être que cette fille avait quelque gentilhomme comme elle, qui lui faisait dépriser * toute noblesse. » Mais Parlamente répondit à ce mot que la vie et la fin de cette fille montraient que jamais n'avait eu opinion * à homme vivant qu'à celui qu'elle aimait plus que sa vie, mais non pas plus que son honneur. « Otez cette opinion de votre fantaisie *, dit Saffredent, et entendez d'où est venu ce terme d'honneur quant aux femmes, car peut-être que celles qui en parlent tant ne savent pas l'invention de ce nom. Sachez qu'au commencement que la malice n'était trop grande entre les hommes, l'amour y était si naïve * et forte que nulle dissimulation n'y avait lieu. Et était plus loué celui qui plus parfaitement aimait. Mais quand l'avarice et le péché vinrent saisir le cœur de l'homme[i], ils en chassèrent dehors Dieu et l'amour, et en leur lieu prirent amour d'eux-mêmes, hypocrisie et fiction *. Et voyant les dames n'avoir[j] en leur cœur cette vertu de vraie amour, et que le nom d'hypocrisie était tant odieux entre les hommes, lui donnèrent le surnom d'honneur, tellement que celles qui ne pouvaient avoir en elles cette honorable amour disaient que l'honneur le leur défendait. Et en ont fait une si cruelle loi que même celles qui aiment parfaitement dissimulent, estimant vertu être vice ; mais celles qui sont de bon entendement et de sain jugement ne tombent jamais en telles erreurs : car elles[k] connaissent la différence des ténèbres et de lumière, et que leur vrai honneur gît à montrer la pudicité du cœur qui ne doit vivre que d'amour et non point s'honorer du vice de dissimulation. » — « Toutefois, dit Dagoucin, on dit que l'amour la plus secrète est la plus louable. » — « Oui

i. le cœur et l'honneur (A)
j. nourrir (A)
k. ils (A)

secrète, dit Simontaut, aux yeux de ceux qui en pourraient mal juger, mais claire et connue au moins aux deux
personnes à qui elle touche. » — « Je l'entends ainsi, dit
Dagoucin. Encore vaudrait-elle mieux d'être ignorée
d'un côté qu'entendue d'un tiers, et je crois que cette
femme-là aimait d'autant plus fort qu'elle ne le déclarait
point. » — « Quoi qu'il y ait, dit Longarine, il faut estimer la vertu dont la plus grande est à vaincre son cœur. Et
voyant les occasions que cette fille avait d'oublier sa
conscience et son honneur, et la vertu qu'elle eut de
vaincre son cœur et sa volonté, et celui qu'elle aimait plus
qu'elle-même, avec toutes perfections des occasions et
moyens qu'elle en avait, je dis qu'elle se pouvait nommer
la forte femme [2]. » — « Puisque vous estimez, dit Saffredent[1], la grandeur de la vertu par la mortification de
soi-même, je dis que ce seigneur était plus louable
qu'elle, vu l'amour qu'il lui portait, la puissance, occasion * et moyen * qu'il en avait. Et toutefois ne voulut
point offenser la règle de vraie amitié qui égale le prince
et le pauvre, mais usa des moyens que l'honnêteté permet. » — « Il y en a beaucoup, dit Hircan, qui n'eussent
pas fait ainsi. » — « De tant plus est-il à estimer, dit
Longarine, qu'il a vaincu la commune malice des hommes, car qui peut faire le mal et ne le fait point, cettui-là
est bien heureux [3]. » — « A ce propos, dit Géburon, vous
me faites souvenir d'une qui avait plus de crainte d'offenser les yeux des hommes qu'elle n'avait Dieu, son honneur ni l'amour. » — « Or je vous prie, dit Parlamente,
que vous nous la contiez, et je vous donne ma voix. » —
« Il y a, dit Géburon, des personnes qui n'ont point de
Dieu. Ou, s'ils en croient quelqu'un [4], l'estiment quelque
chose si loin d'eux qu'il ne peut voir ni entendre les
mauvaises œuvres qu'ils font. Et encore qu'il les voient,
pense qu'il soit nonchalant, qu'il ne les punisse point,
comme ne se souciant des choses de çà-bas. Et de cette
opinion même était une demoiselle, de laquelle pour *
l'honneur de sa race je changerai le nom, et la nommerai
Jambique. Elle disait souvent que la personne qui n'avait

---

1. dit Saffredent *omis dans* A

à faire que de Dieu était bien heureuse si, au demeurant, elle pouvait bien conserver son honneur devant les hommes. Mais vous verrez, mesdames, que sa prudence ni son hypocrisie ne l'a pas garantie que son secret n'ait été révélé, comme vous verrez par son histoire où la vérité sera dite tout du long, hormis les noms des personnes et des lieux qui seront changés. »

QUARANTE-TROISIÈME NOUVELLE

L'hypocrisie d'une dame de cour fut découverte par le démènement * *de ses amours, qu'elle pensait bien celer* [1].

En un très beau château, demeurait une grande princesse et de grande autorité, et avait en sa compagnie une demoiselle nommée Jambique, fort audacieuse, de laquelle la maîtresse était si fort abusée * qu'elle ne faisait rien que par son conseil, l'estimant plus sage et vertueuse demoiselle qui fût point de son temps. Cette Jambique réprouvait tant la folle amour que, quand elle voyait quelque gentilhomme amoureux de l'une de ses compagnes, elle les reprenait fort aigrement et en faisait si mauvais rapport à sa maîtresse que souvent elle les faisait tancer. Dont elle était beaucoup plus crainte qu'aimée de toute la compagnie. Et quant à elle, jamais ne parlait à homme, sinon tout haut et avec une grande audace *, tellement qu'elle avait le bruit * d'être ennemie mortelle de tout amour, combien qu'elle était contraire en son cœur.

Car il y avait un gentilhomme au service de sa maîtresse, dont elle était si fort éprise qu'elle n'en pouvait plus porter *. Si * est-ce que l'amour qu'elle avait à sa gloire et réputation la faisait en tout dissimuler son affection. Mais après avoir porté cette passion bien un an, ne se voulant soulager comme les autres qui aiment, par le regard et la parole, brûlait si fort en son cœur qu'elle vint chercher le dernier remède. Et pour conclusion, avisa qu'il valait mieux satisfaire à son désir, mais *[a] qu'il n'y

a. et (A)

eût que Dieu seul qui connût son cœur, que de le dire à un homme qui le pouvait révéler quelque fois *.

Après cette conclusion * prise, un jour qu'elle était en la chambre de sa maîtresse, regardant sur une terrasse, vit promener celui qu'elle aimait tant. Et après l'avoir regardé si longuement que le jour qui se couchait en emportait avec lui la vue, elle appela un petit page qu'elle avait et, en lui montrant le gentilhomme, lui dit : « Voyez-vous bien cettui-là, qui a ce pourpoint de satin cramoisi et cette robe fourrée de loups cerviers ? Allez lui dire qu'il y a quelqu'un de ses amis qui veut parler à lui en la galerie du jardin de céans. » Et ainsi que le page y alla, elle passa par la garde-robe de sa maîtresse, et s'en alla en cette galerie, ayant mis sa cornette * basse et son touret * de nez. Quand le gentilhomme fut arrivé où elle était, elle va incontinent fermer les deux portes par où on pouvait venir sur eux et, sans ôter son touret de nez, en l'embrassant bien fort, lui va dire le plus bas qu'il lui fut possible : « Il y a longtemps, mon ami, que l'amour que je vous porte m'a fait désirer de trouver lieu et occasion de vous pouvoir voir, mais la crainte de mon honneur a été pour un temps si forte qu'elle m'a contrainte, malgré ma volonté, de dissimuler cette passion. Mais en la fin, la force d'amour a vaincu la crainte, par[b] la connaissance que j'ai de votre honnêteté. Si vous me voulez promettre de m'aimer et de jamais n'en parler à personne, ni vous vouloir enquérir de moi qui je suis, je vous assurerai bien que je vous serai loyale et bonne amie, et que jamais je n'aimerai autre que vous. Mais j'aimerais mieux mourir que vous sussiez qui je suis. » Le gentilhomme lui promit ce qu'elle demandait, qui la rendit très facile à lui rendre la pareille : c'est de ne lui refuser chose qu'il voulût prendre. L'heure était de cinq et six en hiver, qui entièrement lui ôtait la vue d'elle. En touchant ses habillements, trouva qu'ils étaient de velours, qui en ce temps-là ne se portait tous les jours, sinon par les femmes de grande maison et d'autorité. En touchant ce qui était dessous, autant qu'il en pouvait prendre jugement

b. et par (A)

par la main, ne trouva rien qui ne fût en très bon état, net et en bon point*. Si mit peine de lui faire la meilleure chère* qu'il lui fut possible. De son côté elle n'en fit moins. Et connut bien le gentilhomme qu'elle était mariée.

Elle s'en voulut retourner incontinent de là où elle était venue, mais le gentilhomme lui dit : « J'estime beaucoup le bien que sans mon mérite vous m'avez donné, mais j'estimerai plus celui que j'aurai de vous à ma requête. Je me tiens si satisfait d'une telle grâce que je vous supplie me dire si je ne dois pas espérer encore un bien semblable, et en quelle sorte il vous plaira que j'en use car, vu que je ne vous puis connaître, je ne sais comment le pourchasser. » — « Ne vous souciez, dit la dame, mais assurez-vous que tous les soirs, avant le souper de ma maîtresse, je ne faudrai * de vous envoyer quérir mais * qu'à l'heure * vous soyez sur la terrasse où vous étiez tantôt. Je vous manderai seulement qu'il vous souvienne de ce que vous avez promis : par cela entendrez-vous que je vous attends en cette galerie. Mais si vous oyez parler d'aller à la viande *, vous pourrez bien pour ce jour vous retirer ou venir en la chambre de notre maîtresse. Et surtout je vous prie, ne cherchez jamais de me connaître si vous ne voulez la séparation de notre amitié. » La demoiselle et le gentilhomme se retirèrent tous deux, chacun en leur lieu.

Et continuèrent longuement cette vie, sans qu'il s'aperçût jamais qui elle était, dont il entra en une grande fantaisie *, pensant en lui-même qui ce pouvait être, car il ne pensait point qu'il y eût femme au monde qui ne voulût être vue et aimée. Et se douta que ce fût quelque malin esprit, ayant ouï dire à quelque sot prêcheur que qui aurait vu le diable au visage l'on n'aimerait jamais [2]. En cette doute-là, se délibéra de savoir qui était cette-là qui lui faisait si bonne chère * [c]. Et une autre fois qu'elle le manda, porta avec lui de la craie dont, en l'embrassant, lui en fit une marque sur l'épaule, par derrière, sans qu'elle s'en aperçût. Et incontinent qu'elle fût partie, s'en

c. si bon visage (T)

alla hâtivement le gentilhomme en la chambre de sa
maîtresse, et se tint auprès de la porte pour regarder le
derrière des épaules de celles qui y entraient. Entre autres
vit entrer cette Jambique, avec une telle audace* qu'il
craignait de la regarder comme les autres, se tenant très
assuré que ce ne pouvait être elle. Mais ainsi qu'elle se
tournait, avisa* la craie blanche; dont il fut si étonné
qu'à peine* pouvait-il croire ce qu'il voyait. Toutefois,
ayant bien regardé sa taille, qui était semblable à celle
qu'il touchait, les façons de son visage qui au toucher se
peuvent connaître, connut certainement que c'était elle.
Dont il fut très aise de voir qu'une femme qui jamais
n'avait eu le bruit* d'avoir serviteur, mais tant refusé
d'honnêtes gentilshommes, s'était arrêtée à lui seul.
Amour, qui n'est jamais en un état[3], ne put[d] endurer
qu'il vécût longuement en ce repos, et le mit en telle
gloire et espérance qu'il se délibéra de faire connaître son
amour, pensant que quand elle serait connue, elle aurait
occasion* d'augmenter.

Et un jour que cette grande dame allait au jardin, la
demoiselle Jambique s'en alla promener en une autre
allée. Le gentilhomme, la voyant seule, s'avança pour
l'entretenir et, feignant ne l'avoir vue ailleurs, lui dit:
« Mademoiselle, il y a longtemps que je vous porte une
affection sur mon cœur, laquelle pour* peur de vous
déplaire ne vous ai osé révéler; dont je suis si mal que je
ne puis plus porter* cette peine sans mourir, car je ne
crois pas que jamais homme vous sût tant aimer que je
fais. » La demoiselle Jambique ne le laissa pas achever
son propos, mais lui dit avec une très grand colère:
« Avez-vous jamais ouï dire ni vu que j'aie eu ami ni
serviteur? Je suis sûre que non, et m'ébahis dont* vous
vient cette hardiesse de tenir tels propos à une femme de
bien comme moi, car vous m'avez assez hantée* céans
pour connaître que jamais je n'aimerai autre que mon
mari. Et pource, gardez-vous de plus continuer ces propos! » Le gentilhomme, voyant une si grande fiction*, ne
se put tenir de se prendre à rire et de lui dire: « Madame,

d. peut (A)

vous ne m'êtes pas toujours si rigoureuse que maintenant. De quoi vous sert d'user envers moi de telle dissimulation ? Ne vaut-il pas mieux avoir une amitié parfaite
qu'imparfaite ? » Jambique lui répondit : « Je n'ai amitié à
vous parfaite ni imparfaite, sinon comme aux autres serviteurs de ma maîtresse. Mais si vous continuez les propos que vous m'avez tenus, je pourrai bien avoir telle
haine qu'elle vous nuira ! » Le gentilhomme poursuivit
encore son propos et lui dit : « Et où est la bonne chère *
que vous me faites quand je ne vous puis voir ? Pourquoi
m'en privez-vous maintenant que le jour me montre votre
beauté accompagnée d'une parfaite et bonne grâce ? »
Jambique, faisant un grand signe de croix, lui dit : « Vous
avez perdu votre entendement, ou vous êtes le plus grand
menteur du monde, car jamais en ma vie je ne pensai
vous avoir fait meilleure ni pire chère * que je vous fais.
Et vous prie de me dire comme vous l'entendez. » Alors
le pauvre gentilhomme, pensant la gagner davantage, lui
alla conter le lieu où il l'avait vue, et la marque de la craie
qu'il avait faite pour la connaître. Dont elle fut si outrée
de colère qu'elle lui dit qu'il était le plus méchant homme
du monde, qu'il avait controuvé * contre elle une mensonge si vilaine qu'elle mettrait peine de l'en faire repentir. Lui, qui savait le crédit qu'elle avait envers sa maîtresse, la voulut apaiser, mais il ne fut possible. Car en le
laissant là, furieusement s'en alla là où était sa maîtresse,
laquelle laissa là toute la compagnie pour venir entretenir
Jambique qu'elle aimait comme elle-même. Et la trouvant en si grande colère, lui demanda ce qu'elle avait ; ce
que Jambique ne lui voulut celer, et lui conta tous les
propos que le gentilhomme lui avait tenus, si mal à
l'avantage du pauvre homme que, dès le soir, sa maîtresse lui manda qu'il eût à se retirer en sa maison tout
incontinent, sans parler à personne, et qu'il y demeurât
jusqu'à ce qu'il fût mandé. Ce qu'il fit hâtivement, pour *
la crainte qu'il avait d'avoir pis. Et tant que Jambique
demeura avec sa maîtresse, ne retourna le gentilhomme
en cette maison, ni onques * puis n'ouït nouvelles de celle
qui lui avait bien promis qu'il l'a perdrait, de l'heure qu'il
la chercherait.

« Parquoi, mesdames, pouvez voir comme celle qui avait préféré la gloire du monde à sa conscience a perdu l'un et l'autre, car aujourd'hui est vu [e] aux yeux d'un chacun ce qu'elle voulait cacher à ceux de son ami ; et fuyant la moquerie d'un, est tombée en la moquerie de tous. Et si * ne peut être excusée de simplicité et amour naïve *, de laquelle chacun doit avoir pitié, mais accusée doublement d'avoir couvert sa malice du double manteau d'honneur et de gloire, et se faire devant Dieu et les hommes autre qu'elle n'était. Mais Celui qui ne donne point sa gloire à autrui, en découvrant ce manteau lui en a donné double infamie. » — « Voilà, dit Oisille, une vilenie inexcusable, car qui peut parler pour celle, quand [f] Dieu, l'honneur et même l'amour l'accusent ? » — « Qui [g] ? dit Hircan, le plaisir et la folie, qui sont deux grands avocats pour les dames. » — « Si nous n'avions d'autres avocats, dit Parlamente, qu'eux avec vous, notre cause serait mal soutenue ; mais celles qui sont vaincues en plaisir ne se doivent plus nommer femmes, mais hommes, desquels la fureur et la concupiscence augmente leur honneur. Car un homme qui se venge de son ennemi et le tue pour un démentir * en est estimé plus gentil * compagnon ; aussi est-il quand il en aime une douzaine avec sa femme. Mais l'honneur des femmes a autre fondement : c'est douceur, patience et chasteté. » — « Vous parlez des sages », dit Hircan. — « Pource, répondit Parlamente, que je n'en veux point connaître d'autres. » — « S'il n'y en avait point de folles, dit Nomerfide, ceux qui veulent être crus de tout le monde auraient bien souvent menti ! » — « Je vous prie, Nomerfide, dit Géburon, que je vous donne ma voix, et n'oubliez que vous êtes femme pour * savoir quelques gens estimés véritables, disant de leurs folies. » — « Puisque la vérité [h] m'y a contraint et que vous me donnez le rang, j'en dirai ce que j'en sais. Je n'ai ouï nul ni nulle de céans qui se soit épargné à parler au désavantage des Cordeliers. Et pour la

e. lu (A)
f. que (T)
g. Oui (A)
h. vertu (A)

pitié que j'en ai, je suis délibérée, par le conte que je vous vais faire, d'en dire du bien. »

QUARANTE-QUATRIÈME NOUVELLE [1]

En la maison de Sedan arriva un Cordelier pour demander à Mme de Sedan, qui était de la maison de Croye, un pourceau que tous les ans elle leur donnait pour aumône. Monseigneur de Sedan [2], qui était homme sage et parlant plaisamment, fit manger ce beau père à sa table. Et entre autres propos lui dit, pour le mettre aux champs * : « Beau père, vous faites bien de faire vos quêtes tandis qu'on ne vous connaît point, car j'ai grand peur que, si une fois votre hypocrisie est découverte, vous n'aurez plus le pain des pauvres enfants acquis par la sueur des pères [3]. » Le Cordelier ne s'étonna * point de ces propos, mais lui dit : « Monseigneur, notre religion * est si bien fondée que, tant que le monde sera monde, elle durera : car notre fondement ne faudra * jamais tant qu'il y aura sur la terre homme et femme. » Monseigneur de Sedan, désirant savoir sur quel fondement était leur vie assignée, le pria bien fort de lui vouloir dire. Le Cordelier, après plusieurs excuses, lui dit : « Puisqu'il vous plaît me commander de le dire, vous le saurez : sachez, Monseigneur, que nous sommes fondés sur la folie des femmes, et tant qu'il y aura en ce monde de femme folle ou sotte, ne mourrons point de faim. » Mme de Sedan, qui était fort colère, oyant cette parole, se courrouça si fort que, si son mari n'y eût été, elle eût fait faire déplaisir au Cordelier. Et jura bien fermement qu'il n'aurait jà le pourceau qu'elle lui avait promis. Mais M. de Sedan, voyant qu'il n'avait point dissimulé la vérité, jura qu'il en aurait deux, et les fit mener en son couvent.

« Voilà, mesdames, comme le Cordelier, étant sûr que le bien des dames ne lui pouvait faillir *, trouva façon pour ne dissimuler point la vérité d'avoir la grâce et aumône des hommes : s'il eût été flatteur et dissimulateur, il eût été plus plaisant aux dames, mais non profitable à lui et aux siens. » La Nouvelle ne fut pas achevée sans faire rire toute la compagnie, et principalement ceux qui connaissaient[a] le seigneur et la dame de Sedan. Et Hircan dit : « Les Cordeliers donc ne devraient jamais prêcher pour faire les femmes sages, vu que leur folie leur sert tant ! » Ce dit Parlamente : « Ils ne les prêchent pas d'être sages, mais oui bien pour le cuider* être. Car celles qui sont du tout mondaines et folles ne leur donnent pas de grandes aumônes, mais celles qui, pour* fréquenter leur couvent et porter leurs[b] patenôtres* marquées de tête de mort et leurs cornettes* plus basses que les autres, cuident être les plus sages, sont celles que l'on peut dire folles, car elles constituent leur salut en la confiance qu'elles ont en la sainteté des iniques, que pour un petit* d'apparence* elles estiment demi-dieux. » — « Mais qui se garderait de croire à eux, dit Ennasuite, vu qu'ils sont ordonnés de nos prélats pour nous prêcher l'Évangile et pour nous reprendre de nos vices ? » — « Ceux, dit Parlamente, qui ont connu leur hypocrisie et qui connaissent la différence de la doctrine de Dieu et de celle du diable. » — « Jésus ! dit Ennasuite, penserez-vous bien que ces gens-là osassent prêcher une mauvaise doctrine ? » — « Comment, penser ! dit Parlamente, mais suis-je sûre qu'ils ne croient rien moins que l'Évangile ! J'entends les mauvais, car j'en connais beaucoup de gens de bien, lesquels prêchent purement et simplement l'Écriture, et vivent de même, sans scandale, sans ambition ni convoitise, en chasteté et[c] pureté non feinte ni contrainte. Mais de ceux-là ne sont pas tant les rues pavées que marquées de leurs contraires : et au fruit connaît-on le bon arbre[4]. » — « En bonne foi, je pensais, dit Ennasuite, que nous fussions tenus, sur peine de péché mortel, de croire tout ce qu'ils nous disent de vérité. » — « C'est quand ils ne parlent que de ce qui est en la sainte Écriture, dit Oisille[d], ou qu'ils allèguent les expositions des saints docteurs divinement inspirés. » — « Quant est

---

a. connaissent (A)
b. les (A)
c. de (A)
d. dit Oisille *omis dans* A

de moi, dit Parlamente, je ne puis ignorer qu'il n'y en ait
entre eux de très mauvaise foi, car je sais bien qu'un
d'entre eux, docteur en théologie nommé Colimant [5],
grand prêcheur et provincial de leur [e] ordre, voulut persuader à plusieurs de ses frères que l'Évangile n'était non
plus croyable que les *Commentaires* de César ou autres
histoires écrites par auteurs ethniques * [f]. Et depuis
l'heure * que l'entendis, ne voulus croire en parole de
prêcheur si je ne la trouve conforme à celle de Dieu qui
est la vraie touche * pour savoir les paroles vraies ou
mensongères [6]. » — « Croyez, dit Oisille, que ceux qui
humblement et souvent la lisent ne seront jamais trompés
par fictions * ni inventions humaines, car qui a l'esprit
rempli de vérité ne peut recevoir la mensonge. » — « Si *
me semble-t-il, dit Simontaut, qu'une simple personne
est plus aisée à tromper qu'une autre. » — « Oui, dit
Longarine, si vous estimez sottise être simplicité. » —
« Je vous dis, dit Simontaut, qu'une femme bonne, douce
et simple est plus aisée à tromper qu'une fine et mali-
cieuse. » — « Je pense, dit Nomerfide, que vous en savez
quelqu'une trop pleine de telle bonté, parquoi je vous
donne ma voix pour la dire. » — « Puisque vous avez si
bien deviné, dit Simontaut, je ne faudrai * à la vous dire,
mais * que vous me promettiez de ne pleurer point. Ceux
qui disent, mesdames, que votre malice passe celle des
hommes, auraient bien à faire de mettre un tel exemple en
avant que celui que maintenant je vous vais raconter, où
non seulement je prétends vous déclarer la très grande
malice d'un mari, mais la simplicité et bonté de sa
femme. »

QUARANTE-CINQUIÈME NOUVELLE

*Un mari, baillant les innocents à sa chambrière, trompait
la simplicité de sa femme.*
   En la ville de Tours, y avait un homme de fort subtil et

---

e   son (T)
f. docteurs authentiques (A)

bon esprit, lequel était tapissier de feu Monsieur d'Orléans, fils du Roi François premier [1]. Et combien que ce tapissier par fortune * de maladie fut devenu sourd, si * n'avait-il diminué son entendement, car il n'y avait point de plus subtil de son métier, et aux autres choses : vous verrez comment il s'en savait aider. Il avait épousé une honnête et femme de bien, avec laquelle il vivait en grande paix et repos. Il craignait fort à lui déplaire, elle aussi ne cherchait qu'à lui obéir en toutes choses. Mais avec la bonne amitié qu'il lui portait, était si charitable que souvent il donnait à ses voisines ce qui appartenait à sa femme, combien que ce fût le plus secrètement qu'il pouvait.

Ils avaient en leur maison une chambrière fort en bon point *, de laquelle ce tapissier devint amoureux. Toutefois, craignant que sa femme ne le sût, faisait semblant souvent de la tancer et reprendre, disant que c'était la plus paresseuse garce * que jamais il avait vue, et qu'il ne s'en ébahissait pas, vu que sa maîtresse jamais ne la battait. Et un jour qu'ils parlaient de donner les Innocents [2], le tapissier dit à sa femme : « Ce serait belle aumône de les donner à cette paresseuse garce que vous avez, mais il ne faudrait pas que ce fût de votre main, car elle est trop faible et votre cœur trop piteux * ; si * est-ce que, si j'y voulais employer la mienne, nous serions mieux servis d'elle que nous ne sommes. » La pauvre femme qui n'y pensait en nul mal le pria d'en vouloir faire l'exécution, confessant qu'elle n'avait le cœur ni la force pour la battre. Le mari, qui accepta volontiers cette commission, faisant le rigoureux bourreau, fit acheter des verges les plus fines qu'il pût trouver et, pour montrer le grand désir qu'il avait de ne l'épargner point, les fit tremper dedans de la saumure, en sorte que sa pauvre femme eut plus de pitié de sa chambrière que de doute de son mari.

Le jour des Innocents venu, le tapissier se leva de bon matin et s'en alla en la chambre haute où la chambrière était toute seule. Et là lui bailla les Innocents d'autre façon qu'il n'avait dit à sa femme. La chambrière se prit fort à pleurer, mais rien ne lui valut. Toutefois, de peur que sa femme y survînt, commença à frapper les verges qu'il tenait sur le bois du lit, tant que les écorcha et rompit. Et ainsi rompues, les rapporta à sa femme lui disant : « M'amie, je crois qu'il souviendra des Innocents à votre chambrière. » Après que le tapissieur fut allé hors de la maison, la pauvre chambrière se vint jeter à deux genoux devant sa maîtresse, lui disant que son mari lui avait fait le plus grand tort que jamais on fît à chambrière. Mais la maîtresse, cuidant * que ce fût à cause des verges qu'elle pensait lui avoir été données, ne la laissa pas achever son propos, mais lui dit : « Notre mari a bien fait, car il y a plus d'un mois que je suis après lui pour l'en prier ; et si vous avez eu du mal, j'en suis bien aise ! Ne vous en prenez qu'à moi, et encore n'en a-t-il pas tant fait qu'il devait. » La chambrière, voyant que sa maîtresse approuvait un tel cas, pensa que ce n'était pas un si grand péché qu'elle cuidait *, vu que celle que l'on estimait tant femme de bien en était l'occasion *. Et n'en osa plus parler depuis.

Mais le maître, voyant que sa femme était aussi contente d'être trompée que lui de la tromper, délibéra de la contenter souvent, et gagna si bien cette chambrière qu'elle ne pleurait plus pour * avoir les Innocents. Il continua cette vie longuement, sans que sa femme s'en aperçût, tant que les grandes neiges vinrent. Et tout ainsi que le tapissieur avait donné les Innocents sur l'herbe en son jardin, il lui en voulait autant donner sur la neige. Et un matin, avant que personne fût éveillé en sa maison, la mena tout en chemise faire le crucifix sur la neige. Et en se jouant tous deux à se bailler de la neige l'un l'autre, n'oublièrent le jeu des Innocents. Ce qu'avisa * une de leurs voisines, qui s'était mise à la fenêtre qui regardait tout droit sur le jardin pour voir quel temps il faisait. Et voyant cette vilenie, fut si courroucée qu'elle se délibéra de la dire à sa bonne commère, afin qu'elle ne se laissât plus tromper d'un si mauvais mari, ni servir d'une si méchante garce *. Le tapissieur, après avoir fait ses beaux tours, regarda à l'entour de lui si personne ne le pouvait voir, et avisa sa voisine à sa fenêtre, dont il fut fort marri. Mais lui, qui savait donner couleur à toute tapisserie, pensa si bien colorer ce fait que sa commère serait aussi bien trompée que sa femme. Et sitôt qu'il fut recouché, fit lever sa femme du lit tout en chemise, et la mena au jardin comme il avait mené sa chambrière, et se joua longtemps avec elle de la neige, comme il avait fait avec l'autre, et puis lui bailla les Innocents tout ainsi qu'il avait fait à sa chambrière. Et après s'en allèrent tous deux coucher.

Quand cette bonne femme alla à la messe, sa voisine et bonne amie ne faillit* de s'y trouver. Et, du grand zèle qu'elle avait, lui pria, sans lui en vouloir dire davantage, qu'elle voulût chasser sa chambrière, et que c'était une très mauvaise et dangereuse garce. Ce qu'elle ne voulut faire sans savoir pourquoi sa voisine l'avait en si mauvaise estime. Qui, à la fin, lui conta comme elle l'avait vue au matin en son jardin, avec son mari. La bonne femme se prit à rire bien fort en lui disant : « Hélas, ma commère, m'amie, c'était moi ! » — « Comment, ma commère ? Elle était tout en chemise, au matin, environ les cinq heures ! » La bonne femme lui répondit : « Par ma foi, ma commère, c'était moi ! » L'autre, continuant son propos : « Ils se baillaient de la neige l'un à l'autre, puis aux tétins, puis en autre lieu, aussi privément* qu'il était possible ! » La bonne femme lui dit : « Hé, hé ! ma commère, c'était moi ! » — « Voire, ma commère, ce dit l'autre, mais je les ai vus après, sur la neige, faire telle chose qui me semble n'être belle ni honnête. » — « Ma commère, dit la bonne femme, je vous ai dit et le vous dis encore que c'était moi et non autre qui ai fait tout cela que vous me dites. Mais mon bon mari et moi nous jouons ainsi privément. Je vous prie, ne vous en scandalisez point, car vous savez que nous devons complaire à nos maris. » Ainsi s'en alla la bonne commère, plus désirante d'avoir un tel mari qu'elle n'était à venir demander celui de sa[a] bonne commère[3]. Et quand le tapissier fut retourné à sa femme, lui fit tout au long le conte de sa commère. « Or regardez, m'amie, ce répondit le tapissier, si vous n'étiez femme de bien et de bon entendement, longtemps a que nous fussions séparés l'un de l'autre.

a. sa *omis dans* A

Mais j'espère que Dieu nous conservera en notre bonne amitié, à sa gloire et à notre bon contentement. » — « Amen, mon ami, dit la bonne femme, j'espère que de mon côté vous n'y trouverez jamais faute. »

« Il serait bien incrédule, mesdames, celui qui, après avoir vu une telle et véritable histoire, ne jugerait qu'en vous il y ait une telle malice qu'aux hommes ; combien que, sans faire tort à nul, pour bien louer à la vérité l'homme et la femme, l'on ne peut faillir * de dire que le meilleur n'en vaut rien. » — « Cet homme-là, dit Parlamente, était merveilleusement * mauvais, car d'un côté il trompait sa chambrière, et de l'autre sa femme. » — « Vous n'avez donc pas bien entendu le conte, dit Hircan, pource qu'il est dit qu'il les contenta toutes deux en une matinée ; que je trouve un grand acte de vertu, tant au corps qu'à l'esprit, de savoir dire et faire chose qui rend deux contraires contents. » — « Et cela est doublement mauvais, dit Parlamente, de satisfaire à la simplesse de l'une par sa mensonge, et à la malice de l'autre par son vice. Mais j'entends que ces péchés-là mis devant tels juges que vous [b] seront toujours pardonnés. » — « Si * vous assuré-je, dit Hircan, que je ne ferai jamais si grande ni si difficile entreprise car, mais * que je vous rende contente, je n'aurai pas mal employé ma journée. » — « Si l'amour réciproque, dit Parlamente, ne contente le cœur, toute autre chose ne le peut contenter. » — « De vrai, dit Simontaut, je crois qu'il n'y a au monde nulle plus grande peine que d'aimer et n'être point aimé. » — « Il faudrait, pour être aimé, dit Parlamente, s'adresser à ceux [c] qui aiment. Mais bien souvent celles qui sont les bien aimées et ne veulent aimer sont les plus aimées, et ceux qui sont le moins aimés aiment le plus fort. » — « Vous me faites souvenir, dit Oisille, d'un conte que je n'avais pas délibéré de mettre au rang des bons. » — « Je vous prie, dit Simontaut, que vous nous le dites. » — « Et je le ferai volontiers », dit Oisille.

b. qu'ils vous (A)
c. aux lieux (A)

QUARANTE-SIXIÈME NOUVELLE [1]

En la ville d'Angoulême où se tenait souvent le comte Charles, père du Roi François [2], y avait un Cordelier nommé De Valé, estimé homme savant et grand prêcheur, en sorte qu'un avent il prêcha en la ville devant le Comte. Dont il acquit si grand bruit* que ceux qui le connaissaient le conviaient à grand requête à dîner en leur maison. Et entre autres un qui était juge des exempts de la comté [3], lequel avait épousé une belle et honnête femme dont le Cordelier fut tant amoureux qu'il en mourait; mais il n'avait la hardiesse de lui dire, dont elle, qui s'en aperçut, se moquait très fort. Après qu'il eut fait plusieurs contenances* de sa folle intention, l'avisa* un jour qu'elle montait en son grenier toute seule, et, cuidant* la surprendre, monta après elle. Mais quand elle ouït le bruit, elle se retourna et demanda où il allait. «Je m'en vais, dit-il, après vous, pour vous dire quelque chose de secret.» — «N'y venez point, beau père, dit la jugesse, car je ne veux point parler à telles gens que vous en secret. Et si vous montez plus avant en ce degré*, vous vous en repentirez!» Lui, qui la voyait seule, ne tint compte de ses paroles, mais se hâta[a] de monter. Elle, qui était de bon esprit, le voyant au haut du degré, lui donna un coup de pied par le ventre, et en lui disant: «Dévalez, dévalez, monsieur[b]!», le jeta du haut en bas. Dont le pauvre beau père fut si honteux qu'il oublia le mal qu'il s'était fait à choir, et s'enfuit le plus tôt qu'il put hors de la ville, car il pensait bien qu'elle ne le célerait pas à son mari. Ce qu'elle ne fit, ni au Comte ni à la Comtesse, parquoi le Cordelier ne s'osa plus trouver devant eux.

Et pour parfaire sa malice, s'en alla chez une demoiselle qui aimait les Cordeliers sur toutes gens. Et après avoir prêché un sermon ou deux devant elle, avisa sa fille qui était fort belle. Et pource qu'elle ne se levait point au matin pour venir au sermon, la tançait souvent devant sa

a. hâte (A)
b. Monsieur De Valé, devalez (T)

mère qui lui disait : « Mon père, plût à Dieu qu'elle eût un peu tâté des disciplines * qu'entre vous religieux vous prenez ! » Le beau père lui jura que, si elle était plus si paresseuse, il lui en baillerait, dont la mère le pria bien fort. Au bout d'un jour ou deux, le beau père entra dans la chambre de la demoiselle et, ne voyant point sa fille, lui demanda où elle était. La demoiselle lui dit : « Elle vous craint si peu que je crois qu'elle est encore au lit. » — « Sans faute, dit le Cordelier, c'est une très mauvaise coutume à jeunes filles d'être paresseuses. Peu de gens font compte du péché de paresse, mais quant à moi je l'estime un des plus dangereux qui soit, tant pour le corps que pour l'âme. Parquoi vous l'en devez bien châtier, et si vous m'en donniez[c] la charge, je la garderais bien d'être au lit à l'heure qu'il faut prier Dieu. » La pauvre demoiselle, croyant qu'il fût homme de bien, le pria de la vouloir corriger, ce qu'il fit incontinent. Et en montant au haut par un petit degré * de bois, trouva la fille toute seule dedans le lit, qui dormait bien fort. Et toute endormie la prit par force. La pauvre fille, en s'éveillant, ne savait si c'était homme ou diable, et se mit à crier tant qu'il lui fut possible, appelant sa mère à l'aide. Laquelle, au bout du degré, criait au Cordelier : « N'en ayez point de pitié, monsieur ! donnez-lui encore, et châtiez cette mauvaise garce * ! » Et quand le Cordelier eut parachevé sa mauvaise volonté, descendit où était la demoiselle et lui dit avec un visage tout enflammé : « Je crois, mademoiselle, qu'il souviendra à votre fille de ma discipline[4]. » La mère, après l'avoir remercié bien fort, monta en la chambre où était sa fille, qui menait un tel deuil que devait faire une femme[d] de bien à qui un tel crime était advenu. Et quand elle sut la vérité fit chercher le Cordelier partout, mais il était déjà bien loin, et onques * puis ne fut trouvé au royaume de France.

Vous voyez, mesdames, quelle sûreté il y a à bailler telles charges à ceux qui ne sont pour en bien user. La correction des hommes appartient aux hommes, et des

c. donnez (A)
d. fille (T)

femmes aux femmes. Car les femmes à corriger les hommes seraient aussi piteuses * que les hommes à corriger les femmes seraient cruels. » — « Jésus ! madame, dit Parlamente, que voilà un vilain et méchant Cordelier ! » — « Mais dites plutôt, dit Hircan, que c'était une sotte et folle mère, qui sous couleur d'hypocrisie donnait tant de privauté à ceux qu'on ne doit jamais voir qu'en l'église. » — « Vraiment, dit Parlamente, je la confesse des plus sottes^e mères qui onques * fut, et si elle eût été aussi sage que la jugesse, elle lui eût plutôt fait descendre le degré * que de monter. Mais que voulez-vous ! Ce diable demi-ange ^f est le plus dangereux de tous, car il se sait si bien transfigurer en ange de lumière que l'on fait conscience * de les soupçonner tels qu'ils sont ; et, me semble, la personne qui n'est point soupçonneuse doit être louée. » — « Toutefois, dit Oisille, l'on doit soupçonner le mal qui est à éviter, principalement ceux qui ont charge ; car il vaut mieux soupçonner le mal qui n'est point que de tomber, par sottement croire, en icelui qui est. Et n'ai jamais vu femme trompée pour * être tardive * à croire la parole des hommes, mais oui bien plusieurs par trop bien promptement ajouter foi à la mensonge. Parquoi je dis que le mal qui peut advenir ne se peut trop soupçonner, voire de ^g ceux qui ont charge d'hommes, de femmes, de villes et d'États. Car encore quelque bon guet que l'on fasse, la méchanceté et les trahisons règnent assez *, et le pasteur qui n'est vigilant sera toujours trompé par les finesses * du loup. » — « Si * est-ce, dit Dagoucin, que la personne soupçonneuse ne peut entretenir un parfait ami, et assez sont séparés par un soupçon seulement. » — « Si vous en savez quelque exemple, dit Oisille, je vous donne ma voix pour la dire. » — « J'en sais un si véritable, dit Dagoucin, que vous prendrez plaisir à l'ouïr. Je vous dirai ce qui plus facilement rompt une bonne amitié, mesdames : c'est quand la sûreté de l'amitié commence à donner lieu au soupçon. Car ainsi

e. des sottes mères (A)
f. diable de midi (T)
g. voire ceux (A)

que croire en ami est le plus grand honneur que l'on puisse faire, aussi se douter de lui est le plus grand déshonneur : car par cela on l'estime autre que l'on ne veut qu'il soit, qui est cause de rompre beaucoup de bonnes amitiés, et rendre les amis ennemis, comme vous verrez par le conte que je vous veux faire. »

QUARANTE-SEPTIÈME NOUVELLE

Un gentilhomme de Perche, soupçonnant à tort de l'amitié de son ami, le provoque à exécuter contre lui la cause de son soupçon [1].

Auprès du pays de Perche, y avait deux gentilshommes qui, dès le temps de leur enfance, avaient vécu en si grande et parfaite amitié que ce n'était qu'un cœur, qu'une maison, un lit, une table et une bourse. Ils vécurent longtemps continuant cette parfaite amitié, sans que jamais il y eut entre eux deux une volonté ou parole où l'on pût voir différence de personnes, tant ils vivaient non seulement comme deux frères, mais comme un homme tout seul.

L'un des deux se maria. Toutefois pour* cela ne laissa-t-il à continuer sa bonne amitié et toujours vivre avec son bon compagnon comme il avait accoutumé. Et quand ils étaient en quelque logis étroit, ne laissait à le faire coucher avec sa femme et lui. (Il est vrai qu'il était au milieu.) Leurs biens étaient tous en commun en sorte que, pour* le mariage ni cas qui pût advenir, ne sut être empêchée *[a] cette parfaite amitié. Mais au bout de quelque temps, la félicité de ce monde qui avec soi porte une mutabilité ne put durer en la maison qui était trop heureuse : car le mari, oubliant la sûreté qu'il avait à son ami, sans nulle occasion*, prit un très grand soupçon de lui [b] et de sa femme, à laquelle il ne le put dissimuler. Et lui en tint quelque fâcheux propos dont elle fut fort étonnée, car il lui avait commandé de faire en toutes ses choses, hormis une, aussi bonne chère* à son compagnon comme

a. sut empêcher (A)
b. oublia la sûreté... sans nulle occasion de lui (A)

à lui : et néanmoins lui défendait parler à lui si elle n'était en grande compagnie. Ce qu'elle fit entendre au compagnon de son mari, lequel ne la crut pas, sachant très bien qu'il n'avait pensé de faire chose dont son compagnon dût être marri. Et aussi qu' *il avait accoutumé de ne celer rien, lui dit ce qu'il avait entendu, le priant de ne lui celer la vérité, car il ne voudrait en cela, ni autre chose, lui donner occasion de rompre l'amitié qu'ils avaient si longuement entretenue. Le gentilhomme marié l'assura qu'il n'y avait jamais pensé, et que ceux qui avaient fait ce bruit *-là avaient méchamment menti. Son compagnon lui dit : « Je sais bien que la jalousie est une passion aussi importable * comme l'amour. Et quand vous auriez cette opinion, fût-ce de moi-même, je ne vous en donne point de tort, car vous ne vous en sauriez garder. Mais d'une chose qui est en votre puissance aurais-je occasion de me plaindre, c'est que me voulussiez celer votre maladie, vu que jamais pensée, passion ni opinion que vous avez eue ne m'a été cachée. Pareillement de moi : si j'étais amoureux de votre femme, vous ne me le devriez point imputer à méchanceté, car c'est un feu que je ne tiens pas en ma main pour en faire ce qu'il me plaît ; mais si je le vous celais et cherchais de faire connaître à votre femme par démontrance de mon amitié, je serais le plus méchant compagnon qui onques * fût. De ma part, je vous assure bien que, combien qu'elle soit honnête et femme de bien, c'est la personne que je vis onques, encore qu'elle ne fût vôtre, où ma fantaisie * se donnerait aussi peu. Mais, encore qu'il n'y ait point d'occasion *, je vous requiers que, si en avez le moindre sentiment de soupçon qui puisse être, vous le me dites à celle fin que j'y donne tel ordre que notre amitié, qui a tant duré, ne se rompe pour une femme. Car, quand je l'aimerais plus que toutes les choses du monde, si * ne parlerais-je jamais à elle pource que je préfère votre honneur à tout autre. » Son compagnon lui jura par tous les grands serments qu'il[c] lui fut possible que jamais n'y avait pensé, et le pria de faire en sa maison comme il avait accoutumé. L'autre lui répon-

c. qui (A)

dit : « Je le ferai, mais je vous prie qu'après cela, si vous
avez opinion * de moi et que le me dissimulez, ou que le
trouvez mauvais, je ne demeurerai jamais en votre compagnie. »

Au bout de quelque temps qu'ils vivaient tous deux
comme ils avaient accoutumé, le gentilhomme marié
rentra en soupçon plus que jamais, et commanda à sa
femme qu'elle ne lui fît plus le visage qu'elle lui faisait.
Ce qu'elle dit au compagnon de son mari, le priant de
lui-même se vouloir abstenir de parler plus à elle, car elle
avait commandement d'en faire autant de lui. Le gentilhomme, entendant * par la parole d'elle et par quelques
contenances * qu'il voyait faire à son compagnon qu'il ne
lui avait pas tenu sa promesse, lui dit en grande colère :
« Si vous êtes jaloux, mon compagnon, c'est chose naturelle ; mais après les serments que vous avez faits, je ne
me puis contenter * de ce que vous me l'avez tant celé,
car j'ai toujours pensé qu'il n'y eût entre votre cœur et le
mien un seul moyen * ni obstacle. Mais à mon très grand
regret, et sans qu'il y ait de ma faute, je vois le contraire,
pource que non seulement vous êtes bien fort jaloux de
votre femme et de moi, mais le me voulez couvrir * afin
que votre maladie dure si longuement qu'elle tourne du
tout en haine. Et ainsi que l'amour a été la plus grande
que l'on ait vu de notre temps, l'inimitié sera la plus
mortelle. J'ai fait ce que j'ai pu pour éviter cet inconvénient, mais puisque vous me soupçonnez si méchant et le
contraire de ce que je vous ai toujours été, je vous jure et
promets ma foi que je serai tel que vous m'estimez, et ne
cesserai jamais jusqu'à ce que j'aie eu de votre femme ce
que vous cuidez * que j'en pourchasse. Et dorénavant
gardez-vous de moi, car, puisque le soupçon vous a
séparé de mon amitié, le dépit me séparera de la vôtre. »
Et combien que son compagnon lui voulut faire croire le
contraire, si * est-ce qu'il n'en crut plus rien, et retira sa
part de ses meubles et biens, qui étaient tous en commun.
Et furent avec leurs cœurs aussi séparés qu'ils avaient été
unis, en sorte que le gentilhomme qui n'était point marié
ne cessa jamais qu'il n'eût fait son compagnon cocu
comme il lui avait promis.

« Et ainsi en puisse-t-il prendre, mesdames, à ceux qui
à tort soupçonnent mal de leurs femmes. Car plusieurs
sont causes de les faire telles qu'ils les soupçonnent,
pource qu'une femme de bien est plus tôt vaincue par un
désespoir que par tous les plaisirs du monde. Et qui dit
que le soupçon est amour, je lui nie *, car, combien qu'il
en sorte comme la cendre du feu, ainsi le tue-t-il. » — « Je
ne pense point, dit Hircan, qu'il soit un plus grand dépiai-
sir à homme ou femme que d'être soupçonné du contraire
de la vérité. Et quant à moi, il n'y a chose qui tant me fît
rompre la compagnie de mes amis que ce soupçon-là. »
— « Si n'est-ce pas excuse raisonnable, dit Oisille, à une
femme, de soi venger du soupçon de son mari à la honte
d'elle-même. C'est fait comme celui qui, ne pouvant tuer
son ennemi, se donne un coup d'épée à travers le corps ;
ou ne le pouvant égratigner, se mord les doigts. Mais elle
eût mieux fait de ne parler jamais à lui, pour montrer à
son mari le tort qu'il avait de la soupçonner, car le temps
les en eût tous deux apaisés. » — « Si * était-ce fait en
femme de cœur, dit Ennasuite, et si beaucoup de femmes
faisaient ainsi, leurs maris ne seraient pas si outrageux [d]*
qu'ils sont. » — « Quoi qu'il y ait, dit Longarine, la
patience rend enfin la femme victorieuse, et la chasteté
louable. Il faut que là nous arrêtons. » — « Toutefois, dit
Ennasuite, une femme peut bien être non chaste, sans
péché. » — « Comment l'entendez-vous ? » dit Oisille. —
« Quand elle en prend un autre pour son mari. » — « Et
qui est la sotte, dit Parlamente, qui ne connaît bien la
différence de son mari ou d'un autre, en quelque habillement que se puisse déguiser ? » — « Il y en a eu [e] et
encore, dit Ennasuite, qui ont été trompées, demeurant
innocentes et inculpables * du péché. » — « Si vous en
savez quelqu'une, dit Dagoucin, je vous donne ma voix
pour la dire, car je trouve bien étrange qu'innocence et
péché puissent être ensemble. » — « Or écoutez donc, dit
Ennasuite, si par les contes précédents, mesdames, vous
n'êtes assez averties qu'il fait dangereux loger chez soi

d. ombrageux (T)
e. peu (A)

ceux qui nous appellent mondains et qui s'estiment être quelque chose sainte et plus digne que nous. J'en ai voulu encore ici mettre un exemple afin que, tout ainsi que j'entends quelque conte des fautes où sont tombés ceux qui s'y fient, aussi souvent je les vous veux mettre devant les yeux pour vous montrer qu'ils sont non seulement hommes plus que[f] les autres, mais qu'ils ont quelque chose diabolique en eux outre[g] la plus commune malice des hommes, comme vous orrez* par cette histoire. »

QUARANTE-HUITIÈME NOUVELLE

Deux Cordeliers, une première nuit de noces, prirent l'un après l'autre la place de l'épousé, dont ils furent bien châtiés [1].

Au pays de Périgord, dedans un village, en une hôtellerie, fut faite une noce d'une fille de léans*, où tous les parents et amis s'efforcèrent de faire la meilleure chère* qu'il était possible. Durant le jour des noces, arrivèrent léans deux Cordeliers auxquels on donna à souper en leur chambre. Mais le principal des deux, qui avait plus d'autorité et de malice, pensa, puisqu'on le séparait de la table, qu'il aurait part au lit et qu'il leur jouerait un tour de son métier. Et quand le soir fut venu et que les danses commencèrent, le Cordelier par une fenêtre regarda longtemps la mariée qu'il trouvait fort belle et à son gré. Et s'enquérant soigneusement aux chambrières de la chambre où elle devait coucher, trouva que c'était auprès de la sienne, dont il fut fort aise, faisant si bien le guet pour parvenir à son intention qu'il vit dérober la mariée que les vieilles amenèrent comme ils[a] ont de coutume. Et pource qu'il était de fort bonne heure, le marié ne voulut laisser la danse, mais y était tant affectionné qu'il semblait qu'il eût oublié sa femme. Ce que n'avait pas fait le Cordelier car, incontinent qu'il entendit que la mariée fut

f. comme (T)
g. contre (A)
a. elles (T)

couchée, se dépouilla * de son habit gris et s'en alla tenir la place de son mari. Mais de peur d'y être trouvé n'y arrêta que bien peu, et s'en alla jusqu'au bout d'une allée où était son compagnon qui faisait le guet pour lui, lequel lui fit signe que le marié dansait encore. Le Cordelier, qui n'avait pas achevé sa méchante concupiscence, s'en retourna encore coucher avec la mariée, jusqu'à ce que son compagnon lui fit signe qu'il était temps de s'en aller. Le marié se vint coucher, et sa femme, qui avait été tant tourmentée du Cordelier qu'elle ne demandait que le repos, ne se put tenir de lui dire : « Avez-vous délibéré de ne dormir jamais et ne faire que me tourmenter ? » Le pauvre mari qui ne faisait que de venir fut bien étonné, et lui demanda quel tourment il lui avait fait, vu qu'il n'avait parti * de la danse. « C'est bien dansé ! dit la pauvre fille, voici la troisième fois que vous êtes venu coucher. Il me semble que vous feriez mieux de dormir. » Le mari, oyant ce propos, fut bien fort étonné et oublia toutes choses pour entendre la vérité de ce fait. Mais quand elle lui eut conté, soupçonna que c'étaient les Cordeliers qui étaient logés léans *. Et se leva incontinent, et alla en leur chambre qui était tout auprès de la sienne. Et quand il ne les trouva point, se prit à crier à l'aide si fort qu'il assembla tous ses amis, lesquels, après avoir entendu le fait, lui aidèrent, avec chandelles, lanternes et tous les chiens du village, à chercher ces Cordeliers. Et quand ils ne les trouvèrent point en leur maison [b], firent si bonne diligence qu'ils les attrapèrent dedans les vignes. Et là furent traités comme il leur appartenait, car, après les avoir bien battus, leur coupèrent les bras et les jambes, et les laissèrent dedans les vignes à la garde du dieu Bacchus et Vénus dont ils étaient meilleurs disciples que de saint François.

« Ne vous ébahissez point, mesdames, si telles gens séparés de notre commune façon de vivre font des choses que les aventuriers auraient honte de faire. Mais émerveillez-vous qu'ils ne font pis quand Dieu retire sa main

---

b. dans les maisons (T)

d'eux [2], car l'habit est si loin de faire le moine que bien souvent par orgueil il le défait. Et quant à moi, je m'arrête à la religion que dit saint Jacques : avoir le cœur envers Dieu pur et net, et s'exercer de tout son pouvoir à faire charité à son prochain [3]. » — « Mon Dieu, dit Oisille, ne serons-nous jamais hors des contes de ces fâcheux Cordeliers ? » Ennasuite dit : « Si les dames, princes et gentilshommes ne sont point épargnés, il me semble que les Cordeliers ont grand honneur dont * on daigne parler d'eux, car ils sont si très inutiles que, s'ils ne font quelque mal digne de mémoire, on n'en parlerait jamais. Et on dit qu'il vaut mieux mal faire que ne faire rien ! Et notre bouquet sera plus beau tant plus il sera rempli de différentes choses. » — « Si vous me voulez promettre, dit Hircan, de ne vous courroucer point à moi, je vous en raconterai un d'une grande dame si infâme que vous excuserez le pauvre Cordelier d'avoir pris sa nécessité où il l'a pu trouver, vu que celle qui avait assez à manger cherchait sa friandise trop méchamment. » — « Puisque nous avons juré de dire la vérité, dit Oisille, aussi avons-nous de l'écouter. Pourquoi vous pouvez parler en liberté, car les maux que nous disons des hommes et des femmes ne sont point pour la honte particulière de ceux dont est fait le conte, mais pour ôter l'estime de la confiance des créatures, en montrant les misères où ils sont sujets [c], afin que notre espoir s'arrête et s'appuie à Celui seul qui est parfait et sans lequel tout homme n'est qu'imperfection. » — « Or donc, dit Hircan, sans crainte je raconterai mon histoire. »

QUARANTE-NEUVIÈME NOUVELLE

Subtilité d'une comtesse pour tirer secrètement son plaisir des hommes, et comme elle fut découverte.

En la cour du Roi Charles [1] — je ne dirai point le quantième pour l'honneur de celle dont je veux parler, laquelle je ne veux nommer par son nom propre — y avait une Comtesse de fort bonne maison, mais étrangère.

---

c. elles sont sujettes (T)

Et pource que toutes choses nouvelles plaisent, cette dame, à sa venue, tant pour * la nouveauté de son habillement que pour la richesse dont il était plein, était regardée de chacun. Et combien qu'elle ne fût des plus belles, si * avait-elle une grâce avec une audace * tant bonne qu'il n'était possible de plus ; la parole et la gravité * de même, de sorte qu'il n'y avait nul qui n'eût crainte à l'aborder, sinon le Roi qui l'aima très fort. Et pour parler à elle plus privément, donna quelque commission au Comte son mari, en laquelle il demeura longuement. Et durant ce temps, le Roi fit grand chère * avec sa femme.

Plusieurs gentilshommes du Roi, qui connurent que leur maître en était bien traité, prirent hardiesse de parler à elle. Et entre autres un nommé Astillon, qui était fort audacieux et homme de bonne grâce. Au commencement, elle lui tint une si grande gravité, le menaçant de le dire au Roi son maître, qu'il en cuida * avoir peur. Mais lui, qui n'avait point accoutumé de craindre les menaces d'un bien hardi capitaine, s'assura * des siennes et il la poursuivit de si près qu'elle lui accorda de parler à lui seule, lui enseignant la manière comme il devait venir en sa chambre. A quoi il ne faillit *. Et afin que le Roi n'en eût nul soupçon, lui demanda congé * d'aller en quelque voyage *. Et s'en partit de la cour. Mais, la première journée, laissa tout son train et s'en revint de nuit recevoir les promesses que la Comtesse lui avait faites. Ce qu'elle lui tint, dont il demeura si satisfait qu'il fut content de demeurer cinq ou six jours enfermé en une garde-robe, sans saillir * dehors. Et là, il ne vivait que de restaurants *. Durant les huit jours qu'il était caché, vint un de ses compagnons faire l'amour à la Comtesse, lequel avait nom Durassier. Elle tint tels termes à ce serviteur qu'elle avait fait au premier : au commencement en rudes et audacieux propos, qui tous les jours s'adoucissaient ; et quand c'était le jour qu'elle donnait congé au premier prisonnier, elle mettait un serviteur en sa place. Et durant qu'il y était, un autre sien compagnon, nommé Valnebon, fit pareille office que les deux premiers. Et après eux en vinrent deux ou trois autres, qui avaient part à la douce prison.

Cette vie dura assez longuement, et conduite si finement * que les uns ne savaient rien des autres. Et combien
qu'ils entendissent assez l'amour que chacun lui portait,
si * n'y avait-il nul qui ne pensât en avoir eu seul ce qu'il
en demandait : et se moquait chacun de son compagnon,
qu'il pensait avoir failli * à un si grand bien. Un jour que
les gentilshommes dessus nommés étaient en un banquet
où ils faisaient fort grand chère, ils commencèrent à
parler de leurs fortunes et prisons qu'ils avaient eues
durant les guerres. Mais Valnebon, à qui il faisait mal de
celer si longuement une si bonne fortune que celle qu'il
avait eue, va dire à ses compagnons : « Je ne sais quelles
prisons vous avez eues, mais quant à moi, pour * l'amour
d'une où j'ai été, je dirai toute ma vie louange et bien des
autres. Car je pense qu'il n'y a plaisir en ce monde qui
approche celui que l'on a d'être prisonnier. » Astillon, qui
avait été le premier prisonnier, se douta de la prison qu'il
voulait dire, et lui répondit : « Valnebon, sous quel geôlier ou geôlière avez-vous été si bien traité que vous
aimez tant votre prison ? » Valnebon lui dit : « Quel que
soit le geôlier, la prison m'a été si agréable que j'eusse
bien voulu qu'elle eût duré plus longuement, car je ne fus
jamais mieux traité ni plus content. » Durassier, qui était
homme peu parlant, connaissant très bien que l'on se
débattait de la prison où il avait part comme les autres, dit
à Valnebon : « De quelles viandes * étiez-vous nourri, en
cette prison dont vous vous louez si fort ? » — « De
quelles viandes ? dit Valnebon, le Roi n'en a point de
meilleures ni plus nourrissantes ! » — « Mais encore
faut-il que je sache, dit Durassier, si celui qui vous tenait
prisonnier vous faisait bien gagner votre pain. » Valbe-
non, qui se douta d'être entendu, ne se put tenir de jurer :
« Ah, vertudieu ! aurais-je bien des compagnons où je
pense être tout seul ? » Astillon, voyant ce différend où il
avait part comme les autres, dit en riant : « Nous sommes
tous à un maître, compagnons et amis dès notre jeunesse :
parquoi, si nous sommes compagnons d'une bonne [a] fortune, nous avons occasion * d'en rire ! Mais pour savoir si

a. mauvaise (T)

ce que je pense est vrai, je vous prie que je vous interroge et que vous tous me confessiez la vérité car, s'il est advenu ainsi de nous comme je pense, ce serait une aventure aussi plaisante que l'on en saurait trouver en mille lieues. » Ils jurèrent tous de dire vérité s'il était ainsi qu'ils ne la pussent dénier.

Il leur dit : « Je vous dirai ma fortune, et vous me répondrez oui ou nenni si la vôtre est pareille. » Ils s'accordèrent tous, et alors il dit : « Je demandai congé au Roi d'aller en quelque voyage. » Ils répondirent : « Et nous aussi ! » — « Quand je fus à deux lieues de la cour, je laissai tout mon train et m'allai rendre prisonnier. » Ils répondirent : « Nous en fîmes autant. » — « Je demeurai, dit Astillon, sept ou huit jours, et couchai en une garde-robe où l'on ne me fit manger que restaurants * et les meilleures viandes * que je mangeai jamais. Et au bout de huit jours, ceux qui me tenaient me laissèrent aller beaucoup plus faible que je n'étais arrivé. » Ils jurèrent tous qu'ainsi leur était advenu. « Ma prison, dit Astillon, commença tel jour et fina * tel jour. » — « La mienne, dit Durassier, commença le propre jour que la vôtre fina, et dura jusqu'à un tel jour. » Valnebon, qui perdait patience, commença à jurer et dire : « Par le sang Dieu ! à ce que je vois, je suis le tiers, qui pensais être le premier et le seul, car j'y entrai tel jour et en saillis * tel jour. » Les autres trois qui étaient à la table jurèrent qu'ils avaient bien gardé ce rang. « Or puisqu'ainsi est, dit Astillon, je dirai l'état de notre geôlière : elle est mariée, et son mari est bien loin. » — « C'est cette-là propre ! » répondirent-ils tous. « Or, pour nous mettre hors de peine, dit Astillon, moi qui suis le premier en rôle la nommerai aussi le premier : c'est Mme la Comtesse, qui était si audacieuse qu'en gagnant son amitié je pensais avoir gagné un César. » — « Qu'à tous les diables soit la vilaine qui nous a fait d'une chose tant travailler * et nous réputer si heureux de l'avoir acquise ! Il ne fut onques * une telle méchante car, quand elle en tenait un en cache [b], elle pratiquait l'autre pour n'être jamais sans passe-temps ! Et aime-

b. cage (T)

rais-je mieux être mort qu'elle demeurât sans punition ! »
Ils demandèrent chacun qu'il leur semblait qu'elle devait
avoir^c, et qu'ils étaient tout prêts de la lui donner [2]. « Il
me semble, dit-il, que nous le devons dire au Roi notre
maître, lequel en fait un cas comme d'une déesse. » —
« Nous ne ferons point ainsi, dit Astillon ; nous avons
assez de moyens * pour nous venger d'elle sans y appeler
notre maître. Trouvons-nous demain, quand elle ira à la
messe, et que chacun de nous porte une chaîne de fer au
cou ; et quand elle entrera en l'église, nous la saluerons
comme il appartient. »

Ce conseil fut trouvé très bon de toute la compagnie, et
firent provision de chacun une chaîne de fer. Le matin
venu, tous habillés de noir, leurs chaînes de fer tournées à
l'entour de leur cou en façon de collier, vinrent trouver la
Comtesse qui allait à l'église. Et sitôt qu'elle les vit ainsi
habillés, se prit à rire et leur dit : « Où vont ces gens si
douloureux ? » — « Madame, dit Astillon, nous vous venons accompagner comme pauvres esclaves prisonniers
qui sont tenus à vous faire service. » La Comtesse, faisant
semblant de n'y entendre rien, leur dit : « Vous n'êtes
point mes prisonniers, je n'entends point que vous ayez
occasion * de me faire service plus que les autres. » Valnebon s'avança et lui dit : « Si * nous avons mangé de
votre pain si longuement : nous serions bien ingrats si
nous ne vous faisions service. » Elle fit si bonne mine de
n'y rien entendre qu'elle cuidait *, par cette gravité *, les
étonner *. Mais ils poursuivaient si bien leurs propos
qu'elle entendit que la chose était découverte. Parquoi
trouva incontinent moyen de les tromper, car elle, qui
avait perdu l'honneur et la conscience, ne voulut point
recevoir la honte qu'ils lui cuidaient faire, mais comme
celle ^d qui préférait son plaisir à tout l'honneur du monde,
ne leur en fit pire visage ni n'en changea de contenance.
Dont ils furent tant étonnés qu'ils rapportèrent en leur
sein la honte qu'ils lui avaient voulu faire.

c. demandèrent chacun à Astillon quelle peine il lui semblait qu'elle
(T)
d. elle (A)

« Si vous ne trouvez, mesdames, ce conte digne de
faire connaître les femmes aussi mauvaises que les hommes, j'en chercherai d'autres pour vous conter ! Toutefois, il me semble que cettui-là suffise pour vous montrer
qu'une femme qui a perdu la honte est cent fois plus
hardie à faire le mal que n'est un homme. » Il n'y eut
femme en la compagnie, oyant raconter cette histoire, qui
ne fît tant de signes de croix qu'il semblait qu'elles
voyaient tous les diables d'enfer devant leurs yeux. Mais
Oisille leur dit : « Mesdames, humilions-nous, quand
nous oyons cet horrible cas, d'autant que la personne
délaissée de Dieu se rend pareille à celui avec lequel elle
est jointe : car puisque ceux qui adhèrent à Dieu ont son
esprit avec eux, aussi sont ceux qui adhèrent à son
contraire. Et n'est rien si bestial que la personne destituée
de l'esprit de Dieu. » — « Quoi qu'ait fait cette pauvre
dame, dit Ennasuite, si * ne saurais-je louer ceux qui se
vantent de leur prison. » — « J'ai opinion, dit Longarine,
que la peine n'est moindre à un homme de celer sa bonne
fortune que de la pourchasser, car il n'y a veneur qui ne
prenne plaisir à corner sa prise, ni amoureux d'avoir la
gloire de sa victoire. » — « Voilà une opinion *, dit
Simontaut, que devant tous les inquisiteurs de la Foi je
soutiendrai hérétique, car il y a plus d'hommes secrets
que de femmes. Et sais bien que l'on en trouverait qui
aimeraient mieux n'en avoir bonne chère * que s'il fallait
que créature du monde l'entendît. Et par ce a l'Église,
comme bonne mère, ordonné les prêtres confesseurs et
non pas les femmes, parce qu'elles ne peuvent rien celer. » — « Ce n'est pas pour cette occasion *, dit Oisille,
mais c'est parce que les femmes sont tant ennemies du
vice qu'elles ne donneraient pas si facilement absolution
que les hommes, et seraient trop austères en leurs pénitences. » — « Si elles l'étaient autant, dit Dagoucin,
qu'elles sont en leurs réponses, elles feraient désespérer
plus de pécheurs qu'elles n'en attireraient à salut. Parquoi
l'Église en toute sorte y a bien pourvu. Mais si * ne
veux-je pas, pour cela, excuser les gentilshommes qui se
vantèrent ainsi de leur prison, car jamais homme n'eut
honneur à dire mal des femmes. » — « Puisque le fait était

commun, dit Hircan, il me semble qu'ils faisaient bien de se consoler les uns aux autres. » — « Mais, dit Géburon, ils ne le devaient jamais confesser pour leur honneur même. Car les livres de la Table Ronde nous apprennent que ce n'est point honneur à un bon chevalier d'en abattre un qui ne vaut rien. » — « Je m'ébahis, dit Longarine, que cette pauvre femme ne mourait de honte devant ses prisonniers. » — « Celles qui l'ont perdue, dit Oisille, à grand peine la peuvent-elles jamais reprendre, sinon celle que fort amour a fait oublier. De telles en ai-je vu beaucoup revenir. » — « Je crois, dit Hircan, que vous en avez vu revenir celles qui y sont allées, car forte amour qui est en une femme est malaisée à trouver. » — « Je ne suis pas de votre opinion, dit Longarine, car je crois qu'il y en a qui ont aimé jusqu'à la mort. » — « J'ai tant d'envie d'ouïr cette nouvelle, dit Hircan, que je vous donne ma voix pour connaître aux femmes l'amour que je n'ai estimé y être. » — « Or mais * que vous l'oyez, dit Longarine, vous le croirez, et qu'il n'est nulle plus forte passion que celle d'amour. Mais tout ainsi qu'elle fait entreprendre choses quasi impossibles pour acquérir quelque contentement en cette vie, aussi mène-t-elle plus qu'autre passion à désespoir celui ou celle qui perd l'espérance de son désir, comme vous verrez par cette histoire. »

CINQUANTIÈME NOUVELLE

*Un amoureux, après la saignée, reçoit le don de merci ** dont il meurt, et sa dame pour l'amour de lui.*

En la ville de Crémone, n'y a pas longtemps qu'il y avait un gentilhomme nommé messire Jean Pierre, lequel avait aimé longuement une dame qui demeurait près de sa maison. Mais pour pourchas * qu'il sût faire, ne pouvait avoir d'elle la réponse qu'il désirait, combien qu'elle l'aimait de tout son cœur. Dont le pauvre gentilhomme fut si ennuyé * et fâché * qu'il se retira en son logis, délibéré de ne poursuivre plus en vain le bien dont la poursuite consumait sa vie. Et pour cuider * en divertir sa

fantaisie *, fut quelques jours sans la voir, dont il tomba
en telle tristesse que l'on méconnaissait son visage. Ses
parents firent venir les médecins qui, voyant que le visage
lui devenait jaune, estimèrent que c'était une opilation *
de foie et lui donnèrent la saignée.

Cette dame qui avait tant fait la rigoureuse, sachant très
bien que la maladie ne lui venait que par son refus,
envoya devers lui une vieille en qui elle se fiait et lui
manda que, puis qu'elle connaissait que son amour était
véritable et non feinte, elle était délibérée de tout lui
accorder ce que si longtemps lui avait refusé. Elle avait
trouvé moyen de saillir * de son logis en un lieu où
privément * il la pouvait voir. Le gentilhomme, qui au
matin avait été saigné au bras, se trouva par cette parole
mieux guéri qu'il ne faisait par médecine ni saignée qu'il
sût prendre : lui manda qu'il n'y aurait point de faute qu'il
ne se trouvât à l'heure qu'elle lui mandait, et qu'elle avait
fait un miracle évident car, par une seule parole, elle avait
guéri un homme d'une maladie où tous les médecins ne
pouvaient trouver remède. Le soir venu qu'il avait tant
désiré, s'en alla le gentilhomme au lieu qui lui avait été
ordonné, avec un si extrême contentement qu'il fallait
que bientôt il prît fin, ne pouvant augmenter. Et ne
demeura guère, après qu'il fut arrivé, que celle qu'il
aimait plus que son âme le vînt trouver. Il ne s'amusa pas
à lui faire grande harangue *, car le feu qui le brûlait le
faisait hâtivement pourchasser ce qu'à peine * pouvait-il
croire avoir en sa puissance. Et, plus ivre d'amour et de
plaisir qu'il ne lui était besoin, cuidant * chercher par un
côté le remède de sa vie, se donnait par un autre l'avancement de sa mort : car, ayant pour s'amie mis en oubli
soi-même, ne s'aperçut pas de son bras qui se débanda ; et
la plaie nouvelle qui se vint à ouvrir rendit tant de sang
que le pauvre gentilhomme en était tout baigné. Mais
estimant que sa lasseté * venait à cause de ses excès, s'en
cuida retourner à son logis. Lors Amour qui les avait trop
unis ensemble fit en sorte que, en départant d'avec
s'amie, son âme départit de son corps. Et pour * la grande
effusion de sang, tomba tout mort aux pieds de sa dame,
qui demeura si hors d'elle-même par son étonnement *,

en considérant la perte qu'elle avait faite d'un si parfait
ami, de la mort duquel elle était la seule cause. Regardant
d'autre côté avec le regret et la honte en quoi elle demeurait si on trouvait ce corps mort en sa maison, afin de
faire ignorer la chose, elle et une chambrière en qui elle
se fiait portèrent le corps mort dedans la rue, où elle ne
voulut le laisser seul; mais, prenant l'épée du trépassé, se
voulut joindre à sa fortune et, en punissant son cœur,
cause de tout le mal, la passa tout au travers. Et tomba
son corps mort sur celui de son ami. Le père et la mère de
cette fille, en sortant au matin de leur maison, trouvèrent
ce piteux * spectacle. Et après en avoir fait tel deuil que le
cas méritait, les enterrèrent tous deux ensemble.

« Ainsi voit-on, mesdames, qu'une extrémité d'amour
amène un autre malheur. » — « Voilà qui me plaît bien,
dit Simontaut, quand l'amour est si égale que, lui mourant, l'autre ne voulait plus vivre. Et si Dieu m'eût fait la
grâce d'en trouver une telle, je crois que jamais homme
n'eût [a] aimé plus parfaitement. » — « Si * ai-je cette opinion, dit Parlamente, qu'Amour ne vous eût [b] pas tant
aveuglé que vous n'eussiez mieux lié votre bras qu'il ne
fit! Car le temps est passé que les hommes oublient leurs
vies pour les dames. » — « Mais il n'est pas passé, dit
Simontaut, que les dames oublient la vie de leurs serviteurs pour leurs plaisirs. » — « Je crois, dit Ennasuite,
qu'il n'y a femme au monde qui prenne plaisir à la mort
d'un homme, encore qu'il fût son ennemi. Toutefois, si
les hommes se veulent tuer eux-mêmes, les dames ne les
en peuvent pas garder. » — « Si * est-ce, dit Saffredent,
que celle qui refuse son pain au pauvre mourant de faim
est estimée le meurtrier [1]. » — « Si vos requêtes, dit
Oisille, étaient si raisonnables que celles du pauvre demandant sa nécessité, les dames seraient trop cruelles de
vous refuser. Mais, Dieu merci, cette maladie ne tue que
ceux qui doivent mourir dans l'année! » — « Je ne trouve
point, madame, dit Saffredent, qu'il soit une plus grande

---

a. jamais n'eût (A)
b. ne vous a (A)

nécessité que celle qui fait oublier toutes les autres : car quand l'amour est forte, on ne connaît autre pain ni autre viande * que le regard et la parole de celle que l'on aime. » — « Qui vous laisserait jeûner, dit Oisille, sans vous bailler autre viande *, on vous ferait bien changer de propos ! » — « Je vous confesse, dit-il, que le corps pourrait défaillir, mais le cœur et la volonté non. » — « Donc, dit Parlamente, Dieu vous a fait grand grâce de vous faire adresser en lieu où avez si peu de contentement qu'il vous faut reconforter à boire et à manger, dont il me semble que vous vous acquittez si bien que vous devez louer Dieu d'une si douce cruauté ! » — « Je suis tant nourri au tourment, dit-il, que je commence à me louer des maux dont les autres se plaignent ! » — « Peut-être que c'est, dit Longarine, que votre^c plainte vous recule de la compagnie où votre contentement vous fait être le bienvenu : car il n'est rien si fâcheux qu'un amoureux importun. » — « Mettez, dit Simontaut, qu'une dame cruelle ! » — « J'entends bien, dit Oisille, que si nous voulons entendre la fin des raisons de Simontaut, vu que le cas qui lui touche, nous pourrions trouver complies au lieu de vêpres ! Parquoi allons-nous en louer Dieu dont * cette Journée est passée sans plus grand débat. »

Elle commença la première à se lever, et tous les autres la suivirent. Mais Simontaut et Longarine ne cessèrent de débattre leur querelle, si doucement que, sans tirer épée, Simontaut gagna, montrant que de la passion la plus forte était la nécessité la plus grande. Et sur ce mot entrèrent en l'église où les moines les attendaient. Vêpres ouïes, s'en allèrent souper autant de paroles que de viandes *, car leurs questions durèrent tant qu'ils furent à table, et du soir, jusqu'à ce qu'Oisille leur dît qu'ils pouvaient bien aller reposer leurs esprits, et que les cinq Journées étaient accomplies de si belles histoires qu'elle avait grand peur que la sixième ne fût pareille ; car il n'était possible, encore qu'on les voulût inventer, de dire de meilleurs contes que véritablement ils en avaient racontés en leur compagnie. Mais Géburon lui dit que tant que le monde

c. notre (A)

durerait il se ferait cas dignes de mémoire. Car la malice
des hommes mauvais est toujours telle qu'elle a été,
comme la bonté des bons. Tant que malice et bonté
régneront sur la terre, ils la rempliront toujours de nou-
veaux actes, combien qu'il est écrit qu'il n'y a rien de
nouveau sous le soleil[2]. Mais à nous, qui n'avons été
appelés au conseil privé de Dieu, ignorant les premières
causes, trouvons toutes choses nouvelles tant plus admirables que moins nous les voudrions ou pourrions faire :
parquoi n'ayez point de peur que les Journées qui vien-
dront ne suivent bien celles qui sont passées, et pensez de
votre part de bien faire votre devoir. » Oisille dit qu'elle
se rendait à Dieu, au nom duquel elle leur donnait le
bonsoir. Ainsi se retira toute la compagnie, mettant fin à
la cinquième Journée.

FIN DE LA CINQUIÈME JOURNÉE

LA SIXIÈME JOURNÉE

En la sixième Journée, on devise des tromperies qui se
sont faites d'homme à femme, de femme à homme ou de
femme à femme, par avarice, vengeance et malice.

PROLOGUE

Le matin, plus tôt que de coutume, Mme Oisille alla préparer sa leçon * en la salle. Mais la compagnie qui en fut avertie, pour * le désir qu'elle avait d'ouïr sa bonne instruction, se diligenta * tant de s'habiller qu'ils ne la firent guère attendre. Et elle, connaissant leur cœur[a], leur va lire l'épître de saint Jean l'évangéliste qui n'est pleine que d'amour[1], pource que les jours passés elle leur avait déclaré * celle de saint Paul aux Romains. La compagnie trouva cette viande * si douce que, combien qu'ils y fussent demi-heure plus qu'ils n'avaient été les autres jours, si * leur semblait-il n'y avoir pas été un quart. Au partir de là, s'en allèrent à la contemplation de la messe, où chacun se recommanda au Saint-Esprit pour satisfaire ce jour-là à leur plaisante audience. Et après qu'ils eurent dîné et pris un peu de repos, s'en allèrent continuer le passe-temps accoutumé. Et Mme Oisille leur demanda qui commencerait cette Journée. Longarine leur répondit : « Je donne ma voix à Mme Oisille : elle nous a ce jourd'hui fait une si belle leçon qu'il est impossible qu'elle ne dise quelque histoire digne de parachever la gloire qu'elle a mérité à ce matin. » — « Il me déplaît, dit Oisille, que je ne vous puis dire, à cette après-dînée, chose aussi profitable que j'ai fait à ce matin ; mais à tout le moins, l'intention de mon histoire ne sortira point hors de la doctrine de la Sainte-Écriture, où il est dit : "Ne vous confiez point aux princes ni aux fils des hommes, auxquels n'est notre salut[2]." Et afin que, par faute

---

a. connaissant la ferveur (A)

d'exemple, ne mettez en oubli cette vérité, je vous en vais dire un très véritable et dont la mémoire est si fraîche qu'à peine en sont essuyés les yeux de ceux qui ont vu ce piteux spectacle. »

CINQUANTE ET UNIÈME NOUVELLE

Perfidie et cruauté d'un duc italien.

Le duc d'Urbin nommé le Préfet, lequel épousa la sœur du premier duc de Mantoue [1], avait un fils de l'âge de dix-huit à vingt ans qui fut amoureux d'une fille d'une bonne et honnête maison, sœur de l'abbé de Farse. Et pource qu'il n'avait pas la liberté de parler à elle comme il voulait, selon la coutume du pays, s'aida du moyen d'un gentilhomme qui était à son service, lequel était amoureux d'une jeune demoiselle servant sa mère, fort belle et honnête, par laquelle faisait déclarer à s'amie la grande affection qu'il lui portait. Et la pauvre fille n'y pensait en nul mal, prenant plaisir à lui faire ce service, estimant sa volonté si bonne et honnête qu'il n'avait intention dont elle ne pût avec honneur faire le message.

Mais le duc, qui avait plus de regard au profit de sa maison qu'à toute honnête amitié, eut si grand peur que ces[a] propos menassent son fils jusqu'au mariage qu'il y fit mettre un grand guet. Et lui fut rapporté que cette pauvre demoiselle s'était mêlée de bailler quelques lettres de la part de son fils à celle que plus il aimait. Dont il fut tant courroucé qu'il se délibéra d'y donner ordre. Mais il ne put si bien dissimuler son courroux que la demoiselle n'en fût avertie, laquelle, connaissant la malice du duc qu'elle estimait aussi grande que sa conscience petite, eut une merveilleuse * crainte. Et s'en vint à la duchesse, la suppliant lui donner congé * de se retirer en quelque lieu hors de la vue de lui, jusqu'à ce que sa fureur fût passée. Mais sa maîtresse lui dit qu'elle essaierait d'entendre la volonté de son mari avant que de lui donner congé. Toutefois, elle entendit bientôt le mauvais propos que le

a. les (A)

duc en tenait et, connaissant sa complexion, non seulement donna congé, mais conseilla à cette demoiselle de
s'en aller en un monastère jusqu'à ce que cette tempête
fût passée. Ce qu'elle fit le plus secrètement qu'il lui fut
possible, mais non tant que le duc n'en fût averti qui,
d'un visage feint et joyeux, demanda à sa femme où était
cette demoiselle. Laquelle, pensant qu'il en sût bien la
vérité, la lui confessa ; dont il feignit être marri, lui disant
qu'il n'était besoin qu'elle fît ces contenances *-là, et que
de sa part il ne lui voulait point de mal, et qu'elle la fît
retourner car le bruit * de telles choses n'était point bon.
La duchesse lui dit que, si cette pauvre fille était si
malheureuse d'être hors de sa bonne grâce, il valait
mieux pour quelque temps qu'elle ne se trouvât point en
sa présence. Mais il ne voulut point recevoir toutes ses
raisons, lui commandant qu'elle la fît revenir.
    La duchesse ne faillit * à déclarer à la pauvre demoi-
selle la volonté du duc ; dont elle ne se put assurer, la
suppliant qu'elle ne tentât point cette fortune *, et qu'elle
savait bien que le duc n'était pas si aisé à pardonner
comme il en faisait la mine. Toutefois la duchesse l'assura qu'elle n'aurait nul mal, et la prit sur sa vie et son
honneur. La fille, qui savait bien que sa maîtresse l'aimait et ne la voudrait point tromper pour rien[b], prit
confiance[c] en sa promesse, estimant que le duc ne voudrait jamais aller contre telle sûreté * où l'honneur de sa
femme était engagé. Et ainsi s'en retourna avec la duchesse. Mais sitôt que le duc le sût, ne faillit à venir en la
chambre de sa femme où, sitôt qu'il eut aperçu cette fille,
disant à sa femme : « Voilà une telle qui est revenue ! », se
retourna devers ses gentilshommes, leur commandant la
prendre et la mener en prison. Dont la pauvre duchesse,
qui sur sa parole l'avait tirée hors de sa franchise *, fut si
désespérée, se mettant à genoux devant lui, lui supplia
que, pour l'honneur[d] de lui et de sa maison, il lui plût ne
faire un tel acte, vu que, pour lui obéir, elle l'avait tirée
du lieu où elle était en sûreté. Si * est-ce que, quelque

b. pour un rien (A)
c. prit sa fiance (A)
d. l'amour (A)

prière qu'elle sût faire ni raison qu'elle sût alléguer, ne
sut amollir le dur cœur, ni vaincre la forte opinion qu'il
avait prise de se venger d'elle; mais sans répondre à sa
femme un seul mot, se retira incontinent le plus tôt qu'il
put et, sans forme de justice, oubliant Dieu et l'honneur
de sa maison, fit cruellement pendre cette pauvre demoiselle. Je ne puis entreprendre de vous raconter l'ennui *
de la duchesse, car il était tel que doit avoir une dame
d'honneur et de cœur * qui, sur sa foi, voyait mourir celle
qu'elle désirait de sauver. Mais encore moins se peut dire
l'extrême deuil du pauvre gentilhomme qui était son
serviteur, qui ne faillit de se mettre en tout devoir qu'il lui
fut possible de sauver la vie de s'amie, offrant mettre la
sienne en lieu. Mais nulle pitié ne sut toucher le cœur de
ce duc, qui ne connaissait autre félicité que de se venger
de ceux qu'il haïssait. Ainsi fut cette demoiselle innocente mise à mort par ce cruel duc, contre toute la loi
d'honnêteté, au très grand regret de tous ceux qui la
connaissaient.

« Regardez, mesdames, quels sont les effets de la malice quand elle est jointe à la puissance ! » — « J'avais
bien ouï dire, ce dit Longarine, que les Italiens étaient
sujets à trois vices par excellence; mais je n'eusse pas
pensé que la vengeance et cruauté fût allée si avant que,
pour une si petite occasion *, elle eût donné si cruelle
mort. » Saffredent, en riant, lui dit : « Longarine, vous
nous avez bien dit l'un des trois vices, mais il faut savoir
qui sont les deux autres. » — « Si vous ne les saviez, ce
dit-elle, je les vous apprendrais ! Mais je suis sûre que
vous les savez tous. » — « Par ces paroles, dit Saffredent,
vous m'estimez bien vicieux ! » — « Non fais, dit Longarine, mais si bien connaissez la laideur du vice que vous
le pouvez mieux qu'un autre éviter. » — « Ne vous ébahissez, dit Simontaut, de cette cruauté : car ceux qui ont
passé par l'Italie en ont vu ᵉ de si très incroyables que
cette-ci n'est au prix qu'un petit peccadille. » — « Vraiment, dit Géburon, quand Rivolte fut pris des Français ²,

e. ont dit (T)

il y avait un capitaine italien que l'on estimait gentil* compagnon, lequel, voyant mort un qui ne lui était ennemi que de tenir sa part contraire de Guelfe à Gibelin, lui arracha le cœur du ventre et, le rôtissant sur les charbons, à grand hâte le mangea ; et répondant à quelques-uns qui lui demandaient quel goût il y trouvait, dit que jamais n'avait mangé si savoureux ni si plaisant morceau que cettui-là ; et non content de ce bel acte, tua la femme du mort et, en arrachant de son ventre le fruit dont elle était grosse, le froissa contre les murailles ; et emplit d'avoine les deux corps du mari et de la femme, dedans lesquels il fit manger ses chevaux. Pensez si cettui-là n'eût bien fait mourir une fille qu'il eût soupçonnée lui faire quelque déplaisir ! » — « Il faut bien croire [f], dit Ennasuite, que ce duc d'Urbin [g] avait plus de peur que son fils fût marié pauvrement qu'il ne désirait lui bailler femme à son gré. » — « Je crois que vous ne devez point, répondit Simontaut, douter que la nature de l'Italien est d'aimer plus que nature ce qui est créé seulement pour le service d'icelle. » — « C'est bien pis, dit Hircan, car ils font leur dieu des choses qui sont contre nature. » — « Et voilà, ce dit Longarine, les péchés que je voulais dire, car on sait bien qu'aimer l'argent, sinon pour s'en aider, c'est servir les idoles [3]. » Parlamente dit que saint Paul n'avait point oublié les vices des Italiens et de tous ceux qui cuident * passer * et surmonter les autres en honneur, prudence et raison humaine, en laquelle ils se fondent si fort qu'ils ne rendent point à Dieu la gloire qui lui appartient : parquoi le Tout-Puissant, jaloux de son honneur, rend plus insensés que les bêtes enragées ceux qui ont cuidé * avoir plus de sens que tous les autres hommes, leur faisant montrer par œuvres contre nature qu'ils sont en sens réprouvés. Longarine lui rompit la parole pour dire que c'est le troisième péché en quoi ils sont sujets. « Par ma foi, dit Nomerfide, je prenais grand plaisir à ce propos car, puisque les esprits que l'on estime les plus subtils [h] et grands discoureurs ont telle punition

f. dire (A)
g. duc Urbin (A)
h. sujets (A)

de devenir plus sots que les bêtes, il faut donc conclure que ceux qui sont humbles et bas et de petite portée comme le mien sont remplis de la sapience des anges! » — « Je vous assure, dit Oisille, que je ne suis pas loin de votre opinion, car nul n'est plus ignorant que celui qui cuide * savoir. » — « Je n'ai jamais vu, dit Géburon, moqueur qui ne fût moqué, trompeur qui ne fût trompé et glorieux qui ne fût humilié. » — « Vous me faites souvenir, dit Simontaut, d'une tromperie que, si elle était honnête, je l'eusse volontiers contée. » — « Or puisque nous sommes ici pour dire vérité, dit Oisille, soit de telle qualité que vous voudrez, je vous donne ma voix pour la dire! » — « Puisque la place m'est donnée, dit Simontaut, je la vous dirai. »

CINQUANTE-DEUXIÈME NOUVELLE[1]

Du sale déjeuner préparé par un valet d'apothicaire à un avocat et à un gentilhomme.

En la ville d'Alençon, au temps du duc Charles dernier[2], y avait un avocat nommé maître Antoine Bacheré, bon compagnon et bien aimant à déjeuner au matin. Un jour, étant à sa porte, vit passer un gentilhomme devant soi qui se nommait monsieur de la Tirelière, lequel, à cause du très grand froid qu'il faisait, était venu à pied de sa maison en la ville, et n'avait pas oublié sa grosse robe fourrée de renards. Et quand il vit l'avocat qui était de sa complexion *, lui dit comme il avait fait ses affaires, et qu'il ne restait que de trouver quelque bon déjeuner. L'avocat lui répondit qu'ils trouveraient assez de déjeuners, mais * qu'ils eussent un défrayeur; et en le prenant par-dessous le bras lui dit : « Allons, mon compère, nous trouverons peut-être quelque sot qui payera l'écot pour nous deux! »

Il y avait derrière eux le valet d'un apothicaire, fin et inventif, auquel cet avocat menait toujours la guerre. Mais le valet pensa à l'heure * qu'il s'en vengerait, et sans aller plus loin de dix pas, trouva derrière une maison un bel étron tout gelé, lequel il mit dedans un papier et

l'enveloppa si bien qu'il semblait un petit pain de sucre[3].
Il regarda où étaient les deux compères et, en passant
par-devant eux, fort hâtivement entra en une maison et
laissa tomber de sa manche le pain de sucre, comme par
mégarde. Ce que l'avocat leva de terre en grand joie, et
dit au seigneur de la Tirelière : « Ce fin valet payera
aujourd'hui notre écot ! Mais allons vitement, afin qu'il
ne nous trouve sur notre larcin. »

Et entrant en une taverne, dit à la chambrière : « Faites-
nous beau feu, et nous donnez bon pain et bon vin avec
quelque morceau friand* : nous aurons bien de quoi
payer ! » La chambrière les servit à leur volonté. Mais, en
s'échauffant à boire et à manger, le pain de sucre que
l'avocat avait en son sein commença à dégeler, et la
puanteur en était si grande que, ne pensant jamais qu'elle
dût saillir* d'un tel lieu, dit à la chambrière : « Vous avez
le plus puant et le plus ord* ménage que je vis jamais. Je
crois que vous laissez chier les enfants par la place ! » Le
seigneur de la Tirelière, qui avait sa part de ce bon
parfum, ne lui en dit pas moins. Mais la chambrière,
courroucée de ce qu'ils l'appelaient ainsi vilaine, leur dit
en colère : « Par saint Pierre, la maison est si honnête qu'il
n'y a merde si vous ne lui avez apportée ! » Les deux
compagnons se levèrent de table en crachant, et se vont
mettre devant le feu pour se chauffer. Et en se chauffant,
l'avocat tira son mouchoir de son sein, tout plein de sirop
du pain de sucre fondu, lequel à la fin il mit en lumière.

Vous pouvez penser quelle moquerie leur fit la chambrière à laquelle ils avaient dit tant d'injures, et quelle
honte avait l'avocat de se voir surmonter par un valet
d'apothicaire au métier de tromperie dont toute sa vie il
s'était mêlé. Mais n'en eut point la chambrière tant de
pitié qu'elle ne leur fit aussi bien payer leur écot comme
ils s'étaient bien fait servir, en leur disant qu'ils devaient
être bien ivres, car ils avaient bu par la bouche et par le
nez. Les pauvres gens s'en allèrent avec leur honte et leur
dépense, mais ils ne furent pas plutôt en la rue qu'ils
virent le valet de l'apothicaire, qui demandait à tout le
monde si quelqu'un avait point trouvé un pain de sucre
enveloppé dedans du papier. Et ne se surent si bien

détourner de lui qu'il ne criât à l'avocat : « Monsieur, si
vous avez mon pain de sucre, je vous prie, rendez-le moi,
car les larcins ne sont pas fort profitables à un pauvre
serviteur ! » A ce cri saillirent * tout plein de gens de la
ville pour ouïr leur débat. Et fut la chose si bien vérifiée
que le valet d'apothicaire fut aussi content d'avoir été
dérobé que les autres furent marris d'avoir fait un si vilain
larcin. Mais espérant de lui rendre une autre fois, s'apai-
sèrent.

« Nous voyons bien souvent, mesdames, cela advenir
autant à ceux qui prennent plaisir d'user de telles finas-
ses *. Si le gentilhomme n'eût voulu manger aux dépens
d'autrui, il n'eût pas bu aux siens un si vilain breuvage. Il
est vrai, mesdames, que mon conte n'est pas très net.
Mais vous m'avez donné congé * de dire la vérité, laquelle j'ai dite pour montrer que, si un trompeur est
trompé, il n'y a nul qui en soit marri. » — « L'on dit
volontiers, dit Hircan, que les paroles ne sont jamais
puantes, mais ceux pour * qui elles sont dites n'en étaient
pas quittes à si bon marché qu'ils ne les sentissent bien ! »
— « Il est vrai, dit Oisille, que de telles paroles ne puent
point ; mais il y en a d'autres que l'on appelle vilaines,
qui sont de si mauvais odeur que l'âme ᵃ est plus fâchée
que le corps n'est de sentir un tel pain de sucre que vous
avez dit. » — « Je vous prie, dit Hircan, dites-moi quelles
paroles sont, que vous savez si ordes * qu'elles font mal
au cœur et à l'âme d'une honnête femme. » — « Il serait
bon, dit Oisille, que je vous disse ce que je ne conseille à
nulle femme de dire ! » — « Par ce mot-là, dit Saffredent,
j'entends bien quels termes ce sont, dont les femmes qui
se veulent faire réputer sages n'usent point communé-
ment. Mais je demanderais volontiers à toutes celles qui
sont ici pourquoi c'est, puisqu'elles n'en osent parler,
qu'elles rient si volontiers quand on en parle devant
elles. » Ce dit Parlamente : « Nous ne rions pas pour * ouïr
dire ces beaux mots, mais il est vrai que toute personne
est encline à rire, ou quand elle voit quelqu'un trébucher,

a. de mauvaise odeur quand l'âme (A)

ou quand on dit quelque mot sans propos : comme souvent advient que [b] la langue fourche en parlant et fait dire un mot pour l'autre, ce qui advient aux plus sages et mieux parlantes. Mais quand entre vous, hommes, parlez vilainement pour * votre malice, sans nulle ignorance, je ne sache telle femme de bien qui n'en ait si grand horreur [c] que, non seulement ne les veuille écouter, mais fuir la compagnie d'icelles gens. » — « Il est bien vrai, dit Géburon, j'ai vu des femmes faire le signe de la croix en oyant dire telles [d] paroles qui ne cessaient *, après qu'on les eût redites. » — « Mais, dit Simontaut, combien de fois ont-elles mis leur touret * de nez pour rire en liberté autant qu'elles s'étaient courroucées ou feintes ? » — « Encore valait-il mieux faire ainsi, dit Parlamente, que de donner à connaître que l'on trouvât le propos plaisant. » — « Vous louez donc, dit Dagoucin, l'hypocrisie des dames autant que la vertu ? » — « La vertu serait bien meilleure, dit Longarine, mais où elle défaut *, se faut aider de l'hypocrisie comme nous faisons de pantoufles * pour faire oublier notre petitesse. Encore est-ce beaucoup que nous puissions couvrir * nos imperfections. » — « Par ma foi, dit Hircan, il vaudrait mieux quelque fois montrer quelque petite imperfection que la couvrir si fort du manteau de vertu. » — « Il est vrai, dit Ennasuite, qu'un accoutrement emprunté déshonore autant celui qui est contraint de le rendre comme il lui a fait d'honneur en le portant. Et il y a telle dame sur la terre qui, par trop dissimuler une petite faute, est tombée en une plus grande. » — « Je me doute, dit Hircan, de qui vous voulez parler, mais au moins ne la nommez point. » — « Oh ! dit Géburon, je vous donne ma voix par tel si * qu'après avoir fait le conte vous nous direz les noms, et nous jurerons de n'en parler jamais. » — « Je le vous promets, dit Ennasuite, car il n'y a rien qui ne se puisse dire avec honneur. »

b. advient la langue (A)
c. n'en ait horreur (A)
d. des (A)

CINQUANTE-TROISIÈME NOUVELLE

Diligence personnelle d'un prince pour étranger un
importun amoureux.

Le Roi François premier était en un beau château et
plaisant, où il était allé avec une petite compagnie, tant
pour la chasse que pour y prendre quelque repos. Il avait
en sa compagnie un nommé le prince de Belhôte, autant
honnête, vertueux, sage et beau prince qu'il y en avait
point en la cour. Et avait épousé une femme qui n'était
pas de grand beauté [a], mais si * l'aimait-il autant et la
traitait autant bien que mari peut faire sa femme. Et se
fiait tant à elle que [b], quand il en aimait quelqu'une, il ne
lui celait point, sachant qu'elle n'avait volonté que la
sienne. Ce seigneur prit trop grande amitié en une dame
veuve, qui s'appelait madame de Neufchâtel [1], et qui
avait la réputation d'être la plus belle que l'on eût su
regarder. Et si le prince de Belhôte l'aimait bien, sa
femme ne l'aimait pas moins, mais l'envoyait souvent
quérir pour manger avec elle, la trouvant si sage et honnête qu'en lieu d'être marrie que son mari l'aimât, se
réjouissait de le voir adresser * en si honnête lieu, rempli
d'honneur et de vertu.

Cette amitié dura longuement, en sorte qu'en tous les
affaires de ladite Neufchâtel le prince de Belhôte s'em-
ployait comme pour les siens propres, et la princesse sa
femme n'en faisait pas moins. Mais à cause de sa beauté,
plusieurs grands seigneurs et gentilshommes cherchaient
fort sa bonne grâce, les uns pour l'amour seulement, les
autres pour l'anneau, car outre la beauté elle était fort
riche. Entre autres, il y avait un jeune gentilhomme,
nommé le seigneur des Cheriots, qui la poursuivait de si
près qu'il ne faillait * d'être à son habiller et à son
déshabiller, et tout le long du jour, tant qu'il pouvait être
auprès d'elle. Ce qui ne plut pas au prince de Belhôte,
pource qu'il lui semblait qu'un homme de si pauvre lieu

___
a. de grande maison (A)
b. tant en elle quand (A)

et de si mauvaise grâce ne méritait point avoir si honnête et gracieux recueil*; dont souvent il faisait des remontrances à cette dame. Mais elle, qui était fille de duc, s'excusait, disant qu'elle parlait à tout le monde généralement, et que pour cela leur amitié en était d'autant mieux couverte*, vu qu'elle^c ne parlait point plus aux uns qu'aux autres. Mais au bout de quelque temps, ce sieur des Cheriots fit telle poursuite, plus par importunité que par amour, qu'elle lui promit de l'épouser, le priant ne la presser point de déclarer le mariage jusqu'à ce que ses filles fussent mariées. A l'heure*, sans crainte de conscience, allait le gentilhomme à toutes heures qu'il voulait à sa chambre, et n'y avait qu'une femme de chambre et un homme qui sussent leurs affaires. Le prince, voyant que de plus en plus le gentilhomme s'apprivoisait en la maison de celle qu'il aimait tant, le trouva si mauvais qu'il ne se put tenir de dire à la dame : « J'ai toujours aimé votre honneur comme celui de ma propre sœur, et savez les honnêtes propos que je vous ai tenus et le contentement que j'ai d'aimer une dame tant sage et vertueuse que vous êtes. Mais si je pensais qu'un autre, qui ne le mérite pas, gagnât par importunité ce que je ne veux demander contre votre vouloir, ce me serait chose importable* et non moins déshonorable pour vous. Je le vous dis pource que vous êtes belle et jeune, et que jusqu'ici vous avez été en si bonne réputation. Et vous commencez à acquérir un très mauvais bruit* car, nonobstant qu'il ne soit pareil ni de maison, ni de biens, et moins d'autorité, savoir ou bonne grâce, si* est-ce qu'il vaudrait mieux que vous l'eussiez épousé que d'en mettre tout le monde en soupçon. Parquoi je vous prie, dites-moi si vous êtes délibérée de l'aimer, car je ne le veux point avoir pour compagnon, et le vous lairrai* tout entier, et me retirerai de la bonne volonté que je vous ai portée. » La pauvre dame se prit à pleurer, craignant de perdre son amitié, et lui jura qu'elle aimerait mieux mourir que d'épouser le gentilhomme dont il lui parlait : mais il était tant importun qu'elle ne le pouvait garder* d'entrer en sa

c. couverte qu'elle (A)

chambre à l'heure que tous les autres y entraient. « De ces
heures-là, dit le prince, je ne parle point, car j'y puis
aussi bien aller que lui, et chacun voit ce que vous faites.
Mais on m'a dit qu'il y va après que vous êtes couchée,
chose que je trouve si étrange que, si vous continuez cette
vie et vous ne le déclarez pour mari, vous êtes la plus
déshonorée femme qui onques * fût. » Elle lui fit tous les
serments qu'elle put qu'elle ne le tenait pour mari ni pour
ami, mais pour un aussi importun gentilhomme qu'il n'en
fût point. « Puisqu'ainsi est, dit le prince, qu'il vous
fâche, je vous assure que je vous en déferai. » — « Comment [d], dit-elle, le voudriez-vous bien faire mourir ? » —
« Non, non, dit le prince, mais je lui donnerai à connaître
que ce n'est point en tel lieu ni en telle maison que celle
du Roi où il faut faire honte aux dames. Et je vous jure,
foi de tel ami que je vous suis, que, si après avoir parlé à
lui il ne se châtie *, je le châtierai si bien que les autres y
prendront exemple ! » Sur ces paroles s'en alla, et ne
faillit * pas, au partir de la chambre, de trouver le seigneur des Cheriots qui y venait, auquel il tint tous les
propos que vous avez ouïs, l'assurant que, la première
fois qu'il se trouverait hors de l'heure que les gentilshommes doivent aller voir les dames, il lui ferait une telle
peur qu'à jamais il lui en souviendrait; et qu'elle était
trop bien apparentée pour se jouer ainsi à elle. Le gentilhomme l'assura qu'il n'y avait jamais été, sinon comme
les autres, et qu'il lui donnait congé *, s'il l'y trouvait, de
lui faire du pis qu'il pourrait.

Quelque jour après, que le gentilhomme cuidait * les
paroles du prince être mises en oubli, s'en alla voir au
soir sa dame, et y demeura assez tard. Le prince dit à sa
femme comme la dame de Neufchâtel avait un grand
rhume, parquoi sa bonne femme le pria de l'aller visiter
pour tous deux, et de lui faire ses excuses dont * elle n'y
pouvait aller, car elle avait quelque affaire nécessaire en
sa chambre. Le prince attendit que le Roi fût couché, et
après s'en alla pour donner le bonsoir à sa dame. Mais en
cuidant monter un degré *, trouva un valet de chambre

d. Combien (A)

qui descendait, auquel il demanda que faisait sa maîtresse ; qui lui jura qu'elle était couchée et endormie. Le
prince descendit le degré et soupçonna qu'il mentait.
Parquoi il regarda derrière et vit le valet qui retournait en
grande diligence. Il se promena en la cour devant cette
porte, pour voir si le valet retournerait point. Mais un
quart d'heure après le vit encore descendre et regarder de
tous côtés pour voir qui était en la cour. A l'heure * pensa
le prince que le seigneur des Cheriots était en la chambre
de sa dame et que, pour * crainte de lui, n'osait descendre ; qui le fit encore promener longtemps. S'avisant * e
qu'en la chambre de la dame y avait une fenêtre qui
n'était guère haute et regardait dans un petit jardin, il lui
souvint du proverbe qui dit : « Qui ne peut passer par la
porte saille * par la fenêtre » ; dont soudain appela un sien
valet de chambre et lui dit : « Allez-vous-en en ce jardin là
derrière, et si vous voyez un gentilhomme descendre par
la fenêtre, sitôt qu'il aura mis le pied à terre, tirez votre
épée et, en la frottant contre la muraille, criez "Tue,
tue !" Mais gardez que vous ne le touchez ! » Le valet de
chambre s'en alla où son maître l'avait envoyé, et le
prince se promena jusqu'environ trois heures après minuit. Quand le seigneur des Cheriots entendit que le
prince était toujours en la cour, délibéra descendre par la
fenêtre. Et, après avoir jeté sa cape la première, avec
l'aide de ses bons amis sauta dans le jardin. Et sitôt que le
valet de chambre l'avisa, il ne faillit à faire bruit de son
épée, et cria : « Tue, tue ! », dont le pauvre gentilhomme,
cuidant * que ce fût son maître, eut si grand peur que,
sans aviser à prendre sa cape, s'enfuit en la plus grande
hâte qu'il lui fût possible. Il trouva les archers qui faisaient le guet, qui furent fort étonnés de le voir ainsi
courir. Mais il ne leur osa rien dire, sinon qu'il les pria
bien fort de lui vouloir ouvrir la porte, ou de le loger avec
eux jusqu'au matin, ce qu'ils firent, car ils n'en avaient
pas les clefs.

A cette heure-là vint le prince pour se coucher, et
trouva sa femme dormant. La réveilla, lui disant : « Devi-

e. S'avisa (A)

nez, ma femme, quelle heure il est. » Elle lui dit : « Depuis au soir que je me couchai, je n'ai point ouï sonner l'horloge. » Il lui dit : « Ils sont trois heures après minuit passées. » — « Jésus ! Monsieur, dit sa femme, et où avez-vous tant été ? J'ai grand peur que votre santé en vaudra pis. » — « M'amie, dit le prince, je ne serai jamais malade de veiller, quand je garde de dormir ceux qui me cuident * tromper. » Et en disant ces paroles se prit tant à rire qu'elle le supplia lui vouloir conter ce que c'était. Ce qu'il fit tout du long, en lui montrant la peau du loup que son valet de chambre avait apportée. Et après qu'ils eurent passé le temps aux dépens des pauvres gens, s'en allèrent dormir d'aussi gracieux repos que les deux autres travaillèrent * la nuit en peur et en crainte que leur affaire fût révélée. Toutefois le gentilhomme, sachant bien qu'il ne pouvait dissimuler devant le prince, vint au matin à son lever lui supplier qu'il ne le voulût point déceler * et qu'il lui fît rendre sa cape. Le prince fit semblant d'ignorer tout le fait, et tint si bonne contenance que le gentilhomme ne savait où il en était. Si * est-ce qu'à la fin il ouït autre leçon qu'il ne le pensait, car le prince l'assura que, s'il y retournait jamais, il le dirait au Roi et le ferait bannir de la cour.

« Je vous prie, mesdames, juger s'il n'eût pas mieux valu à cette pauvre dame d'avoir parlé franchement à celui qui lui faisait tant d'honneur de l'aimer et estimer, que de la mettre par dissimulation jusqu'à faire une preuve qui lui fut si honteuse. » — « Elle savait, dit Géburon, que si elle lui confessait la vérité, elle perdrait entièrement sa bonne grâce, ce qu'elle ne voulait pour rien perdre. » — « Il me semble, dit Longarine, puisqu'elle avait choisi un mari à sa fantaisie, qu'elle ne devait craindre de perdre l'amitié de tous les autres. » — « Je crois bien, ce dit Parlamente, que, si elle eût osé déclarer son mariage, elle se fût contentée du mari. Mais, puisqu'elle le voulait dissimuler jusqu'à ce que ses filles fussent mariées, elle ne voulait point laisser une si honnête couverture *. » — « Ce n'est pas cela, dit Saffredent, mais c'est que l'ambition des femmes est si grande qu'elle ne se peut contenter d'en avoir un seul. Mais j'ai ouï dire que celles qui sont les plus sages en ont volontiers trois, c'est à savoir un pour l'honneur, un pour le profit et un pour le plaisir[2]! Et chacun des trois pense être le mieux aimé. Mais les deux premiers servent au dernier. » — « Vous parlez de celles, dit Oisille, qui n'ont ni amour ni honneur. » — « Madame, dit Saffredent, il y en a telles de la condition que je vous peins et que vous estimez bien des plus honnêtes femmes du pays. » — « Croyez, dit Hircan, qu'une femme fine saura vivre où toutes les autres mourront de faim. » — « Aussi, ce dit Longarine, quand leur finesse est connue, c'est bien la mort. » — « Mais la vie! dit Simontaut, car elles n'estiment pas petite gloire d'être réputées plus fines que leurs compagnes. Et ce nom-là de fines qu'elles ont acquis à leurs dépens fait plus hardiment venir les serviteurs à leur obéissance que la beauté. Car un des plus grands plaisirs qui sont entre ceux qui aiment, c'est de conduire leur amitié finement. » — « Vous parlez, dit Ennasuite, d'un amour méchant, car la bonne amour n'a besoin de couverture. » — « Ah, dit Dagoucin, je vous supplie ôter cette opinion de votre tête, pource que tant plus la drogue est précieuse et moins se doit éventer, pour * la malice de ceux qui ne se prennent qu'aux signes extérieurs, lesquels en bonne et loyale amitié sont tous pareils. Parquoi les faut aussi bien cacher quand l'amour est vertueuse que si elle était au contraire, pour ne tomber au mauvais jugement de ceux qui ne peuvent croire qu'un homme puisse aimer une dame par honneur. Et leur semble que, s'ils sont sujets à leur plaisir, chacun est semblable à eux. Mais si nous étions tous de bonne foi, le regard et la parole n'y seraient point dissimulés, au moins à ceux qui aimeraient mieux mourir que d'y penser quelque mal. » — « Je vous assure, Dagoucin, dit Hircan, que vous avez une si haute philosophie qu'il n'y a homme ici qui l'entende ni la croie : car vous nous voudriez faire accroire que les hommes sont anges, ou pierres, ou diables. » — « Je sais bien, dit Dagoucin, que les hommes sont hommes et sujets à toutes passions. Mais si * est-ce qu'il y en a qui aimeraient mieux·mourir que pour leur plaisir leur dame fît chose contre sa conscience.» — «C'est beaucoup que mourir, dit Géburon. Je ne croirai cette parole, quand elle serait dite de la bouche du plus austère religieux qui soit.» — «Mais je crois, dit Hircan, qu'il n'y en a point qui ne désire le contraire. Toutefois ils font semblant de n'aimer point les raisins quand ils sont si hauts qu'ils ne les peuvent cueillir[3]!» — «Mais, dit Nomerfide, je crois que la femme de ce prince fut bien aise dont* son mari apprenait à connaître les femmes.» — «Je vous assure que non fut, dit Ennasuite, mais en fut très marrie pour* l'amour qu'elle lui portait.» — «J'aimerais autant, dit Saffredent, celle qui riait quand son mari baisait sa chambrière.» — «Vraiment, dit Ennasuite, vous en ferez le conte: je vous donne ma place.» — «Combien que ce conte soit court, dit Saffredent, je le vous vais dire, car j'aime mieux vous faire rire que parler[f] longuement.»

CINQUANTE-QUATRIÈME NOUVELLE

D'une demoiselle de si bonne nature que, voyant son mari qui baisait sa chambrière, ne s'en fit que rire et, pour n'en dire autre chose, dit qu'elle riait à son ombre.

Entre les monts Pyrénées et les Alpes[1], y avait un gentilhomme nommé Thogas, lequel avait femme et enfants, et une fort belle maison, et tant de biens et de plaisirs qu'il avait occasion* de vivre content, sinon qu'il était sujet à une grande douleur au-dessous de la racine des cheveux. Tellement que les médecins lui conseillèrent de découcher d'avec sa femme, à quoi elle se consentit très volontiers, n'ayant regard comme à la vie et à la santé de son mari. Et fit mettre son lit en l'autre coin de la chambre, vis-à-vis de celui de son mari, en ligne si droite que l'un ni l'autre n'eût su mettre la tête dehors sans se voir tous deux. Cette demoiselle tenait avec elle deux chambrières, et souvent que le seigneur et la demoiselle étaient couchés, prenait chacun d'eux quelque livre

f. pleurer (T)

de passe-temps pour lire en son lit; et leurs chambrières tenaient la chandelle, c'est à savoir la jeune au sieur, l'autre à la demoiselle. Ce gentilhomme, voyant sa chambrière plus jeune et plus belle que sa femme, prenait si grand plaisir à la regarder qu'il interrompait sa lecture pour l'entretenir. Ce que très bien oyait[a] sa femme, et trouvait bon que ses serviteurs et servantes fissent passer le temps à son mari, pensant qu'il n'eût amitié à autre qu'à elle. Mais un soir qu'ils eurent lu plus longuement que de coutume, regardant la demoiselle de loin du côté du lit de son mari où était la jeune chambrière qui tenait la chandelle, laquelle elle ne voyait que par derrière, et ne pouvait voir son mari, sinon du côté de la cheminée qui retournait devant son lit, et était d'une muraille blanche où reluisait la clarté de la chandelle, et contre ladite muraille voyait très bien le portrait du visage de son mari et celui de sa chambrière : s'ils s'éloignaient, s'ils s'approchaient, ou s'ils riaient, elle en avait bonne connaissance comme si elle les eût vus. Le gentilhomme qui ne se donnait de garde*, étant sûr que sa femme ne les pouvait voir, baisa sa chambrière. Ce que, pour une fois, sa femme endura sans dire mot. Mais quand elle vit que les ombres retournaient souvent à cette union, elle eut peur que la vérité fût couverte* dessous. Parquoi elle se prit tout haut à rire, en sorte que les ombres eurent peur de son ris et se séparèrent. Et le gentilhomme lui demanda pourquoi elle riait si fort, et qu'elle lui donnât part de sa joyeuseté. Elle lui répondit : « Mon ami, je suis si sotte que je ris à mon ombre. » Jamais, quelque enquête qu'il en pût faire, ne lui en confessa autre chose. Si* est-ce qu'il laissa cette face ombrageuse.

« Et voilà de quoi il m'est souvenu quand vous avez parlé de la dame qui aimait l'amie de son mari. » — « Par ma foi, dit Ennasuite, si ma chambrière m'en eût fait autant, je me fusse levée et lui eusse tué la chandelle sur le nez ! » — « Vous êtes bien terrible, dit Hircan, mais c'eût été bien employé si votre mari et la chambrière se

a. voyait (T)

fussent mis contre vous et vous eussent très bien battue !
Car pour un baiser ne faut pas faire si grand cas. Encore
eût bien fait sa femme de ne lui en dire mot et lui laisser
prendre sa récréation, qui eût pu guérir sa maladie. » —
« Mais, dit Parlamente, elle avait peur que la fin du
passe-temps le fît plus malade. » — « Elle n'est pas, dit
Oisille. de ceux contre qui parle Notre-Seigneur : " Nous
vous avons lamenté, et vous n'avez point pleuré ; nous
vous avons chanté, et vous n'avez pas dansé [2] ", car,
quand son mari était malade elle pleurait, et quand il était
joyeux elle riait. Ainsi toutes femmes de bien devraient
avoir la moitié du bien, du mal, de la joie et de la tristesse
de son mari, et l'aimer, servir et obéir comme l'Église à
Jésus-Christ. » — « Il faudrait donc, mesdames, dit
Parlamente, que nos maris fussent envers nous comme
Christ et son Église ! » — « Aussi faisons-nous, dit Saffredent, et si possible était, nous le passerions * ; car
Christ ne mourut qu'une fois pour son Église ; nous
mourons tous les jours pour nos femmes [3] ! » — « Mourir ?
dit Longarine, il me semble que vous et les autres qui sont
ici valez mieux écus que ne valiez grands blancs * quand
vous fûtes mariés [4] ! » — « Je sais bien pourquoi, dit
Saffredent : c'est pource que souvent notre valeur est
éprouvée ! Mais si * se sentent bien nos épaules d'avoir
longuement porté la cuirasse. » — « Si vous aviez été
contraints, dit Ennasuite, de porter un mois durant le
harnais et coucher sur la dure, vous auriez grand désir de
recouvrer le lit de votre bonne femme et porter la cuirasse
dont vous vous plaignez maintenant. Mais l'on dit que
toutes choses se peuvent endurer sinon l'aise, et ne
connaît-on le repos sinon quand on l'a perdu. » — « Cette
bonne [b] femme, dit Oisille, qui riait quand son mari était
joyeux, avait bien appris à trouver son repos partout. » —
« Je crois, dit Longarine, qu'elle aimait mieux son repos
que son mari, vu qu'elle ne prenait bien à cœur chose
qu'il fît. » — « Elle prenait bien à cœur, dit Parlamente,
ce qui pouvait nuire à sa conscience et sa santé, mais
aussi ne se voulait point arrêter à petite chose. » —

b. vaine (A)

« Quand vous parlez de la conscience, vous me faites rire, dit Simontaut ; c'est une chose dont je ne voudrais jamais qu'une femme eût souci. » — « Il serait bien employé, dit Nomerfide, que vous eussiez une telle femme que celle qui montra bien, après la mort de son mari, d'aimer mieux son argent que sa conscience. » — « Je vous prie, dit Saffredent, dites-nous cette nouvelle, et vous donne ma voix. » — « Je n'avais pas délibéré, dit Nomerfide, de raconter une si courte histoire. Mais puisqu'elle vient à propos, je la dirai. »

CINQUANTE-CINQUIÈME NOUVELLE

*Finesse * d'une Espagnole pour frauder les Cordeliers du legs testamentaire de son mari.*

En la ville de Saragosse, y avait un riche marchand lequel, voyant sa mort approcher et qu'il ne pouvait plus tenir ses biens (que peut-être avait acquis avec mauvaise foi), pensa qu'en faisant quelque petit présent à Dieu il satisferait, après sa mort, en partie à ses péchés. Comme si Dieu donnait sa grâce pour argent ! Et quand il eut ordonné du fait de sa maison, dit qu'il voulait qu'un beau cheval d'Espagne qu'il avait fût vendu le plus que l'on pourrait, et que l'argent en fût distribué aux pauvres mendiants[a1], priant sa femme qu'elle ne voulût faillir *, incontinent qu'il serait trépassé, de vendre son cheval et distribuer cet argent selon son ordonnance.

Quand l'enterrement fut fait et les premières larmes jetées, la femme, qui n'était non plus sotte que les Espagnoles ont accoutumé d'être, s'en vint au serviteur qui avait comme elle entendu la volonté de son maître : « Il me semble que j'ai assez fait de pertes de la personne du mari que j'ai tant aimé, sans maintenant perdre les biens. Si * est-ce que je ne voudrais désobéir à sa parole, mais oui bien faire meilleure son intention : car le pauvre homme, séduit par l'avarice[b] des prêtres, a pensé faire

a. aux pauvres (A)
b. la malice (T)

grand sacrifice à Dieu de donner après sa mort une somme dont en sa vie n'eût pas voulu donner un écu en extrême nécessité, comme vous savez. Parquoi j'ai avisé * que nous ferons ce qu'il a ordonné par sa mort, et encore mieux, ce qu'il eût fait s'il eût vécu quinze jours davantage. Mais il faut que personne du monde n'en sache rien. » Et quand elle eut promesse du serviteur de le tenir secret, elle lui dit : « Vous irez vendre son cheval, et à ceux qui vous diront : combien ? vous leur direz : un ducat. Mais j'ai un fort bon chat que je veux aussi mettre en vente, que vous vendrez quand et quand * pour quatre-vingt-dix-neuf ducats. Et ainsi le chat et le cheval feront tous deux les cent ducats que mon mari voulait vendre son cheval seul. » Le serviteur promptement accomplit le commandement de sa maîtresse. Et ainsi qu'il promenait son cheval par la place, tenant son chat entre ses bras, quelque gentilhomme qui autrefois avait vu le cheval et désiré l'avoir, lui demanda combien il en voulait avoir. Il lui répondit : « Un ducat. » Le gentilhomme lui dit : « Je te prie, ne te moque point de moi ! » — « Je vous assure, monsieur, dit le serviteur, qu'il ne vous coûtera qu'un ducat. Il est vrai qu'il faut acheter le chat quand et quand, duquel il faut que j'en aie quatre-vingt-et-dix-neuf ducats. » A l'heure * le gentilhomme, qui estimait avoir raisonnable marché, lui paya promptement un ducat pour le cheval et quatre-vingt-dix-neuf pour le chat, comme il lui avait demandé, et emmena sa marchandise. Le serviteur, d'autre côté, emporta son argent, dont sa maîtresse fut fort joyeuse. Et ne faillit * pas de donner le ducat que le cheval avait été vendu aux pauvres mendiants, comme son mari avait ordonné. Et retint le demeurant pour subvenir à elle et à ses enfants.

« A votre avis, si * celle-là n'était pas bien plus sage que son mari, et si elle se souciait tant de sa conscience comme du profit de son ménage ? » — « Je pense, dit Parlamente, qu'elle aimait bien son mari, mais, voyant qu'à la mort la plupart des hommes rêvent *, elle, qui connaissait son intention, l'avait voulu interpréter au profit des enfants. Dont je l'estime très sage. » —

«Comment, dit Géburon, n'estimez-vous pas une grande faute de faillir* d'accomplir les testaments des amis trépassés?» — «Si fait, déa, dit Parlamente, par ainsi* que le testateur soit en bon sens et qu'il ne rêve point.» — «Appelez-vous rêverie de donner son bien à l'Église et aux pauvres mendiants?» — «Je n'appelle point rêverie, dit Parlamente, quand l'homme distribue aux pauvres ce que Dieu a mis en sa puissance, mais de faire aumône du bien d'autrui, je ne l'estime pas à grand sapience, car vous verrez ordinairement les plus grands usuriers qui soient point faire les plus belles et triomphantes chapelles que l'on saurait voir, voulant apaiser Dieu pour cent mille ducats de larcin de dix mille ducats d'édifices, comme si Dieu ne savait compter!» — «Vraiment, je m'en suis maintes fois bien ébahie, dit Oisille, comment ils cuident* apaiser Dieu par les choses que lui-même, étant sur terre, a réprouvées, comme grands bâtiments, dorures, fards* et peintures. Mais s'ils entendaient bien que Dieu a dit que pour toute oblation il nous demande le cœur contrit et humilié[2] — et en un autre saint Paul dit que nous sommes le temple de Dieu où il veut habiter[3] — ils eussent mis peine d'orner leur conscience durant leur vie, et n'attendre pas à l'heure que l'homme ne peut plus faire bien ni mal; et encore, qui pis est, charger ceux qui demeurent à faire leurs aumônes à ceux qu'ils n'eussent pas daigné regarder leur vie durant. Mais Celui qui connaît le cœur ne peut être trompé, et les jugera non seulement selon les œuvres, mais selon la foi et charité qu'ils ont eue à lui[4].» — «Pourquoi donc est-ce, dit Géburon, que ces Cordeliers et Mendiants ne nous chantent, à la mort, que de faire beaucoup de biens à leurs monastères, nous assurant qu'ils nous mettront en paradis, veuillons ou non?» — «Comment, Géburon! dit Hircan, avez-vous oublié la malice que vous nous avez contée des Cordeliers, pour demander comment il est possible que telles gens puissent mentir? Je vous déclare que je ne pense point qu'il y ait au monde plus grands mensonges que les leurs. Et encore ceux-ci ne peuvent être repris, qui parlent pour le bien de toute la communauté ensemble. Mais il y en a qui oublient leur vœu de pauvreté pour satisfaire à leur avarice. » — « Il me semble, Hircan, dit Nomerfide, que vous en savez quelqu'un. Je vous prie, s'il est digne de cette compagnie, que vous nous le veuillez dire. » — « Je le veux bien, dit Hircan, combien qu'il me fâche de parler de ces gens-là, car il me semble qu'ils sont du rang de ceux que Virgile dit à Dante : "Passe outre, et n'en tiens compte⁵." " Toutefois, pour vous montrer qu'ils n'ont pas laissé leurs passions avec leurs habits mondains, je vous dirai ce qu'il advint. »

CINQUANTE-SIXIÈME NOUVELLE

Un Cordelier marie frauduleusement un autre Cordelier, son compagnon, à une belle jeune demoiselle, dont ils sont puis après tous deux punis.

En la ville de Padoue passa une dame française à laquelle fut rapporté que, dans les prisons de l'évêque, il y avait un Cordelier. Et s'enquérant de l'occasion*, pource qu'elle voyait que chacun en parlait par moquerie, lui fut assuré que ce Cordelier, homme ancien*, était confesseur d'une fort honnête dame et dévote, demeurée veuve, qui n'avait qu'une seule fille qu'elle aimait tant qu'il n'y avait peine qu'elle ne prît pour lui amasser du bien et lui trouver un bon parti. Or, voyant sa fille devenir grande, était continuellement en souci de lui trouver parti qui pût vivre avec elles deux en paix et en repos, c'est-à-dire qui fût homme de conscience, comme elle s'estimait être. Et pource qu'elle avait ouï dire à quelque sot prêcheur qu'il valait mieux faire mal par le conseil des docteurs que faire bien croyant l'inspiration du Saint-Esprit, s'adressa à son beau père confesseur, homme déjà ancien, docteur en théologie, estimé bien vivant de toute la ville, s'assurant*, par son conseil et bonnes prières, ne pouvoir faillir* de trouver le repos d'elle et de sa fille. Et quand elle l'eut bien fort prié de choisir un mari pour sa fille tel qu'il connaissait qu'une femme aimant Dieu et son honneur devait souhaiter, il lui répondit que premièrement fallait implorer la grâce du Saint-Esprit par oraisons et jeûnes, et puis, ainsi que Dieu conduirait son

entendement, il espérait de trouver ce qu'elle demandait.
Et ainsi s'en alla le Cordelier d'un côté penser à son
affaire.

Et pource qu'il entendait de la dame qu'elle avait
amassé cinq cents ducats pour donner au mari de sa fille,
et prenait en charge la nourriture des deux, les fournissant
de maison, meubles et accoutrements *, il s'avisa qu'il
avait un jeune compagnon de belle taille et agréable
visage, auquel il donnerait la belle fille, la maison, les
meubles et sa vie et nourriture assurée, et que les cinq
cents ducats lui demeureraient pour soulager son ardente
avarice. Et après qu'il eut parlé à son compagnon, se
trouvèrent tous deux d'accord. Il retourna devant la dame
et lui dit : « Je crois sans faute que Dieu m'a envoyé son
ange Raphaël comme il fit à Tobie pour trouver un parfait
époux à votre fille [1], car je vous assure que j'ai en ma
main [a] le plus honnête gentilhomme qui soit en Italie,
lequel quelque * fois vit votre fille et en est si bien pris
qu'aujourd'hui, ainsi que j'étais en oraison, Dieu le m'a
envoyé, et m'a déclaré l'affection qu'il avait au mariage.
Et moi, qui connais sa maison et ses parents, et qu'il est
de race notable [b], lui ai promis de vous en parler. Vrai est
qu'il y a un inconvénient que seul je connais en lui : c'est
que, en voulant sauver un de ses amis qu'un autre voulait
tuer, tira son épée, pensant les départir ; mais la fortune
advint que son ami tua l'autre, parquoi lui, combien qu'il
n'ait frappé nul coup, est fugitif de sa ville, pource qu'il
assista au meurtre et avait tiré l'épée. Et par le conseil de
ses parents s'est retiré en cette ville en habit d'écolier, où
il demeure inconnu jusqu'à ce que ses parents aient mis
fin à son affaire, ce qu'il espère être de bref *. Et par ce
moyen faudrait le mariage être fait secrètement, et que
fussiez contente * qu'il allât le jour aux lectures publi-
ques, et tous les soirs venir souper et coucher céans. A
l'heure * la bonne femme lui dit : « Monsieur, je trouve
que ce que vous me dites m'est grand avantage, car au
moins j'aurai auprès de moi ce que je désire le plus en ce

a. en ma maison (A)
b. d'une noble race (T)

monde.» Ce que le Cordelier fit, et lui amena, bien en
ordre*, avec un beau pourpoint de satin cramoisi, dont
elle fut bien aise. Et après qu'il fut venu firent les fian-
çailles, et incontinent que minuit fut passé, firent dire une
messe et épousèrent. Puis allèrent se coucher ensemble
jusqu'au point du jour que le marié dit à sa femme que,
pour n'être point connu, il était contraint d'aller au col-
lège. Ayant pris son pourpoint de satin cramoisi et sa robe
longue, sans oublier sa coiffe de soie noire, vint dire
adieu à sa femme qui encore était au lit, et l'assura que
tous les soirs il viendrait souper avec elle, mais que pour
le dîner ne le fallait attendre. Ainsi s'en partit et laissa sa
femme, qui s'estimait la plus heureuse du monde d'avoir
trouvé un si très bon parti. Et ainsi s'en retourna le jeune
Cordelier marié à son vieux père, auquel il porta les cinq
cents ducats dont ils avaient convenu ensemble par l'accord du mariage. Et au soir ne faillit* de retourner souper
avec celle qui le cuidait* être son mari. Et s'entretint si
bien en l'amour d'elle et de sa belle-mère qu'elles[c] n'eussent pas voulu avoir change au plus grand prince du
monde.

Cette vie continua quelque temps. Mais ainsi que la
bonté de Dieu a pitié de ceux qui sont trompés par bonne
foi, par sa grâce et bonté il advint qu'un matin il prit
grand dévotion à cette dame et à sa fille d'aller ouïr la
messe à Saint-François, et visiter leur bon père confesseur par le moyen duquel elles pensaient être si bien
pourvues, l'une de beau-fils, l'autre de mari. Et de fortune* ne trouvant ledit confesseur ni autre de leur
connaissance, furent contentes[d] d'ouïr la grande messe
qui se commençait, attendant s'il viendrait point. Et ainsi
que la jeune femme regardait attentivement au service
divin et au mystère d'icelui, quand le prêtre se retourna
pour dire *Dominus vobiscum,* cette jeune mariée fut toute
surprise d'étonnement, car il lui sembla que c'était son
mari, ou pareil de lui. Mais pour cela ne voulut sonner
mot, et attendit encore qu'il se retournât encore une autre
fois où elle l'avisa* beaucoup mieux et ne douta point

c. ils (A)
d. constantes (A)

que ce fût lui. Parquoi elle tira sa mère qui était en grande contemplation, en lui disant : « Hélas, madame, qui est-ce que je vois ? » La mère lui demanda : « Quoi ? » — « C'est celui, dit-elle[e], mon mari, ou la personne du monde qui mieux lui ressemble. » La mère, qui ne l'avait point bien regardé, lui dit : « Je vous prie, ma fille, ne mettez point cette opinion * dans votre tête, car c'est une chose totalement impossible que ceux qui sont si saintes gens eussent fait une telle tromperie : vous pécheriez grandement contre Dieu d'ajouter foi à une telle opinion. » Toutefois ne laissa pas la mère d'y regarder et, quand ce vint à dire *Ite missa est,* connut véritablement que jamais deux frères d'une ventrée ne fussent si semblables. Toutefois elle était si simple qu'elle eût volontiers dit : « Mon Dieu, gardez-moi de croire ce que je vois ! » Mais pource qu'il touchait à sa fille, ne voulut pas laisser la chose ainsi inconnue * et se délibéra d'en savoir la vérité. Et quand ce vint le soir que le mari devait retourner, lequel ne les avait aucunement aperçues, la mère vint à dire à sa fille : « Nous saurons, si vous voulez, maintenant la vérité de votre mari : car ainsi qu'il sera dedans le lit, je l'irai trouver et, sans qu'il y pense, par derrière, vous lui arracherez sa coiffe. Et nous verrons s'il a telle couronne que celui qui a dit la messe. » Ainsi qu'il fut délibéré il fut fait car, sitôt que le méchant mari fut couché arriva la vieille dame ; et en lui prenant les deux mains comme par jeu, sa fille lui ôta sa coiffe. Et demeura avec sa belle couronne, dont mère et fille furent tant étonnées qu'il n'était possible de plus. Et à l'heure * appelèrent des serviteurs de léans * pour le faire prendre et lier jusqu'au matin. Et ne servit nulle excuse ni beau parler. Le jour venu, la dame envoya quérir son confesseur, feignant avoir quelque grand secret à lui dire. Lequel y vint hâtivement ; et elle le fit prendre comme le jeune, lui reprochant la tromperie qu'il lui avait faite. Et sur cela envoya quérir la Justice, entre les mains de laquelle elle les mit tous deux. Il est à présumer que, s'il y eut gens de bien pour juges, ils ne laissèrent pas la chose impunie [2].

e. dit-elle *omis dans* A

«Voilà, mesdames, pour vous montrer que ceux qui ont voué* pauvreté ne sont pas exempts d'être tentés d'avarice, qui est l'occasion* de faire tant de maux.» — «Mais tant de biens! dit Saffredent, car des cinq cents ducats dont la vieille voulait faire trésor, il en fut fait beaucoup de bonnes chères*. Et la pauvre fille qui avait tant attendu un mari par ce moyen en pouvait avoir deux, et savait mieux parler, à la vérité, de toutes hiérarchies.» — «Vous avez toujours les plus fausses opinions*, dit Oisille, que je vis jamais, car il vous semble que toutes les femmes soient de votre complexion*.» — «Madame, sauf votre grâce, dit Saffredent, car je voudrais qu'il m'eût coûté beaucoup qu'elles fussent aussi[f] aisées à contenter que nous.» — «Voilà une mauvaise parole, dit Oisille, car il n'y a nul ici qui ne sache bien le contraire de votre dire, et qu'il ne soit vrai: le conte qui est fait maintenant montre bien l'ignorance des pauvres femmes et la malice de ceux que nous tenons bien meilleurs que vous autres hommes. Car ni elle ni sa fille ne voulaient rien faire à leur fantaisie*, mais soumettaient [leur][g] désir à bon conseil.» — «Il y a des femmes si difficiles, dit Longarine, qu'il leur semble qu'elles doivent avoir des anges.» — «Et voilà pourquoi, dit Simontaut, elles trouvent souvent des diables, principalement celles qui, ne se confiant en la grâce de Dieu, cuident* par leur bon sens ou celui d'autrui pouvoir trouver en ce monde quelque félicité, qui n'est donnée ni ne peut venir que de Dieu.» — «Comment, Simontaut! dit Oisille, je ne pensais pas que vous sussiez tant de bien.» — «Madame, dit Simontaut, c'est dommage que je ne suis bien expérimenté car, par faute de me connaître, je vois que vous avez déjà mauvais jugement de moi. Mais si* puis-je bien faire le métier d'un Cordelier, puisque le Cordelier s'est mêlé du mien!» — «Vous appelez donc votre métier, dit Parlamente, de tromper les femmes? Par ainsi, de votre bouche même vous vous jugez!» — «Quand j'en aurais trompé cent mille, dit

f. ainsi (A)
g. le (A); son (T)

Simontaut, je ne serais pas encore vengé des peines que j'ai eues pour une seule. » — « Je sais, dit Parlamente, combien de fois vous vous plaignez des dames, et toutefois nous vous voyons si joyeux et en bon point* qu'il n'est pas à croire que vous avez eu tous les maux que vous dites. Mais la *Belle Dame sans Merci* répond qu'il sied bien que l'on le dise pour en tirer quelque confort [3] ! » — « Vous alléguez un notable docteur, dit Simontaut, qui non seulement est fâcheux mais le fait être toutes celles qui ont lu et suivi sa doctrine. » — « Si* est sa doctrine, dit Parlamente, autant profitable aux jeunes dames que nulle que je sache. » — « S'il était ainsi, dit Simontaut, que les dames fussent sans merci*, nous pourrions bien faire reposer nos chevaux et faire rouiller nos harnais jusqu'à la première guerre, et ne faire que penser du ménage. Et je vous prie, dites-moi si c'est chose honnête à une dame d'avoir le nom d'être sans pitié, sans charité, sans amour et sans merci ? » — « Sans charité et amour, dit Parlamente, ne faut-il pas qu'elles soient. Mais ce mot de merci sonne si mal entre les femmes qu'elles n'en peuvent user sans offenser leur honneur : car proprement, merci est accorder la grâce que l'on demande, et l'on sait bien celle que les hommes désirent. » — « Ne vous déplaise, madame, dit Simontaut, il y en a de si raisonnables qu'ils ne demandent rien que la parole. » — « Vous me faites souvenir, dit Parlamente, de celui qui se contentait d'un gant. » — « Il faut que nous sachions qui est ce gracieux serviteur, dit Hircan, et pour cette occasion* je vous donne ma voix. » — « Ce me sera plaisir de la dire, dit Parlamente, car elle est pleine d'honnêteté. »

CINQUANTE-SEPTIÈME NOUVELLE

Conte ridicule d'un Milord d'Angleterre qui portait un gant de femme par parade sur son habillement.

Le Roi Louis onzième envoya en Angleterre le seigneur de Montmorency pour son ambassadeur [1], lequel y fut tant bienvenu que le Roi et tous les princes l'estimaient et aimaient fort, et même lui communiquaient

plusieurs de leurs affaires secrets pour avoir son conseil.
Un jour, étant en un banquet que le Roi lui fit, fut assis
auprès de lui un milord de grande maison qui avait sur
son saye * attaché un petit gant comme pour femme, à
crochets d'or; et dessus les jointures des doigts y avait
force diamants, rubis, émeraudes et perles, tant que ce
gant était estimé à un grand argent. Le seigneur de
Montmorency le regarda si souvent que le milord s'aperçut qu'il avait vouloir de lui demander la raison pourquoi
il était si bien en ordre * Et pource qu'il estimait le conte
être bien fort à sa louange, il commença à dire:

« Je vois bien que vous trouvez étrange de ce que si
gorgiasement * j'ai accoutré * un pauvre gant; ce que j'ai
encore plus d'envie de vous dire, car je vous tiens tant
homme de bien, et connaissant quelle passion c'est
qu'amour que, si j'ai bien fait, vous m'en louerez, ou
sinon vous excuserez l'amour qui commande à tous honnêtes cœurs. Il faut que vous entendez que j'ai aimé toute
ma vie une dame, aime et aimerai encore après sa[a] mort.
Et pource que mon cœur eut plus de hardiesse de s'adresser en un bon lieu que ma bouche n'eut de parler, je
demeurai sept ans sans lui en oser faire semblant *, craignant que, si elle s'en apercevait, je perdrais le moyen
que j'avais de souvent la fréquenter, dont j'avais plus de
peur que de ma mort. Mais un jour, étant dedans un pré la
regardant, me prit un si grand battement de cœur que je
perdis toute couleur et contenance, dont elle s'aperçut
très bien. Et en demandant que j'avais, je lui dis que
c'était une douleur de cœur importable *. Et elle, qui
pensait que ce fut de maladie d'autre sorte que d'amour,
me montra avoir pitié de moi, qui me fit lui supplier
vouloir mettre la main sur mon cœur pour voir comme il
débattait. Ce qu'elle fit, plus par charité que par amitié.
Et quand je lui tins la main dessus mon cœur, laquelle
était gantée, il se prit à débattre et tourmenter si fort
qu'elle sentit que je disais vérité. Et à l'heure * lui serrai
la main contre mon estomac *, en lui disant : "Hélas,
madame, recevez le cœur qui veut rompre mon estomac

a. ma (T)

pour saillir * en la main de celle dont j'espère grâce, vie et miséricorde ; lequel me contraint maintenant de vous déclarer l'amour que tant longtemps ai celé, car lui ni moi ne sommes maîtres de ce puissant dieu. '' Quand elle entendit ce propos que lui tenais, le trouva fort étrange. Elle voulut retirer sa main ; je la tins si ferme que le gant demeura en la place de sa cruelle main. Et pource que jamais je n'avais eu ni ai eu depuis plus grande privauté d'elle, j'ai attaché ce gant comme l'emplâtre la plus propre que je puis donner à mon cœur, et l'ai orné de toutes les plus riches bagues que j'avais, combien que les richesses viennent du gant, que je ne donnerais pour le royaume d'Angleterre, car je n'ai bien en ce monde que j'estime tant que le sentir sur mon estomac. » Le seigneur de Montmorency, qui eut mieux aimé la main que le gant d'une dame, lui loua fort sa grande honnêteté, lui disant qu'il était le plus vrai amoureux que jamais il avait vu, et digne de meilleur traitement, puisque pour si peu faisait tant de cas, combien que, vu sa grande amour, s'il eût eu mieux que le gant peut-être qu'il fût mort de joie. Ce qu'il accorda au seigneur de Montmorency, ne soupçonnant point qu'il le dît par moquerie.

« Si tous les humains du monde étaient de telle honnêteté, les dames s'y pourraient bien fier, quand il ne leur coûterait que le gant. » — « J'ai si [b] bien connu le seigneur de Montmorency, dit Géburon, que je suis sûr qu'il n'eût point voulu vivre à l'anglaise ! Et s'il se fût contenté de si peu, il n'eût pas eu les bonnes fortunes qu'il a eues en amour, car la vieille chanson dit :

> Jamais d'amoureux couard
> N'oyez bien dire. »

— « Pensez que cette pauvre dame, dit Saffredent, retira sa main bien hâtivement quand elle sentit que le cœur lui battait, car elle cuidait * qu'il pût trépasser ; et l'on dit qu'il n'est rien que les femmes haïssent plus que de toucher les morts. » — « Si vous aviez autant hanté * les

b. J'ai bien connu (A)

hôpitaux que les tavernes, ce lui dit Ennasuite, vous ne
tiendriez pas ce langage, car vous verriez celles qui ense-
velissent les trépassés, dont souvent les hommes, quelque
hardis qu'ils soient, craignent approcher[c]. » — « Il est
vrai, dit Saffredent, qu'il n'y a nul à qui l'on ne donne
pénitence qui ne fait le rebours de ce à quoi ils ont pris
plus de plaisir, comme une demoiselle que je vis en une
bonne maison qui, pour satisfaire au plaisir qu'elle avait
eu à[d] baiser quelqu'un qu'elle aimait, fut trouvée au
matin, à quatre heures, baisant le corps mort d'un gentilhomme qui avait été tué le jour de devant, lequel elle
n'avait point plus aimé qu'un autre. Et à l'heure * chacun
connut que c'était pénitence des plaisirs passés. »
— « Voilà, dit Oisille, comme[e] toutes les bonnes œuvres
que les femmes font sont estimées mal entre les hommes !
Je suis d'opinion que, morts ou vivants, on ne les doit
jamais baiser, si ce n'est ainsi que Dieu le commande. »
— « Quant à moi, dit Hircan, je me soucie si peu de
baiser les femmes hormis la mienne que je m'accorde à
toutes lois que l'on voudra. Mais j'ai pitié des gens à qui
vous voulez ôtez un si petit contentement, et faire nul le
commandement de saint Paul qui veut que l'on baise *in
osculo sancto* [2]. » — « Si saint Paul eût été tel homme que
vous, dit Nomerfide, nous eussions bien demandé l'expérience * de l'Esprit de Dieu qui parlait en lui. » — « A
la fin, dit Géburon, vous aimerez mieux douter de la
Sainte Écriture que de faillir * à l'une de vos petites
cérémonies ? » — « Jà à Dieu ne plaise, dit Oisille, que
nous doutions de la Sainte Écriture, vu que si peu nous
croyons à vos mensonges : car il n'y a nulle qui ne sache
bien ce qu'elle doit croire, c'est de jamais ne mettre en
doute la parole de Dieu et moins n'ajouter foi à celle des
hommes. » — « Si * crois-je, dit Dagoucin[f], qu'il y a eu
plus d'hommes trompés par les femmes que par les hommes, car la petite amour qu'elles ont à nous les garde de
croire nos vérités, et la très grande amour que nous leur

c. à toucher (A)
d. au baiser (A)
e. Voilà dit Oisille : *omis dans* A
f. Simontaut (A)

portons nous fait tellement fier en leurs mensonges que plutôt nous sommes trompés que soupçonneux de le pouvoir être. » — « Il me semble, dit Parlamente, que vous ayez ouï la plainte de quelque sot déçu * par une folle, car votre propos est de si petite autorité qu'il a besoin d'être fortifié d'exemple. Parquoi, si vous en savez quelqu'un, je vous donne ma place pour le raconter. Et si * ne dis pas que, pour un mot, nous soyons sujettes * de vous croire. Mais pour * vous écouter dire mal de nous nos oreilles n'en sentiront point de douleur, car nous savons ce qui en est. » — « Or puisque j'ai le lieu, dit Dagoucin, je la dirai. »

CINQUANTE-HUITIÈME NOUVELLE

Une dame de cour se venge plaisamment d'un sien serviteur d'amourettes.

En la cour du Roi François premier, y avait une dame de fort bon esprit laquelle, pour * sa bonne grâce, honnêteté et parole agréable, avait gagné le cœur de plusieurs serviteurs. Dont elle savait fort bien passer son temps, l'honneur sauf, les entretenant si plaisamment qu'ils ne savaient à quoi se tenir d'elle : car les plus assurés étaient désespérés, et les plus désespérés en prenaient assurance. Toutefois, en se moquant de la plus grande partie, ne se put garder d'en aimer bien fort un qu'elle nommait son cousin, lequel nom donnait couleur à plus long entendement[a]. Et comme nulle chose n'est stable, souvent leur amitié tournait en courroux et puis se revenait plus fort que jamais, en sorte que toute la cour ne le pouvait ignorer.

Un jour la dame, tant pour donner à connaître qu'elle n'avait affection en rien, aussi pour donner peine à celui pour l'amour duquel elle avait beaucoup porté de fâcherie, lui va faire meilleur semblant * que jamais n'avait fait. Parquoi le gentilhomme, qui n'avait ni en armes ni en amours nulle faute de hardiesse, commença à pour-

a. entretènement (T)

chasser vivement celle dont * mainte fois l'avait priée. Laquelle, feignant ne pouvoir soutenir tant de pitié, lui accorda sa demande et lui dit que, pour cette occasion *, elle s'en allait en sa chambre qui était en galetas, où elle savait bien qu'il n'y avait personne ; et que, sitôt qu'il la verrait partie, il ne faillît * d'aller après, car il la trouverait seule [b]. De la bonne volonté qu'elle lui portait, le gentilhomme, qui crut à sa parole, fut si content qu'il se mit à jouer avec les autres dames, attendant qu'il la vît partie pour bientôt aller après. Et elle, qui n'avait faute de nulle finesse * de femme, s'en alla à Madame Marguerite, fille du Roi, et à la duchesse de Montpensier [1], et leur dit : « Si vous voulez, je vous montrerai le plus beau passe-temps que vous vîtes onques *. » Elles, qui ne cherchaient point de mélancolie, la prièrent de lui dire que c'était. « C'est, ce dit-elle, un tel que vous connaissez autant homme de bien qu'il en soit point, et non moins audacieux. Vous savez combien de mauvais tours il m'a faits, et que, à l'heure * que je l'aimais le plus fort il en a aimé d'autres, dont j'en ai porté plus d'ennui que je n'en ai fait de semblant. Or maintenant, Dieu m'a donné le moyen pour m'en venger : c'est que je m'en vais en ma chambre, qui est sur cette-ci. Incontinent, s'il vous plaît y faire le guet, vous le verrez venir après moi. Et quand il aura passé les galeries, qu'il voudra monter le degré *, je vous prie vous mettre toutes deux à la fenêtre et m'aider à crier au larron. Et vous verrez sa colère, à quoi je crois qu'il n'aura pas mauvaise grâce ! Et s'il ne me dit des injures tout haut, je m'attends bien qu'il n'en pensera pas moins en son cœur. » Cette conclusion * ne se fit pas sans rire, car il n'y avait gentilhomme qui menât plus la guerre aux dames que cettui-là. Et était tant aimé et estimé d'un chacun que l'on n'eût pour rien voulu tomber au danger de sa moquerie ; et sembla bien aux dames qu'elles auraient [c] part à la gloire qu'une seule espérait d'emporter sur ce gentilhomme.

Parquoi, sitôt qu'elles virent partir celle qui avait fait

b. car il ne la trouverait qu'accompagnée de la bonne volonté qu'elle lui portait (T)
c. avaient (A)

l'entreprise, commencèrent à regarder la contenance du
gentilhomme, qui ne demeura guère sans changer de
place. Et quand il eut passé la porte, les dames sortirent à
la galerie pour ne le perdre point de vue. Et lui, qui ne
s'en doutait pas, va mettre sa cape à l'entour de son cou
pour se cacher le visage, et descendit le degré jusqu'à la
cour, puis remonta. Mais, trouvant quelqu'un qu'il ne
voulait point pour témoin, redescendit encore en la cour
et retourna par un autre côté. Les dames virent tout, et ne
s'en aperçut onques *. Et quand il parvint au degré où il
pouvait sûrement * aller en la chambre de sa dame, les
deux dames se vont mettre à la fenêtre, et incontinent
elles aperçurent la dame qui était en haut, qui commença
à crier au larron, tant que sa tête en pouvait porter *. Et
les deux dames du bas lui répondirent si fort que leurs
voix furent ouïes de tout le château. Je vous laisse à
penser en quel dépit le gentilhomme s'enfuit en son logis,
non si bien couvert * qu'il ne fût connu de celles qui
savaient ce mystère, lesquelles lui ont souvent reproché,
même celle qui lui avait fait ce mauvais tour, lui disant
qu'elle s'était bien vengée de lui. Mais il avait ses réponses et défaites * si propres qu'il leur fit accroire qu'il se
doutait bien de l'entreprise, et qu'il avait accordé à la
dame de l'aller voir pour leur donner quelque passe-
temps; car pour l'amour d'elle n'eût-il pris cette peine,
pource qu'il y avait longtemps que l'amour en était dehors. Mais les dames ne voulurent recevoir cette vérité,
dont encore en est la matière en doute; mais si ainsi était
qu'il eût cru cette dame, comme il est vraisemblable, vu
qu'il était tant sage et hardi que de son âge et de son
temps a eu peu de pareils, et point qui le passât *, comme
le nous a fait voir sa très hardie et chevalereuse mort, il
me semble qu'il faut que vous confessiez que l'amour des
hommes vertueux est telle que, par trop croire de vérité
aux dames, sont souvent trompés.

« En bonne foi, dit Ennasuite, j'avoue * cette dame du
tour [d] qu'elle a fait, car, puisqu'un homme est aimé d'une

d. tort (A)

dame et la laisse pour une autre, ne s'en peut trop venger. » — « Voire, dit Parlamente, si elle en est aimée.
Mais il y en a qui aiment des hommes sans être assurées
de leur amitié. Et quand elles connaissent qu'ils aiment
ailleurs, elles disent qu'ils sont muables *. Parquoi celles
qui sont sages ne sont jamais trompées de ces propos, car
elles ne s'arrêtent et ne croient jamais qu'à ceux qui sont
véritables, afin de ne tomber au danger des menteurs.
Pource que le vrai et le faux n'ont qu'un même langage. »
— « Si toutes étaient de votre opinion *, dit Simontaut,
les gentilshommes pourraient bien mettre leurs oraisons *
dedans leurs coffres! Mais, quoi que[e] vous et vos semblables en sussent dire, nous ne croirons jamais que les
femmes soient aussi incrédules comme elles sont belles.
Et cette opinion nous fera vivre aussi contents que vous
voudriez par vos raisons nous mettre en peine. » — « Et
vraiment, dit Longarine, sachant très bien qui est la dame
qui a fait ce bon tour au gentilhomme, je ne trouve
impossible nulle finesse * à croire d'elle, car, puisqu'elle
n'a pas épargné son mari, elle n'a pas épargné son serviteur. » — « Comment, son mari? dit [Dagoucin][f], vous
en savez donc plus que moi? Parquoi je vous donne ma
place pour en dire votre opinion. » — « Puisque le voulez, et moi aussi », dit Longarine.

CINQUANTE-NEUVIÈME NOUVELLE

*Un gentilhomme, pensant accoler en secret une des de-
moiselles de sa femme, est par elle surpris.*

La dame de qui vous avez fait le conte avait épousé un
mari de bonne et ancienne maison, et riche gentilhomme.
Et par grande amitié de l'un et de l'autre se fit le mariage.
Elle, qui était une des femmes du monde parlant aussi
plaisamment, ne dissimulait point à son mari qu'elle avait
des serviteurs, desquels elle se moquait et passait son
temps, dont son mari avait sa part du plaisir. Mais à la

e. Mais que (A)
f Simontaut (AT)

longue cette vie lui fâcha*, car d'un côté il trouvait
mauvais qu'elle entretenait longuement ceux qu'il ne
tenait pour ses parents et amis, et d'autre côté lui fâchait
fort la dépense qu'il était contraint de faire pour entretenir
sa gorgiaseté* et pour suivre la cour. Parquoi, le plus
souvent qu'il pouvait, se retirait en sa maison, où tant de
compagnies l'allaient voir que sa dépense n'amoindrissait
guère en son ménage, car sa femme, en quelque lieu
qu'elle fût, trouvait toujours moyen de passer son temps à
quelques jeux, à danses et à toutes choses auxquelles
honnêtement les jeunes dames se peuvent exercer. Et
quelque fois que son mari lui disait, en riant, que leur
dépense était trop grande, elle lui faisait réponse qu'elle
l'assurait de ne le faire jamais cocu, mais oui bien co-
quin*, car elle aimait si très forts les accoutrements*
qu'il fallait qu'elle en eût des plus beaux et riches qui
fussent en la cour : où son mari la menait le moins qu'il
pouvait, et où elle faisait tout son possible d'aller. Et pour
cette occasion* se rendait toute complaisante à son mari,
qui d'une chose plus difficile ne la voulait pas refuser.

Or un jour, voyant que toutes ses inventions ne le
pouvaient gagner à faire ce voyage de la cour, s'aperçut
qu'il faisait fort bonne chère* à une femme de chambre à
chaperon* qu'elle avait, dont elle pensait bien faire son
profit. Et retira à part cette fille de chambre et l'interrogea
si finement, tant par finesses* que par menaces, que la
fille lui confessa que, depuis qu'elle était en sa maison, il
n'était jour que son maître ne la sollicitât de l'aimer, mais
qu'elle aimerait mieux mourir que de faire rien contre
Dieu et son honneur, et encore contre la faveur[a] qu'elle
lui avait faite de la retirer en son service, qui serait double
méchanceté. Cette dame, entendant la déloyauté de son
mari, fut soudain émue de dépit et de joie, voyant que son
mari, qui faisait tant semblant de l'aimer, lui pourchassait
secrètement telle honte en sa compagnie, combien qu'elle
s'estimait plus belle et de trop meilleure grâce que celle
pour laquelle il la voulait changer. Mais la joie était
qu'elle espérait prendre son mari en si grande faute qu'il

a. encore vu l'honneur (A)

ne lui reprocherait plus ses serviteurs ni le demeure * de
la cour. Et pour y parvenir, pria cette fille d'accorder petit
à petit à son mari ce qu'il lui demandait, avec les conditions qu'elle lui dit. La fille en cuida * faire difficulté
mais, étant assurée par sa maîtresse de sa vie et de son
honneur, accorda de faire tout ce qu'il lui plairait.

Le gentilhomme, continuant sa poursuite, trouva cette
fille d'œil et de contenance toute changée, parquoi la
pressa plus vivement qu'il n'avait accoutumé. Mais elle,
qui savait son rôle par cœur, lui remontra sa pauvreté et
que, en lui obéissant, perdrait le service de sa maîtresse,
auquel elle s'attendait bien de gagner un bon mari. A quoi
lui fut bientôt répondu par le gentilhomme qu'elle n'eût
souci de toutes ces choses, car il la marierait mieux et
plus richement que sa maîtresse ne saurait faire ; et qu'il
conduirait son affaire si secrètement que nul n'en pourrait
parler. Sur ces propos firent leur accord et, en regardant
le lieu le plus propre pour faire cette belle œuvre, elle va
dire qu'elle n'en savait point de meilleur ni plus loin de
tout soupçon qu'une petite maison qui était dans le parc,
où il y avait chambre et lit tout à propos. Le gentilhomme, qui n'eût trouvé nul lieu mauvais, se contenta *
de cettui-ci, et lui tarda bien que le jour et l'heure
n'étaient venus. Cette fille ne faillit * pas de promesse à
sa maîtresse, et lui conta tout le discours de son entreprise
bien au long, et comme ce devait être le lendemain après
dîner ; et qu'elle ne faudrait * point, à l'heure qu'il y
faudrait aller, de lui faire signe. A quoi elle la suppliait
prendre bien garde et ne faillir point de se trouver à
l'heure pour la garder du danger où elle se mettait en lui
obéissant. Ce que la maîtresse lui jura, la priant n'avoir
nulle crainte et que jamais ne l'abandonnerait, et si la
défendrait de la fureur de son mari.

Le lendemain venu, après qu'ils eurent dîné, le gentilhomme faisait meilleure chère * à sa femme qu'il n'avait
point encore fait ; qu'elle n'avait pas trop agréable, mais
elle feignait si bien qu'il ne s'en apercevoit. Après dîner,
elle lui demanda à quoi il passerait le temps. Il lui dit
qu'il n'en savait point de meilleur que de jouer au cent *.
Et à l'heure * firent dresser le jeu. Mais elle feignit

qu'elle ne voulait jouer, et qu'elle avait assez de plaisir à les regarder. Et ainsi qu'il se voulait mettre au jeu, il ne faillit de demander à cette fille qu'elle n'oubliât sa promesse. Et quand il fut au jeu, elle passa par la salle, faisant signe à sa maîtresse du pèlerinage qu'elle avait à faire; qui l'avisa* très bien, mais le gentilhomme ne connut rien. Toutefois, au bout d'une heure qu'un de ses valets lui fit signe de loin, dit à sa femme que la tête lui faisait un peu de mal et qu'il était contraint de s'aller reposer et prendre l'air. Elle, qui savait aussi bien sa maladie que lui, lui demanda s'il voulait qu'elle jouât son jeu. Il lui dit que oui, et qu'il reviendrait bientôt. Toutefois elle l'assura que pour deux heures elle ne s'ennuyerait point de tenir sa place. Ainsi s'en alla le gentilhomme en sa chambre, et de là par une allée en son parc.

La demoiselle, qui savait bien autre chemin plus court, attendit un petit*, puis soudain fit semblant d'avoir une tranchée* et bailla son jeu à un autre. Et sitôt qu'elle fut saillie* de la salle, laissa ses hauts patins et s'en courut le plus tôt qu'elle put au lieu où elle ne voulait que le marché se fît sans elle. Et y arriva à si bonne heure qu'elle entra par une autre porte en la chambre où son mari ne faisait qu'arriver; et se cacha[b] derrière l'huis, écoutant les beaux et honnêtes propos que son mari tenait à sa chambrière. Mais quand elle vit qu'il approchait du criminel, le prit par derrière en lui disant: «Je suis trop près de vous pour en prendre une autre!» Si le gentilhomme fut courroucé jusqu'à l'extrémité, il ne le faut demander, tant pour* la joie qu'il espérait recevoir et s'en voir frustré que de voir sa femme le connaître plus qu'il ne le voulait, de laquelle il avait grande peur perdre pour jamais l'amitié. Mais, pensant que cette menée venait de la fille, sans parler à sa femme, courut après elle de telle fureur que, si la femme ne la lui eût ôtée des mains, il l'eût tuée, disant que c'était la plus méchante garce* qu'il avait jamais vue et que, si sa femme eût attendu à voir la fin, elle eût bien connu que ce n'était que moquerie: car en lieu de lui faire ce qu'elle pensait, il lui

b. cachant (A)

eût baillé des verges pour la châtier. Mais elle, qui se connaissait en tel métal, ne le prenait pas pour bon, et lui fit là de telles remontrances qu'il eut grand peur qu'elle le voulût abandonner. Il lui fit toutes les promesses qu'elle voulut, et confessa, voyant les belles remontrances de sa femme, qu'il avait tort de trouver mauvais qu'elle eût des serviteurs. Car une femme belle et honnête n'est moins vertueuse pour * être aimée, par ainsi * qu'elle ne fasse ni dise chose qui soit contre son honneur; mais un homme mérite bien grande punition, qui prend la peine de pourchasser une qui ne l'aime point pour faire tort à sa femme et à sa conscience. Parquoi jamais ne l'empêcherait d'aller à la cour, ni ne trouverait mauvais qu'elle eût des serviteurs, car il savait bien qu'elle parlait plus à eux par moquerie que par affection. Ce propos-là ne déplaisait pas à la dame, car il lui semblait bien avoir gagné un grand point. Si * est-ce qu'elle dit tout au contraire, feignant de prendre déplaisir d'aller à la cour, vu qu'elle pensait n'être plus en son amitié, sans laquelle toutes compagnies lui fâchaient, disant qu'une femme étant bien aimée de son mari et l'aimant de son côté comme elle faisait portait un sauf-conduit de parler à tout le monde et n'être moquée de nul. Le pauvre gentilhomme mit si grande peine à l'assurer de l'amitié qu'il lui portait qu'enfin ils partirent de ce lieu-là bons amis. Mais, pour ne retourner plus en tels inconvénients, il la pria de chasser cette fille à l'occasion * de laquelle il avait eu tant d'ennui. Ce qu'elle fit, mais ce fut en la mariant très bien et honnêtement, aux dépens toutefois de son mari. Et pour faire oublier entièrement à la demoiselle cette folie, la mena bientôt à la cour en tel ordre * et si gorgiase * qu'elle avait occasion de s'en contenter *.

«Voilà, mesdames, qui m'a fait dire que je ne trouve point étrange le tour qu'elle avait fait à l'un de ses serviteurs, vu celui que je savais de son mari. » — «Vous nous avez peint une femme bien fine et un mari bien sot, dit Hircan, car, puisqu'il en était venu tant que là, il ne devait pas demeurer en si beau chemin. » — «Et qu'eût-il fait ? » dit Longarine. «Ce qu'il avait entrepris, dit Hircan, car autant était courroucée sa femme contre lui pour * savoir qu'il voulait mal faire comme s'il eût mis le mal à exécution. Et peut-être que sa femme l'eût mieux estimé si elle l'eût connu plus hardi et gentil compagnon. » — « C'est bien, dit Ennasuite, mais où trouverez-vous un homme qui force deux femmes à la fois ? Car sa femme eût défendu son droit, et la fille sa virginité. » — « Il est vrai, dit Hircan, mais un homme fort et hardi ne craint point d'en assaillir deux faibles, et ne faut * point d'en venir à bout. » — « J'entends bien, dit Ennasuite, que, s'il eût tiré son épée, il les eût bien tuées toutes deux, mais autrement ne vois-je pas qu'il en eût su échapper. Parquoi je vous prie nous dire que vous eussiez fait. » — « J'eusse embrassé ma femme, dit Hircan, et l'eusse emporté dehors ; et puis, eusse fait de sa chambrière ce qu'il m'eût plu, par amour ou par force. » — « Hircan, dit Parlamente, il suffit assez que vous sachiez faire mal ! » — « Je suis sûr, Parlamente, dit Hircan, que je ne scandalise point l'innocent [1] devant qui je parle, et si * ne veux, par cela, soutenir un mauvais fait. Mais je m'étonne de l'entreprise [c], qui de soi ne vaut rien, et je ne loue l'entreprenant, qui ne l'a mise à fin, plus par crainte de sa femme que par amour : je loue qu'un homme aime sa femme comme Dieu le commande, mais, quand il ne l'aime point, je n'estime guère de la craindre. » — « A la vérité, lui répondit Parlamente, si l'amour ne vous rendait bon mari, j'estimerais bien peu ce que vous feriez par crainte. » — « Vous n'avez garde, Parlamente, dit Hircan, car l'amour que je vous porte me rend plus obéissant à vous que la crainte de mort ni d'enfer. » — « Vous en direz ce qu'il vous plaira, dit Parlamente, mais j'ai occasion * de me contenter * de ce que j'ai vu et connu de vous. Et de ce que je n'ai point su, n'en ai-je point voulu douter, ni encore moins m'en enquérir. » — « Je trouve une grande folie, dit Nomerfide, à celles qui s'enquièrent de si près de leurs maris, et les maris aussi des femmes. Car il suffise au jour de sa malice, sans avoir tant de souci du lendemain [2]. » — « Si * est-il aucu-

c. je ne loue l'entreprise (T)

nes * fois nécessaire, dit Oisille, de s'enquérir des choses
qui peuvent toucher l'honneur d'une maison, pour y donner ordre. Mais non pour faire mauvais jugement des
personnes, car il n'y a nul qui ne faille *. » — « Aucunes
fois, dit Géburon, il est advenu des inconvénients à plusieurs, par faute de bien et soigneusement s'enquérir de la
faute de leurs femmes. » — « Je vous prie, dit Longarine,
si vous en savez quelque exemple, que vous ne nous le
veuillez celer. » — « J'en sais bien un, dit Géburon ;
puisque vous le voulez, je le dirai. »

SOIXANTIÈME NOUVELLE

Une Parisienne abandonne son mari pour suivre un
chantre, puis, contrefaisant la morte, se fit enterrer.

En la ville de Paris, y avait homme de si bonne nature
qu'il eut fait conscience * de croire un homme être couché avec sa femme quand encore il l'eût vu. Ce pauvre
homme-là épousa une femme de si mauvais gouvernement * qu'il n'était possible de plus, dont jamais il ne
s'aperçut, mais la traitait comme la plus femme de bien
du monde. Un jour que le Roi Louis XIIe alla à Paris, sa
femme s'alla abandonner à un des chantres dudit seigneur. Et quand elle vit que le Roi s'en allait de la ville de
Paris et ne pouvait plus voir le chantre, se délibéra
d'abandonner son mari et de le suivre. A quoi le chantre
s'accorda, et la mena en une maison qu'il avait auprès de
Blois, où ils vécurent ensemble longtemps. Le pauvre
mari, trouvant sa femme adirée *, la chercha de tous
côtés ; mais enfin lui fut dit qu'elle s'en était allée avec le
chantre. Lui, qui voulait recouvrer sa brebis perdue dont
il avait fait très mauvaise garde [1], lui récrivit force lettres,
la priant retourner à lui et qu'il la reprendrait si elle
voulait être femme de bien. Mais elle, qui prenait si grand
plaisir d'ouïr le chant du chantre avec lequel elle était
qu'elle avait oublié la voix de son mari, ne tint compte de
toutes ses bonnes paroles, mais s'en moqua. Dont le mari
courroucé lui fit savoir qu'il la demanderait par justice à
l'Église, puisqu'autrement ne voulait retourner avec lui.

Cette femme, craignant que si la justice y mettait la main elle et son chantre en pourraient avoir à faire, pensa une cautèle * digne d'une telle main. Et, feignant d'être malade, envoya quérir quelques femmes de bien de la ville pour la venir visiter. Ce que volontiers elles firent, espérant par cette maladie la retirer de sa mauvaise vie. Et pour cette fin, chacun lui faisait les plus belles remontrances. Lors elle, qui feignait être grièvement malade, fit semblant de pleurer et de connaître * son péché, en sorte qu'elle faisait pitié à toute la compagnie qui cuidait * fermement qu'elle parlât du fond de son cœur. Et la voyant ainsi réduite et repentante, se mirent à la consoler en lui disant que Dieu n'était pas si terrible comme beaucoup de prêcheurs le peignaient, et que jamais il ne lui refuserait sa miséricorde. Sur ce bon propos envoyèrent quérir un homme de bien pour la confesser. Et le lendemain vint le curé du lieu pour lui administrer le Saint-Sacrement, qu'elle reçut avec tant de bonnes mines que toutes les femmes de bien de cette ville qui étaient présentes pleuraient de voir sa dévotion, louant Dieu qui, par sa bonté, avait eu pitié de cette pauvre créature. Après, feignant de ne pouvoir plus manger, l'Extrême-Onction par le curé lui fut apportée, par elle reçue avec plusieurs bons signes, car à peine * pouvait-elle avoir sa parole, comme l'on estimait. Et demeura ainsi bien longtemps, et semblait que peu à peu elle perdît la vue, l'ouïe et les autres sens. Dont chacun se prit à crier *Jésus!* A cause de la nuit qui était prochaine et que les dames étaient de loin, se retirèrent toutes. Et ainsi qu'elles sortaient de la maison, on leur dit qu'elle était trépassée. Et en disant leur *de profundis* pour elle, s'en retournèrent en leurs maisons. Le curé demanda au chantre où il voulait qu'elle fût enterrée au cimetière, et qu'il serait bon de l'y porter la nuit. Ainsi fut ensevelie cette pauvre malheureuse par une chambrière qui se gardait bien de lui faire mal. Et depuis, avec belles torches, fut portée jusqu'à la fosse que le chantre avait fait faire. Et quand le corps passa devant celles qui avaient assisté à la mettre[a]

a. la voir mettre (T)

en onction, elles saillirent* toutes de leurs maisons et l'accompagnèrent[b] jusqu'à la terre. Et bientôt la laissèrent femmes et prêtres. Mais le chantre ne s'en alla pas, car incontinent qu'il vit la compagnie un peu loin, avec sa chambrière défouirent la[c] fosse où il avait s'amie plus vive* que jamais. Et l'envoya[d] secrètement en sa maison, où il la tint longuement cachée.

Le mari qui la poursuivait vint jusqu'à Blois demander justice. Et trouva qu'elle était morte et enterrée, par l'estimation de toutes les dames de Blois qui lui contèrent la belle fin qu'elle avait faite. Dont le bonhomme fut bien joyeux de croire que l'âme de sa femme était en paradis, et lui dépêché* d'un si méchant corps. Et avec ce contentement retourna à Paris, où il se maria avec une belle honnête jeune femme de bien et bonne ménagère, de laquelle il eut plusieurs enfants. Et demeurèrent ensemble quatorze ou quinze ans. Mais à la fin la renommée, qui ne peut rien celer, le vint avertir que sa femme n'était pas morte, mais demeurait avec ce méchant chantre, chose que le pauvre homme dissimula tant qu'il put, feignant de rien savoir et désirant que ce fût un mensonge. Mais sa femme, qui était sage, en fut avertie, dont elle portait une si grande angoisse qu'elle en cuida* mourir d'ennui*. Et s'il eût été possible sa conscience sauve[2], eût volontiers dissimulé sa fortune*, mais il lui fut impossible, car incontinent l'Église y voulut mettre ordre. Et pour le premier* les sépara tous deux jusqu'à ce que l'on sût la vérité de ce fait. Alors fut contraint ce pauvre homme laisser là bonne pour pourchasser la mauvaise. Et vint à Blois, un peu après que le Roi François Ier fut roi, auquel lieu il trouva la Reine Claude et Madame la Régente, devant lesquelles vint la plainte[e], demandant celle qu'il eût bien voulu ne trouver point. Mais force lui était[3], dont il faisait grande pitié à toute la compagnie. Et quand sa femme lui fut présentée, elle voulut soutenir longuement que ce n'était point son mari, ce qu'il eût volontiers

b. et accompagnèrent (A)
c. sa (A)
d. l'emmena (T)
e. vint faire sa plainte (T)

cru s'il eût pu. Elle, plus marrie que honteuse, lui dit
qu'elle aimait mieux mourir que retourner avec lui, dont
il était très content. Mais les dames devant qui elle parlait
si déshonnêtement la condamnèrent qu'elle retournerait,
et prêchèrent si bien ce chantre par force menaces qu'il
fut contraint de dire à sa laide amie qu'elle s'en retournât
avec son mari et qu'il ne la voulait plus voir. Ainsi
chassée de tous côtés, se retirât la pauvre malheureuse où
elle devait, mieux traitée de son mari qu'elle n'avait
mérité [f].

« Voilà, mesdames, pourquoi je dis que si le pauvre
mari eût été bien vigilant après sa femme il ne l'eût pas
ainsi perdue, car la chose bien gardée est difficilement
perdue, et l'abandon fait le larron. » — « C'est chose
étrange, dit Hircan, comme l'amour est fort où il semble
moins raisonnable ! » — « J'ai ouï dire, dit Simontaut,
que l'on aurait plutôt fait rompre deux [g] mariages que
séparer l'amour d'un prêtre et de sa chambrière. » — « Je
crois bien, dit Ennasuite, car ceux qui lient les autres par
mariage savent si bien faire le nœud que rien que la mort
n'y peut mettre fin. Et tiennent les docteurs que le langage spirituel est plus grand que nul autre : par conséquent aussi, l'amour spirituelle passe toutes les autres ! »
— « C'est une chose, dit Dagoucin, que je ne saurais
pardonner aux dames, d'abandonner un mari honnête ou
un ami pour un prêtre, quelque beau et honnête que sût
être. » — « Je vous prie, Dagoucin, dit Hircan, ne vous
mêlez point de parler de notre mère sainte Église, mais
croyez que c'est grand plaisir aux pauvres femmes crain-
tives et secrètes de pécher avec ceux qui les peuvent
absoudre ! Car il y en a qui ont plus de honte de confesser
une chose que de la faire. » — « Vous parlez, dit Oisille,
de celles qui n'ont point connaissance de Dieu, et qui
cuident * que les choses secrètes ne soient pas une fois
révélées devant la Compagnie céleste. Mais je crois que

f. où elle devait être mieux traitée (A)
la pauvre malheureuse s'en alla avec son mari, duquel elle fut trop
mieux traitée qu'elle n'avait mérité (T)
g. cent (T)

ce n'est pas pour chercher la confession qu'elles[h] cherchent les confesseurs, car l'Ennemi les a tellement aveuglées qu'elles regardent à s'arrêter au lieu qui leur semble le plus couvert * et le plus sûr, que de se soucier d'avoir absolution du mal dont elles ne se repentent point. »
— « Comment, repentir ! dit Saffredent, mais s'estiment plus saintes que les autres femmes ! Et suis sûr qu'il en y a qui se tiennent honorées de persévérer en leur amitié. »
— « Vous en parlez de sorte, dit Oisille à Saffredent, qu'il semble que vous en sachiez quelqu'une. Parquoi je vous prie que demain, pour commencer la Journée, vous nous en veuillez dire ce que vous en savez, car voilà déjà le dernier coup de vêpres qui sonne, pource que nos religieux sont partis incontinent qu'ils ont ouï la dixième nouvelle, et nous ont laissé parachever nos débats. »

En ce disant se leva la compagnie, et arrivèrent à l'église où ils trouvèrent qu'on les avait attendus. Et après avoir ouï leurs vêpres, soupa la compagnie toute ensemble, parlant de plusieurs beaux contes. Après souper, selon leurs coutumes, s'en allèrent un peu ébattre au pré, et reposèrent pour avoir le lendemain meilleure mémoire.

FIN DE LA SIXIÈME JOURNÉE

h. ils (A)

LA SEPTIÈME JOURNÉE

En la septième Journée, on devise de ceux qui ont fait tout le contraire de ce qu'ils devaient ou voulaient.

Au matin, ne faillit * Mme Oisille de leur administrer la salutaire pâture qu'elle prit en la lecture des Actes et vertueux faits des glorieux chevaliers et apôtres de Jésus-Christ selon saint Luc, leur disant que ces contes-là devaient être suffisants * pour désirer voir un tel temps et pleurer la difformité de cettui-ci envers cettui-là [1]. Et quand elle eut suffisamment lu et exposé le commencement de ce digne livre, elle les pria d'aller à l'église, en l'union que les apôtres faisaient leur oraison, demandant à Dieu sa grâce, laquelle n'est jamais refusée à ceux qui en foi la requièrent. Cette opinion fut trouvée d'un chacun très bonne. Et arrivèrent à l'église ainsi que l'on commençait la messe du Saint-Esprit, qui semblait chose venir à leur propos, qui leur fit ouïr le service en grand dévotion. Et après allèrent dîner, ramentevant * cette vie apostolique ; en quoi ils prirent tel plaisir que quasi leur entreprise était oubliée. De quoi s'avisa Nomerfide comme la plus jeune, et leur dit : « Mme Oisille nous a tant boutés en dévotion que nous passons l'heure accoutumée de nous retirer pour nous préparer à raconter nos nouvelles. » Sa parole fut occasion de faire lever toute la compagnie, et après avoir bien [a] demeuré en leurs chambres, ne faillirent * point de se trouver au pré comme ils avaient fait le jour de devant. Et quand ils furent bien à leurs aises, Mme Oisille dit à Saffredent : « Encore que je suis assurée que vous ne direz rien à l'avantage des femmes, si * est-ce que je vous avise de dire la Nouvelle

a. bien peu (T)

que dès hier soir vous aviez prête. » — « Je proteste, madame, répondit Saffredent, que je n'acquerrai point l'honneur [b] de médisant pour * dire vérité, ni ne perdrai point la grâce des dames vertueuses pour * raconter ce que les folles ont fait : car j'ai expérimenté ce que c'est que d'être seulement éloigné de leur vue, et si je l'eusse été seulement de leur bonne grâce, je ne fusse pas à cette heure en vie. » Et en ce disant tourna les yeux au contraire de celle [c] qui était cause de son bien et de son mal, mais, en regardant Ennasuite, la fit aussi bien rougir comme si c'eût été à elle à qui le propos se fût adressé ; si * est-ce qu'il n'en fut moins entendu du lieu où il désirait être ouï. Mme Oisille l'assura qu'il pouvait dire vérité librement, aux dépens de qui il appartiendrait. A l'heure * commença Saffredent et dit :

SOIXANTE ET UNIÈME NOUVELLE

*Merveilleuse * pertinacité * d'amour effrontée d'une Bourguignonne envers un chanoine d'Autun.*

Auprès de la ville d'Autun, y avait une fort belle femme, grande, blanche et d'autant belle façon de visage que j'en aie point vu. Et avait épousé un très honnête homme qui semblait être plus jeune qu'elle, lequel l'aimait et traitait tant bien qu'elle avait cause de s'en contenter *. Peu de temps après qu'ils furent mariés, la mena en la ville d'Autun pour quelques affaires. Et durant le temps que le mari pourchassait la justice, sa femme allait à l'église prier Dieu pour lui. Et tant fréquenta ce lieu saint qu'un chanoine fort riche fut amoureux d'elle, et la poursuivit si fort qu'en fin la pauvre malheureuse s'accorda à lui. Dont le mari n'avait nul soupçon et pensait plus à garder son bien que sa femme. Mais quand ce vint au départir et qu'il fallut retourner en la maison qui était loin de ladite ville sept grandes lieues, ce ne fut sans un trop grand regret. Mais le chanoine lui

b. le déshonneur (T)
c. vers celle (T)

promit que souvent l'irait visiter, ce qu'il fit, feignant aller en quelque voyage * où son chemin s'adressait * toujours par la maison de cet homme ; qui ne fut pas si sot qu'il ne s'en aperçut, et y donna si bon ordre que quand le chanoine y venait il n'y trouvait plus sa femme, et la faisait si bien cacher qu'il ne pouvait parler à elle. La femme, connaissant la jalousie de son mari, ne fit semblant * qu'il lui déplût. Toutefois se pensa qu'elle y donnerait ordre, car elle estimait un enfer perdre la vision de son Dieu. Un jour que son mari était allé dehors de sa maison, empêcha * si bien les chambrières et valets qu'elle demeura seule en sa maison. Incontinent prit[a] ce qui lui était nécessaire et, sans autre compagnie que de sa folle amour qui la portait s'en alla de pied à Autun où elle n'arriva pas si tard qu'elle ne fût reconnue[b] de son chanoine, qui la tint enfermée et cachée plus d'un an, quelques monitions * et excommunications qu'en fît jeter son mari ; lequel, ne trouvant autre remède, en fit la plainte * à l'évêque, qui avait un archidiacre autant homme de bien qu'il en fût point en France. Et lui-même chercha si diligemment en toutes les maisons des chanoines qu'il trouva celle que l'on tenait perdue, laquelle il mit en prison, et condamna le chanoine en grosse pénitence. Le mari, sachant que sa femme était retournée[c] par l'admonition du bon archidiacre et de plusieurs gens de bien, fut content de la reprendre, avec les serments qu'elle lui fit de vivre, en temps à venir, en femme de bien. Ce que le bon homme crut volontiers, pour * la grande amour qu'il lui portait. Et la ramena en sa maison, la traitant aussi honnêtement que par avant, sinon qu'il lui bailla deux vieilles chambrières qui jamais ne la laissaient seule que l'une des deux ne fût avec elle.

Mais, quelque bonne chère * que lui fît son mari, la méchante amour qu'elle portait au chanoine lui faisait estimer tout son repos en tourment. Et, combien qu'elle fût très belle femme et lui homme de bonne complexion, fort et puissant, si * est-ce qu'elle n'eut jamais enfants de

a. prend (A)
b. bien reçue (T)
c. retrouvée (T)

lui, car son cœur était toujours à sept lieues de son corps. Ce qu'elle dissimulait si bien qu'il semblait à son mari qu'elle eût oublié tout le passé comme il avait fait de son côté. Mais la malice d'elle n'avait pas cette opinion, car à l'heure * qu'elle vit son mari mieux l'aimant et moins la soupçonnant, va feindre d'être malade, et continua si bien cette feinte que son pauvre mari était en merveilleuse peine, n'épargnant bien ni chose qu'il eût pour la secourir. Toutefois elle joua si bien son rôle que lui et tous ceux de la maison la pensaient malade à l'extrémité, et que peu à peu elle s'affaiblissait. Et voyant que son mari en était aussi marri qu'il en devait être joyeux, le pria qu'il lui plût l'autoriser de faire son testament; ce qu'il fit volontiers, en pleurant. Et elle, ayant puissance de tester, combien qu'elle n'eût enfants, donna à son mari ce qu'elle lui pouvait donner, lui requérant pardon des fautes qu'elle lui avait faites. Après, envoya quérir le curé, se confessa, reçut le Saint-Sacrement de l'autel tant dévotement que chacun pleurait de voir une si glorieuse fin. Et quand ce vint le soir, elle pria son mari de lui envoyer quérir l'Extrême-Onction, et qu'elle s'affaiblissait tant qu'elle avait peur de ne la pouvoir recevoir vive *. Son mari en grande diligence la lui fit apporter par le curé; et elle, qui la reçut en grande humilité, incitait chacun à la louer. Quand elle eut fait tous ces beaux mystères, elle dit à son mari que, puisque Dieu lui avait fait la grâce d'avoir pris tout ce que l'Église commande, elle sentait sa conscience en si très grande paix qu'il lui prenait envie de soi reposer un petit *, priant son mari de faire le semblable, qui en avait bon besoin pour * avoir tant pleuré et veillé avec elle [1]. Quand son mari s'en fut allé et tous ses valets avec lui, les deux pauvres vieilles qui en santé l'avaient si longuement gardée, ne se doutant plus de la perdre sinon par mort, se vont très bien coucher à leur aise. Et quand elle les ouït dormir et ronfler bien haut, se leva toute en chemise et saillit * hors de sa chambre, écoutant si personne de léans * faisait point de bruit. Mais quand elle fut assurée de son bâton [2], elle sut très bien passer par un petit huis d'un jardin qui ne fermait point, et tant que la nuit dura, toute en chemise et nu-pieds, fit son voyage à Autun devers le saint qui l'avait gardée de mourir. Mais pource que le chemin était long n'y put aller tout d'une traite que le jour ne la surprît. A l'heure *, regardant par tout le chemin, avisa * deux chevaucheurs qui couraient bien fort. Et pensant que ce fût son mari qui la cherchât, se cacha tout le corps dedans un marais, et la tête entre les joncs. Et son mari, passant près d'elle, disait à un sien serviteur comme homme désespéré : « Oh ! la méchante ! Qui eût pensé que, sous le manteau des saints sacrements de l'Église, l'on eût pu couvrir un si vilain et abominable cas ? » Le serviteur lui répondit : « Puisque Judas sous un tel manteau [d] ne craignit à trahir son maître, ne trouvez point étrange la trahison d'une femme. » En ce disant passe outre le mari, et la femme demeura plus joyeuse entre les joncs de l'avoir trompé qu'elle n'était en sa maison, en un bon lit, en servitude. Le pauvre mari la chercha par toute la ville d'Autun, mais il sut certainement qu'elle n'y était point entrée. Parquoi s'en retourna sur ses brisées, ne faisant que se complaindre d'elle et de sa grande perte, ne la menaçant point moins que de la mort s'il la trouvait ; dont elle n'avait peur en son esprit, non plus qu'elle ne sentait de froid en son corps, combien que le lieu et la saison méritaient de la faire repentir de son damnable voyage. Et qui ne saurait comment le feu d'enfer échauffe ceux qui en sont remplis, l'on devrait estimer à merveille comme cette pauvre femme, saillant * d'un lit bien chaud, put demeurer tout un jour en si extrême froidure. Si * ne perdit-elle point le cœur ni l'aller car, incontinent que la nuit fut venue, reprit son chemin ; et ainsi que l'on voulait fermer la porte d'Autun, y arriva cette pèlerine, et ne faillit * d'aller tout droit où demeurait son corps saint, qui fut tant émerveillé de sa venue qu'à peine * pouvait-il croire que ce fût elle. Mais quand il l'eut bien regardée et visitée de tous côtés, trouva qu'elle avait os et chair, ce qu'un esprit n'a point, et ainsi s'assura que ce n'était fantôme. Et dès l'heure furent si bien d'accord qu'elle demeura avec lui quatorze ou quinze ans.

d. prenant un tel morceau (A)

Et si quelque temps elle fut cachée, à la fin elle perdit toute crainte et, qui pis est, prit une telle gloire d'avoir un tel ami qu'elle se mettait à l'église devant la plupart des femmes de bien de la ville, tant d'officiers qu'autres. Elle eut des enfants du chanoine, et entre autres une fille qui fut mariée à un riche marchand ; et si gorgiase * à ses noces que toutes les femmes de la ville en murmuraient très fort, mais n'avaient pas la puissance d'y mettre ordre. Or advint qu'en ce temps-là la Reine Claude, femme du Roi François, passa par la ville d'Autun, ayant en sa compagnie Mme la Régente, mère dudit Roi, et la duchesse d'Alençon, sa fille. Vint une femme de chambre de la Reine, nommée Perrette, qui trouva ladite duchesse et lui dit : « Madame, je vous supplie, écoutez-moi et vous ferez œuvre plus grande que d'aller ouïr tout le service du jour. » La duchesse s'arrêta volontiers, sachant que d'elle ne pouvait venir que tout bon conseil. Perrette lui alla raconter incontinent comme elle avait pris une petite fille pour lui aider à savonner le linge de la Reine, et, en lui demandant des nouvelles de la ville, lui conta la peine que les femmes de bien avaient de voir ainsi aller devant elles la femme de ce chanoine, de laquelle lui conta une partie de sa vie. Tout soudain s'en alla la duchesse à la Reine et à Mme la Régente leur conter cette histoire ; qui, sans autre forme de procès, envoyèrent quérir cette pauvre malheureuse, laquelle ne se cachait point, car elle avait changé sa honte en gloire d'être dame de la maison d'un si riche homme. Et sans être étonnée * ni honteuse se vint présenter devant lesdites dames, lesquelles avaient si grande honte de sa hardiesse que soudain * elles ne lui surent que dire. Mais après lui fit Mme la Régente telles remontrances qui dussent avoir fait pleurer une femme de bon entendement. Ce que point ne fit cette pauvre femme mais, d'une audace très grande, leur dit : « Je vous supplie, mesdames, que veuillez garder que l'on ne touche point à mon honneur car, Dieu merci, j'ai vécu avec M. le chanoine si bien et si vertueusement qu'il n'y a personne vivant qui m'en sût reprendre. Et si [e]

e. s'il (A)

ne faut point que l'on pense que je vive contre la volonté
de Dieu, car il y a trois ans qu'il ne me fut rien, et vivons
aussi chastement et en aussi grande amour que deux
beaux petits anges, sans que jamais entre nous deux y eut
parole ni volonté au contraire. Et qui nous séparera fera
grand péché, car le bon homme, qui a bien près de
quatre-vingts ans, ne vivra pas longuement sans moi, qui
en ai quarante-cinq. » Vous pouvez penser comme à
l'heure les dames se purent tenir, et les remontrances que
chacun lui fit, voyant l'obstination qui n'était amollie
pour * paroles que l'on lui dît, pour l'âge qu'elle eût ni
pour l'honorable compagnie. Et pour l'humilier plus fort,
envoyèrent quérir le bon archidiacre d'Autun qui la
condamna d'être en prison un an, au pain et à l'eau. Et les
dames envoyèrent quérir son mari, lequel par leur bon
exhortement fut content de la reprendre après qu'elle
aurait fait sa pénitence. Mais, se voyant prisonnière et le
chanoine délibéré de jamais ne la reprendre, merciant les
dames de ce qu'elles lui avaient jeté un diable de dessus
les épaules, eut une si grande et si parfaite contrition que
son mari, en lieu d'attendre le bout de l'an, l'alla reprendre et n'attendit pas quinze jours qu'il ne la vînt demander à l'archidiacre. Et depuis ont vécu en bonne paix et
amitié.

« Voilà, mesdames, comment les chaînes de saint
Pierre sont converties par les mauvais ministres en celles
de Satan[3], et si fortes* à rompre que les sacrements qui
chassent les diables des corps sont à ceux-ci les moyens
de les faire plus longuement demeurer en leur conscience.
Car les meilleures choses sont celles, quand l'on en
abuse, dont l'on fait plus de maux. » — « Vraiment, dit
Oisille, cette femme était bien malheureuse, mais aussi
fut-elle bien punie de venir devant tels juges que les
dames que vous avez nommées, car le regard seul de
Mme la Régente était de telle vertu qu'il n'y avait si
femme de bien qui ne craignît de se trouver devant ses
yeux indigne de sa vue. Celle qui en était regardée doucement s'estimait mériter grand honneur, sachant que
femmes autres que vertueuses ne pouvait cette dame voir

de bon cœur. » — « Il serait bon, dit Hircan, que l'on eût plus de crainte des yeux d'une femme que du Saint-Sacrement, lequel, s'il n'est reçu en foi et charité, est en damnation éternelle [3] ! » — « Je vous promets, dit Parlamente, que ceux qui ne sont point inspirés de Dieu craignent plus les puissances temporelles que spirituelles. Encore je crois que la pauvre créature se châtia * plus par la prison et l'opinion * de ne plus voir son chanoine qu'elle ne fit pour * remontrance qu'on lui eût su faire. » — « Mais, dit Simontaut, vous avez oublié la principale cause qui la fit retourner à son mari : c'est que le chanoine avait quatre-vingt ans, et son mari était plus jeune qu'elle. Ainsi gagna cette bonne dame en tous ses marchés. Mais si le chanoine eût été jeune, elle ne l'eût point voulu abandonner. Les enseignements des dames n'y eussent pas eu plus de valeur que les sacrements qu'elle avait pris. » — « Encore, ce dit Nomerfide, me semble qu'elle faisait bien de ne confesser point son péché si aisément, car cette offense se doit dire à Dieu humblement, et la nier fort et ferme devant les hommes ; car, encore qu'il fût vrai, à force de mentir et jurer, on engendre quelque doute à la vérité. » — « Si * est-ce, dit Longarine, qu'un péché à grand peine peut être si secret qu'il ne soit révélé, sinon quand Dieu par sa miséricorde le couvre * de ceux qui pour l'amour de lui en ont vraie repentance. » — « Et que direz-vous, dit Hircan, de celles qui n'ont pas plutôt fait une folie qu'elles ne la racontent à quelqu'un ? » — « Je trouve bien étrange, répondit Longarine, et est bien signe que le péché ne leur déplaît pas. Et comme je vous ai dit, celui qui n'est couvert de la grâce de Dieu ne se saurait nier devant les hommes ; et y en a maintes qui, prenant plaisir à parler de tels propos, se font gloire de publier leurs vices, et autres qui, en se coupant, s'accusent. » — « Je vous prie, dit Saffredent, si vous en savez quelqu'une, je vous donne ma place et que nous la dites. » — « Or écoutez donc », dit Longarine.

SOIXANTE-DEUXIÈME NOUVELLE

Une demoiselle, faisant un conte de l'amour d'elle-même, parlant en tierce personne, se déclara par mégarde.

Au temps du Roi François premier, y avait une dame de sang royal, accompagnée d'honneur, de vertu et de beauté, et qui savait bien dire un conte, et de bonne grâce, et en rire aussi quand on lui en disait quelqu'un. Cette dame étant en l'une de ses maisons, tous ses sujets et voisins la vinrent voir, pource qu'elle était autant aimée que femme pourrait être. Entre autres vint une demoiselle qui écoutait que chacun lui disait tous les contes qu'ils pensaient, pour lui faire passer le temps. Elle s'avisa qu'elle n'en ferait moins que les autres et lui dit : « Madame, je vais faire un beau conte, mais vous me promettez que vous n'en parlerez point. » A l'heure * lui dit : « Madame, le conte est très véritable, je le prends sur ma conscience. C'est qu'il y avait une demoiselle mariée, qui vivait avec son mari très honnêtement, combien qu'il fût vieux et elle jeune. Un gentilhomme son voisin, voyant qu'elle avait épousé ce vieillard, fut amoureux d'elle et la pressa par plusieurs années. Mais jamais il n'eut réponse d'elle sinon telle qu'une femme de bien doit faire. Un jour se pensa le gentilhomme que, s'il la pouvait trouver à son avantage, par aventure, elle ne lui serait si rigoureuse. Et après avoir longuement débattu avec la crainte du danger où il se mettait, l'amour qu'il avait à la demoiselle lui ôta tellement la crainte qu'il se délibéra de trouver le lieu et l'occasion. Et fit si bon guet qu'un matin, ainsi que le gentilhomme mari de cette demoiselle s'en allait en quelque autre de ses maisons et partait dès le point du jour pour * le chaud, le jeune folâtre vint à la maison de cette jeune demoiselle, laquelle il trouva dormant dans son lit. Et avisa * que les chambrières s'en étaient allées dehors de la chambre, sans avoir le sens de fermer la porte. A l'heure ᵃ * s'en vint

---

a. chambre. A l'heure, sans avoir [. .] porte, s'en vint (A)
   A l'heure *omis dans* T

coucher, tout housé * et éperonné, dedans le lit de la
demoiselle. Et quand elle s'éveilla, fut autant marrie qu'il
était possible, mais, quelques remontrances qu'elle lui sût
faire, il la prit par force, lui disant que, si elle révélait
cette affaire, il dirait à tout le monde qu'elle l'avait
envoyé quérir. Dont la demoiselle eut si grand peur
qu'elle n'osa crier. Après, arrivant quelques des chambrières, se leva hâtivement. Et ne s'en fût personne
aperçu, sinon que l'éperon [b] qui s'était attaché au linceul * de dessus l'emporta tout entier; et demeura la
demoiselle toute nue sur son lit. » Et combien qu'elle fît
le conte d'une autre, ne se put garder de dire à la fin :
« Jamais femme ne fut si étonnée * que moi, quand je me
trouvai toute nue ! » Alors la dame, qui avait ouï le conte
sans rire, ne s'en put tenir à ce dernier mot, en lui disant :
« A ce que je vois, vous en pouvez bien raconter l'histoire ! » La pauvre demoiselle chercha ce qu'elle put pour
cuider * réparer son honneur, mais il était volé déjà si loin
qu'elle ne le pouvait plus rappeler.

« Je vous assure, mesdames, que si elle eût grand
déplaisir à faire un tel acte, elle en eût voulu avoir perdu
la mémoire. Mais, comme je vous ai dit, le péché serait
plutôt découvert par elle-même qu'il ne pourrait être su,
quand il n'est point couvert de la couverture que David
dit rendre l'homme bienheureux [1]. » — « En bonne foi,
dit Ennasuite, voilà la plus grande sotte dont j'ouïs jamais
parler, qui faisait rire les autres à ses dépens. » — « Je ne
trouve point étrange, dit Parlamente, de quoi la parole
ensuit le fait, car il est plus aisé à dire qu'à faire. » —
« Déa ! dit Géburon, quel péché avait-elle fait ? Elle était
endormie en son lit, il la menaçait de mort et de honte :
Lucrèce, qui était tant louée, en fit bien autant. » — « Il
est vrai, dit Parlamente, je confesse qu'il n'y a juste à qui
il ne puisse méchoir *. Mais quand on a pris grand déplaisir à l'œuvre, l'on en prend aussi à la mémoire, pour
laquelle effacer Lucrèce se tua. Et cette sotte a voulu faire
rire les autres. » — « Si * semble-t-il, dit Nomerfide,

b. sinon l'éperon (A)

qu'elle fût femme de bien, vu que par plusieurs fois elle avait été priée, et elle ne se voulut jamais consentir, tellement qu'il fallut que le gentilhomme s'aidât de tromperie et de force pour la décevoir *. » — « Comment ! dit Parlamente, tenez-vous une femme quitte de son honneur quand elle se laisse aller, mais * qu'elle ait usé deux ou trois fois de refus ? Il y aurait donc beaucoup de femmes de bien, qui sont estimées le contraire, car l'on en a assez vu qui ont longuement refusé celui où leur cœur s'était adonné, les unes pour * crainte de leur honneur, les autres pour plus ardemment se faire aimer et estimer. Parquoi l'on ne doit point faire cas d'une femme si elle ne tient ferme jusqu'au bout. » — « Et si un homme refuse une belle fille, dit Dagoucin, estimerez-vous grande vertu ? » — « Vraiment, dit Oisille, si un homme jeune et sain usait de ce refus, je le trouverais fort louable, mais non moins difficile à croire. » — « Si * en connais-je, dit Dagoucin, qui ont refusé des aventures que tous les compagnons cherchaient. » — « Je vous prie, dit Longarine, que vous prenez ma place pour le nous raconter, mais souvenez-vous qu'il faut ici dire vérité ! » — « Je vous promets, dit Dagoucin, que je la vous dirai si purement qu'il n'y aura nulle couleur pour la déguiser. »

SOIXANTE-TROISIÈME NOUVELLE

Notable chasteté d'un seigneur français.

En la ville de Paris se trouvèrent quatre filles dont les deux étaient sœurs, de si grande beauté, jeunesse et fraîcheur qu'elles avaient la presse * de tous les amoureux. Mais un gentilhomme, qui pour lors avait été fait prévôt de Paris par le Roi [1], voyant son maître jeune et de l'âge pour désirer telle compagnie, pratiqua si bien toutes les quatre que, pensant chacune être pour le Roi, s'accordèrent à ce que ledit prévôt voulut, qui était de se trouver ensemble en un festin où il convia son maître ; auquel il conta l'entreprise, qui fut trouvée bonne dudit seigneur et de deux autres bons personnages de la cour. Et s'accordèrent tous trois d'avoir part au marché. Mais, en cherchant le quatrième compagnon, va arriver un seigneur beau et honnête, plus jeune de dix ans que tous les autres, lequel fut convié en ce banquet. Lequel l'accepta de bon visage, combien qu'en son cœur il n'en eût aucune volonté : car, d'un côté il avait une femme qui lui portait de beaux enfants, dont il se contentait * très fort, et vivaient en telle paix que pour rien il n'eût voulut qu'elle eût pris mauvais soupçon de lui ; d'autre part, il était serviteur d'une des plus belles dames qui fût de son temps en France, laquelle aimait et estimait [a] tant que toutes les autres lui semblaient laides auprès d'elle, en sorte qu'au commencement de sa jeunesse et avant qu'il fût marié, n'était possible de lui faire voir ni hanter * autres femmes, quelque beauté qu'elles eussent ; et prenait plus de plaisir à voir s'amie et de l'aimer parfaitement que de tout ce qu'il sût avoir d'une autre.

Ce seigneur s'en vint à sa femme et lui dit en secrets l'entreprise que son maître faisait ; et que de lui, il aimait autant mourir que d'accomplir ce qu'il avait promis : car tout ainsi que, par colère, n'y avait homme vivant qu'il n'osât bien assaillir, aussi, sans occasion *, par un guet-apens, aimerait mieux mourir que de faire un meurtre, si l'honneur ne l'y contraignait ; et pareillement, sans une extrême force d'amour, qui est l'aveuglement des hommes vertueux, il aimerait mieux mourir que rompre son mariage à l'appétit d'autrui. Dont sa femme l'aima et estima plus que jamais n'avait fait, voyant en une si grande jeunesse habiter tant d'honnêteté. Et en lui demandant comme il se pourrait excuser, vu que les princes trouvent souvent mauvais ceux qui ne louent ce qu'ils aiment, il lui [b] répondit : « J'ai toujours ouï dire que le sage a le voyage ou une maladie en la manche pour s'en aider à sa nécessité. Parquoi j'ai délibéré de feindre, quatre ou cinq jours devant *, être fort malade ; à quoi votre contenance me pourra bien fort servir. » — « Voilà, dit sa femme, une bonne et sainte hypocrisie, à quoi je ne faudrai * de vous servir de mine la plus triste dont je me

a. aimait estimait (A)
b. mais il lui (A)

pourrai aviser, car qui peut éviter l'offense de Dieu et l'ire du prince est bien heureux. » Ainsi qu'ils délibérèrent ils firent. Et fut le Roi fort marri d'entendre, par la femme, la maladie de son mari. Laquelle ne dura guère car, pour* quelques affaires qui vinrent, le Roi oublia son plaisir pour regarder à son devoir, et partit de Paris. Or un jour, ayant mémoire de leur entreprise qui n'avait été mise à fin, dit à ce jeune seigneur : « Nous sommes bien sots d'être ainsi partis si soudain, sans avoir vu les quatre filles que l'on nous avait promises être les plus belles de mon royaume. » Le jeune seigneur lui répondit : « Je suis bien aise dont vous y avez failli*, car j'avais grand peur, vu ma maladie, que moi seul eusse failli à une si bonne aventure. » A ces paroles ne s'aperçut jamais le Roi de la dissimulation de ce jeune seigneur, lequel depuis fut plus aimé de sa femme qu'il n'avait jamais été.

A l'heure si prit à rire Parlamente, et ne se put tenir de dire : « Encore il eût mieux aimé sa femme si c'eût été pour l'amour d'elle seule ! En quelque sorte que ce soit, il est très louable. » — « Il me semble, dit Hircan, que ce n'est pas grand louange à un homme de garder chasteté pour l'amour de sa femme ; car il y a tant de raisons que quasi il est contraint : premièrement, Dieu lui commande, son serment l'y oblige, et puis Nature qui est saoule* n'est point sujette à tentation ou désir comme la nécessité ; mais l'amour libre que l'on porte à s'amie, de laquelle on n'a point la jouissance ni autre contentement que le voir et parler, et bien souvent mauvaise réponse quand elle est si loyale et ferme que, pour* nulle aventure qui puisse advenir, on ne la peut changer, je dis que c'est une chasteté non seulement louable mais miraculeuse. » — « Ce n'est point de miracle, dit Oisille, car où le cœur s'adonne il n'est rien impossible au corps. » — « Non aux corps, dit Hircan, qui sont déjà angélisés ! » Oisille lui répondit : « Je n'entends point seulement parler de ceux qui sont par la grâce de Dieu tout transmués en lui, mais des plus grossiers esprits que l'on voie çà-bas entre les hommes. Et si vous y prenez garde, vous trouverez ceux qui ont mis leur cœur et affection à chercher la perfection des sciences, non seulement avoir oublié la volupté de la chair, mais les choses les plus nécessaires, comme le boire et le manger [2]. Car tant que l'âme est par affection dedans son corps, la chair demeure comme insensible. Et de là vient que ceux qui aiment femmes belles, honnêtes et vertueuses ont tel contentement à les voir et à les ouïr parler; et ont l'esprit si content que la chair est apaisée de tous ses désirs. Et ceux qui ne peuvent expérimenter ce contentement sont les charnels qui, trop enveloppés de leur graisse, ne connaissent s'ils ont âme ou non. Mais quand le corps est sujet à l'esprit, il est quasi insensible aux imperfections de la chair, tellement que leur forte opinion les peut rendre insensibles. Et j'ai connu un gentilhomme qui, pour montrer avoir plus fort aimé sa dame que nul autre, avait fait preuve à tenir une chandelle avec les doigts tout nus, contre tous ses compagnons; et, regardant sa femme, tint si ferme qu'il se brûla jusqu'à l'os. Encore disait-il n'avoir point senti de mal. » — « Il me semble, dit Géburon, que le diable, dont il était martyr, en devait faire un saint Laurent [3], car il y en a peu de qui le feu d'amour soit si grand qu'il ne craigne celui de la moindre bougie. Et si une demoiselle m'avait laissé tant endurer pour elle, je demanderais grande récompense, ou j'en retirerais ma fantaisie *. » — « Vous voudriez donc, dit Parlamente, avoir votre heure après que votre dame aurait eu la sienne, comme fit un gentilhomme d'auprès de Valence en Espagne, duquel un commandeur, fort homme de bien, m'a fait le conte ? » — « Je vous prie, madame, dit Dagoucin, prenez ma place et le nous dites, car je crois qu'il doit être bon. » — « Par ce conte, dit Parlamente, mesdames, vous regarderez deux fois ce que vous voudrez refuser, et ne vous fier au temps présent qu'il soit toujours un; parquoi, connaissant sa mutation *, donnerez ordre à l'avenir. »

SOIXANTE-QUATRIÈME NOUVELLE

Un gentilhomme dédaigné pour mari se rend Cordelier, de quoi s'amie porte pareille pénitence.

En la cité de Valence, y avait un gentilhomme qui, par

l'espace de cinq ou six ans, avait aimé une dame si parfaitement que l'honneur et la conscience de l'un et de l'autre n'y étaient point blessés, car son intention était de l'avoir pour femme. Ce qui était chose fort raisonnable, car il était beau, riche et de bonne maison. Et si* ne s'était point mis en son service sans premièrement avoir su son intention, qui était de s'accorder à mariage par la volonté de ses parents et amis[a], lesquels, étant assemblés pour cet effet, trouvèrent le mariage fort raisonnable, par ainsi* que la fille y eut bonne volonté. Mais elle, ou cuidant* trouver mieux, ou voulant dissimuler l'amour qu'elle lui avait portée, trouva quelque difficulté, tellement que la compagnie assemblée se départit, non sans regret qu'elle[b] n'y avait pu mettre quelque bonne conclusion, connaissant le parti d'un côté et d'autre fort raisonnable. Mais surtout fut ennuyé* le pauvre gentilhomme, qui eût porté son mal patiemment s'il eût pensé que la faute fût venue des parents et non d'elle.

Et connaissant la vérité, dont la créance lui causait plus de mal que la mort, sans parler à s'amie ni à autre, se retira en sa maison. Et après avoir donné quelque ordre à ses affaires, s'en alla en un lieu solitaire où il mit peine d'oublier cette amitié, et la convertit entièrement en celle de Notre-Seigneur à laquelle il était plus obligé. Et durant ce temps-là, il n'eut aucunes nouvelles de sa dame ni de ses parents. Parquoi prit résolution, puisqu'il avait failli* à la vie la plus heureuse qu'il pourrait espérer, de prendre et choisir la plus austère et désagréable qu'il pourrait imaginer. Et avec cette triste pensée qui se pouvait nommer désespoir, s'en alla rendre religieux en un monastère de saint François, non loin de plusieurs de ses parents. Lesquels, entendant sa désespérance, firent tout leur effort d'empêcher sa délibération; mais elle était si très fermement fondée en son cœur qu'il n'y eut ordre* de l'en divertir. Toutefois, connaissant dont* son mal était venu, pensèrent de chercher la médecine, et allèrent devers celle qui était cause de cette soudaine dévotion.

a. de ses amis (A)
b. regret et qu'elle (A)

Laquelle, fort étonnée et marrie de cet inconvénient, pensant[c] que son refus pour quelque temps lui servît seulement d'expérimenter sa bonne volonté et non de le perdre pour jamais, dont elle voyait le danger évident, lui envoya une épître laquelle, mal traduite, dit ainsi :

Pource qu'amour, s'il n'est bien éprouvé
Ferme et loyal, ne peut être approuvé,
J'ai bien voulu par le temps éprouver
Ce que j'ai tant désiré de trouver :
C'est un mari rempli d'amour parfait,
Qui par le temps ne peut être défait.
Cela me fit requérir mes parents
De retarder, pour un ou pour deux ans,
Ce grand[d] lien, qui jusqu'à la mort dure,
Qui à plusieurs engendre peine dure.
Je ne fis pas de vous avoir refus :
Certes jamais de tel vouloir ne fus,
Car onques * nul que vous ne sus aimer,
Ny pour mari et seigneur estimer.
Oh quel malheur, Ami ! J'ai entendu
Que, sans parler à nullui *, t'es rendu
En un couvent et vie trop austère,
Dont le regret me garde de me taire,
Et me contraint de changer mon office,
Faisant celui dont as usé sans vice :
C'est requérir celui dont fus requise,
Et d'acquérir celui dont fus acquise.
Or donc, Ami, la vie de ma vie,
Lequel perdant, n'ai plus de vivre envie,
Las ! plaise-toi vers moi tes yeux tourner,
Et du chemin où tu es retourner ;
Laisse le gris[1] et son austérité,
Viens recevoir cette félicité
Qui tant de fois par toi fut désirée.
Le temps ne l'a défaite ou emportée :
C'est pour toi seul que gardée me suis,

c. ne pensant (A)
d. long (T)

Et sans lequel plus vivre je ne puis.
Retourne donc, et veuille t'amie croire,
Rafraîchissant la plaisante mémoire
Du temps passé par un saint mariage.
Crois-moi, Ami, et non point ton courage *,
Et sois bien sûr qu'onques * je n'ai pensé ᵉ
De faire rien où tu fusses offensé ²,
Mais espérais te rendre contenté
Après t'avoir bien expérimenté.
Or ai-je fait de toi l'expérience :
Ta fermeté, ta foi, ta patience
Et ton amour sont connus clairement,
Qui m'ont acquise à toi entièrement.
Viens donc, Ami, prendre ce qui est tien :
Je suis à toi : sois donques du tout mien.

Cette épître, portée par un sien ami avec toutes les
remontrances qu'il fut possible de faire, fut reçue et lue
du gentilhomme Cordelier avec une contenance tant
triste, accompagnée de soupirs et de larmes, qu'il semblait qu'il voulait noyer et brûler cette pauvre épître, à
laquelle ne fit nulle réponse, sinon dire au messager que
la mortification de sa passion extrême lui avait coûté si
cher qu'elle lui avait ôté la volonté de vivre et la crainte
de mourir. Parquoi requérait celle qui en était l'occasion *, puisqu'elle ne l'avait pas voulu contenter en la
passion de ses grands désirs, qu'elle ne le voulût tourmenter à l'heure qu'il en était dehors, mais se contenter
du mal passé, auquel il ne put trouver remède que de
choisir une vie si âpre que la continuelle pénitence lui fît
oublier sa douleur et, à force de jeûnes et disciplines,
affaiblir tant son corps que la mémoire de la mort lui soit
pour souveraine consolation ; et que surtout il la priait
qu'il n'eût jamais nouvelle d'elle, car la mémoire de son
nom seulement lui était un importable * purgatoire.
    Le gentilhomme retourna avec cette triste réponse, et
en fit le rapport à celle qui ne le put entendre sans
importable * regret. Mais Amour, qui ne veut permettre

e. onques ne pensai (A)

l'esprit faillir * jusqu'à l'extrémité, lui mit en fantaisie *
que, si elle le pouvait voir, la vue et la parole auraient
plus de force que n'avait eu l'écriture. Parquoi, avec son
père et ses plus proches parents, s'en allèrent au monastère où il demeurait, n'ayant rien laissé en sa boîte qui pût
servir à sa beauté, se confiant que, s'il la pouvait une fois
regarder et ouïr, impossible était que le feu, tant longuement continué en leurs cœurs, ne se rallumât plus fort que
devant *. Ainsi, entrant au monastère sur la fin de vêpres,
le fit appeler en une chapelle dedans le cloître. Lui, qui ne
savait qui le demandait, s'en alla ignoramment * à la plus
forte * bataille où jamais avait été. Et à l'heure * qu'elle
le vit tant pâle et défait qu'à peine * le put-elle reconnaître, néanmoins rempli d'une grâce non moins aimable
qu'auparavant, l'amour la contraignit d'avancer ses bras
pour le cuider * embrasser ; et la pitié de le voir en tel état
lui fit tellement affaiblir le cœur qu'elle tomba évanouie.
Mais le pauvre religieux, qui n'était destitué de la charité
fraternelle, la releva et assit dedans un siège de la chapelle. Et lui, qui n'avait moins de besoin de secours,
feignit ignorer sa passion en fortifiant son cœur en
l'amour de son Dieu contre les occasions qu'il voyait
présentes, tellement qu'il semblait à sa contenance ignorer ce qu'il voyait. Elle, revenue de sa faiblesse, tournant
ses yeux tant beaux et piteux * vers lui, qui étaient suffisants * de faire amollir un rocher, commença à lui dire
tous les propos qu'elle pensait dignes de le retirer du lieu
où il était. A quoi répondit le plus vertueusement qu'il lui
était possible. Mais à la fin fit tant le pauvre religieux que
son cœur s'amollissait par l'abondance des larmes de
s'amie ; comme celui qui voyait Amour, ce dur archer
dont tant longuement il avait porté la douleur, ayant sa
flèche dorée prête à lui faire nouvelle et plus mortelle
plaie [3], s'enfuit de devant l'Amour et l'amie, comme
n'ayant autre pouvoir que de parfuir. Et quand il fut en sa
chambre enfermé, ne la voulant laisser aller sans quelque
résolution, lui va écrire trois mots en espagnol, que j'ai
trouvés de si bonne substance que je ne les ai voulu
traduire pour ne diminuer leur grâce. Lesquels lui envoya
par un petit novice, qui la trouva encore à la chapelle, si

désespérée que, s'il eût été licite de se rendre Cordelière, elle y fût demeurée. Mais en voyant l'écriture :
> Volvete don venesti, anima mia,
> Que en las tristas vidas es la mia,

pensa bien que toute espérance lui était faillie *. Et se délibéra de croire le conseil de ses amis, et s'en retourna en sa maison mener une vie aussi mélancolique, comme son ami la mena austère en la religion.

« Vous voyez, mesdames, quelle vengeance le gentilhomme fit à sa rude amie qui, en le pensant expérimenter, le désespéra ; de sorte que, quand elle le voulut, elle ne le put recouvrer. » — « J'ai regret, dit Nomerfide, qu'il ne laissa son habit pour l'aller épouser : je crois que c'eût été un parfait mariage. » — « En bonne foi, dit Simontaut, je l'estime bien sage, car qui a bien pesé le faix *f* de mariage, il ne l'estimera moins fâcheux qu'une austère religion *. Et lui, qui était tant affaibli de jeûnes et d'abstinences, craignait de prendre une telle charge qui dure toute la vie. » — « Il me semble, dit Hircan, qu'elle faisait tort à un homme si faible de le tenter de mariage, car c'est trop pour le plus fort homme du monde. Mais si elle lui eût tenu propos d'amitié, sans obligation que de volonté, il n'y a corde qui n'eût été déliée, ni nœud qui n'eût été dénoué *g*. Et vu que, pour l'ôter de purgatoire, elle lui offrait un enfer, je dis qu'il eut grande raison de la refuser et lui faire sentir l'ennui * qu'il avait porté de son refus. » — « Par ma foi, dit Ennasuite, il y en a beaucoup qui, pour * cuider * mieux faire que les autres, font pis ou bien le rebours de ce qu'ils veulent. » — « Vraiment, dit Géburon, combien que ce ne soit à propos, vous me faites souvenir d'une qui faisait le contraire de ce qu'elle voulait, dont il vint un grand tumulte à l'église Saint-Jean de Lyon. » — « Je vous prie, dit Parlamente, prenez ma place et le nous racontez. » — « Mon conte, dit Géburon, ne sera pas long, ni si piteux * que celui de Parlamente. »

---

f. pensé le fait (*leçon donnée par M. François, qui signale que le passage manque dans* A)
g. corde qui n'eût été dénouée (A)

SOIXANTE-CINQUIÈME NOUVELLE

Simplicité d'une vieille qui présenta une chandelle ardente à Saint-Jean de Lyon, et l'attacha contre le front d'un soldat qui dormait en un sépulcre.

En l'église Saint-Jean de Lyon, y a une chapelle fort obscure et, dedans, un Sépulcre fait de pierre à grands personnages élevés comme le vif*; et sont à l'entour du sépulcre plusieurs hommes d'arme couchés [1]. Un jour, un soudard se promenant dans l'église au temps d'été qu'il [a] fait grand chaud, lui prit envie de dormir. Et regardant cette chapelle obscure et fraîche, pensa d'aller garder le Sépulcre en dormant comme les autres, auprès desquels il se coucha. Or advint-il qu'une bonne vieille fort dévote arriva au plus fort de son sommeil et, après qu'elle eut dit ses dévotions, tenant une chandelle ardente en sa main, la voulut attacher au Sépulcre. Et trouvant le plus près d'icelui* cet homme endormi, la lui voulut mettre au front, pensant qu'il fût de pierre. Mais la cire ne put tenir contre la chair [b]. La bonne dame, qui pensait que ce fût à cause de la froidure de l'image*, lui va mettre le feu contre le front pour y faire tenir sa bougie. Mais l'image, qui n'était insensible, commença à crier, dont la bonne femme eut si grand peur que, comme toute hors du sens, se prit à crier miracle, tant que tous ceux qui étaient dedans l'église coururent, les uns à sonner les cloches, les autres à voir le miracle. Et la bonne femme les mena voir l'image qui était remuée; qui donna occasion à plusieurs de rire, mais les plusieurs ne s'en pouvaient contenter*, car ils avaient bien délibéré de faire valoir ce Sépulcre et en tirer autant d'argent que du crucifix qui est sur le pupitre*, lequel l'on dit avoir parlé. Mais la comédie prit fin pour* la connaissance de la sottise d'une femme.

« Si chacun connaissait quelles sont leurs sottises, elles ne seraient pas estimées saintes, ni leurs miracles vérité.

a. qui (A)
b. pierre (A)

Vous priant, mesdames, dorénavant regarder à quels saints vous baillerez vos chandelles ! » — « C'est grande chose, dit Hircan, qu'en quelque sorte que ce soit, il faut toujours que les femmes fassent mal. » — « Est-ce mal fait, dit Nomerfide, de porter des chandelles au Sépulcre ? » — « Oui, dit Hircan, quand on met le feu contre le front aux hommes, car nul bien ne se doit dire bien s'il n'est fait avec mal. Pensez que la pauvre femme cuidait * avoir fait un beau présent à Dieu d'une petite chandelle ! » — « Je ne regarde point, ce dit Mme Oisille, la valeur du présent, mais la cœur qui le présente. Peut-être que cette bonne femme avait plus d'amour à Dieu que ceux qui donnent les grands torches, car, comme dit l'Évangile, elle donnait de sa nécessité ². » — « Si * ne crois-je pas, dit Saffredent, que Dieu, qui est souveraine sapience, sût avoir agréable la sottise des femmes ; car nonobstant que la simplicité lui plaît, je vois, par l'Écriture, qu'il déprise * l'ignorant. Et s'il commande d'être simple comme la colombe, il ne commande moins d'être prudent comme le serpent ³. » — « Quant est de moi, dit Oisille, je n'estime point ignorante celle qui porte devant Dieu sa chandelle ou cierge ardent, comme faisant amende honorable, les genoux en terre et la torche au poing, devant son souverain Seigneur, auquel confesse sa damnation *, demandant en ferme espérance la miséricorde et salut. » — « Plût à Dieu, dit Dagoucin, que chacun l'entendît aussi bien que vous, mais je crois que ces pauvres sottes ne le font pas à cette intention. » Oisille leur répondit : « Celles qui moins en savent parler sont celles qui ont plus de sentiment de l'amour et volonté de Dieu. Parquoi ne faut juger que soi-même. » Ennasuite en riant lui dit : « Ce n'est pas chose étrange que d'avoir fait peur à un valet qui dormait, car aussi basses * femmes qu'elle ont bien fait peur à de bien grands princes, sans leur mettre le feu au front. » — « Je suis sûr, dit Géburon, que vous en savez quelque histoire que vous voulez raconter. Parquoi, vous tiendrez mon lieu, s'il vous plaît. » — « Le conte ne sera pas long, dit Ennasuite, mais, si je le pouvais représenter tel qu'advint, vous n'auriez point envie de pleurer. »

SOIXANTE-SIXIÈME NOUVELLE

Conte risible advenu au Roi et Reine de Navarre [1].

L'année que M. de Vendôme épousa la princesse de
Navarre, après avoir festoyé à Vendôme, les Roi et
Reine, leurs père et mère, s'en allèrent en Guyenne avec
eux. Et, passant par la maison d'un gentilhomme où il y
avait beaucoup d'honnêtes et belles dames, dansèrent si
longuement avec la bonne compagnie que les deux nou-
veaux mariés se trouvèrent lassés. Qui les fit retirer en
leur chambre et, tout vêtus, se mirent sur leur lit où ils
s'endormirent, les portes et fenêtres fermées, sans que
nul demeurât avec eux. Mais au plus fort de leur sommeil
ouïrent ouvrir leur porte par dehors. Et en tirant le rideau
regarda ledit seigneur qui ce pouvait être, doutant* que
ce fût quelqu'un de ses amis qui le voulût surprendre.
Mais il vit entrer une grande vieille chambrière qui alla
tout droit à leur lit. Et pour* l'obscurité de la chambre ne
les pouvait connaître. Mais, les entrevoyant bien près
l'un de l'autre, si prit à crier : « Méchante, vilaine, infâme
que tu es ! Il y a longtemps que je t'ai soupçonnée telle,
mais ne le pouvant prouver, ne l'ai osé[a] dire à ma maîtresse. A cette heure est ta vilenie si connue que je ne suis
point délibérée de la dissimuler. Et toi, vilain apostat, qui
as pourchassé en cette maison une telle honte de mettre à
mal cette pauvre garce*, si ce n'était pour* la crainte de
Dieu, je t'assommerais de coups, là où tu es ! Lève-toi, de
par le diable ! lève-toi, car encore semble-t-il que tu n'as
point de honte ! » M. de Vendôme et Mme la princesse,
pour faire durer le propos plus longuement, se cachaient
le visage l'un contre l'autre, riant si très fort que l'on ne
pouvait dire mot. Mais la chambrière, voyant que pour*
ses menaces ne se voulaient lever, s'approcha plus près
pour les tirer par les bras. A l'heure* elle connut, tant
aux visages qu'aux habillements, que ce n'était point ce
qu'elle cherchait. Et en les reconnaissant se jeta à genoux, les suppliant lui pardonner la faute qu'elle avait

a. l'ai été dire (A)

faite de leur ôter leur repos. Mais M. de Vendôme, non content d'en savoir si peu, se leva incontinent et pria la vieille de lui dire pour qui elle les avait pris. Ce que soudain * ne voulut dire, mais enfin, après avoir pris son serment de ne jamais le révéler, lui déclara que c'était une demoiselle de léans *, dont un protonotaire * était amoureux ; et que longtemps elle y avait fait le guet, pource qu'il lui déplaisait que sa maîtresse se confiât en un homme qui lui pourchassait cette honte. Et ainsi laissa [b] les prince et princesse enfermés comme elle les avait trouvés, et furent longtemps à rire de leur aventure. Et combien qu'ils aient raconté l'histoire, si * est-ce que jamais ne voulurent nommer personne à qui elle touchât.

« Voilà, mesdames, comme la bonne dame, cuidant * faire une belle justice, déclara aux princes étrangers ce que jamais les valets privés de la maison n'avaient entendu. » — « Je me doutais bien, dit Parlamente, quelle maison c'est, et qui est le protonotaire, car il a gouverné déjà assez de maisons de dames que, quand il ne peut avoir la grâce de la maîtresse, il ne faut * point de l'avoir de l'une des demoiselles. Mais au demeurant, il est honnête et homme de bien [2] ! » — « Pourquoi dites-vous "au demeurant", dit Hircan, vu que c'est l'acte qu'il fasse dont je l'estime autant homme de bien ? » Parlamente lui répondit : « Je vois bien que vous connaissez la maladie et le patient, et que, s'il avait besoin d'excuse, vous ne lui faudriez d'avocat. Mais si * est-ce que je ne me voudrais fier en la menée *[c] d'un homme qui n'a su conduire la sienne sans que les chambrières en eussent connaissance. » — « Et pensez-vous, dit Nomerfide, que les hommes se soucient que l'on le sache, mais * qu'ils viennent à leur fin ? Croyez, quand nul n'en parlerait qu'eux-mêmes, encore faudrait-il qu'il fût su. » Hircan leur dit en colère : « Il n'est pas besoin que les hommes aient dit tout ce qu'ils savent. » Mais elle, rougissant, lui répondit : « Peut-être qu'ils ne diraient chose à leur avan-

b. laissa *omis dans* A
c. manière (A)

tage. » — « Il semble, à vous ouïr parler, dit Simontaut, que les hommes prennent plaisir à ouïr mal dire des femmes, et suis sûr que vous me tenez de ce nombre-là. Parquoi j'ai grande envie d'en dire bien d'une, afin de n'être de tous les autres tenu pour médisant. » — « Je vous donne ma place, dit Ennasuite, vous priant de contraindre votre naturel pour faire votre devoir à notre honneur. » A l'heure Simontaut commença : « Ce m'est [d] chose si nouvelle, mesdames, d'ouïr dire de vous quelque acte vertueux qu'il [e] me semble ne devoir être celé, mais plutôt écrit en lettres d'or, afin de servir aux femmes d'exemple et aux hommes d'admiration, voyant en sexe fragile ce que la fragilité refuse. C'est l'occasion * qui me fera raconter ce que j'ai ouï dire au capitaine Roberval et à plusieurs de sa compagnie. »

SOIXANTE-SEPTIÈME NOUVELLE

*Extrême amour et austérité de femme en terre étrange *.*

C'est que faisait [a] ledit Roberval un voyage sur la mer, duquel il était chef par le commandement du Roi son maître, en l'Ile de Canada, auquel lieu avait délibéré, si l'air du pays eût été commode, de demeurer et faire villes et châteaux. En quoi il fit tel commencement que chacun peut savoir [1]. Et pour habituer * le pays de chrétiens, mena avec lui de toutes sortes d'artisans, entre lesquels y avait un homme qui fut si malheureux qu'il trahit son maître et le mit en danger d'être pris des gens du pays. Mais Dieu voulut que son entreprise fût sitôt connue qu'elle ne put nuire au capitaine Roberval. Lequel fit prendre ce méchant traître, le voulant punir comme il l'avait mérité. Ce qui eût été fait, sans sa femme, qui avait suivi son mari par les périls de la mer et ne le voulut abandonner à la mort, mais, avec force larmes, fit tant avec le capitaine et toute la compagnie que, tant pour * la

d. n'est (A)
e. qui (A)
a. faisant (A)

pitié d'icelle * que pour le service qu'elle leur avait fait, lui accorda sa requête, qui fut telle que le mari et la femme furent laissés en une petite île sur la mer, où il n'habitait que bêtes sauvages. Et leur fut permis de porter avec eux ce dont ils avaient nécessité.

Les pauvres gens, se trouvant tout seuls en la compagnie des bêtes sauvages et cruelles, n'eurent recours qu'à Dieu seul, qui avait été toujours le ferme espoir de cette pauvre femme. Et comme celle qui avait toute consolation en Dieu, porta pour sa sauvegarde, nourriture et consolation le Nouveau Testament, lequel elle lisait incessamment. Et au demeurant, avec son mari, mettait peine d'accoutrer * un petit logis le mieux qu'il leur était possible. Et quand les lions et autres bêtes s'en approchaient pour les dévorer, le mari avec sa harquebuse et elle avec des pierres [b] se défendaient si bien que non seulement les bêtes ne les osaient approcher, mais bien souvent en tuèrent de très bonnes à manger. Ainsi, avec telles chairs et les herbes du pays, vécurent quelque temps. Et quand le pain leur fut failli *, à la longue, le mari ne put porter * telle nourriture ; et à cause des eaux qu'ils buvaient devint si enflé qu'en peu de temps il mourut, n'ayant service ni consolation que de sa femme, laquelle le servait de médecin et de confesseur ; en sorte qu'il passa joyeusement de ce désert en la céleste patrie. Et la pauvre femme demeurée seule l'enterra le plus profond en terre qu'il fut possible ; si * est-ce que les bêtes en eurent incontinent le sentiment *, qui vinrent pour manger la charogne. Mais la pauvre femme, en sa petite maisonnette, de coups de harquebuse défendait que la chair de son mari n'eût tel sépulcre. Ainsi, vivant quant au corps de vie bestiale et quant à l'esprit de vie angélique, passait son temps en lectures, contemplations, prières et oraisons, ayant un esprit joyeux et content dedans un corps emmaigri et demi-mort. Mais Celui qui n'abandonne jamais les siens, et qui au désespoir des autres montre sa puissance [2], ne permit que la vertu qu'il avait mise en cette femme fût ignorée des hommes, mais vou-

---

b. avec ses prières (T)

lut qu'elle fût connue à sa gloire. Et fit qu'au bout de quelque temps, un des navires de cette armée passant devant cette île, les gens qui étaient dedans avisèrent* quelque fumée qui leur fit souvenir de ceux qui y avaient été laissés. Et délibérèrent d'aller voir ce que Dieu en avait fait. La pauvre femme, voyant approcher le navire, se tira au bord de la mer, auquel lieu la trouvèrent à leur arrivée. Et après en avoir rendu louange à Dieu, les mena en sa pauvre maisonnette, et leur montra de quoi elle vivait durant sa demeure*. Ce qui leur eût été incroyable sans la connaissance qu'ils avaient que Dieu est puissant [c] de nourrir en un désert ses serviteurs, comme aux plus grands festins du monde. Et ne pouvant demeurer en tel lieu, emmenèrent la pauvre femme avec eux droit à La Rochelle où, après long [d] navigage*, ils arrivèrent. Et quand ils eurent fait entendre aux habitants la fidélité et persévérance de cette femme, elle fut reçue à grand honneur de toutes les dames, qui volontiers lui baillèrent leurs filles pour apprendre à lire et à écrire. Et à cet honnête métier-là gagna le surplus de sa vie, n'ayant autre désir que d'exhorter un chacun à l'amour et confiance de Notre-Seigneur, se proposant pour exemple par la grande miséricorde dont il avait usé envers elle.

« A cette heure, mesdames, ne pouvez-vous pas dire que je ne loue bien les vertus que Dieu a mises en vous, lesquelles se montrent plus grandes que le sujet est plus infirme. » — « Mais ne sommes pas marries, dit Oisille, dont* vous louez les grâces de Notre-Seigneur en nous, car, à dire vrai, toute vertu vient de lui ; mais il faut passer condamnation qu'aussi peu favorise l'homme à l'ouvrage de Dieu que la femme, car l'un et l'autre, par son cœur et son vouloir, ne fait rien que planter et Dieu seul donne l'accroissement. » — « Si vous avez bien vu l'Écriture, dit Saffredent, saint Paul dit qu'Apollon a planté et qu'il a arrosé [3], mais il ne parle point que les femmes aient mis les mains à l'ouvrage de Dieu. » — « Vous voudriez

c. aussi puissant (T)
d. un navigage (A)

suivre, dit Parlamente, l'opinion des mauvais hommes qui prennent un passage de l'Écriture pour eux et laissent celui qui leur est contraire. Si vous avez lu saint Paul jusqu'au bout, vous trouverez qu'il se recommande aux dames qui ont beaucoup labouré * avec lui en l'Évangile [4]. » — « Quoi qu'il y ait, dit Longarine, cette femme est bien digne de louange, tant pour l'amour qu'elle a porté à son mari, pour lequel elle a hasardé sa vie, que pour la foi qu'elle a eue à Dieu, lequel, comme nous voyons, ne l'a pas abandonnée. » — « Je crois, dit Ennasuite, quant au premier, qu'il n'y a femme ici qui n'en voulût faire autant pour sauver la vie de son mari. » — « Je crois, dit Parlamente, qu'il y a des maris qui sont si bêtes que celles qui vivent avec eux ne doivent point trouver étrange de vivre avec leurs semblables. » Ennasuite ne se put tenir de dire, comme prenant le propos pour elle : « Mais * que les bêtes ne me mordent point, leur compagnie m'est plus plaisante que des hommes qui sont colères et insupportables. Mais je suivrai mon propos que, si mon mari était en tels dangers, je ne l'abandonnerais pour mourir. » — « Gardez-vous, dit Nomerfide, de l'aimer tant : trop d'amour trompe et lui et vous, car partout il y a le moyen *, et par faute d'être bien entendu, souvent engendre haine par amour. » — « Il me semble, dit Simontaut, que vous n'avez point mené ce propos si avant sans envie de le confirmer [e] de quelque exemple. Parquoi, si vous en savez, je vous donne ma place pour le dire. » — « Or donc, dit Nomerfide, selon ma coutume je vous le dirai court et joyeux. »

SOIXANTE-HUITIÈME NOUVELLE

*Une femme fait manger des cantharides à son mari pour avoir un trait de l'amour, et il en cuida * mourir.*

En la ville de Pau en Béarn, eut un apothicaire que l'on nommait Maître Étienne, lequel avait épousé une femme bonne ménagère et de bien, et assez belle pour le conten-

e. sans le confirmer (A)

ter. Mais ainsi qu'il goûtait de différentes drogues, aussi faisait-il de différentes femmes, pour savoir mieux parler de toutes complexions *. Dont sa femme était tant tourmentée qu'elle perdait toute patience, car il ne tenait compte d'elle sinon la semaine sainte, par pénitence. Un jour, étant l'apothicaire en sa boutique, et sa femme cachée derrière lui écoutant ce qu'il disait, vint une femme, commère de cet apothicaire, frappée de la même maladie comme sa femme, laquelle en soupirant dit à l'apothicaire : « Hélas, mon compère, mon ami, je suis la plus malheureuse femme du monde, car j'aime mon mari plus que moi-même, et ne fais que penser à le servir et obéir ; mais tout mon labeur est perdu pource qu'il aime mieux la plus méchante, plus orde * et sale de la ville que moi. Et je vous prie, mon compère, si vous savez point quelque drogue qui lui pût changer sa complexion, m'en vouloir bailler, car si je suis bien traitée de lui, je vous assure de le vous rendre de tout mon pouvoir. » L'apothicaire, pour la consoler, lui dit qu'il savait d'une poudre que, si elle en donnait avec un bouillon ou une rôtie *, comme poudre de duc *, à son mari, il lui ferait la plus grande chère * du monde. La pauvre femme, désirant voir ce miracle, lui demanda que c'était et si elle en pourrait recouvrer. Il lui déclara qu'il n'y avait rien que de la poudre de cantharides, dont il avait bonne provision. Et avant que partir * d'ensemble, le contraignit d'accoutrer * cette poudre. Et en prit ce qu'il lui faisait de métier *, dont depuis elle le mercia plusieurs fois, car son mari, qui était fort et puissant et qui n'en prit pas trop, ne s'en trouva point pis [a].

La femme de l'apothicaire entendit tout ce discours, et pensa en elle-même qu'elle avait nécessité de cette recette aussi bien que sa commère. Et regardant au lieu où son mari mettait le demeurant de la poudre, pensa qu'elle en userait quand elle en verrait l'occasion. Ce qu'elle fit avant trois ou quatre jours, que son mari sentit une froideur d'estomac, la priant lui faire quelque bon potage ; mais elle lui dit qu'une rôtie à la poudre de duc lui serait

a. et elle beaucoup mieux (*ajout de* T)

plus profitable. Et lui commanda de lui en aller bientôt faire une et prendre de la cinnamome et du sucre en la boutique. Ce qu'elle fit, et n'oublia le demeurant de la poudre qu'il avait baillée à sa commère, sans regarder dose, poids ni mesure. Le mari mangea la rôtie et la trouva très bonne. Mais bientôt s'aperçut de l'effet, qu'il cuida * apaiser avec sa femme ; ce qu'il ne fut pas possible, car le feu le brûlait si très fort qu'il ne savait de quel côté se tourner. Et dit à sa femme qu'elle l'avait empoisonné et qu'il voulait savoir qu'elle avait mis en sa rôtie. Elle lui confessa la vérité, et qu'elle avait aussi bon métier * de cette recette que sa commère. Le pauvre apothicaire ne la sut battre que d'injures, pour * le mal en quoi il était ; mais la chassa de devant lui et envoya prier l'apothicaire de la Reine de Navarre de le venir visiter. Lequel lui bailla tous les remèdes propres pour le guérir. Ce qu'il fit en peu de temps, le reprenant très âprement dont * il était si sot de conseiller à autrui d'user des drogues qu'il ne voulait prendre pour lui, et que sa femme avait fait ce qu'elle devait, vu le désir qu'elle avait de se faire aimer de lui. Ainsi fallut que le pauvre homme prît patience de sa folie, et qu'il reconnût avoir été justement puni de faire tomber sur lui la moquerie qu'il préparait à autrui.

« Il me semble, mesdames, que l'amour de cette femme n'était moins indiscrète que grande. » — « Appelez-vous aimer son mari, dit Hircan, de lui faire sentir du mal pour * le plaisir qu'elle espérait avoir ? » — « Je crois, dit Longarine, qu'elle n'avait intention que de recouvrer l'amour de son mari, qu'elle pensait bien égarée. Pour un tel bien, il n'y a rien que les femmes ne fassent. » — « Si * est-ce, dit Géburon, qu'une femme ne doit donner à boire et à manger à son mari, pour quelque occasion * que ce soit, qu'elle ne sache, tant par expérience que par gens savants, qu'il ne lui puisse nuire. Mais il faut excuser l'ignorance. Cette-là est excusable, car la passion plus aveuglante c'est l'amour, et la personne la plus aveuglée, c'est la femme, qui n'a pas la force de conduire sagement un si grand faix. » — « Géburon, dit Oisille, vous saillez *

hors de votre bonne coutume pour vous rendre de l'opinion de vos compagnons! Mais si * a-t-il des femmes qui
ont porté * l'amour et la jalousie patiemment. » — « Oui,
dit Hircan, et plaisamment; car les plus sages sont celles
qui prennent autant de passe-temps à se moquer des
œuvres de leurs maris comme les maris de les tromper
secrètement. Et si vous me voulez donner le rang, afin
que Mme Oisille ferme le pas à cette Journée, je vous en
dirai une dont toute la compagnie a connu la femme et le
mari. » — « Or commencez donc, dit Nomerfide. » Et
Hircan en riant leur dit :

SOIXANTE-NEUVIÈME NOUVELLE

*Un Italien se laisser affiner * par sa chambrière, qui fait
que la femme trouve son mari blutant au lieu de sa
servante* [1].

Au château d'Odos en Bigorre demeurait un écuyer
d'écurie du Roi, nommé Charles, Italien, lequel avait
épousé une demoiselle fort femme de bien et honnête;
mais elle était devenue vieille, après lui avoir porté plusieurs enfants. Lui aussi n'était pas jeune, et vivait avec
elle en bonne paix et amitié. Quelques fois, il parlait à ses
chambrières, dont sa bonne femme ne faisait nul semblant *, mais doucement leur donnait congé quand elle les
connaissait trop privées * en la maison.

Elle en prit un jour une qui était sage et bonne fille, à
laquelle elle dit les complexions * de son mari et les
siennes, qui les chassait aussitôt qu'elle les connaissait
folles. Cette chambrière, pour demeurer au service de sa
maîtresse en bonne estime, se délibéra d'être femme de
bien. Et combien que souvent son maître lui tînt quelques
propos au contraire, n'en voulut tenir compte et le raconta
tout à sa maîtresse. Et toutes deux passaient le temps * de
la folie de lui. Un jour que la chambrière blutait en la
chambre de derrière, ayant son sarrau sur la tête à la mode
du pays (qui est fait comme un crémeau *, mais il couvre
tout le corps et les épaules par-derrière), son maître, la
trouvant en cet habillement, la vint bien fort presser. Elle,

qui pour mourir n'eût fait un tel tour, fit semblant de s'accorder à lui. Toutefois elle lui demanda congé * d'aller voir premier * si sa maîtresse s'était point amusée * à quelque chose, afin de n'être tous deux surpris. Ce qu'il accorda. Alors elle le pria de mettre son sarreau en sa tête et de bluter en son absence, afin que sa maîtresse ouït toujours le son de son bluteau *. Ce qu'il fit fort joyeusement, ayant espérance d'avoir ce qu'il demandait. La chambrière, qui n'était point mélancolique, s'en courut à sa maîtresse lui disant : « Venez voir votre bon mari que j'ai pris à bluter pour me défaire de lui ! » La femme fit bonne diligence pour trouver cette nouvelle chambrière. En voyant son mari le sarrau en la tête et le bluteau entre ses mains, se prit si fort à rire, en frappant des mains, qu'à peine lui put-elle dire : « Goujate ! combien veux-tu par mois de ton labeur ? » Le mari, oyant cette voix et connaissant qu'il était trompé, jeta par terre ce qu'il portait et tenait pour courir sus à la chambrière, l'appelant mille fois méchante. Et si sa femme ne se fût mise au-devant, il l'eût payée de son quartier *. Toutefois le tout s'apaisa au contentement des parties. Et puis vécurent ensemble sans querelles.

« Que dites-vous, mesdames, de cette femme ? N'était-elle pas bien sage de passer tout son temps du passe-temps de son mari ? » — « Ce n'est pas passe-temps, dit Saffredent, pour le mari d'avoir failli *à son entreprise. » — « Je crois, dit Ennasuite, qu'il eut plus de plaisir de rire avec sa femme que de s'aller tuer, en l'âge où il était, avec sa chambrière ! » — « Si * me fâcherait-il bien fort, dit Simontaut, que l'on me trouvât avec ce beau crémeau * ! » — « J'ai ouï dire, dit Parlamente, qu'il n'a pas tenu à votre femme qu'elle ne vous ait trouvé bien près de cet habillement, quelque finesse * que vous ayez ! Dont onques * puis elle n'eut repos. » — « Contentez-vous des fortunes de votre maison, dit Simontaut, sans venir chercher les miennes. Combien que ma femme n'ait cause de se plaindre de moi, et encore que ce fût tel que vous dites, elle ne s'en saurait apercevoir pour * nécessité de chose dont elle ait besoin. » — « Les femmes de bien, dit Longarine, n'ont besoin d'autre chose que de l'amour de leurs maris, qui seulement les peuvent contenter. Mais celles qui cherchent un contentement bestial ne le trouveront jamais où honnêteté le commande. » — « Appelez-vous contentement bestial, dit Géburon, si la femme veut avoir de son mari ce qui lui appartient ? » Longarine lui répondit : « Je dis que la femme chaste qui a le cœur rempli de vrai amour est plus satisfaite d'être aimée parfaitement que de tous les plaisirs que le corps peut désirer. » — « Je suis de votre opinion, dit Dagoucin, mais ces seigneurs ici ne le veulent entendre ni confesser. Je pense que, si l'amour réciproque ne contente pas une femme, le mari seul ne la contentera pas : car en vivant de l'honnête amour des femmes, faut qu'elle soit tentée de l'infernale cupidité des bêtes. » — « Vraiment, dit Oisille, vous me faites souvenir d'une dame belle et bien mariée qui, par faute de vivre de cette honnête amitié, devint plus charnelle que les pourceaux et plus cruelle que les lions. » — « Je vous requiers, madame, ce dit Simontaut, pour mettre fin à cette Journée, la nous vouloir conter. » — « Je ne puis, dit Oisille, pour deux raisons : l'une pour * sa grande longueur ; l'autre pource que ce n'est pas de notre temps ; et si a été écrite par un auteur qui est bien croyable, et nous avons juré de ne rien mettre ici qui ait été écrit. » — « Il est vrai, dit Parlamente, mais, me doutant du conte que c'est, il a été écrit en si vieux langage que je crois que, hormis nous deux, il n'y a ici homme ni femme qui en ait ouï parler ; parquoi sera tenu pour nouveau. » Et à sa parole toute la compagnie la pria de le vouloir dire, et qu'elle ne craignît la longueur, car encore une bonne heure pouvaient demeurer avant vêpres. Mme Oisille à leur requête commença ainsi :

SOIXANTE-DIXIÈME NOUVELLE

L'incontinence furieuse d'une Duchesse fut cause de sa mort et de celle de deux parfaits amants [1].

En la duché de Bourgogne y avait un Duc très honnête et beau prince, ayant épousé une femme dont la beauté le

contentait * si fort qu'elle lui faisait ignorer ses conditions, tant qu'il ne regardait qu'à lui complaire. Ce
qu'elle feignait très bien lui rendre. Or avait le Duc en sa
maison un gentilhomme tant accompli de toutes les perfections que l'on peut demander à l'homme qu'il était de
tous aimé, et principalement du Duc qui dès son enfance
l'avait nourri * près sa personne. Et le voyant si bien
conditionné l'aimait parfaitement, et se confiait en lui de
toutes les affaires que selon son âge il pouvait entendre.
La Duchesse, qui n'avait pas le cœur de femme et princesse vertueuse, ne se contentant de l'amour que son mari
lui portait et du bon traitement qu'elle avait de lui, regardait souvent ce gentilhomme, et le trouvait tant à son gré
qu'elle l'aimait outre raison. Ce qu'à toute heure mettait
peine de lui faire entendre, tant par regards piteux * et
doux que par soupirs et contenances * passionnés. Mais le
gentilhomme, qui jamais n'avait étudié * qu'à la vertu, ne
pouvait connaître le vice en une dame qui en avait si peu
d'occasion *. Tellement qu'œillades et mines de cette
pauvre folle n'apportaient autre fruit qu'un furieux désespoir, lequel un jour la poussa tant qu'oubliant qu'elle était
femme qui devait être priée et refuser, princesse qui
devait être adorée, dédaignant tels serviteurs, prit le cœur
d'un homme transporté pour décharger le feu qui était
importable *. Et ainsi que son mari allait au conseil, où le
gentilhomme pour * sa jeunesse n'était point, lui fit signe
qu'il vînt devers elle ; ce qu'il fit, pensant qu'elle eût à lui
commander quelque chose. Mais en soupirant sur son
bras, comme femme lassée de trop de repos, le mena
promener en une galerie, où elle lui dit : « Je m'ébahis de
vous, qui êtes tant beau, jeune et tant plein de toute bonne
grâce, comme vous avez vécu en cette compagnie où il y
a si grand nombre de belles dames sans que jamais vous
ayez été amoureux ou serviteur d'aucune. » Et en le
regardant du meilleur œil qu'elle pouvait, se tut pour lui
donner lieu de dire : « Madame, si j'étais digne que votre
hautesse se pût abaisser à penser à moi, ce vous serait
plus d'occasion d'ébahissement de voir un homme si
indigne d'être aimé que moi présenter son service pour en
avoir refus ou moquerie. » La Duchesse, ayant ouï cette

sage réponse, l'aima plus fort que paravant, et lui jura qu'il n'y avait dame en sa cour qui ne fût trop heureuse d'avoir un tel serviteur, et qu'il se pouvait bien essayer à telle aventure, car sans péril il en sortirait à son honneur. Le gentilhomme tenait toujours les yeux baissés, n'osant regarder ses contenances * qui étaient assez ardentes pour faire brûler une glace. Et ainsi qu'il se voulait excuser, le Duc demanda la Duchesse pour quelque affaire au conseil qui' lui touchait, où avec grand regret elle alla. Mais le gentilhomme ne fit jamais un seul semblant d'avoir entendu parole qu'elle lui eût dite, dont elle était si troublée et fâchée * qu'elle n'en savait à qui donner le tort de son ennui *, sinon à la sotte crainte dont elle estimait le gentilhomme trop plein.

Peu de jours après, voyant qu'il n'entendait point son langage, se délibéra de ne regarder crainte ni honte, mais lui déclarer sa fantaisie *, se tenant sûre qu'une telle beauté que la sienne ne pourrait être que bien reçue. Mais elle eût bien désiré d'avoir eu l'honneur d'être priée. Toutefois laissa l'honneur à part pour le plaisir, et, après avoir tenté par plusieurs fois de lui tenir semblables propos que le premier, et n'y trouvant nulle réponse à son gré, le tira un jour par la manche et lui dit qu'elle avait à parler à lui d'affaire d'importance. Le gentilhomme, avec l'humilité et révérence qu'il lui devait, s'en va devers elle en une profonde fenêtre où elle s'était retirée. Et quand elle vit que nul de la chambre ne la pouvait voir, avec une voix tremblante, contrainte entre le désir et la crainte, lui va continuer les premiers propos, le reprenant de ce qu'il n'avait encore choisi quelque dame en sa compagnie, l'assurant que, en quelque lieu que ce fût, lui aiderait d'avoir bon traitement. Le gentilhomme, non moins fâché qu'étonné de ses paroles, lui répondit : « Madame, j'ai le cœur * si bon que, si j'étais une fois refusé, je n'aurais jamais joie en ce monde ; et je me sens tel qu'il n'y a aucune dame en cette cour qui daignât accepter mon service. » La Duchesse, rougissant, pensant qu'il ne tenait plus à rien qu'il ne fût vaincu, lui jura que, s'il voulait, elle savait la plus belle dame de sa compagnie qui le recevrait à grand joie et dont il aurait parfait contentement. « Hélas, Madame, dit-il, je ne crois pas qu'il y ait si malheureuse et aveugle femme en cette compagnie qui m'ait trouvé à son gré ! » La Duchesse, voyant qu'il n'y voulait entendre, lui va entr'ouvrir le voile de sa passion. Et, pour* la crainte que lui donnait la vertu du gentilhomme, parla par manière d'interrogation, lui disant : « Si Fortune vous avait tant favorisé que ce fût moi qui vous portât cette bonne volonté, que diriez-vous ? » Le gentilhomme, qui pensait songer d'ouïr une telle parole, lui dit, le genou à terre : « Madame, quand Dieu me fera la grâce d'avoir celle du Duc mon maître et de vous, je me tiendrai le plus heureux du monde, car c'est la récompense que je demande de mon loyal service, comme celui qui plus que nul autre est obligé à mettre la vie pour le service de vous deux ; étant sûr, Madame, que l'amour que vous portez à mondit seigneur est accompagnée de telle chasteté et grandeur que, non pas moi qui ne suis qu'un ver de terre, mais le plus grand prince et parfait homme que l'on saurait trouver ne saurait empêcher l'union de vous et de mondit seigneur. Et quant à moi, il m'a nourri* dès mon enfance et m'a fait tel que je suis, parquoi il ne saurait avoir fille, femme, sœur ou mère desquelles, pour mourir, je voulusse avoir autre pensée que doit à son maître un loyal et fidèle serviteur. » La Duchesse ne le laissa pas passer outre et, voyant qu'elle était en danger* d'un refus déshonorable, lui rompit soudain son propos en lui disant : « O méchant, glorieux* et fou ! et qui est-ce qui vous en prie ? Cuidez*-vous, par votre beauté, être aimé des mouches qui volent ? Mais si vous étiez si outrecuidé de vous adresser à moi, je vous montrerais que je n'aime et ne veux aimer autre que mon mari ! Et les propos que je vous ai tenus m'ont été pour passer mon temps* à savoir de vos nouvelles, et m'en moquer comme je fais des sots amoureux ! » — « Madame, dit le gentilhomme, je l'ai cru et crois comme vous le dites. » Lors, sans l'écouter plus avant, s'en alla hâtivement en sa chambre, et voyant qu'elle était suivie de ses dames, entra en son cabinet où elle fit un deuil qui ne se peut raconter. Car d'un côté l'amour où elle avait failli* lui donna une tristesse mortelle ; d'autre côté le

dépit, tant contre elle d'avoir commencé un si sot propos
que contre lui d'avoir si sagement répondu, la mettait en
une telle furie qu'une heure se voulait défaire*, l'autre
elle voulait vivre pour se venger de celui qu'elle tenait
son mortel ennemi.

Après qu'elle eut longuement pleuré, feignit d'être
malade pour n'aller point au souper du Duc, auquel
ordinairement le gentilhomme servait. Le Duc, qui plus
aimait sa femme que lui-même, la vint visiter. Mais pour
mieux venir à la fin qu'elle prétendait, lui dit qu'elle
pensait être grosse, et que sa grossesse lui avait fait
tomber un rhume dessus les yeux, dont elle était en fort
grand peine. Ainsi passèrent deux ou trois jours que la
Duchesse garda le lit, tant triste et mélancolique que le
Duc pensa bien qu'il y avait autre chose que la grossesse.
Et vint coucher la nuit avec elle; et lui faisant toutes les
bonnes chères* qu'il lui était possible, connaissant qu'il
n'empêchait en rien ses continuels soupirs, lui dit:
« M'amie, vous savez que je vous porte autant d'amitié
qu'à ma propre vie et que, défaillant la vôtre, la mienne
ne peut durer. Parquoi, si vous voulez conserver ma
santé, je vous prie, dites-moi la cause qui vous fait ainsi
soupirer. Car je ne puis croire que tel mal vous vienne
seulement de la grossesse. » La Duchesse, voyant son
mari tel envers elle qu'elle l'eût su demander, pensa qu'il
était temps de se venger de son dépit. Et en embrassant
son mari, se prit à pleurer, lui disant: « Hélas, monsieur,
le plus grand mal que j'aie, c'est de vous voir trompé de
ceux qui sont tant obligés à garder votre bien et honneur. » Le Duc, entendant cette parole, eut grand désir de
savoir pourquoi elle lui disait ce propos, et la pria fort de
lui déclarer sans crainte la vérité. Et après en avoir fait
plusieurs refus, lui dit: « Je ne m'ébahirai jamais, monsieur, si les étrangers font guerre aux princes, quand ceux
qui sont les plus obligés l'osent entreprendre si cruelle
que la perte des biens n'est rien au prix. Je le dis,
monsieur, pour* un tel gentilhomme (nommant celui
qu'elle haïssait), lequel, étant nourri de votre main et
traité plus en parent et en fils qu'en serviteur, a osé
entreprendre chose si cruelle et misérable que de pour-

chasser à faire perdre l'honneur de votre femme où gît celui de votre maison et de vos enfants. Et combien que longuement m'ait fait des mines tendant à sa méchante intention, si * est-ce que mon cœur, qui n'a regard qu'à vous, n'y pouvait rien entendre. Dont à la fin s'est déclaré par parole. A quoi je lui ai fait telle réponse que mon état et ma chasteté devaient. Ce néanmoins, je lui porte telle haine que je ne le puis regarder, qui est la cause de m'avoir fait demeurer en ma chambre et perdre le bien de votre compagnie. Vous suppliant, monseigneur, de ne tenir une telle peste * auprès de votre personne. Car après un tel crime, craignant que je vous le dise, pourrait bien entreprendre pis. Voilà, monsieur, la cause de ma douleur, qui me semble être très juste et digne que promptement y donniez ordre. » Le Duc, qui d'un côté aimait sa femme et se sentait fort injurié, d'autre côté, aimant son serviteur, duquel il avait tant expérimenté la fidélité qu'à peine * pouvait-il croire cette mensonge être vérité, fut en grand peine. Et rempli de colère, s'en alla en sa chambre, et manda au gentilhomme qu'il n'eût plus à se trouver devant lui, mais qu'il se retirât en son logis pour quelque temps. Le gentilhomme, ignorant de ce l'occasion *, fut tant ennuyé * qu'il n'était possible de plus, sachant avoir mérité le contraire d'un si mauvais traitement. Et comme celui qui était assuré de son cœur et de ses œuvres, envoya un sien compagnon parler au Duc et porter une lettre le suppliant très humblement que, si par mauvais rapport il était éloigné de sa présence, il lui plût suspendre son jugement jusqu'après avoir entendu de lui la vérité du fait, et qu'il trouverait qu'en nulle sorte * il ne l'avait offensé. Voyant cette lettre, le Duc rapaisa un peu sa colère et secrètement l'envoya quérir en sa chambre ; auquel il dit d'un visage furieux : « Je n'eusse jamais pensé que la peine que j'ai prise de vous nourrir * comme enfant se dût convertir en repentance de vous avoir tant avancé, vu que vous m'avez pourchassé ce qui m'a été plus dommageable que la perte de la vie et des biens, voulant ᵃ toucher à l'hon-

---

a. d'avoir voulu (A)

neur de celle qui est la moitié de moi, pour rendre ma maison et ma lignée infâme à jamais. Vous pouvez penser que telle injure me touche si avant au cœur que, si ce n'était le doute que je fais s'il est vrai ou non, vous fussiez déjà au fond de l'eau, pour vous rendre en secret la punition du mal qu'en secret m'avez pourchassé. » Le gentilhomme ne fut point étonné * de ces propos, car son ignorance [b] le faisait constamment * parler. Et lui supplia lui vouloir dire qui était son accusateur, car telles paroles se doivent plus justifier avec la lance qu'avec la langue. « Votre accusateur, dit le Duc, ne porte autres armes que la chasteté, vous assurant que nul autre que ma femme même ne me l'a déclaré, me priant la venger de vous. » Le pauvre gentilhomme, voyant la très grande malice de la dame, ne la voulut toutefois accuser, mais répondit : « Monseigneur, Madame peut dire ce qui lui plaît. Vous la connaissez mieux que moi, et savez si jamais je l'ai vue hors de votre compagnie, sinon une fois qu'elle parla bien peu à moi. Vous avez aussi bon jugement que prince qui soit [c], parquoi je vous supplie, Monseigneur, juger si jamais vous avez vu en moi contenance qui vous ait pu engendrer quelque soupçon : si * est-ce un feu qui ne se peut si longuement couvrir * que quelque * fois ne soit connu de ceux qui ont pareille maladie. Vous suppliant, Monseigneur, croire deux choses de moi : l'une, que je vous suis si loyal que, quand Madame votre femme serait la plus belle créature du monde, si n'aurait Amour la puissance de mettre tache à mon honneur et fidélité ; l'autre est que, quand elle ne serait point votre femme, c'est celle que je vis onques * dont je serais aussi peu amoureux ; et y en a assez d'autres où je mettrais plutôt ma fantaisie [d]. » Le Duc commença à s'adoucir, oyant ce véritable propos, et lui dit : « Je vous assure aussi que je ne l'ai pas crue. Parquoi, faites comme vous aviez accoutumé, vous assurant que, si je connais la vérité de votre côté, je vous aimerai mieux que je ne fis onques * ;

b. innocence (T)
c. en la chrétienté (*ajout de* T)
d. ma fiance (A).

aussi, par le contraire, votre vie est en ma main. » Dont le gentilhomme le mercia, se soumettant à toute peine et punition s'il était trouvé coupable.

La Duchesse, voyant le gentilhomme servir comme il avait accoutumé, ne le put porter * en patience, mais dit à son mari : « Ce serait bien employé, monseigneur, si vous étiez empoisonné, vu que vous avez plus de fiance en vos ennemis mortels qu'en vos amis. » — « Je vous prie, m'amie, ce lui dit-il[e], ne vous tourmentez point de cette affaire, car si je connais que ce que vous m'avez dit soit vrai, je vous assure qu'il ne demeurera pas en vie vingt-quatre heures ; mais il m'a tant juré le contraire, vu aussi que jamais ne m'en suis aperçu, que je ne le puis croire sans grande preuve. » — « En bonne foi, monseigneur, lui dit-elle, votre bonté rend sa méchanceté plus grande. Voulez-vous plus grande preuve que de voir un homme tel que lui sans jamais avoir bruit * d'être amoureux ? Croyez, monsieur, que sans la grande entreprise qu'il avait mise en sa tête de me servir, il n'eût tant demeuré * à trouver maîtresse, car onques * jeune homme ne vécut en si bonne compagnie ainsi solitaire comme il fait, sinon qu'il ait le cœur en si haut lieu qu'il se contente de sa vaine espérance. Et puisque vous pensez qu'il ne vous cèle vérité, je vous supplie, mettez-le à serment de son amour car, s'il en aimait une autre, je suis contente que vous le croyiez ; et sinon, pensez que je vous dis vérité. »

Le Duc trouva les raisons de sa femme très bonnes, et mena le gentilhomme aux champs *, auquel il dit : « Ma femme me continue toujours cette opinion et m'allègue une raison qui me cause un grand soupçon contre vous : c'est qu'on s'ébahit que vous, étant si honnête et jeune, n'avez jamais aimé que l'on ait su ; qui me fait penser que vous avez l'opinion * qu'elle dit, de laquelle l'espérance vous rend si contente que vous ne pouvez penser en une autre femme. Parquoi je vous prie, comme ami, et vous commande, comme maître, que vous ayez à me dire si vous êtes serviteur de nulle dame de ce monde. » Le pauvre gentilhomme, combien qu'il eût bien voulu dissi-

muler son affection autant qu'il tenait chère sa vie, fut
contraint, voyant la jalousie de son maître, lui jurer que
véritablement il en aimait une, de laquelle la beauté était
telle que celle de la Duchesse ni toute sa compagnie
n'était que laideur auprès f; le suppliant de le contraindre
jamais de la nommer, car l'accord de lui et de s'amie était
de telle sorte qu'il ne se pouvait rompre sinon par celui
qui premier le déclarerait. Le Duc lui promit de ne l'en
presser point, et fut tant content de lui qu'il lui fit meilleure chère * qu'il n'avait point encore fait. Dont la Duchesse s'aperçut très bien et, usant de finesse * accoutumée, mit peine d'entendre l'occasion ². Ce que le Duc ne
lui cela; d'où, avec sa vengeance, s'engendra une forte
jalousie, qui la fit supplier le Duc de commander au
gentilhomme de lui nommer cette amie, l'assurant que
c'était un mensonge, et le meilleur moyen que l'on pourrait trouver pour l'assurer de son dire; mais que, s'il lui
nommait celle qu'il estimait tant belle, il était le plus
sot prince du monde s'il ajoutait foi à sa parole.

   Le pauvre seigneur, duquel la femme tournait l'opinion * comme il lui plaisait, s'en alla promener tout seul
avec ce gentilhomme, lui disant qu'il était encore en plus
grande peine qu'il n'avait été, car il se doutait fort qu'il
lui avait baillé une excuse pour le garder de soupçonner la
vérité; qui le tourmentait plus que jamais, pourquoi lui
pria autant qu'il était possible de lui déclarer * celle qu'il
aimait si fort. Le pauvre gentilhomme le supplia de ne lui
faire faire une telle faute envers celle qu'il aimait, que de
lui faire rompre la promesse qu'il lui avait faite et tenue si
longtemps, et de lui faire perdre en un jour g ce qu'il avait
conservé plus de sept ans; et qu'il aimait mieux endurer
la mort que de faire un tel tort à celle qui lui était si
loyale. Le Duc, voyant qu'il ne lui voulait dire, entra en
une si forte jalousie qu'avec un visage furieux lui dit:
« Or * choisissez de deux choses l'une : ou de me dire
celle que vous aimez plus que toutes, ou de vous en aller
banni des terres où j'ai autorité, à la charge que, si je vous

---

   f. au prix (T)
   g. perdre un jour (A)

y trouve huit jours passés, je vous ferai mourir de cruelle mort. » Si jamais douleur saisît cœur de loyal serviteur, elle prit celui de ce pauvre gentilhomme, lequel pouvait bien dire : *« Angustiae sunt mihi undique* [3] », car d'un côté il voyait qu'en disant vérité il perdrait s'amie, si elle savait que par sa faute lui faillait * de promesse ; aussi, en ne la confessant, il était banni du pays où elle demeurait et n'avait plus de moyen de la voir. Ainsi, pressé des deux côtés, lui vint une sueur froide comme à celui [h] qui par tristesse approchait de la mort. Le Duc, voyant sa contenance, jugea qu'il n'aimait nulle dame fors que la sienne, et que, pour * n'en pouvoir nommer d'autre, il endurait telle passion. Parquoi lui dit assez rudement : « Si votre dire était véritable, vous n'auriez tant de peine à la me déclarer ; mais je crois que votre offence vous tourmente. » Le gentilhomme, piqué de cette parole et poussé de l'amour qu'il lui portait, se délibéra de lui dire vérité, se confiant que son maître était tant homme de bien que pour rien ne le voudrait révéler. Se mettant à genoux devant lui, et les mains jointes, lui dit : « Monseigneur, l'obligation que j'ai à vous et le grand amour que je vous porte me force plus que la peur de nulle mort, car je vous vois en telle fantaisie * et fausse opinion de moi que, pour vous ôter d'une si grande peine, je suis délibéré de faire ce que pour * nul tourment je n'eusse fait ; vous suppliant, Monseigneur, en l'honneur de Dieu me jurer et promettre en foi de prince et de chrétien que jamais vous ne révélerez le secret que, puisqu'il vous plaît, je suis contraint de dire. » A l'heure * le Duc lui jura tous les serments qu'il se put aviser de jamais à créature du monde n'en révéler rien, ni par paroles, ni par écrit, ni par contenance. Le jeune homme, se tenant assuré d'un si vertueux prince comme il le connaissait, alla bâtir le commencement de son malheur en lui disant : « Il y a sept ans passés, Monseigneur, qu'ayant connu votre nièce, la dame du Verger, être veuve et sans parti, mis peine d'acquérir sa bonne grâce. Et pource que n'étais de maison pour l'épouser, je me contentais d'être reçu pour

h. comme celle (A)

serviteur, ce que j'ai été. Et a voulu Dieu que notre
affaire jusqu'ici fût conduit si sagement que jamais
homme ou femme qu'elle et moi n'en a rien entendu,
sinon maintenant vous, Monseigneur, entre les mains
duquel je mets ma vie et mon honneur; vous suppliant le
tenir secret et n'en avoir en moindre estime madame votre
nièce, car je ne pense sous le ciel une plus parfaite
créature. » Qui fut bien aise, ce fut le Duc; car, connaissant la très grande beauté de sa nièce, ne douta[i] point
qu'elle ne fût plus agréable que sa femme. Mais ne
pouvant entendre qu'un tel mystère se pût conduire sans
moyen *, lui pria de lui dire comment il le pourrait voir.
Le gentilhomme lui conta comme la chambre de sa dame
saillait * dans un jardin, et que, le jour qu'il y devait aller,
on laissait une petite porte ouverte par où il entrait à pied,
jusqu'à ce qu'il ouït japper un petit chien que sa dame
laissait aller au jardin quand toutes ses femmes étaient
retirées. A l'heure il s'en allait parler à elle toute la nuit.
Et au partir, lui assignait le jour qu'il devait retourner,
où, sans trop grande excuse, il n'avait encore failli *.
   Le Duc, qui était le plus curieux homme du monde, et
qui en son temps avait fort bien mené l'amour, tant pour
satisfaire à son soupçon que pour entendre une si étrange
histoire, le pria de le vouloir mener avec lui la première
fois qu'il irait, non comme maître, mais comme compagnon. Le gentilhomme, pour * en être si avant, lui accorda et lui dit comme ce soir-là même était son assignation. Dont le Duc fut plus aise que s'il eût gagné un
royaume. Et feignant s'en aller reposer en sa garde-robe,
fit venir deux chevaux pour lui et le gentilhomme, et
toute la nuit se mirent en chemin pour aller, depuis
Argilly où le Duc demeurait, jusqu'au Verger. Et laissant
leurs chevaux hors l'enclôture, le gentilhomme fit entrer
le Duc au jardin par le petit huis, le priant demeurer
derrière un noyer, duquel lieu il pouvait voir s'il disait
vrai ou non. Il n'eut guère demeuré au jardin que le petit
chien commença à japper, et le gentilhomme marcha
devers la tour où sa dame ne faillait * à venir au-devant de

i. ne doutant (A)

lui. Et le saluant et embrassant, lui dit qu'il lui semblait
avoir été mille ans sans le voir. Et à l'heure entrèrent dans
la chambre, et fermèrent la porte sur eux. Le Duc, ayant
vu tout ce mystère, se tint pour plus que satisfait, et
attendit là, non trop longuement, car le gentilhomme dit à
sa dame qu'il était contraint de retourner plus tôt qu'il
n'avait accoutumé, pource que le Duc devait aller dès
quatre heures à la chasse, où il n'osait faillir *. La dame,
qui aimait plus son honneur que son plaisir, ne le voulait
retarder de faire son devoir, car la chose que plus elle
estimait en leur honnête amitié était qu'elle était secrète
devant tous les hommes. Ainsi partit ce gentilhomme à
une heure après minuit, et sa dame, en manteau et en
couvre-chef, le conduisit, non si loin qu'elle voulait, car
il la contraignait de retourner, de peur qu'elle ne trouvât
le Duc. Avec lequel il monta à cheval et s'en retourna au
château d'Argilly. Et par les chemins le Duc jurait incessamment au gentilhomme mieux aimer mourir que de
révéler son secret. Et prit telle fiance et amour en lui qu'il
n'y avait nul en sa cour qui fût plus en sa bonne grâce,
dont la Duchesse devint toute enragée. Mais le Duc lui
défendit de jamais plus lui en parler, et qu'il en savait la
vérité, dont il se tenait content, car la dame qu'il aimait
était plus aimable qu'elle.

Cette parole navra si avant le cœur de la Duchesse
qu'elle en prit une maladie pire que la fièvre. Le Duc
l'alla voir pour la consoler, mais il n'y avait ordre * s'il
ne lui disait qui était cette belle dame tant aimée. Dont
elle lui faisait une importunée presse *, tant que le Duc
s'en alla hors de sa chambre en lui disant : « Si vous me
tenez plus de tels propos, nous nous séparerons d'ensemble. » Ces paroles augmentèrent la maladie de la Duchesse qui j feignit sentir bouger son enfant, dont le Duc
fut si joyeux qu'il s'en alla coucher auprès d'elle. Mais à
l'heure qu'elle le vit plus amoureux d'elle, se tournait de
l'autre côté lui disant : « Je vous supplie, monsieur, puisque vous n'avez amour ni à femme ni à enfant, laissez-
nous mourir tous deux. » Et avec ces paroles jeta tant de

j. qu'elle (A)

larmes et de cris que le Duc eut grand peur qu'elle perdît son fruit. Parquoi, la prenant entre ses bras, la pria de lui dire que c'était qu'elle voulait, et qu'il n'avait rien que ce ne fût pour elle. «Ah! monseigneur, ce lui répondit-elle en pleurant, qu'elle espérance puis-je avoir que vous fassiez pour moi une chose difficile, quand le plus facile et raisonnable du monde, vous ne la voulez pas faire, qui est de me dire l'amie du plus méchant serviteur que vous eûtes onques*? Je pensais que vous et moi n'eussions qu'un cœur, une âme et une chair. Mais maintenant je connais bien que vous me tenez pour une étrangère, vu que vos secrets qui ne me doivent être celés, vous les cachez comme à personne étrange*k. Hélas, monseigneur, vous m'avez dit tant de choses grandes et secrètes desquelles jamais n'avez entendu que j'en aie parlé; vous avez tant expérimenté ma volonté être égale à la vôtre que vous ne pouvez douter que je ne sois plus vous-même que moi. Et si vous avez juré de ne dire à autrui le secret du gentilhomme, en me le disant ne faillez à votre serment, car je ne suis ni ne puis être autre que vous : je vous ai en mon cœur, je vous tiens entre mes bras, j'ai un enfant en mon ventre auquel vous vivez, et ne puis avoir votre cœur comme vous avez le mien! Mais tant plus je vous suis loyale et fidèle, plus vous m'êtes cruel et austère*. Qui me fait mille fois le jour désirer, par une soudaine mort, délivrer votre enfant d'un tel père, et moi d'un tel mari. Ce que j'espère bientôt, puisque vous préférez un serviteur infidèle à votre femme telle que je vous suis, et à la vie de la mère d'un fruit qui est le vôtre, lequel s'en va périr, ne pouvant obtenir de vous ce que plus désire de savoir. » En ce disant embrassa et baisa son mari, arrosant son visage de ses larmes avec tels cris et soupirs que le bon prince, craignant de perdre sa femme et son enfant ensemble, se délibéra de lui dire vrai du tout. Mais avant lui jura que, si jamais elle le révélait à créature du monde, elle ne mourrait d'autre main que de la sienne. A quoi elle se condamna, et accepta la punition. A l'heure le pauvre déçu* mari lui raconta tout ce qu'il avait vu depuis un

k. ennemie (T)

bout jusqu'à l'autre. Dont elle fit semblant d'être contente. Mais en son cœur pensait bien le contraire. Toutefois, pour * la crainte du Duc, dissimula le plus qu'elle put sa passion.

Et le jour d'une grande fête, que le Duc tenait sa cour où il avait mandé toutes les dames du pays, et entre autres sa nièce, après le festin les danses commencèrent, où chacun fit son devoir. Mais la Duchesse, qui était tourmentée voyant la beauté et bonne grâce de sa nièce du Verger, ne se pouvait réjouir ni moins garder son dépit d'apparaître. Car, ayant appelé toutes les dames qu'elle fit asseoir à l'entour d'elle, commença à relever propos d'amour; et voyant que Mme du Verger n'en parlait point, lui dit avec un cœur crû * de jalousie : «Et vous, belle nièce, est-il possible que votre beauté soit sans ami ou serviteur ?» — «Madame, ce lui répondit la dame du Verger, ma beauté ne m'a point fait de tel acquêt, car depuis la mort de mon mari n'ai voulu autres amis que ses enfants, dont je me tiens pour contente.» — «Belle nièce, belle nièce, ce lui répondit Mme la Duchesse par un exécrable dépit, il n'y a amour si secrète qui ne soit sue, ni petit chien si affecté * et fait à la main * duquel on n'entende le japper !» Je vous laisse penser, mesdames, quelle douleur sentit au cœur cette pauvre dame du Verger, voyant une chose tant longuement couverte être à son grand déshonneur déclarée. L'honneur si soigneusement gardé et si malheureusement perdu la tourmentait, mais encore plus le soupçon qu'elle avait que son ami lui eût failli * de promesse. Ce qu'elle ne pensait jamais qu'il pût faire, sinon par aimer quelque dame plus belle qu'elle, à laquelle la force d'Amour aurait fait déclarer tout son fait. Toutefois sa vertu fut si grande qu'elle n'en fit un seul semblant *, et répondit en riant à la Duchesse qu'elle ne se connaissait pas au langage des bêtes.

Et sous cette sage dissimulation, son cœur fut si plein de tristesse qu'elle se leva et, passant par la chambre de la Duchesse, entra en une garde-robe où le Duc qui se promenait la vit entrer. Et quand la pauvre dame se trouva au lieu où elle pensait être seule, se laissa tomber sur un lit avec si grande faiblesse qu'une demoiselle, qui était assise en la ruelle pour dormir, se leva, regardant par à travers le rideau qui ce pouvait être. Mais, voyant que c'était Mme du Verger, laquelle pensait être seule, n'osa lui dire rien, et écouta le plus paisiblement qu'elle put. Et la pauvre dame, avec une voix demi-morte, commença à se plaindre et dire : « O malheureuse, quelle parole est-ce que j'ai ouïe ? Quel arrêt de ma mort ai-je entendu ? Quelle sentence de ma fin ai-je reçue ? O le plus aimé qui onques * fut, est-ce la récompense de ma chaste, honnête et vertueuse amour ? O mon cœur, avez-vous fait une si périlleuse élection, et choisi pour le plus loyal le plus infidèle, pour le plus véritable le plus feint, et pour le plus secret le plus médisant ? Hélas ! est-il possible qu'une chose cachée aux yeux de tous les humains ait été révélée à Mme la Duchesse ? Hélas ! mon petit chien tant bien appris *, le seul moyen * de ma longue et vertueuse amitié, ce n'a pas été vous qui m'avez décelée, mais celui qui a la voix plus criante que le chien aboyant, et le cœur plus ingrat que nulle bête. C'est lui qui, contre son serment et sa promesse, a découvert l'heureuse vie que nous avons longuement menée sans tenir tort à personne[1] ! O mon ami, l'amour duquel seul est entré dedans mon cœur, avec lequel ma vie a été conservée, faut-il maintenant que, en vous déclarant mon mortel ennemi, mon honneur soit mis au vent, mon corps en la terre et mon âme où éternellement elle demeurera ? La beauté de la Duchesse est-elle si extrême qu'elle vous a transmué comme faisait celle de Circée ? Vous a-t-elle fait venir de vertueux vicieux, de bon mauvais, et d'homme bête cruelle ? O mon ami, combien que vous me failliez de promesse, si * vous tiendrai de la mienne : c'est de jamais ne vous voir après la divulgation de notre amitié. Mais aussi ne pouvant vivre sans votre vue, je m'accorde volontiers à l'extrême douleur que je sens, à laquelle ne veux chercher remède ni par raison ni par médecine, car la mort seule mettra la fin, qui me sera trop plus plaisante que demeurer au monde sans ami, sans honneur et sans contentement. La guerre ni la mort ne m'ont pas ôté mon ami ;

---

1. sans tenir tort à personne que nous avons longuement menée (A)

mon péché ni ma coulpe * ne m'ont pas ôté mon honneur;
ma faute et mon démérite ne m'ont point fait perdre mon
contentement; mais c'est l'Infortune cruelle qui, rendant
ingrat le plus obligé de tous les hommes, me fait recevoir
le contraire de ce que j'ai desservi *. Ah! Mme la Duchesse, quel plaisir ce vous a été quand, par moquerie,
m'avez allégué mon petit chien! Or * jouissez-vous du
bien qui à moi seule appartient! Or vous moquez de celle
qui pense par bien celer et vertueusement aimer être
exempte de toute moquerie! Oh! que ce mot m'a serré le
cœur, qui m'a fait rougir de honte et pâlir de jalousie!
Hélas! mon cœur, je sens bien que vous n'en pouvez
plus. L'amour qui m'a reconnue * vous brûle, la jalousie
et le tort que l'on vous tient vous glace et amortit *, et le
dépit et le regret ne me permettent de vous donner
consolation. Hélas, ma pauvre âme qui, par trop avoir
adoré la créature avez oublié le Créateur, il faut retourner
entre les mains de Celui duquel l'amour vaine vous avait
ravie. Prenez confiance, mon âme, de le trouver meilleur
père que n'avez trouvé ami celui pour lequel l'avez souvent oublié. O mon Dieu, mon Créateur, qui êtes le vrai
et parfait Amour par la grâce duquel l'amour que j'ai
portée à mon ami n'a été tachée de nul vice sinon de trop
aimer, je supplie votre miséricorde de recevoir l'âme et
l'esprit de celle qui se repent avoir failli * à votre premier
et très juste commandement, et, par le mérite de Celui
duquel l'amour est incompréhensible, excusez la faute
que trop d'amour m'a fait faire. Car en vous seul j'ai ma
parfaite confiance. Et adieu, ami duquel le nom sans effet
me crève le cœur! » A cette parole se laissa tomber tout à
l'envers, et lui devint la couleur blême, les lèvres bleues
et les extrémités froides.

En cet instant arriva en la salle le gentilhomme qu'elle
aimait. Et voyant la Duchesse qui dansait avec les dames,
regarda partout où était s'amie. Mais ne la voyant point,
entra en la chambre de la Duchesse, et trouva le Duc qui
se promenait, lequel, devinant sa pensée, lui dit en
l'oreille : « Elle est allée en cette garde-robe, et semblait
qu'elle se trouvait mal. » Le gentilhomme lui demanda
s'il lui plaisait bien qu'il y allât; le Duc l'en pria. Ainsi

qu'il entra dedans la garde-robe, trouva Mme du Verger qui était au dernier pas de sa mortelle vie, laquelle il embrassa lui disant : « Qu'est ceci, m'amie ? me voulez-vous laisser ? » La pauvre dame, oyant la voix que tant bien elle connaissait, prit un peu de vigueur et ouvrit l'œil, regardant celui qui était cause de sa mort. Mais en ce regard l'amour et le dépit crûrent si fort qu'avec un piteux * soupir rendit son âme à Dieu. Le gentilhomme, plus mort que la morte, demanda à la demoiselle comme cette maladie lui était prise. Elle lui conta du long les paroles qu'elle lui avait ouï dire. A l'heure il connut que le Duc avait révélé son secret à sa femme, dont il sentit une telle fureur que, embrassant le corps de s'amie, l'arrosa longuement de ses larmes en disant : « O moi, traître, méchant et malheureux ami, pourquoi est-ce que la punition de ma trahison n'est tombée sur moi et non sur elle, qui est innocente ? Pourquoi le ciel ne me fou-droya-t-il pas le jour que ma langue révéla la secrète et vertueuse amitié de nous deux ? Pourquoi la terre ne s'ouvrit pour engloutir ce fausseur de foi [4] ? O ma langue, punie sois-tu comme celle du Mauvais Riche en Enfer [5] ! O mon cœur, trop craintif de mort et de banissement, déchiré sois-tu des aigles perpétuellement comme celui d'Ixion [6] ! Hélas, m'amie, le malheur des malheurs, le plus malheureux qui onques * fut m'est advenu ! Vous cuidant * garder, je vous ai perdue ; vous cuidant voir longuement vivre avec honnête et plaisant contentement, je vous embrasse morte, mal content de moi, de mon cœur et de ma langue jusqu'à l'extrémité ! O la plus loyale et fidèle femme qui onques * fut, je passe condam-nation d'être le plus déloyal, muable * et infidèle de tous les hommes ! Je me voudrais volontiers plaindre au Duc, sous la promesse duquel me suis confié, espérant par là faire durer notre heureuse vie ; mais hélas, je devais savoir que nul ne pouvait garder mon secret mieux que moi-même. Le Duc a plus de raison de dire le sien à sa femme que moi à lui. Je n'accuse que moi seul de la plus grande méchanceté qui onques fut commise entre amis. Je devais endurer être jeté en la rivière comme il me menaçait : au moins, m'amie, vous fussiez demeurée vive ^m, et moi glorieusement mort, observant la loi que vraie amitié commande; mais, l'ayant rompue, je demeure vif*, et vous, par aimer parfaitement, êtes morte, car votre cœur tant pur et net n'a su porter, sans mort, de savoir le vice qui était en votre ami. O mon Dieu! pourquoi me créâtes-vous homme, ayant l'amour si légère et le cœur tant ignorant? Pourquoi ne me créâtes-vous le petit chien qui a fidèlement servi sa maîtresse? Hélas, mon petit ami, la joie que me donnait votre japper est tournée en mortelle tristesse, puisqu'autre que nous deux a ouï votre voix. Si* est-ce, m'amie, que l'amour de la Duchesse ni de femme vivant ne m'a fait varier*, combien que par plusieurs fois la méchante m'en ait requis et prié, mais ignorance m'a vaincu, pensant à jamais assurer notre amitié. Toutefois, pour être ignorant, je ne laisse d'être coupable, car j'ai révélé le secret de m'amie; j'ai faussé ma promesse, qui est la seule cause dont je la vois morte devant mes yeux. Hélas, m'amie, me sera la mort moins cruelle qu'à vous, qui par amour a mis fin à votre innocente vie? Je crois qu'elle ne daignerait toucher à mon infidèle et misérable cœur, car la vie déshonorée et la mémoire de ma perte, par ma faute, est plus importable* que dix mille morts. Hélas, m'amie, si quelqu'un par malheur ou malice vous eût osé tuer, promptement j'eusse mis la main à l'épée pour vous venger. C'est donc raison que je ne pardonne à ce meurtrier, qui est cause de votre mort par un acte plus méchant que de vous donner un coup d'épée. Si je savais un plus infâme bourreau que moi-même, je le prierais d'exécuter votre traître ami. O Amour! Par ignoramment* aimer je vous ai offensé, aussi ne me veuillez secourir comme vous avez fait celle qui a gardé toutes vos lois. Ce n'est pas raison que par un si honnête moyen je définne*, mais raisonnable que ce soit par ma propre main. Puisqu'avec mes larmes j'ai lavé votre visage, et avec ma langue vous ai requis pardon, il ne reste plus qu'avec ma main je rende mon corps semblable au vôtre, et laisse aller mon âme où la vôtre ira, sachant qu'un amour vertueux et

m. veuve (A)

honnête n'a jamais fin en ce monde ni en l'autre. » Et à
l'heure, se levant de dessus le corps comme un homme
forcené * et hors du sens, tira son poignard et, par grande
violence, s'en donna au-travers du cœur. Et derechef prit
s'amie entre ses bras, la baisant par telle affection qu'il
semblait plus être atteint d'Amour que de la mort.

La demoiselle, voyant ce coup, s'en courut à la porte
crier à l'aide. Le Duc, oyant ce cri, doutant * le mal de
ceux qu'il aimait, entra le premier dedans la garde-robe,
et voyant ce piteux couple, s'essaya de les séparer pour
sauver, s'il eût été possible, le gentilhomme. Mais il
tenait s'amie si fortement qu'il ne fut possible de la lui
ôter jusqu'à ce qu'il fût trépassé. Toutefois, entendant le
Duc qui parlait à lui, disant : « Hélas, qui est cause de
ceci ? », avec un regard furieux * lui répondit : « Ma langue et la vôtre, monseigneur ! » Et en ce disant trépassa,
son visage joint à celui de s'amie. Le Duc, désirant
d'entendre plus avant, contraignit la demoiselle de lui
dire ce qu'elle en avait vu et entendu, ce qu'elle fit tout
du long, sans en épargner rien. A l'heure le Duc,
connaissant qu'il était cause de tout le mal, se jeta sur les
deux amants morts et, avec grands cris et pleurs, leur
demanda pardon de sa faute en les baisant tous deux par
plusieurs fois. Et puis, tout furieux se leva, tira le poignard du corps du gentilhomme et, tout ainsi qu'un san-
glier, étant navré d'un épieu, court d'une impétuosité
contre celui qui a fait le coup, ainsi s'en alla le Duc
chercher celle qui l'avait navré jusqu'au fond de son âme.
Laquelle il trouva dansant dans la salle, plus joyeuse
qu'elle n'avait accoutumé, comme celle qui pensait être
bien vengée de la dame du Verger. Le Duc la prit au
milieu de la danse et lui dit : « Vous avez pris le secret sur
votre vie, et sur votre vie tombera la punition. » Et ce
disant la prit par la coiffure et lui donna du poignard
dedans la gorge, dont toute la compagnie fut si étonnée *
que l'on pensait que le Duc fût hors du sens. Mais après
qu'il eut parachevé ce qu'il voulait, assembla en la salle
tous ses serviteurs et leur conta l'honnête et piteuse histoire de sa nièce, et le méchant tour que lui avait fait sa
femme, qui ne fut sans faire pleurer les assistants.

Après le Duc ordonna que sa femme fût enterrée en une abbaye qu'il fonda en partie pour satisfaire au péché qu'il avait fait de tuer sa femme. Et fit faire une belle sépulture, où les corps de sa nièce et du gentilhomme furent mis ensemble avec une épitaphe déclarant * la tragédie de leur histoire. Et le Duc entreprit un voyage * sur les Turcs, où Dieu le favorisa tant qu'il en rapporta honneur et profit, et trouvant [n] à son retour son fils aîné suffisant * de gouverner son bien, lui laissa tout et s'en alla rendre religieux en l'abbaye où était enterrée sa femme et les deux amants. Et là passa sa vieillesse heureusement avec Dieu.

« Voilà, mesdames, l'histoire que vous m'avez priée de vous raconter, que je connais bien à vos yeux n'avoir été entendue sans compassion. Il me semble que vous devez tirer exemple de ceci, pour vous garder de mettre votre affection aux hommes car, quelque honnête ou vertueuse qu'elle soit, elle a toujours à la fin quelque mauvais déboire. Et vous voyez que saint Paul, encore * aux gens mariés, ne veut qu'ils aient cette grand amour ensemble [7]. Car d'autant que notre cœur est affectionné à quelque chose terrienne *, d'autant s'éloigne-t-il de l'affection céleste ; et plus l'amour est honnête et vertueuse, et plus difficile en est à rompre le lien. Qui me fait vous prier, mesdames, de demander à Dieu son Saint Esprit, par lequel votre cœur [o] soit tant enflammé en l'amour de Dieu que vous n'ayez point de peine, à la mort, de laisser ce que vous aimez trop en ce monde. » — « Puisque l'amour était si honnête, dit Géburon, comme vous nous la peignez, pourquoi la fallait-il tenir secrète ? » — « Pource, dit Parlamente, que la malice des hommes est telle que jamais ne pensent que grande amour soit jointe à honnêteté, car ils jugent les hommes et les femmes vertueux [p] selon leurs passions. Et pour cette occasion * il est besoin, si une femme a quelque bon ami, outre ses plus grands prochains parents, qu'elle parle à lui secrètement,

n. trouva (A)
o. amour (A)
p. vicieux (A)

si elle y veut parler longuement. Car l'honneur d'une femme est aussi bien mis en dispute pour aimer par vertu comme par vice, vu que l'on ne se prend qu'à ce que l'on voit. » — « Mais, ce dit Géburon, quand ce secret-là est décelé, l'on y pense beaucoup pis ! » — « Je le vous confesse, dit Longarine, parquoi c'est le meilleur du tout de n'aimer point. » — « Nous appelons de cette sentence ! dit Dagoucin, car si nous pensions les dames sans amour, nous voudrions être sans vie. J'entends de ceux qui ne vivent que pour l'acquérir. Et encore qu'ils n'y adviennent, l'espérance les soutient et leur fait faire mille choses honorables jusqu'à ce que la vieillesse change ces honnêtes passions en autres peines. Mais qui penserait que les dames n'aimassent point, il faudrait en lieu d'hommes d'armes faire des marchands, et en lieu d'acquérir honneur ne penser qu'à amasser du bien. » — « Donc, dit Hircan, s'il n'y avait point de femmes, vous voudriez dire que nous serions tous marchands q ? Comme si nous n'avions de cœur que celui qu'elles nous donnent ! Mais je suis bien de contraire opinion, qu'il n'est rien qui plus abatte le cœur d'un homme que de hanter ou trop aimer les femmes. Et pour cette occasion défendaient les Hébreux que, l'année que l'homme était marié, il n'allât point à la guerre, de peur que l'amour de sa femme ne le retirât des hasards * que l'on y doit chercher 8. » — « Je trouve, dit Saffredent, cette loi sans grande raison, car il n'y a rien qui fasse plutôt sortir l'homme hors de sa maison que d'être marié, pource que la guerre de dehors n'est pas plus importable que celle de dedans, et crois que, pour donner envie aux hommes d'aller en pays étranges * et ne s'amuser en leurs foyers, il les faudrait marier. » — « Il est vrai, dit Ennasuite, que le mariage leur ôte le soin de leur maison, car ils s'en fient à leurs femmes, et ne pensent qu'à acquérir honneur, étant sûrs que leurs femmes auront assez de soin du profit. » Saffredent lui répondit : « En quelque sorte que ce soit, je suis bien aise que vous êtes de mon opinion. » — « Mais, ce dit Parlamente, vous ne débattez de ce qui est le plus à considérer : c'est pourquoi le gentilhomme qui était cause de tout le mal ne mourut aussitôt de déplaisir, comme celle qui était innocente. » Nomerfide lui dit : « C'est pource que les femmes aiment mieux que les hommes. » — « Mais c'est, ce dit Simontaut, pource que la jalousie des femmes et le dépit les fait crever sans savoir pourquoi. Et la prudence des hommes les fait enquérir de la vérité, laquelle connue, par bon sens montrent leur grand cœur, comme fit ce gentilhomme ; et après avoir entendu qu'il était l'occasion du mal de s'amie, montra combien il l'aimait sans épargner sa propre vie. » — « Toutefois, dit Ennasuite, elle mourut par vraie amour, car son ferme et loyal cœur ne pouvait endurer d'être si vilainement trompée. » — « Ce fut sa jalousie, dit Simontaut, qui ne donna lieu à la raison et crut le mal qui n'était point en son ami tel comme elle le pensait ; et fut sa mort contrainte, car elle n'y pouvait remédier, mais celle de son ami fut volontaire, après avoir connu son tort. » — « Si * faut-il, dit Nomerfide, que l'amour soit grand, qui cause une telle douleur ! » — « N'en ayez point de peur, dit Hircan, car vous ne mourrez point d'une telle fièvre ! » — « Non plus, dit Nomerfide, que vous ne vous tuerez après avoir connu votre offense ! »

Parlamente, qui se doutait le débat être à ses dépens, leur dit en riant : « C'est assez que deux soient morts d'amour sans que l'amour en fasse battre deux autres ! car voilà le dernier son de vêpres qui nous départira, veuillez ou non. » Par son conseil la compagnie se leva, et allèrent ouïr vêpres, n'oubliant en leurs bonnes prières les âmes des vrais amants pour lesquels les religieux, de leur bonne volonté, dirent un *De Profundis*. Et tant que le souper dura, n'eurent autres propos que de Mme du Verger. Et après avoir un peu passé leur temps ensemble, chacun se retira en sa chambre, et ainsi mirent fin à la septième Journée.

FIN DE LA SEPTIÈME JOURNÉE

LA HUITIÈME JOURNÉE

En la huitième Journée on devise des plus grandes et plus véritables folies dont chacun se peut avouer.

Le matin venu, s'enquirent si leur pont s'avançait fort, et trouvèrent que dedans deux ou trois jours il pourrait être achevé ; ce qui déplut à quelques-uns de la compagnie, car ils eussent bien désiré que l'ouvrage eût duré plus longuement pour faire durer le contentement qu'ils avaient de leur heureuse vie. Mais voyant qu'ils n'avaient plus que deux ou trois jours de bon temps, se délibérèrent de ne le perdre pas et prièrent Mme Oisille de leur donner la pâture spirituelle comme elle avait accoutumé ; ce qu'elle fit. Mais elle les tint plus longtemps qu'auparavant, car elle voulait, avant partir, avoir mis fin à la *Canonique* de saint Jean [1]. A quoi elle s'acquitta si très bien qu'il semblait que la Saint-Esprit plein d'amour et de douceur parlât par sa bouche. Et tout enflammés de ce feu, s'en allèrent ouïr la grand-messe, et après dîner ensemble, parlant encore de la Journée passée, se défiant d'en pouvoir faire une aussi belle. Et pour y donner ordre, se retirèrent chacun en son logis, jusqu'à l'heure qu'ils allèrent en leur chambre des contes [2], sur le bureau * de l'herbe verte où déjà trouvèrent les moines arrivés, qui avaient pris leurs places. Quand chacun fut assis, Oisille [a] demanda qui commencerait. Saffredent dit : « Vous m'avez fait l'honneur d'avoir commencé deux Journées ; il me semble que nous ferions tort aux dames si une seule n'en commençait deux. » — « Il faudra donc, dit Mme Oisille, que nous demeurions ici longuement, ou qu'un de vous et une de nous soit sans avoir

a. l'on demanda (A)

commencé une Journée. » — « Quant à moi, dit Dagoucin, si j'eusse été élu, j'eusse donné ma place à Saffredent. » — « Et moi, dit Nomerfide, j'eusse donné la mienne à Parlamente, car j'ai tant accoutumé de servir que je ne saurais commander. » A quoi toute la compagnie s'accorda, et Parlamente commença ainsi : « Mesdames, nos Journées passées ont été pleines de tant de sages contes que je vous voudrais prier que cette-ci le soit de toutes les plus grandes folies, et les plus véritables que nous nous pourrions aviser. Et pour vous mettre en train, je vais commencer. »

SOIXANTE-ONZIÈME NOUVELLE

Une femme, étant aux abois de la mort, se courrouça en sorte, voyant que son mari accolait sa chambrière, qu'elle revint en santé.

En la ville d'Amboise, il y avait un sellier nommé Brimbaudier, lequel était sellier de la Reine de Navarre, homme duquel on pouvait juger la nature, à voir la couleur du visage, être plus serviteur de Bacchus que des prêtres de Diane. Il avait épousé une femme de bien qui gouvernait son ménage très sagement, dont il se contentait *. Un jour, on lui dit que sa bonne femme était malade et en grand danger, dont il montra être autant courroucé * qu'il était possible. Il s'en alla en grande diligence pour la secourir, et trouva sa pauvre femme si bas qu'elle avait plus besoin de confesseur que de médecin. Dont il fit un deuil le plus piteux * du monde. Mais pour bien le représenter, faudrait parler gras comme lui, et encore serait-ce plus qui pourrait [1] peindre son visage et sa contenance. Après qu'il lui eut fait tous les services qu'il lui fut possible, elle demanda la croix, qu'on lui fit apporter. Quoi voyant, le bonhomme s'alla jeter sur un lit, tout désespéré, criant et disant avec sa langue grasse : « Hélas, mon Dieu, je perds ma pauvre femme ! Que ferai-je, moi, malheureux [a] », et plusieurs telles

a. Helias, mon Dieu, ze pelz ma pauvle fliemme ; que flie-ze, moy pauvle malheulieus ! (T)

complaintes. A la fin, regardant qu'il n'y avait personne
en la chambre qu'une jeune chambrière, assez belle et en
bon point*, l'appela tout bas à lui en lui disant:
« M'amie, je me meurs, je suis pis que trépassé de voir
ainsi mourir ta maîtresse! Je ne sais que faire ni que dire,
sinon que je me recommande à toi, et te prie prendre le
soin de ma maison et de mes enfants. Tiens les clefs que
j'ai à mon côté. Donne ordre au ménage, car je n'y
saurais plus entendre[b]. » La pauvre fille, qui en eut pitié,
le réconforta, le priant de ne se vouloir[c] désespérer et
que, si elle perdait sa maîtresse, elle ne perdît son bon
maître. Il lui répondit: « M'amie, il n'est possible, car je
me meurs. Regarde comme j'ai le visage froid, approche
tes joues des miennes, pour les me réchauffer[d]. » Et en ce
faisant, il lui mit la main au tétin, dont elle cuida* faire
quelque difficulté; mais la pria n'avoir point de crainte,
car il faudrait bien qu'ils se vissent de plus près. Et sur
ces mots la prit entre ses bras, et la jeta sur le lit. Sa
femme, qui n'avait compagnie que de la croix et de l'eau
bénite, et n'avait parlé depuis deux jours, commença
avec sa faible voix de crier le plus haut qu'elle put: « Ha,
ha, ha! je ne suis pas encore morte! » Et en le menaçant
de la main, disait: « Méchant, vilain, je ne suis pas
morte! » Le mari et la chambrière, oyant sa voix, se
levèrent; mais elle était si dépite contre eux que la colère
consuma l'humidité du catarrhe qui la gardait* de parler,
en sorte qu'elle leur dit toutes les injures dont elle se
pouvait aviser. Et depuis cette heure-là commença de
guérir. Qui ne fut sans souvent reprocher à son mari le
peu d'amour qu'il lui portait.

« Vous voyez, mesdames, l'hypocrisie des hommes:
comme pour un peu de consolation ils oublient le regret

b. M'amye, ze me meuilz et suy pis que tliepassé de voil ainsi moulir
ta maiteliesse; ze ne zai que faille ne que dille, si non que ze me
liecommande à toy et te plie de plendle, le soin de ma maison et de mes
enfans. Tien les clefs que z'ai à mon coté et donne odle au menaze, cal
ze n'y sauloi plus entendle. (T)
c. de se vouloir (A)
d. M'amye, il n'est possiblie, cal ze me meuilz; legalde comme z'ai
le vizaize floid, aplosse tes zoues des mienes poul me les lessauffer. (T)

de leurs femmes ! » — « Que savez-vous, dit Hircan, s'il avait ouï dire que ce fut le meilleur remède que sa femme pouvait avoir ? Car, puisque par son bon traitement il ne la pouvait guérir, il voulait essayer si le contraire lui serait meilleur. Ce que très bien il expérimenta. Et m'ébahis comme vous, qui êtes femme, avez déclaré * la condition de votre sexe, qui plus amende par dépit que par douceur ! » — « Sans point de faute, dit Longarine, cela me ferait bien non seulement saillir * du lit, mais d'un sépulcre tel que celui-là. » — « Et quel tort lui faisait-il, dit Saffredent, puisqu'il la pensait morte, de se consoler ? Car l'on sait bien que le lien de mariage ne peut durer sinon autant que la vie ; et puis après, on est délié. » — « Oui, délié, dit Oisille, du serment et de l'obligation ; mais un bon cœur n'est jamais délié de l'amour. Et était bien tôt oublié son deuil de ne pouvoir attendre que sa femme eût poussé le dernier soupir ! » — « Mais ce que je trouve le plus étrange, dit Nomerfide, c'est que, voyant la mort et la croix devant ses yeux, il ne perdait la volonté d'offenser Dieu. » — « Voilà une belle raison ! dit Simontaut ; vous ne vous ébahiriez donc pas de voir faire une folie, mais * qu'on soit loin de l'église et du cimetière ? » — « Moquez-vous tant de moi que vous voudrez, dit Nomerfide ; si * est-ce que la méditation de la mort rafroidit bien fort un cœur, quelque jeune qu'il soit. » — « Je serais de votre opinion, dit Dagoucin, si je n'avais ouï dire le contraire à une princesse. » — « C'est donc à dire, dit Parlamente, qu'elle en raconta quelque histoire. Parquoi, s'il est ainsi, je vous donne ma place pour la dire. » Dagoucin commença ainsi :

SOIXANTE-DOUZIÈME NOUVELLE

*Continuelle repentance d'une religieuse pour avoir perdu sa virginité sans force * ni par amour.*

En une des meilleures villes de France après Paris, y avait un hôpital richement fondé, à savoir d'une prieure et quinze ou seize religieuses ; et en un autre corps de maison, devant, y avait un prieur et sept ou huit religieux,

lesquels tous les jours disaient le service; et les religieuses seulement leur patenôtre* et les heures* de Notre-
Dame, pource qu'elles étaient occupées au service des
malades. Un jour vint à mourir un pauvre homme, où
toutes les religieuses s'assemblèrent. Et après lui avoir
fait tous les remèdes pour sa santé, envoyèrent quérir un
de leurs religieux pour le confesser. Puis, voyant qu'il
s'affaiblissait, lui baillèrent l'Onction, et peu à peu perdit
la parole. Mais pource qu'il demeura* longuement à
passer, faisant semblant* d'ouïr, chacune se mirent à lui
dire les meilleures paroles qu'elles purent, dont à la
longue elles se fâchèrent*, car, voyant la nuit venue et
qu'il faisait tard, s'en allèrent coucher l'une après l'autre.
Et ne demeura, pour ensevelir le corps, qu'une des plus
jeunes avec un religieux qu'elle craignait plus que le
prieur ni autre pour* la grande austérité dont il usait tant
en paroles qu'en vie. Et quand ils eurent bien crié: Jésus!
à l'oreille du pauvre homme, connurent qu'il était trépassé. Parquoi tous deux l'ensevelirent. Et en exerçant
cette dernière œuvre de miséricorde commença le religieux à parler de la misère de la vie et de la bienheureu-
seté de la mort. En ces propos passèrent la minuit[a].

La pauvre fille ententivement* écoutait ces dévots
propos, et le regardant les larmes aux yeux, où il prit si
grand plaisir que, parlant de la vie à venir, commença à
l'embrasser comme s'il eût eu envie de la porter entre ses
bras en paradis. La pauvre fille, écoutant ces propos et
l'estimant le plus dévot de la compagnie, ne l'osa refuser.
Quoi voyant, ce méchant moine, en parlant toujours de
Dieu, paracheva avec elle l'œuvre que soudain le diable
lui[b] mit au cœur, car paravant n'en avait jamais été
question; l'assurant qu'un péché secret n'était point imputé devant Dieu, et que deux personnes non liées ne
peuvent offenser en tel cas, quand il n'en vient point de
scandale; et que, pour l'éviter, elle se gardât bien de se[c]
confesser à autre qu'à lui.

a. la nuit (T)
b. leur (A)
c. le (A)

Ainsi se départirent * d'ensemble, elle la première qui, en passant par une chapelle de Notre-Dame, voulut faire son oraison comme elle avait de coutume. Et quand elle commença à dire : « Vierge Marie », il lui souvint qu'elle avait perdu ce titre de virginité, sans force ni amour, mais par une sotte crainte ; dont elle se prit tant à pleurer qu'il semblait que le cœur lui dût fendre. Le religieux qui de loin ouït ces soupirs, se douta de sa conversion par laquelle il pouvait perdre son plaisir ; dont, pour l'empêcher, la vint trouver prosternée devant cette image *, la reprit aigrement et lui dit que, si elle en faisait conscience *, elle se confessât à lui et qu'elle n'y retournât plus, si elle ne voulait ; car l'un et l'autre sans péché était en sa liberté. La sotte religieuse, cuidant * satisfaire envers Dieu, s'alla confesser à lui ; mais, pour pénitence, il lui jura qu'elle ne péchait point de l'aimer, et que l'eau bénite pouvait effacer un tel peccadille. Elle, croyant plus en lui qu'en Dieu, retourna au bout de quelque temps à lui obéir, en sorte qu'elle devint grosse. Dont elle prit un si grand regret qu'elle supplia la prieure de faire chasser hors du monastère ce religieux, sachant qu'il était si fin * qu'il ne faudrait * point à la séduire. L'abbesse et le prieur, qui s'accordaient fort bien ensemble, se moquèrent d'elle, disant qu'elle était assez grande pour se défendre d'un homme, et que celui dont elle parlait était trop homme de bien. A la fin, à force d'impétuosité, pressée du remords de sa^d conscience, leur demanda congé * d'aller à Rome, car elle pensait, en confessant son péché aux pieds du pape, recouvrer sa virginité. Ce que très volontiers le prieur et la prieure lui accordèrent, car ils aimaient mieux qu'elle fût pèlerine contre sa règle que renfermée et de venir si scrupuleuse comme elle était, craignant que son désespoir lui fît révéler la vie^e que l'on mène là-dedans ; et lui baillèrent^f l'argent pour faire son voyage *.

Mais Dieu voulut que, elle étant à Lyon, un soir, après

d. la (A)
e. renoncer à la vie (A)
f. lui baillant (A)

vêpres, sur le pupitre* de l'église de Saint-Jean, où
Mme la Duchesse d'Alençon, qui depuis fut Reine de
Navarre, allait secrètement faire quelque neuvaine avec
trois ou quatre de ses femmes, étant à genoux devant le
crucifix, ouït monter en haut quelque personne et, à la
lueur de la lampe, connut que c'était une religieuse. Et
afin d'entendre ses dévotions, se retira la duchesse au
coin de l'autel. Et la religieuse, qui pensait être seule,
s'agenouilla et, en frappant sa coulpe, se prit à pleurer,
tant que c'était pitié de l'ouïr, ne criant sinon : « Hélas,
mon Dieu ! ayez pitié de cette pauvre pécheresse ! » La
duchesse, pour entendre que c'était, s'approcha d'elle en
lui disant : « M'amie, qu'avez-vous, et d'où êtes-vous ?
Qui vous amène en ce lieu-ci ? » La pauvre religieuse, qui
ne la connaissait point, lui dit : « Hélas, m'amie, mon
malheur est tel que je n'ai recours qu'à Dieu, lequel je
supplie me donner moyen de parler à Mme la Duchesse
d'Alençon. Car à elle seule je conterai mon affaire, étant
assurée que, s'il y a ordre*, elle le trouvera. »
— « M'amie, ce lui dit la Duchesse, vous pouvez parler à
moi comme à elle, car je suis de ses grandes amies. »
— « Pardonnez-moi, dit la religieuse, car jamais autre
qu'elle ne saura mon secret. » Alors la Duchesse lui dit
qu'elle pouvait parler franchement et qu'elle avait trouvé
ce qu'elle demandait. La pauvre femme se jeta à ses pieds
et, après avoir pleuré et crié, lui lui raconta ce que vous
avez ouï de sa pauvreté. La Duchesse la réconforta si bien
que, sans lui ôter la repentance continuelle de son péché,
lui mit hors de l'entendement le voyage de Rome et la
renvoya en son prieuré, avec lettres à l'évêque du lieu
pour donner ordre de faire chasser ce religieux scandaleux.

« Je tiens ce conte de la Duchesse même, par lequel
vous pouvez voir, mesdames, que la recette de Nomerfide ne sert pas à toutes personnes. Car ceux-ci, touchant
et ensevelissant le mort, ne furent moins tachés de leur
lubricité. » — « Voilà une invention[g], dit Hircan, de la-

g. intention (A)

quelle je crois qu'homme jamais n'usa : de parler de la mort et faire les œuvres de la vie. » — « Ce n'est point œuvre de vie, dit Oisille, de pécher, car on sait bien que péché engendre la mort. » — « Croyez, dit Saffredent, que ces pauvres gens ne pensaient point à toute cette théologie ! Mais, comme les filles de Loth enivraient leur père, pensant conserver nature humaine [1], aussi ces pauvres gens voulaient réparer ce que la mort avait gâté en ce corps, pour en refaire un tout nouveau ! Parquoi je n'y vois nul mal que les larmes de la pauvre religieuse, qui toujours pleurait et toujours retournait à la cause de son pleur. » — « J'en ai vu assez de telles, dit Hircan, qui pleurent leurs péchés et rient leur plaisir tout ensemble ! » — « Je me doute, dit Parlamente, pour qui vous le dites, dont le rire a assez duré, et serait temps que les larmes commençassent. » — « Taisez-vous, dit Hircan : encore n'est pas finée * la tragédie qui a commencé par rire. » — « Pour changer mon propos, dit Parlamente, il me semble que Dagoucin est sailli * dehors de notre délibération, qui était de ne dire conte que pour rire, car le sien est trop piteux *. » — « Vous avez dit, dit Dagoucin, que nous ne raconterions [h] que de folies, et il me semble que je n'y ai pas failli *. Mais pour en ouïr un plus plaisant, je donne ma voix à Nomerfide, espérant qu'elle rhabillera ma faute. » — « Aussi ai-je un conte tout prêt, répondit-elle, digne de suivre le vôtre, car il [i] parle de religieux et de mort. Or écoutez-le bien, s'il vous plaît : »

CI FINENT LES CONTES ET NOUVELLES DE LA FEUE REINE DE NAVARRE, QUI EST CE QUE L'ON A PU RECOUVRER

h. vous ne raconteriez (A)
i. je (A)

NOTES

Prologue I

1. Marguerite fit plusieurs séjours aux bains de Cauterets, notamment en septembre 1546.

2. *Genèse*, 9 : 15

3. Notre-Dame de Sarrance, abbaye de Prémontrés, accueillait les pèlerins de Saint-Jacques-de-Compostelle. L'allusion au culte de la Vierge, qui rappelle un peu l'atmosphère de certains *Colloquia* d'Érasme, annonce la couleur évangélique des propos d'Oisille.

4. Abbaye bénédictine des Hautes-Pyrénées.

5. Localité des Hautes-Pyrénées. Le ms. A donne la graphie *Peyrehitte*, reproduisant une prononciation locale.

6. 8 septembre, fête de la Nativité de la Vierge.

7. L'indifférence relative qu'oppose Parlamente aux avances de Simontaut explique les réactions du gentilhomme au cours des débats : de tous les devisants, il se révéla le plus amer.

8. Marguerite insiste souvent, dans son œuvre, sur la subordination de l'auteur sacré, simple secrétaire de l'inspiration divine. (Voir notamment les *Prisons*, v. 1183-1187, éd. cit., p. 175.)
En affirmant l'autorité et l'efficacité de l'Écriture, Oisille introduit explicitement les principes de l'évangélisme qui imprègnent l'ensemble de l'œuvre. La relative complexité du style rappelle un peu la manière de Briçonnet ; la reine, qui goûtait vraisemblablement la prose alambiquée du prélat, en vint inconsciemment à l'imiter. En effet, toutes les professions de foi évangélique que l'on retrouve çà et là dans l'*Heptaméron* revêtent cette expression légèrement apprêtée.

9. C'est à la demande de Marguerite qu'Antoine Le Maçon entreprit la traduction du *Décaméron*, qu'il publia en 1545 avec une dédicace à sa protectrice. Sur l'attitude de la reine à l'endroit de son modèle italien, nous renvoyons à l'étude d'Yves Delègue : « Autour de deux prologues : l'*Heptaméron* est-il un anti-Boccace ? », art. cit. Le Dauphin et la Dauphine sont le futur Henri II et Catherine de Médicis. Quant à Madame Marguerite, elle désigne vraisemblablement Marguerite de France, fille de François Ier.

10. Le traité d'Ardres avec Henri VIII date de 1546. Catherine de Médicis, qui avait donné naissance en 1544 au futur François II, accouche l'année suivante d'une fille, Élisabeth, qui épousera Philippe II d'Espagne. Au nombre des autres événements susceptibles de bouleverser la cour à cette époque, on peut mentionner la mort du duc d'Orléans, en 1545. François Ier est encore en vie au moment où Marguerite écrit son prologue, ce qui en fait remonter la rédaction avant janvier 1547.

11. On dirait que Marguerite prend très nettement conscience de son infériorité à l'égard de la manière séduisante et évocatrice de Boccace. Mais peut-être tient-elle avant tout à bien marquer le caractère original de sa propre démarche.

Nouvelle I

1. Charles d'Alençon, premier mari de Marguerite.

2. Jacques de Silly, évêque de Sées de 1511 à 1539.

3. La lettre de rémission de François Ier à Michel de Saint-Aignan est reproduite dans l'édition Leroux de Lincy-Montaiglon, t. IV, p. 214-17. Non seulement Marguerite inaugure son recueil par le récit d'un événement qu'elle a vécu, mais encore elle ne modifie pas le nom des héros.

4. Jean Brinon, Président du Parlement de Rouen, chancelier d'Alençon, était l'homme de confiance de Marguerite.

5. Sur la sorcellerie et ses multiples visages à l'aube des temps modernes, on consultera notamment Jean Delumeau, *La Peur en Occident*, Paris, Fayard, 1978, p. 346 sq.

6. Bernard d'Ornezan, baron de Saint-Blancard, général des galères du roi. C'est lui qui organise le voyage de Marguerite à Madrid lorsqu'elle s'y rend pour négocier la libération de son frère, au lendemain de la défaite de Pavie.

Nouvelle II

1. Le petit Jean, né en août 1530, et qui mourra deux mois plus tard.

2. Ces signes de sérénité devant la mort reparaissent souvent sous la plume de Marguerite, qui semble éprouver une réelle fascination pour ce thème. Peut-être ressent-elle la nécessité de répondre, par ce biais, aux représentations dramatiques des *artes moriendi* qui figurent l'agonisant en proie à d'épouvantables tentations.

3. *Actes*, 10 : 34.

4. Le *Livre de Vie* renvoie à l'*Apocalypse*, 20 : 15.
Toute cette réflexion est dominée par une constante de la pensée évangélique : l'homme ne saurait se glorifier de ses vertus, qui relèvent de la perfection divine. D'autre part, le renversement des valeurs qui exalte la muletière aux dépens des mondaines s'inspire du *Magnificat*, et surtout de *Luc* 1 : 50 et *Matthieu*, 11 : 25, textes qu'affectionnaient les tenants de la foi nouvelle.

Nouvelle III

1. Schéma traditionnel : on le trouve aussi bien dans la farce de *Naudet* que dans un conte des *Facéties* du Pogge.

2. Alphonse V, roi d'Aragon et de Sicile (1443-1458).

3. Tel serait l'amour « idolâtre », formule qui revient plus d'une fois dans l'œuvre de la reine.

4. Jeu de mots : *La Vengeance Nostre Seigneur*, texte anonyme du XIIIe siècle, connut par la suite un remaniement dramatisé dont certains fatistes firent un prolongement au mystère de la Passion.

Nouvelle IV

1. Tous les éléments de cette introduction permettent d'identifier Marguerite et son frère. Brantôme consacre un chapitre de sa *Vie des Hommes illustres et Grands Capitaines françois* à l'amiral de Bonnivet, héros de cette nouvelle. (*Œuvres*, éd. Lalanne, Société de l'Histoire de France, 1864-1882, vol. 3, p. 61-69.)

2. La dame d'honneur serait Blanche de Tournon, duchesse de Chastillon, « maîtresse de mœurs » de la jeune Marguerite, et qui demeura sa confidente. On notera la teneur évangélique de ses propos : si elle n'est pas fondée sur l'humilité, la vertu conduit à l'impasse de l'orgueil. Très évangélique également l'idée de faire sermonner la princesse par son « inférieure ».

Nouvelle V

1. Ironie bien savante pour une batelière : les Apophtegmes ou sentences des Pères du Désert, que l'on pouvait lire dans les *Vitae Patrum*, mettent en effet l'accent sur le combat contre la luxure. Il se peut que Marguerite ait eu connaissance de ces textes à partir du *Paradysus Heraclidis*, ouvrage édité en 1504 par Lefèvre d'Étaples, où figurent plusieurs anecdotes des Pères du Désert. Quant à l'ange de Dieu, il apparaît fréquemment pour consoler les saints ermites qu'assaille la tentation. Voir, par exemple, la vie de saint Antoine dans la *Légende dorée*.

2. *Genèse*, 3 : 8.

3. *Matthieu*, 23 : 27.

4. *Matthieu*, 12 : 33 ; *Luc*, 6 : 44.

5. Il est difficile de ne pas voir une pointe d'ironie dans cet arrangement à l'amiable.

6. Allusion aux *exempla*, anecdotes à portée moralisante qu'utilisent les prédicateurs dans leurs sermons et dont il existe des recueils destinés à la lecture édifiante. Voir J. Th. Welter, *L'Exemplum dans la littérature religieuse et didactique du Moyen Age*, Occitania, 1927.

7. Écho des débats médiévaux qui opposaient le chevalier et le clerc, dont les plus célèbres sont l'*Altercatio Philidis et Florae* et le *Concile de*

Remiremont. Voir P. Zumthor, *Histoire littéraire de la France médié-vale*, Paris, PUF, 1954, p. 183.

Nouvelle VI

1. La source initiale de cette nouvelle se trouverait dans la *Discipline de Clergie* de Pierre Alphonse. Mais on retrouve ce thème un peu partout, du *Violier des Histoires romaines* aux *Cent Nouvelles* (10), en passant par les conteurs italiens. Un schéma analogue a fourni la matière d'une farce : *Le bon payeur et le sergent boiteux et borgne* (Ms. La Vallière, *Recueil de farces, moralités et sermons joyeux*, p. p. Leroux de Lincy et Fr. Michel, Paris, Techener, 1867, t. II, n° 62).

2. Jeu de mots sur les deux sens de *couverture :* dissimulation et toit d'un édifice.

Nouvelle VIII

1. C'est le fabliau du *Meunier d'Arleux* (Voir A. de Montaiglon et G Raynaud, *Recueil général et complet des fabliaux des XIIIe et XIVe siècles*, Paris, Jouaust, 1872-1890, t. 2, n° 33, p. 31-45) que reprennent, à la suite de Boccace, Sacchetti et le Pogge. On en trouve également une version dans les *Cent Nouvelles* (9). Marguerite traite cette anecdote comique dans un esprit nouveau.

2 Latinisme. Comprendre : et l'on honore...

3 Allusion indirecte au mythe de l'Androgyne, très prisé par les penseurs et les poètes de la première Renaissance.

4. *Plaisir* (concupiscence charnelle), *honneur* (fausse gloire) et *profit* (avarice) constituent trois tentations indissociables que Marguerite dénonce sans cesse dans son œuvre, et dont elle fera le fondement allégorique du second livre des *Prisons*.

5. *République*, 403 a sq.

Il semble cependant que la *République* soit indiquée ici à titre de référence générale. Contrairement à ce que l'on a affirmé, Marguerite n'a pas lu de manière systématique les dialogues de Platon. Peut-être en connaissait-elle surtout ce que l'on peut en dire au cours d'une conversation.

6. «Ce n'est pas par des paroles mais par leur mort qu'ils ont confessé leur foi.» Citation de la *Collecte* de la messe des Saints Innocents (28 décembre). Très commune à l'époque, la transposition plaisante des textes sacrés dans le registre profane demeure assez innocente. Marguerite en fait un usage d'autant plus fréquent que les Écritures et les prières liturgiques lui sont familières.

Nouvelle IX

1. Certains commentateurs assimilent l'argument de ce conte à la légende du troubadour Jaufré Rudel, mais ce rapprochement ne s'impose nullement.

2. « Ains nous a fait biau fix, n'en doutes,
   Toutes por touz et touz por toutes. »
(Éd. D. Poirion, Paris, Garnier-Flammarion, 1974, v. 13.885-86,
p. 379.)
Le Roman de la Rose est encore très apprécié au début du XVIᵉ siècle.
On le lit dans des versions remaniées, dont l'une est attribuée à Clément
Marot.

Nouvelle X

1. Le roi d'Espagne est Ferdinand d'Aragon. Pour l'identification
des détails qui composent le cadre historico-géographique de cette
nouvelle, nous renvoyons aux éditions Leroux de Lincy-Montaiglon et
M. François. Ces indications restent d'un intérêt mineur, Marguerite
n'étant guère sensible à la couleur locale.

2. Dans son *Cortegiano*, B. Castiglione insiste sur l'importance des
exercices sportifs dans l'éducation de l'homme de cour. Cette notation
contribue donc à l'esquisse d'un héros accompli.

3. « La nouvelle X [...] est aussi l'histoire de la triste Avanturade —
humble et misérable histoire, celle-là, dont aucun Maupassant du
XVIᵉ siècle ne s'avisait de tirer *Une vie*... » (Lucien Febvre, *op. cit.*,
p. 306.)

4. Métaphore filée à partir de *Matthieu*, 7 : 26-27 (la demeure édifiée
sur le sable ou sur le rocher).

5. Phrase manifestement inachevée.

6. Mort glorieuse du héros, dans la plus pure tradition des récits
chevaleresques. Réhabilitation, par conséquent, de l'Amadour « bestial » de la scène précédente. L'étrangeté que revêt cette nouvelle à nos
yeux ne réside pas tellement dans la psychologie hésitante des personnages que dans l'ambiguïté des jugements de valeur qu'elle suggère.

Nouvelle XI

1. Cette nouvelle ne figure pas dans l'édition Gruget, d'où l'absence
de sommaire.

Nouvelle XII

1. Marguerite donne ici la première version française de l'histoire de
Lorenzaccio : elle a sans doute connu l'assassin d'Alexandre de Médicis, qui se réfugia en France l'année même de son crime (1537) et y
résida jusqu'en 1544. Il mourra assassiné à Venise, en 1548.

2. Comprendre évidemment : qui est en la garde de Dieu.

3. « Si gracieuse maladie
   Ne met gaires de gens a mort,
   Mais il chiet bien que l'en le die
   Pour plus tost attraire confort. »

(La Belle Dame sans Merci, éd. A. Piaget, Paris, Droz, 1945 (T L.F. 5), XXXIV, v. 265-268, p. 11.)

Alain Chartier est encore très à l'honneur au début du XVIe siècle. Marguerite semble l'apprécier, qui le cite par deux fois dans l'*Heptaméron.*

4. Cf. la comédie de *Trop, Prou, Peu, Moins,* v. 733-34, *Théâtre profane,* éd. cit., p. 190:

> « Des femmes donc vous abusez,
> En les adorant comme images. »

ainsi que *Prisons,* II, v. 311-12, éd. cit., p. 107:

> « Pensant que myeulx vault des femmes user
> Que ydolatrer d'elles ou abuser. »

Nouvelle XIII

1. Louise de Savoie fut régente une première fois de 1515 à 1516, puis de 1523 à 1526, pendant la campagne d'Italie et la captivité du roi. L'allusion au déplacement de la cour en Normandie situe ce récit dans la première période.

2. Représentation de la Vierge portant le Christ mort sur ses genoux *(Pietà).*

3. La rime *larmes: termes* ne constitue pas une irrégularité, les phonèmes *e* et *a* devant une consonne liquide étant souvent confondus dans la prononciation.

4. Jeu phonétique dans la tradition des Rhétoriqueurs.

5. Phrase inachevée, à laquelle manque la proposition principale.

6. Marguerite est sensible aux apparitions nocturnes et aux songes prémonitoires, ainsi que le prouvent notamment deux de ses poèmes, le *Dialogue en forme de Vision nocturne* et *La Navire.*

Nouvelle XIV

1. Charles d'Amboise, duc de Chaumont, gouverneur de Milan de 1507 à 1510. Sur Bonnivet, voir la note 1 de la Nouvelle IV.

2. Rompre ou jeter la paille signifie dénoncer un acte, une alliance. L'expression traduit un usage antique *(festucam ejicere, exfestucare).* E. Pasquier, dans ses *Recherches de la France,* donne « rompre le festu », au sens de rompre une vieille amitié.

Nouvelle XV

1. Cette nouvelle fait l'objet d'une très fine analyse de H. Sckommodau, *Die Spätfeudale Novelle bei Margarethe von Navarra,* Wiesbaden, Steiner, 1977.

2. Comprendre: Dieu me garde de lui demander miséricorde si...

3. Cette petite phrase résume en quelque sorte la problématique reprise cent fois dans les nouvelles et leurs commentaires.

Nouvelle XVI

1. Si l'on en croit Brantôme, le héros de ce récit serait une fois encore le fameux Bonnivet. *(Dames galantes,* éd. Lalanne, t. IX, p. 388-90.)

2. « Celles seules » : le féminin est ici caratéristique de la vision de Marguerite. En effet, les femmes se révèlent à son sens plus vulnérables que les hommes aux désillusions de l'amour.

Nouvelle XVII

1. Guillaume, comte de Furstenberg. Sa tentative de trahison est signalée par Brantôme, qui lui consacre une note dans ses *Capitaines étrangers* (éd. Lalanne, t. I, p. 349-50).

2. Louis II, sire de la Trémouille, vicomte de Thouars, prince de Talmont. L'un des plus glorieux héros des campagnes d'Italie. Il mourut à Pavie.

3. Phrase incohérente : la locution adverbiale *un jour* demeure sans répondant.

4. Comprendre : il réfléchirait par deux fois avant de m'assaillir.

5. Florimond Robertet, Trésorier de France et Secrétaire des Finances sous Charles VIII, Louis XII et François Iᵉʳ, était apprécié pour sa grande intégrité. On connaît la *Déploration* que Clément Marot composa à sa mort, en 1527.

Nouvelle XVIII

1. Épreuve « classique » de la tradition courtoise. Voir René Nelli, *L'Érotique des Troubadours,* Toulouse, 1963, p. 199-209.
   Montaigne ironise à ce propos : « Je ne prens pour miracle, comme fait la Royne de Navarre en l'un des contes de son *Heptameron* [...], ny pour chose d'extresme difficulté, de passer des nuicts entieres, en toute commodité et liberté, avec une maistresse de long temps desirée, maintenant la foy qu'on luy aura engagée de se contenter de baisers et simples attouchemens. » (Essais, II, 11, *De la Cruauté,* éd. Villey-Saulnier, Paris, PUF, 1978, p. 430.)

2. Il s'agit d'un chapitre des *Décrétales* de Boniface VIII (1294-1303), où il est question des sortilèges destinés à priver un ennemi de ses facultés sexuelles.

3. On notera à d'autres endroits encore cette utilisation du vocabulaire guerrier pour traduire la conquête amoureuse.

Nouvelle XIX

1. Jean-François II de Gonzague, marquis de Mantoue. Dévoué à Charles VIII, il passe ensuite dans le camp de l'Empereur. En 1490, il épouse Isabelle d'Este, fille d'Hercule Iᵉʳ, duc de Ferrare.

2. Une fois de plus, la phrase reste en suspens, faute de proposition principale

3 Couvent franciscain fondé par Hercule de Ferrare La règle de l'Observance est celle de saint François, réformée à la fin du XVe siècle.

4 Comprendre : qui trouvèrent le fait si étrange ..

5. Chanson reproduite par A. d'Ancona, *La Poesia popolare italiana*, Livourne, 1876, p. 86-87.

6. D'origine paulinienne, l'expression *vieil Adam* revient sans cesse sous la plume des évangéliques. *Revêtir le corps du Christ* est également emprunté à saint Paul (*Romains*, 13 : 14 ; *Galates*, 3 : 27)

7. Allusion à l'épisode de la femme pécheresse que la tradition confond avec Marie-Madeleine (*Luc*, 7 : 47).

8. On reconnaît la théorie ficinienne de l'amour, assortie ici d'une forte teinte d'évangélisme L'allusion aux « poupines » rappelle *I Corinthiens*, 13 : 11.
Cette réplique a souvent été considérée comme un témoignage des convictions « platonisantes » de Marguerite Cependant, inscrite dans la dynamique du débat, la doctrine ficinienne est loin de se présenter comme la solution univoque aux difficultés de l'amour humain.

9 *I Jean*, 4 : 20

10 « Qui est-il, et nous le louerons. »

11 Telle est la propriété que les bestiaires médiévaux attribuent au caméléon. A titre indicatif, on citera le *Livre dou Tresor* de Brunetto Latini : « Et sa nature est de fiere merveille ; car il ne mangue chose dou monde ne ne boit, ainz vit seulement de l'air que il attire. » (Éd. A. Pauphilet, *Jeux et Sapience du Moyen Age*, Paris, Gallimard, 1951, « Bibliothèque de la Pléiade », p. 814.)

Nouvelle XX

1. Ce nom est mentionné dans un état de la Maison de François Ier. Toutefois le récit de Marguerite reprend ici un thème très banal dont La Fontaine, imitateur de l'Arioste, tirera son *Joconde*. Voir aussi *Cent Nouvelles*, 54.

2. Draper sur la tissure de quelqu'un : en dire du mal.

Nouvelle XXI

1. La reine est Anne de Bretagne, Rolandine Anne, fille du comte Jean II de Rohan, lequel reparaîtra dans la Nouvelle XL sous le nom de Jossebelin La reine en voulait aux Rohan de servir les intérêts du royaume avant ceux de son duché de Bretagne.
Quant au gentilhomme bâtard, il n'a jamais été identifié avec certitude.

2. Le droit canon admettait la validité d'un mariage contracté *de praesenti* par les deux conjoints sans l'autorisation des parents. A la

limite, la présence du prêtre n'était pas considérée comme indispensable. Cette théorie, génératrice d'innombrables abus, fut combattue entre autres par Érasme, Rabelais, Calvin, avant de donner lieu, sous Henri II, à plusieurs ordonnances juridiques soutenant le droit civil. Voir à ce propos la note de Jean Plattard, « L'Invective de Gargantua contre les mariages contractés "sans le sceu et adveu des parents" », *Revue du Seizième Siècle*, 14, 1927, p. 381-88.

3. Comprendre : car il ne pouvait demeurer pauvre.

4. Ce sera le sujet de la Nouvelle XL, également racontée par Parlamente.

5. Pierre de Rohan

6. *Psaume* 115 (116), 11 ; *Psaume* 13 (14), 1.

Nouvelle XXII

1. Étienne Le Gentil, prieur de Saint-Martin-des-Champs de 1508 à 1536. On lui confia la réforme de plusieurs couvents. Marguerite semble dès sa jeunesse favoriser ces entreprises de redressement spirituel.

2. A quelques kilomètres de Paris, dans la vallée de Chevreuse.

3. Sœur d'Antoine Héroët, évêque de Digne, auteur de la *Parfaicte Amye* (1542) et d'autres poèmes d'inspiration platonisante. Il figure au nombre des familiers de Marguerite.

4. Marie de Luxembourg, comtesse de Vendôme, se retira après son second veuvage dans ses terres de La Fère, près de Laon. C'est là qu'elle fonda en 1528 un monastère de bénédictines appelé le *Calvaire*.

5. Catherine d'Albret, abbesse de Montivilliers, près du Havre, et Madeleine d'Albret, abbesse de la Trinité de Caen.

6. Gy-les-Nonnains, dans le Loiret, au sud de Montargis.

7. *I Corinthiens*, 1 : 27 ; 8 : 2.
La référence aux Évangiles plutôt qu'aux Épîtres de saint Paul n'a rien d'étonnant : Marguerite est si imprégnée des textes scripturaires qu'elle les cite de mémoire, sans en différencier les sources.

8. *Luc*, 14 : 11.

9. Phrase omise dans la prudente édition de Gruget,

10. On trouve déjà cette expression dans le *Testament* de Villon :
« Laissons le moustier ou il est,
Parlons de chose plus plaisante. »
Le sens primitif : restons-en là, deviendra peu à peu : ne touchons pas aux anciens usages. (Voir *Le Testament Villon*, p. p. Jean Rychner et Albert Henry, Genève, Droz, 1974, t. II, p. 43.)
Le choix de la locution s'explique ici par le contexte.

11. Voilà du Briçonnet tout pur !

Nouvelle XXIII

1. Ce récit a été repris par Bandello (*Novelle*, II, 24).

2. Ce passage constitue l'une des affirmations les plus éclatantes de l'option évangélique de la reine. Affirmation *a contrario*, où le formalisme religieux s'assimile à la Loi porteuse de mort.

3. L'un des plus grands hommes d'État sous François Ier. Il fut notamment chancelier d'Alençon, président au Parlement et chancelier de France.

4. L'ironie de ce *sinite eos* (laissez-les!), emprunté à *Matthieu* 15 : 14, est transparente pour un auditoire féru d'Écriture sainte. En effet, le texte poursuit : «ce sont [les Pharisiens] des aveugles qui guident des aveugles; et si un aveugle guide un aveugle, tous deux tomberont dans la fosse.» Passage d'autant plus familier qu'il avait donné lieu à maints proverbes. Breughel l'illustrera dans sa *Parabole des Aveugles*.

Nouvelle XXIV

1. Il s'agit d'une chasse aux filets.

2. Toute cette mise en scène joue sur le motif pétrarquisant de l'image de la dame gravée dans le cœur de son amant.

3. L'évocation d'Amour pauvre et nu est évidemment un souvenir du *Banquet* de Platon.

4. Comprendre : alors que je me faisais votre serviteur, vous m'avez méprisé; mais tandis que je l'offensais, l'Amour (Dieu) m'aimait dans mon indigence même.

5. On rapprochera ce texte du poème des *Adieux* (*Dernières Poésies*, éd. cit., p. 349-56), de la *Distinction du Vray Amour* (*ibid.*, p. 301-312) et surtout du premier livre des *Prisons*, où le Temps apparaît également comme le révélateur de la vanité d'aimer.

6. Comprendre : à toute épreuve (métaphore empruntée au registre guerrier).

7. Allusion au discours d'Ami dans le *Roman de la Rose* II, éd. cit., v. 7 283 sq., p. 218 sq.

Nouvelle XXV

1. C'est la célèbre anecdote des amours du jeune François Ier avec la femme de l'avocat parisien Jacques Disome. On connaît les railleries de Montaigne : «La Royne de Navarre, Marguerite, recite d'un jeune prince, et, encore qu'elle ne le nomme pas, sa grandeur l'a rendu assez connoissable, qu'allant à une assignation amoureuse, et coucher avec la femme d'un Advocat de Paris, son chemin s'adonnant au travers d'une Église, il ne passoit jamais en ce lieu saint, alant ou retournant de son entreprinse, qu'il ne fit ses prieres ou oraisons. Je vous laisse à juger, l'ame pleine de ce beau pensement, à quoy il employoit la faveur divine : toutesfois elle allègue cela pour un tesmoignage de singuliere

devotion. Mais ce n'est pas par cette preuve seulement qu'on pourroit vérifier que les femmes ne sont guieres propres à traiter les matieres de la Theologie. » (*Essais*, I, 56, *Des Prières*, éd. cit., t. I, p. 324.)

2. *Jacques*, 1 : 12.

3. « En écrit » : on notera la légère inattention de l'auteur.

Nouvelle XXVI

1. Gabriel d'Albret, seigneur d'Avannes (Avesnes), sénéchal de Guyenne sous Charles VIII.

2. « Compter pour une » : l'expression, note Huguet, s'emploie à propos d'un danger auquel on vient d'échapper par extraordinaire.

3. *Hébreux*, 11 : 3.

4. Olite et Taffala : anciennes résidences de la cour de Navarre.

5. *Proverbes*, 17 : 3 ; 27 : 21.
   Écclésiastique, 2 : 5.

6. *In manus* (*Psaume* 30 (31), 6) : « Dans tes mains, Seigneur, je remets mon esprit. Tu m'as racheté, Seigneur, Dieu de Vérité. » Ce verset constitue un répons de l'office de Complies, et reparaît dans la liturgie des agonisants.

7. *Genèse*, 3 : 7.

8. *Matthieu*, 5 : 28, combiné avec *I Jean*, 3 : 5.

Nouvelle XXVIII

1. Schéma rebattu du trompeur trompé, qui rend inutiles tous les rapprochements suggérés entre cette nouvelle et des récits antérieurs ou contemporains (Philippe de Vigneulles).

2. Probablement Jean Frotté, secrétaire des finances de la reine.

3. Cf. Platon, *Apologie de Socrate*, 21 d.

Nouvelle XXIX

1. Une fois de plus, thème emprunté au répertoire populaire

2. « Car aussi bien son amoretes
   Sous buriaus comme sous brunettes. »
Roman de la Rose, II, éd cit., v. 4333-34, p. 147.

Nouvelle XXX

1. Pour l'étude des sources (*exempla* médiévaux, conteurs italiens, *Propos de Table* de Luther) et l'interprétation de cette nouvelle, nous renvoyons au récent article de N. Cazauran, *Mélanges Lods*, Paris, 1978 (Coll. de l'ENS de Jeunes Filles, nᵒ 10), t. II, p. 617-652.
   Comparé à celui de De Thou, le sommaire de Gruget traduit une saisie beaucoup plus fine du récit dans sa dimension fondamentale.

2. Louis d'Amboise, évêque d'Albi, légat d'Avignon, neveu du cardinal Georges d'Amboise, légat de France.

3. Charles d'Amboise, qui apparaît déjà dans la nouvelle XIV (note 1).

4. Catherine de Foix, femme de Jean d'Albret, roi de Navarre.

5. La formule rappelle plusieurs inscriptions funéraires relevées dans diverses régions de France, et très précisément ce quatrain qu'on lisait dans la Collégiale d'Écouis :

> Cy gist l'enfant, cy gist le pere,
> Cy gist la sœur, cy gist le frere,
> Cy gist la femme et le mari
> Et ne sont que deux corps ici. (1512)

6. Il s'agit en réalité d'un passage d'*Isaïe* (38 : 14) ; cependant on trouve beaucoup de formules voisines dans les Psaumes.

7. Comprendre : à cause des certitudes illusoires que lui avaient inculquées les Cordeliers.

8. A. de Montaiglon (éd. cit., t. IV, p. 281) explique ce passage comme une allusion à la secte fondée à Milan par une certaine Guglielmina et son complice Saramita au début du XIVe siècle. En fait, de semblables abus se vérifient dans bien d'autres mouvements issus d'un mysticisme vulgarisé.

Prologue IV

1. *Luc*, 14 : 26.

2. François Bonvalot, abbé de Saint-Vincent, ambassadeur de Charles Quint de 1539 à 1541.

Nouvelle XXXI

1. On a rapproché cette nouvelle du fabliau de Rutebeuf, *Frère Denise* (*Œuvres complètes de Rutebeuf*, p. p. E. Faral et J. Bastin, Paris, Picard, 1960, t. II, p. 281-291). Non seulement les circonstances de l'aventure sont très différentes, mais il suffira de comparer les deux textes pour sentir à quel point Marguerite transforme l'esprit des vieux contes.

Voir aussi les *Cent Nouvelles*, 56.

2. Référence implicite à l'épisode évangélique de la femme adultère (*Jean*, 8 : 7).

Nouvelle XXXII

1. Si le thème de la vengeance conjugale connaît de nombreuses illustrations dans la littérature narrative, on appréciera la manière de notre conteuse qui donne à son récit une touche très originale. Yves Le Hir voit dans cette nouvelle une préfiguration du roman noir. Par ailleurs, le climat singulier qu'entretient cette hospitalité réticente et

mystérieuse n'est pas sans rappeler certains épisodes des romans courtois.

Notons que le motif du crâne transformé en coupe figure déjà dans un récit du *Violier des Histoires romaines* (ch. 54).

2. Le nom de Bernage figure effectivement dans l'état des écuyers de Charles VIII.

3. Jean de Paris, ou Jean Perréal, peintre lyonnais, œuvra successivement au service de Charles VIII, Louis XII et François Ier. Il participa au mouvement intellectuel de son temps, et fut à ce titre célébré par plusieurs poètes, dont Clément Marot et Jean Lemaire de Belges.

4. Nouvel exemple de la confusion des trois Maries (voir *supra*, Nouvelle XIX, note 7). Ici, la Madeleine est identifiée à Marie de Béthanie, sœur de Marthe et de Lazare. D'où le couple traditionnel de Marthe la sage et Marie la convertie devenue contemplative.

5. Raillerie calquée sur celle de Saffredent, à la suite de la dix-neuvième Nouvelle (voir *supra*, note 11).

6. Comprendre : je gage que vous ne risquez pas de souffrir par excès de contentement.

Nouvelle XXXIII

1. Comprendre : c'est parce qu'on en tire profit.

2. Comme beaucoup de ses contemporains, Marguerite semble attentive au phénomène de la folie. Le fou, incarnation de la spontanéité, nargue en quelque sorte les règles pesantes de la vie sociale. Il rejoint ainsi l'enfant qui, par son naturel et son absence de préjugés, est synonyme de l'esprit évangélique (voir notamment la *Comédie de l'Inquisiteur*, *Théâtre profane*, éd. cit.). Condamnation indirecte de « ceux qui *cuident* être sages ».

Nouvelle XXXIV

1. Comprendre : de l'autre côté...

2. Le seigneur de Fors est Jacques Poussart, bailli du Berry, dont Marguerite fait plusieurs fois mention dans ses lettres. Il n'est donc guère surprenant que ce personnage ait été également en relation avec Louise de Savoie, duchesse d'Angoulême.

3. L'anecdote de Diogène est empruntée aux *Vies* de Diogène Laërce (Livre VI, *Les Philosophes cyniques*).

Les « philosophes du temps passé » désignent de manière très générale les Stoïciens. On retiendra la méfiance de Marguerite à l'endroit des lumières naturelles de la philosophie qui engendrent le « cuider » (orgueil, outrecuidance). La référence à saint Paul (*Rom.* 1 : 21-27) rappelle avec netteté combien la culture de la reine demeure soumise à son option évangélique.

Nouvelle XXXV

1. Allusion à la cérémonie de l'imposition des Cendres qu'accompagne la formule : « Souviens-toi que tu es poussière et que tu retourneras en poussière. »

2. Parodie ironique de la doctrine ficinienne suivant laquelle la beauté de l'être aimé atteint l'esprit par le moyen de la vue et peut ainsi ravir l'âme. Voir le *Commentaire sur le* Banquet *de Platon*, II, 9, p. p. R. Marcel, Paris, Belles Lettres, 1956, p. 159.

Nouvelle XXXVI

1. Il s'agit de Geoffroy Carles (forme francisée de Caroli ?), premier président au Parlement de Grenoble, à qui furent confiées, sous les règnes de Charles VIII et de Louis XII, plusieurs missions diplomatiques importantes. Geoffroy Carles avait fait surmonter ses armes d'un ange à l'index sur les lèvres. Est-ce là une devise de silence ou, comme le suggère judicieusement Y. Le Hir, une allusion au nom de Marguerite Du Mottet *(mutus ?)*, son épouse ?

2. *I. Jean*, 4 : 20.
La terminologie ficinienne (degré, amour parfaite) est convertie en une interprétation évangélique. L'élévation à Dieu se fait bien à partir de l'amour humain, mais surtout dans la mesure où celui-ci est vécu comme un échec.

Nouvelle XXXVII

1. Une histoire analogue est rapportée dans *Le Livre du Chevalier de La Tour-Landry*, p. p. A. de Montaiglon, Paris, Bibliothèque elzévirienne, 1854, p. 37-38.

2. « Perdre le labeur d'une semaine pour un samedi » : perdre le bénéfice de ses efforts à cause d'un obstacle survenu à deux pas du but.

Nouvelle XXXVIII

1. Cette anecdote que l'on retrouve sous la plume de plusieurs conteurs italiens figure également dans un dialogue des *Colloquia* d'Érasme : *Uxor mempsigamos*.

2. *Luc*, 5 : 31; *I Corinthiens*, 1 : 27-30.

Nouvelle XXXIX

1. Jean de Talleyrand, seigneur de Grignols (Grignaux), chambellan de Charles VIII, passait pour un esprit plaisant à en croire Brantôme qui le met plusieurs fois en scène dans ses *Dames illustres*.

2. Voir *supra*, nouvelle XXI.

Nouvelle XL

1. En réalité Jean II, vicomte de Rohan, qui possédait notamment la petite ville de Josselin (Morbihan). Il fut emprisonné par le duc de Bretagne pour le meurtre du seigneur de Keradreux, époux secret de sa sœur Catherine. Les généalogistes considèrent cette dernière comme n'ayant pas été mariée.

2. Comprendre : de maison égale à la sienne.

3. Comprendre : étant donné qu'il avait fait un si méchant tour.

4. Nouvelle mention des trois tentations inséparables (voir *supra*, Nouvelle VIII, note 4).

Prologue V

1. C'est-à-dire : d'un *cas*.

Nouvelle XLI

1. Marguerite participa à la Paix des Dames conclue, en 1529, entre Marguerite d'Autriche et Louise de Savoie, représentant l'une son neveu et l'autre son fils.
Françoise de Luxembourg, épouse de Jean IV, comte d'Egmont (Aiguemont dans le ms. A), était une descendante lointaine de la maison de Fiennes.

2. *Matthieu*, 18 : 15.

Nouvelle XLII

1. Le héros de cette nouvelle est le jeune François d'Angoulême, qui résidait à Amboise avec sa mère.

2. *Proverbes*, 31 : 10.

3. Cf. *supra*, Nouvelle XXV, note 2. La même citation servait déjà à l'apologie de François Ier.

4. Comprendre : ou s'ils croient qu'il y en a un...

Nouvelle XLIII

1. On ignore qui est cette Jambique, mais Brantôme a révélé l'identité de son serviteur : il s'agit du seigneur de la Chastaigneraie, victime de son adversaire Jarnac à l'issue d'un duel demeuré célèbre. Dans les *Dames galantes* (éd. Lalanne, t. VIII, p. 210 sq.), Brantôme donne sa version « commentée » de l'anecdote.

2. Le succès des *Histoires prodigieuses* de Boaistuau (1560) atteste le vaste crédit accordé aux incarnations nocturnes du démon, sous forme d'incubes ou de succubes. (Cf. Brantôme, *op. cit. supra* : « Car volontiers ces Diables se transforment et prennent la forme des femmes pour habiter avec les hommes et les trompent ainsi... »)

3. Comprendre : qui est instable.

Nouvelle XLIV

1. Nouvelle omise dans l'édition Gruget, d'où l'absence de sommaire

2. Robert de La Marck, seigneur de Sedan, époux de Catherine de Croye (Crouy, dans le ms. A).

3. *Genèse*, 3 : 19.

4. *Luc*, 5 : 44.

5. Y. Le Hir suggère de voir dans ce prénom un jeu de mots sur « ment ».

6. Cf. *Prisons*, III, v. 1299 sq., éd. cit., p. 177 :
« Mais pour juger des mauvais et des bons [docteurs]
Ce qui en est, fault que nous regardons
Qui le plus près de l'Escripture touche,
Car l'Évangile est la *pierre de touche*
Où du bon or se congnoist la valeur. »

Nouvelle XLV

1. Charles d'Orléans étant mort en 1545 et François Ier en 1547, l'anecdote se situe vraisemblablement entre ces deux dates.

2. La *Festa Innocentorum* était confondue, dans certaines régions, avec la fête des fous *(Festa Follorum, Stultorum)*, génératrice de toutes sortes de dévergondages. La coutume rapportée ici doit s'entendre comme l'une des innombrables manifestations du cycle festif d'hiver, où se mêlent, sous des formes parfois étranges, les thèmes complémentaires de la mort et de la fécondité.

3. On notera le comique de la répétition. La Fontaine, qui utilise la deuxième partie de cette nouvelle dans son conte *La Servante justifiée*, ne cache pas son admiration pour ce «*c'étoit moi* naïf autant que rare ». (*Contes et Nouvelles*, p. p. G. Couton, Paris, Garnier, 1961, p. 88.)

Nouvelle XLVI

1. Cette nouvelle manque également dans l'édition Gruget.

2. Charles d'Angoulême, époux de Louise de Savoie, père de Marguerite et de François.

3. Les *exempts* sont les ecclésiastiques non soumis à la juridiction ordinaire.

4. On notera la reprise, en moins plaisant, des divers éléments qui composent le récit précédent.

Nouvelle XLVII

1. Jourda rapproche ce conte du *Lai de l'Épervier*.

Nouvelle XLVIII

1. L'inexactitude du sommaire s'explique par la fin de l'histoire, où le Cordelier « innocent » partage le châtiment de son confrère.

2. *Psaume* 73 (74) : 11.

3. *Jacques*, 1 : 27.

Nouvelle XLIX

1. Charles VIII, évidemment.
Les pseudonymes des trois gentilshommes sont quasiment transparents : Astillon désigne Jacques de Chastillon ; Durassier est Jacques de Genouillac, seigneur d'Acier ; Valnebon, enfin, est l'anagramme de Germain de Bonneval.

2. La variante de T manifeste un effort pour clarifier ce texte ambigu où l'on ne sait plus qui parle à qui. Cependant la réplique suivante ne peut être attribuée à Astillon, qui intervient nommément à la fin du débat pour proposer une punition. L'éloquence vive des deux répliques « anonymes » nous incline à les attribuer à Valnebon, dont on a déjà pu constater le tempérament emporté. Il faut remarquer, dans ce morceau, un souci de couleur et de mouvement qu'enrichit encore l'humour de la conteuse.

Nouvelle L

1. *I Jean*, 3 : 5.

2. *Ecclésiaste*, 1 : 10 — « Nihil sub sole novum ».

Prologue VI

1. Il s'agit de la première épître de saint Jean, qui semble l'un des points de repère essentiels de la spiritualité de Marguerite.

2. *Psaume* 145 (146) : 3.

Nouvelle LI

1. Ce duc est Fr. della Rovere, neveu du pape Jules II. Il épousa Éléonore de Gonzague, dont il eut un fils, Guidubaldo.

2. La prise de Rivolta eut lieu en 1509 sous la conduite de Louis XII.

3. *I Corinthiens*, 5 : 10 ; *Éphésiens*, 5 : 5.
Tout ce passage trahit la vague d'anti-italianisme qui se précise en France à partir de la moitié du XVIe siècle.

Nouvelle LII

1. Nous reproduisons la version de T, que donnent également la plupart des manuscrits ainsi que l'édition Gruget. Non seulement

l'anecdote est un peu plus développée qu'en A, mais la narration en est plus caustique.

2. Charles d'Alençon, premier époux de Marguerite

3. Il faut se souvenir que le sucre, rare et cher, était considéré comme denrée d'apothicaire. (Cf. l'expression : apothicaire sans sucre.)

Nouvelle LIII

1. Madame de Neufchâtel est vraisemblablement la veuve de Louis d'Orléans, duc de Longueville. En revanche, les deux héros de la nouvelle n'ont pas été identifiés.

2. Voir *supra* Nouvelle VIII, note 4.

3. Fable d'Ésope, reprise par Phèdre. Les recueils médiévaux (*Romulus, Isopets,* etc.) ont largement contribué à la vulgarisation et à la transmission de cette littérature moralisante.

Nouvelle LIV

1. La périphrase ironique relativise l'importance des localisations qui introduisent presque tous les contes.

2. *Luc,* 7 : 32.

3. *Éphésiens,* 5 : 24.
Préfigurée dans le *Cantique des Cantiques,* la relation sponsale du Christ à son Église est l'objet d'innombrables commentaires, notamment chez les auteurs mystiques. Il est curieux de voir la désinvolture avec laquelle Marguerite traite un langage symbolique auquel elle est d'ordinaire très attentive.

4. L'écu vaut 720 deniers, le blanc en vaut 10.

Nouvelle LV

1. Il faut comprendre : aux *ordres* mendiants, ainsi que le suggère le sommaire de Gruget.

2. *Psaume* 50 (51) : 18.

3. *I Corinthiens* 6 : 16.

4. Combinaison de diverses nuances chères à la pensée évangélique : remise en cause des fondations pieuses et des « œuvres » en général, apologie de la religion intérieure, plaidoyer pour un repentir authentique, etc. On conçoit que Gruget ait supprimé ce passage de son édition.

5. Voir la *Divine Comédie, Enfer,* III, v. 51.

Nouvelle LVI

1. *Tobie,* 5 : 5-6 et *passim.*

2. La première phrase de la nouvelle montre le Cordelier incarcéré. Cette légère incohérence témoigne d'une rédaction hâtive.

3. Voir *supra*, Nouvelle XII, note 3.

Nouvelle LVII

1. Il s'agit de Guillaume de Montmorency, père du Connétable, qui fut envoyé en ambassade auprès d'Édouard IV, en 1482.

2. La formule figure dans l'envoi de nombreuses épîtres : *Romains*, 16 : 16 ; *I Corinthiens*, 16 : 20 ; *II Corinthiens*, 13 : 12 ; *I Thessaloniciens*, 5 : 26. Voir également *I Pierre*, 5 : 14.

Nouvelle LVIII

1. Marguerite de France, fille de François Ier, filleule de notre auteur, et Jacqueline de Longvic, épouse de Louis de Bourbon, duc de Montpensier.

Nouvelle LIX

1. *Matthieu*, 18 : 10 ; *Luc*, 17 : 2.

2. *Matthieu*, 6 : 24 — « Sufficit diei malitia sua ».

Nouvelle LX

1. *Luc*, 15 : 6.

2. Comprendre : sans remords.

3. Comprendre : mais il faisait cette requête par obligation.

Prologue VII

1. Cette nostalgie à l'égard de l'Église primitive se vérifie chez tous les adeptes de l'évangélisme. Ainsi Briçonnet : « La primitive Église estoit plantée au midy, où les vignes ne rapportent gueres, mais sont excelens et singuliers les vins qui en viennent, sur toutes les aultres vignes qui ont leur regard ailleurs. L'aquilonaire rapporte plus, mais le vin est verd, foible et debile. Il se trouve l'Église estre acreuë de ministres plus que en la primitive, et trop, helas ! bien debiles et foebles, et plusieurs aceteux, dont est à craindre que le bon Seigneur ne boit gueres. » (*Correspondance*, éd. cit., t. II, p. 29.)

Nouvelle LXI

1. La suite de l'histoire accuse l'ironie latente du passage, déjà sensible dans la scène analogue de la nouvelle précédente. En insistant sur le recours aux sacrements, l'un et l'autre récit en suggère l'efficacité relative, du moins lorsqu'il ne corresponde pas à une conversion intérieure.

2. « Assurée de son bâton » : sûre de son fait.

3. *Actes*, 12 : 6 et *passim* (épisode de saint Pierre « aux liens »). Léger gauchissement du sens de l'expression : les chaînes qui

maintenaient l'apôtre dans sa geôle deviennent le symbole des vœux sacerdotaux.

4. *I Corinthiens*, 11 : 29.

Nouvelle LXII

1. *Psaume* 31 (32) : 1.
« Bienheureux ceux dont les fautes sont remises et dont les péchés sont couverts. »

Nouvelle LXIII

1. Jean de La Barre, auquel il est déjà fait mention dans la première Nouvelle. Il participa à la bataille de Pavie et accompagna le roi en captivité.

2. L'argument rappelle le discours du Vieillard dans le second livre des *Prisons*. La suite de ce poème démontre que le culte des sciences n'implique pas par essence une élévation spirituelle.

3. Le martyr saint Laurent périt sur le gril.

Nouvelle LXIV

1. Le *gris* désigne peut-être l'habit de Cordelier, et plus sûrement l'état de pénitence qu'a élu le gentilhomme.

2. « Fusses offensé » : il faut pratiquer la liaison par-dessus l'*-s* de flexion pour maintenir la mesure du vers.

3. La distinction entre les flèches dorées et les flèches de plomb dont use le petit Archer remonte à Ovide (*Métamorphoses*, I, v. 470-471).

Nouvelle LXV

1. Il s'agit de la chapelle du Saint-Sépulcre, fondée en 1401 par Philippe de Thurey, archevêque de Lyon, et son frère Pierre.

2. *Luc*, 21 : 2-4.

3. *Matthieu*, 10 : 16.

Nouvelle LXVI

1. Les héros de cette anecdote sont Antoine de Bourbon et sa femme Jeanne d'Albret, fille unique de Marguerite. Leur mariage eut lieu en 1548, ce qui permet de dater approximativement la rédaction de la Nouvelle. Ils sont devenus roi et reine de Navarre au moment où Gruget compose ses sommaires.

2. Souvenir de Marot ?

« J'avois un jour un valet de Gascongne,
Gourmand, ivrongne, et asseuré menteur,

> Pipeur, larron, joueur, blasphémateur,
> Sentant la hart de cent pas à la ronde,
> Au demourant, le meilleur fils du monde... »

(*Epistre au Roy pour avoir esté derobé,* éd. A. Grenier, Paris, Garnier, s. d., p. 175.)

Nouvelle LXVII

1. C'est en 1542 qu'eut lieu l'expédition dirigée par le capitaine La Roque de Roberval, aux côtés de Jacques Cartier, sept ans après que ce dernier eut remonté le fleuve Saint-Laurent. L'histoire que rapporte Marguerite a un fondement vérifié. On en connaît plusieurs versions presque identiques, dont celle du «cosmographe» André Thevet. Voir A. P. Stabler, *The Legend of Marguerite de Roberval,* Washington State University Press, 1972.

2. On reconnaît une fois encore la leçon du *Magnificat.* L'ensemble du passage est imprégné d'une atmosphère biblique où domine le thème de la Providence secourable aux démunis. Le *désert* rappelle à la fois l'Exode et la retraite des anachorètes.

3. *I Corinthiens,* 3 : 6.

4. *Philippiens,* 4 : 3.

Nouvelle LXIX

1. Thème également traité dans la dix-septième des *Cent Nouvelles.*

Nouvelle LXX

1. Sur le thème de cette nouvelle, on consultera l'article de Jean Frappier : «La Chastelaine de Vergi, Marguerite de Navarre et Bandello», *Mélanges de la Faculté des Lettres de Strasbourg,* 2, 1946, p. 89-150.

2. Comprendre : s'efforça d'en saisir les raisons.

3. *Daniel,* 13 : 22 - «Je suis traqué(e) de toutes parts».

4. Allusion aux impies Dathan et Abiron qui furent engloutis dans le sol avec leurs familles et leurs biens (*Nombres,* 16 : 1-35).

5. *Luc,* 16 : 24.

6. Confondu avec Prométhée.

7. Voir *I Corinthiens,* 7 et *Éphésiens,* 5.
Comme le remarque Y. Le Hir, l'interprétation d'Oisille laisse un peu à désirer.

8. *Deutéronome,* 24 : 5.

Prologue VIII

1. La première épître de saint Jean, déjà mentionnée au début de la Journée précédente.

2. La graphie du ms. A, *comptes*, permet de saisir d'emblée le jeu de mots.

Nouvelle LXXI

1. Comprendre : si quelqu'un pouvait.

Nouvelle LXXII

1. Curieuse application de l'épisode des filles de Loth, qui conçurent de leur père pour perpétuer la race humaine après la destruction de Sodome et Gomorrhe (*Genèse*, 19 : 30-38).

GLOSSAIRE

La plupart des définitions sont empruntées au *Dictionnaire de la Langue française du XVIe siècle* d'Edmond Huguet (Paris, Champion, 1925-1966). Par ailleurs, ce glossaire doit beaucoup à celui de l'édition Le Hir.

ABUS : erreur
ABUSÉ : trompé
ACCOINTER : fréquenter, aborder, être en relations avec
ACCOINTER (S') : se lier
ACCOUTREMENT : vêtement, costume
ACCOUTRER : décorer, orner; arranger, disposer; préparer
ACCOUTRER (S') : s'habiller, faire toilette
ADIRER : égarer, enlever
ADONQUES : alors
ADRESSE : direction
ADRESSER (S') : passer par, se diriger vers; apprendre, s'exercer
AFFECTÉ : habile, bien dressé
AFFINER : tromper par ruse
AINSI QUE (PAR) : pourvu que, à condition que
AIS : cloison de bois, planche
AISÉ : agile
AMORTIR : détruire, anéantir, rendre comme mort
AMUSER(S') À : s'occuper à (des choses vaines)
ANCIEN : âgé
APPARENCE : excellence
APPARENT : fameux, notable, en vue
APOSTER : fixer
APPRIS : instruit
ARMES : faits glorieux, exploits de guerre
ARRAIEMENT : arrangement
ASSEZ : très, beaucoup
ASSURÉ DE : à l'abri de

ASSURER : rassurer, mettre en sûreté
ASSURER (S') : se réconforter ; être sûr
AUCUN : quelque ; quelqu'un
AUDACE : assurance
AUSTÈRE : sévère, cruel, méchant
AUTRE : *pour :* autre chose
AVANCER : dépêcher
AVEUGLIR : aveugler
AVISER : prendre garde, apercevoir ; penser, estimer
AVOUER : approuver

BANDOULIER : voleur armé, bandit, brigand
BAS : humble
BÊTERIE : sottise
BLANC : monnaie d'une valeur de dix deniers
BLUTEAU : blutoir
BORDE, s. f. : maison de campagne
BOURDE, s. f. : rêve ; mensonge ; plaisanterie
BRANLE : danse dont les variantes sont fort nombreuses (branle commun, branle simple, branle de Champagne, de Bourgogne, etc.) ; elle s'exécute en principe à plusieurs personnes qui se donnent la main
BRAVE : séduisant ; beau ; élégant, bien vêtu
BREF (DE) : bientôt
BRUIT : réputation, renommée
BRUNETTE, s. f. : étoffe de laine fine
BUÉE : lessive
BUREAU : bure

CAMALERCITE, s. f. : caméléon
CANNETTE : burette
CANNETILLE, s. f. : fil d'or ou d'argent servant à la broderie
CARREAU : coussin
CAUTÈLE : ruse, tromperie
CAVER : creuser
CELER, s. m. : silence, dissimulation
CENT (JOUER AU) : jouer aux cartes (peut-être une variante du piquet)
CESSER (NE) : n'avoir cesse
CHALOIR : importer, avoir de l'intérêt
CHAMARRE, s. f. : long vêtement d'homme ou de femme
CHAMPS (MENER AUX) : interroger avec insistance
CHAMPS (METTRE AUX) : mettre à l'épreuve ; irriter, provoquer
CHAPEAU : couronne
CHAPERON : coiffure des bourgeoises
CHARTRE : prison
CHÂTIER (SE) : s'amender, se corriger

CHÈRE, s. f. : accueil, expression des sentiments que l'on éprouve à l'égard de quelqu'un ; *faire bonne chère* : bon visage, bonne mine ; montrer de l'affection, faire fête

CŒUR : courage

COMMETTRE : confier

COMPLEXION(S) : nature, manière d'être, caractère ; habitudes

CONCLURE : résoudre, décider

CONCLUSION : résolution

CONCULQUER : fouler aux pieds ; dominer par la violence, maltraiter

CONFITURE : aliment préparé pour la conservation ; mets raffiné

CONFORTER : assurer, réconforter, encourager

CONGÉ : permission

CONNAÎTRE : reconnaître

CONSCIENCE (FAIRE) : avoir scrupule ; faire un cas de conscience

CONTEMNER : mépriser

CONTENANCE(S) : comportement, attitude extérieure

CONTENT (ÊTRE) : accepter, consentir

CONTENTER (SE) : se réjouir, être content

CONSTAMMENT : avec fermeté

CONTROUVER : inventer, imaginer

COQUIN : mendiant ; *faire coquin* : réduire à une extrême pauvreté

CORNETTE : coiffe de forme conique

COULPE : faute, péché

COURAGE : sentiment, cœur ; ensemble des pensées et des dispositions intérieures

COUREIL, s. m. : verrou

COURROUCÉ : affligé, chagriné

COUVERTURE : dissimulation ; prétexte

COUVRIR : cacher, dissimuler

CRÉMEAU, s. m. : coiffe

CRÛ, adj. : augmenté, gonflé

CRUDELITÉ : cruauté

CUIDER : penser, estimer, croire ; essayer, chercher à ; avoir l'illusion, prétendre, présumer

CURIEUX : soigneux, attentif ; qui aime le luxe, l'élégance recherchée

DAMNATION : condamnation ; culpabilité, misère, péché

DANGER (EN) : sur le point, dans l'éventualité, en passe

DÉBILITÉ : faiblesse

DÉCELER : déclarer ; dénoncer

DÉCEVOIR : tromper

DÉCHIFFRER : dévoiler, exposer ; décrire, peindre, représenter ; décrier

DÉCLARER : éclaircir, révéler ; exposer ; montrer, manifester

DÉCONNAÎTRE : ne pas reconnaître
DÉFAILLIR *(il défaut)* : manquer, faire défaut
DÉFAIRE (SE) : se détruire, se suicider
DÉFAITE, s f. : réplique, excuse ; débarras, destruction
DÉFINER : mourir
DÉGOÛTER : déconseiller
DEGRÉ : escalier
DÉLIÉ : fin, délicat
DEMANDER, trans. : interroger (quelqu'un)
DÉMÈNEMENT : agitation
DÉMENTIR, s. m. : démenti
DEMEURE, s. m. ou f. : séjour ; retard, lenteur
DEMEURER : tarder ; être empêché
DÉMONTRANCE : manifestation ; *faire démontrance :* faire mine
DÉPARTIR : partager, distribuer ; séparer, diviser
DÉPARTIR (SE) : se quitter
DÉPÊCHER : débarrasser, expédier
DÉPENDRE (p. p. *dépendu*) : dépenser
DÉPIT, adj. : consterné, fâché ; affligé
DÉPOUILLER : déshabiller
DÉPRIS, s. m. : mépris, dédain
DÉPRISER : mépriser, dédaigner ; braver
DÉSAVANCÉ : désavantagé, qui a subi un dommage
DESSERVIR : mériter
DETTE (CONFESSER LE) : reconnaître une faute, faire un aveu
DEVANT : avant, avant de
DEVANT (METTRE) : accuser
DILIGENTER (SE) : se hâter
DISCIPLINE : punition ; flagellation
DISPOSÉ : propre à l'action
DIVERTIR : détourner
DONT : d'où ; ce dont
DOUBLET : faux diamant
DOUCEMENT : facilement
DOUTE, s. f. : hésitation, crainte ; soupçon
DOUTER : craindre ; supposer
DOUTEUX : hasardeux, incertain

ÉPRIVOYER (S') : s'apprivoiser, apporter avec confiance
ÉHONTÉ : couvert de honte et de confusion
EMBONPOINT : bon état ; belle apparence, beauté ; *on trouve au même
    sens la loc.* en bon point
ÉMERVEILLABLE : surprenant, digne d'étonnement
ÉMERVEILLER (S') : s'étonner ; admirer
EMPÊCHEMENT : ennui, encombrement ; occupation

EMPÊCHER : occuper
EMPERIÈRE : impératrice
EMPIRER : s'avilir; altérer, outrager, nuire à; blesser
ENCORE : même
ENCOURTINER : entourer de rideaux
ENFLAMBER : enflammer, incendier, échauffer
ENGARDER DE : éviter, empêcher de
ENNUI : affliction, douleur, tristesse, tourment
ENNUYÉ : affligé; las
ENSEIGNE, s. f. : médaille, emblème qui se portait sur un chapeau
ENTENDRE : comprendre
ENTENTIF : soucieux, attentif, appliqué
ENTRETÈNEMENT : discours; conversation, entretien
ERRER : se tromper, faire erreur
ESPIE, s. m. : espion
ESQUELS (LES) : dans lesquels -les
ESTOMAC : cœur, poitrine
ETHNIQUE : païen
ÉTONNEMENT : ébranlement, étourdissement; frayeur, crainte
ÉTONNER : paralyser; faire peur, effrayer
ÉTRANGE : étranger, éloigné; qui est d'une autre famille ou d'un autre
    pays
ÉTRANGER : éloigner
ÉTUDIER (S') : s'efforcer, s'appliquer
EXPÉRIENCE : preuve

FÂCHÉ : triste; fatigué
FÂCHER (SE) : s'attrister; se lasser, se dégoûter par satiété
FÂCHEUX : déplaisant, désagréable; incommode; sévère, de caractère
    difficile
FACTEUR : créateur
FACULTÉS : biens, richesses, ressources matérielles
FAILLIR *(il faut, je faudrai, ils faudront)* : se tromper, commettre une
    faute; manquer, faire défaut, être absent; défaillir
FANGE : boue
FANTAISIE : imagination, esprit; volonté, inclinaison
FANTASTIQUE : d'humeur fantasque, rêveur; fou, insensé; jaloux
FARDS : dorure, peinture
FICTION : mensonge; feinte; hypocrisie
FINEMENT : avec discrétion, avec ruse
FINER : terminer, achever
FINESSE : ruse, tromperie
FORCE (À) : avec difficulté
FORCE (SANS) : sans contrainte

FORCENÉ : égaré, dépourvu de raison
FORS DE : en dehors de
FORT : difficile ; fortifié
FORTUNE(S) : sort ; aventures ; *de fortune :* par hasard ; *par fortune de :* en suite de, en conséquence de
FRANCHISE : lieu sûr
FRIAND : appétissant, bon
FRISE : laine, drap de Frise
FRUITION : jouissance
FUREUR : passion
FURIEUX : passionné
FÛTE, s. f. : bateau léger

GARCE : jeune fille *(sans nuance péjorative)*
GARDE (SE DONNER) : être sur ses gardes
GARDE (PRENDRE) SUR : surveiller
GARDER : empêcher
GARENNE : enclos, jardin
GÂTEAU (AVOIR PART AU) : avoir sa part d'une infortune, d'une mésaventure
GENDARME : soldat
GÊNE : torture
GENTIL : noble ; distingué ; *(gentille femme*, corr. féminin de *gentil-homme)*
GLOIRE : orgueil, outrecuidance ; arrogance ; honneur
GLORIEUX : vain, vaniteux, outrecuidant
GORGIAS : élégant ; luxueux
GORGIASEMENT : avec élégance
GORGIASETÉ : élégance
GOUJATE : scélérate
GOUTTES, s. f. p. : la goutte *(maladie)*
GOUVERNEMENT : mœurs
GOUVERNER (SON MAÎTRE) : prendre la responsabilité du ménage, à la place de son maître
GUÉER : passer à gué
GRAVITÉ : autorité naturelle

HABITUER : peupler
HALLECRET : pièce de l'armure
HANTER : fréquenter
HARANGUE : discours
HASARD : risque, danger
HASARDEUX : dangereux
HAUTBOIS : *sens premier :* ensemble des instruments jouant haut et bas

HEURE (À L') : alors ; sur-le-champ
HEURE (DÈS L') : dès lors
HEURES, s. f. pl. : offices canoniques
HONTE : pudeur
HOUSÉ : botté

ICELUI, ICELLE, ICEUX : celui, celle, ceux
IGNORAMMENT : dans l'ignorance
IMAGE : statue ; idole
IMPECCABLE : sans péché ; incapable de péché
IMPORTABLE : insupportable ; difficile à supporter
IMPOSER : attribuer ; imputer
INCONNU : ignoré
INCULPABLE : innocent, non coupable
INDISCRET : sans retenue, sans mesure
INFIDÈLE : incroyant, païen
INFIRMÉ : faible
INTERVALLE : relâche, répit

JÀ (NE) : ne plus
JACOBIN : dominicain
JOIGNANT : outre
JOUR (PRENDRE LE) : fixer un rendez-vous

LABOURER : travailler
LAIRRAI, LAIRRA, LERRONS : futur de *laisser*
LAISSER À : renoncer à
LASCIVITÉ : caractère lascif
LASSETÉ : fatigue
LAVER : faire ses ablutions avant le repas
LÉANS (DE) : du lieu, de cet endroit
LEÇON : lecture commentée de la Bible
LÉGÈREMENT : avec légèreté, sans preuve
LEVER : organiser
LINCEUL : drap de lit
LIT : ciel-de-lit
LOINTAINETÉ : éloignement
LOYER : ce que l'on mérite

MAIN (À) : facile, habile
MAIN (FAIT À LA) : dressé
MAINTENANT : immédiatement, aussitôt

MAIS QUE : pourvu que, à condition que
MALHEURTÉ : malheur
MANTE : couverture
MASQUE : déguisement ; mascarade
MAUREAU : noir foncé
MÉCANIQUE, s. m. : travailleur manuel
MÉCHOIR : pécher, fauter ; arriver mal
MÉCONNU (FAIRE LE) : faire l'ignorant
MÊMEMENT : surtout
MÉNAGE : affaires domestiques ; maison
MENÉE : intrigue ; manière de se conduire
MERCI : pitié ; *crier merci :* demander pitié
MERVEILLE : chose étonnante
MERVEILLEUSEMENT : étrangement, de façon extraordinaire
MERVEILLEUX : extraordinaire, remarquable
MÉTIER (AVOIR) : avoir besoin
MÉTIER (FAIRE) : être nécessaire
MON (À SAVOIR) : c'est-à-dire
MONDANITÉ : ensemble des sentiments qui relèvent d'un attachement
   excessif au monde
MONDE, adj : pur, chaste
MONITION : admonition, avertissement
MORFONDU : mal en point, en mauvaise condition physique
MOYEN : possibilité ; ruse, subterfuge
MUABLE : changeant, inconstant, infidèle
MUER : transformer, changer
MUTATION : instabilité, inconstance

NAÏF : naturel, sincère
NAÏVEMENT : de façon naturelle, spontanément
NAÏVETÉ : naturel
NATTER : recouvrir d'un tapis
NAVIGAGE : navigation, voyage en haute mer
NAVRER : blesser
NÉCESSAIRE : urgent
NIER : refuser
NOTE (PORTER UNE) : porter une tache infamante, une souillure
NOUER : nager
NOURRIR : éduquer, instruire
NUISANCE : dommage
NULLUI : personne

OBÉDIENCE : obéissance (pour un religieux)
OCCASION : raison, cause ; *par mon occasion :* à cause de moi
OCCUPÉ : remplacé

ONQUES : jamais; *onques puis* : jamais plus
OPILATION : obstruction
OPINION : avis, certitude; soupçon
OPINION (AVOIR) À : soupçonner; s'attacher à
OPINION (ÊTRE D') : être d'accord
OR : maintenant
ORAISON : discours; propos galant
ORD : sale; ordurier
ORDONNER : ménager, disposer
ORDRE (AVOIR) : avoir moyen, être possible
ORDRE (DONNER) : arranger
ORDRE (EN) : élégant
ORRAI, -ONS, -EZ, -ONT : formes futures du verbe *ouïr*
OUTRAGEUX : excessif; d'une grande sévérité

PANSER : soigner
PANTOUFLES : chaussures à talons
PARFAIRE : accomplir, achever
PARLEMENT : conversation
PART (À) : seul
PARTEMENT : départ; séparation
PARTIR, s. m. : départ
PARTIR, v. : séparer; partager; *partir d'ensemble* : se séparer
PASSER : dépasser; trépasser
PASSION : souffrance
PATENÔTRE, s. m. : prières; chapelet
PATIENCE : souffrance; action de supporter
PEINE (À) : difficilement
PENSER À : décider de
PERTINACITÉ : constance; opiniâtreté
PESTE : *au sens figuré*
PETIT (UN) : un peu
PIPE DE VIN : fût
PITEUX : compatissant; triste, mélancolique; susceptible d'émouvoir
PITEUSEMENT : de manière à émouvoir la pitié
PLAINT, s. m. : lamentation, plainte
PLAINTE (FAIRE LA) : se plaindre
PORTER : supporter, souffrir
POSTE (À SON) : à sa volonté, suivant son vœu
POSTE (EN) : avec un cheval de poste
POUDRE DE DUC : poudre de canelle sucrée, propre à faciliter la digestion
POUPINE : poupée
POUR : à cause de, en raison de; malgré, en dépit de; sous peine de; à propos de

POURCHAS : poursuite ; intrigue en vue d'obtenir quelque chose
PRATIQUE (FAIRE LA) : négocier une affaire
PREMIER : d'abord
PREMIER QUE : avant que
PREMIER (POUR LE) : en premier lieu
PRESSE : pression ; cour
PRÉTENTE : prétention
PREUVE : examen, épreuve
PRIVÉ, s. m. et adj : familier, intime
PRIVÉMENT : familièrement
PRIX (AU) : par comparaison
PROTONOTAIRE : prélat de la cour romaine, sans responsabilité épis-
    copale
PROU VOUS FASSE : grand bien vous fasse
PUPITRE : jubée

QUAND ET QUAND : en même temps
QUARTIER (PAYER DE) : payer les gages
QUE : car
QUELQUE FOIS : un jour, une fois
QUITTER : laisser, abandonner quelque chose ; dispenser de quelque
    chose

RAMENTEVOIR (p. pr. *ramentevant* p. p. *ramentu*) : rappeler
RAVI : en extase
RECEVOIR : communier
RECOMMANDATION (AVOIR EN) : avoir en estime
RECONNAÎTRE : révéler
RECORDATION : souvenir, mémoire
RECORDER : se rappeler, se souvenir
RECOUS, adj. : mis en liberté
RECUEIL : accueil
RÉDUIRE : ramener dans le bon chemin
REGARD : considération
REGARDER À : tenir compte de
RELIGION : couvent ; ordre religieux
REMONSTRATION : explication, mise en garde
RÉPUTER : considérer comme
REQUÉRIR : rechercher
RÉSEUL, s. m. : réseau à jour
RESTAURANTS : nourritures délicates, légères et réconfortantes
RETRAIT, s. m. : cabinet d'aisance
RÊVER : méditer ; penser, songer
REVESTIAIRE : sacristie

RIEN : *valeur positive*
ROBE, s. f. : chose, affaire
RÔTIE, s. f. : viande rôtie

SABLON : sable
SACRER : consacrer
SAILLIR : sortir; sauter
SAOUL : rassasié
SAYE, s. m. : vêtement des hommes de guerre
SCOFION : coiffe
SECRET : discret
SECRÈTEMENT : discrètement
SEMBLANT (FAIRE LE) : laisser voir, faire apparaître; révéler sa pensée
SENTIMENT : capacité de sentir, conscience
SERVICE : office divin
SI : pourtant, toutefois, cependant; *introduisant une proposition interrogative :* est-ce que ?
SI EST-CE QUE : néanmoins
SI, subst. : condition; *par tel si que :* à condition que
SOIGNEUX DE : soucieux de
SORTE, s. f. : manière
SOUDAIN : sur-le-champ, sur le moment
SOULOIR : avoir coutume de
SUCCÈS : conséquence
SUFFISANCE : capacité, talent
SUFFISANT : capable, compétent; sûr, informé; excellent
SUJET (ÊTRE) DE : être obligé de
SUPPOSITION : prétexte, faux-semblant
SÛREMENT : en toute sécurité
SÛRETÉ : assurance
SUS (METTRE À) : charger, incriminer
SUSCITER : ressusciter

TAMBOURIN : joueur de tambourin
TARDIF : lent
TECT : toit; porcherie
TEMPS (PASSER LE) : se divertir, s'amuser; se moquer
TENIR SUJET : faire obéir
TENU (ÊTRE) : être redevable, attaché à quelqu'un
TERRIEN : terrestre
TERRITOIRE, adj. : terrestre
TOUCHE, s. f. : pierre de touche
TOURET DE NEZ : écharpe, cache-nez
TOUSSIR : tousser

TOUT (DU) : entièrement
TRANCHÉE : colique
TRAVAIL : peine, épreuve, difficulté
TRAVAILLER (SE) : se tourmenter
TROUVER : inventer

VAISSEAU : récipient, coupe
VARIER : être inconstant
VÉRITÉ : selon nature
VERTU : valeur
VIANDE : nourriture ; *aller à la viande* : passer à table
VIDUITÉ : veuvage
VIF : vivant ; *au vif, comme le vif :* de grandeur naturelle
VILAIN : non noble
VITUPÉRABLE : blâmable
VOISE : subj. prés. (3ᵉ pers. sing.) du verbe *aller*
VOLERIE : chasse pratiquée avec les oiseaux
VOUER : faire vœu
VOYAGE : pèlerinage

TABLE DU MANUSCRIT DE THOU (T)

CHRONOLOGIE

1492 : Naissance de Marguerite de Valois au château d'Angoulême. Fille de Charles d'Angoulême et de Louise de Savoie, elle est, par son père, petite-nièce du poète Charles d'Orléans.

1494 : Naissance du futur François Ier, sur lequel sa mère reporte toute son ambition. Marguerite bénéficie de l'éducation soignée que reçoit son frère. D'autre part, le milieu des lettrés dont aime à s'entourer Louise de Savoie n'est peut-être pas sans ascendant sur la jeune princesse.

1509 : Marguerite épouse le duc Charles d'Alençon. Plusieurs historiens considèrent ce mariage comme un échec, opinion que n'autorise aucun témoignage précis. Les époux, qui vivent dans leurs terres de Normandie, séjournent souvent à la cour.

1515 : Avènement de François Ier, qui comble sa sœur de biens et de charges honorifiques. Marguerite sera durant plusieurs années l'une des personnalités les plus en vue de la cour, où elle éclipse la timide reine Claude. Elle entrera bientôt en contact avec les savants et les écrivains qui gravitent autour du jeune roi, et dont plusieurs deviendront ses protégés.

1520-1521 : Premiers essais poétiques, dont le *Dialogue en forme de Vision nocturne,* composé après la mort de la petite Charlotte de France.

1521-1524 : Correspondance avec Guillaume Briçonnet, évêque de Meaux. Les lettres de la duchesse à son directeur spirituel constituent un précieux témoignage de ses préoccupations intellectuelles et religieuses. L'influence qu'exerce sur elle le « cénacle » de Meaux (Lefèvre d'Étaples, Michel d'Arande) se révèle profonde et durable.

1525 : Au lendemain de la défaite de Pavie, François Ier est retenu prisonnier par Charles Quint. Louise de Savoie se voit confier la régence tandis que Marguerite se rend à Madrid pour négocier la libération de son frère. Quelques mois plus tôt, elle a perdu son mari, dont elle rapportera les derniers instants dans son poème des *Prisons*.

1527 : Second mariage, avec Henri d'Albret qui l'emmène en Navarre. De cette union naîtra l'année suivante Jeanne d'Albret, mère du futur Henri IV.

1530 : Marguerite donne naissance à un fils, Jean, qui meurt à l'âge de six mois.

1531 : Mort de Louise de Savoie.
Publication du *Miroir de l'Ame pécheresse*. Réédité deux ans plus tard, ce poème sera condamné par la Sorbonne. Marguerite semble de plus en plus acquise à la foi nouvelle dont elle protège les adeptes. Sa cour de Nérac est le refuge de tous ceux que leurs convictions évangéliques ou leur adhésion au luthéranisme mettent en danger : on y voit successivement Clément Marot, Jean Calvin, et plus tard Pocque et Quintin, les tenants énigmatiques du « libertinisme spirituel ». Lefèvre d'Étaples y mourra en 1536.

1534 : Affaire des Placards : la reine de Navarre assiste impuissante aux perquisitions et aux premiers bûchers.

1534-1541 : Période difficile : les visées d'Henri d'Albret sur la Navarre espagnole le rapprochent de l'Empereur, au grand mécontentement de François Ier. Marguerite se sent écartelée entre ses devoirs conjugaux et sa vive affection fraternelle. En 1541, le roi impose le mariage de Jeanne d'Albret avec le duc de Clèves, contre le gré de sa sœur. Celle-ci n'aura de cesse que cette union soit annulée (1545).

1546 : Séjour à Cauterets, au terme duquel on situe d'ordinaire la rédaction du Prologue de l'*Heptaméron*.
Depuis 1542, environ, la reine connaît un retour de faveur qui lui permet quelques séjours à la cour.

1547 : Mort de François Ier. Marguerite apprend son deuil lors d'une retraite à l'abbaye de Tusson. Elle traduit son chagrin dans *La Navire* et la *Comédie sur le Trépas du Roi*.
Publication, à Lyon, chez Jean de Tournes, des *Marguerites de la Marguerite des Princesses*. Le recueil réunit les principaux poèmes (*Le Miroir, La Coche, Le Triomphe de l'Agneau,* etc.), les comédies religieuses et profanes ainsi que quelques chansons spirituelles.

1548 : Mariage de Jeanne d'Albret avec Antoine de Bourbon.
Marguerite compose la *Comédie jouée à Mont-de-Marsan*.

1549 : 31 décembre, Marguerite meurt dans son château de Tarbes.
Les dernières années de la reine ont été les plus fécondes ; outre les œuvres mentionnées plus haut, elle poursuit l'*Heptaméron* et rédige le vaste poème des *Prisons* (env. 5 000 vers).

1558 : Pierre Boaistuau procure une première édition des nouvelles : *Histoires des Amans fortunez*.

1559 : Nouvelle édition préparée par Claude Gruget, auquel l'*Heptaméron* doit son titre actuel.

BIBLIOGRAPHIE

A. L'*Heptaméron* : principales éditions modernes

L'*Heptaméron des Nouvelles de très haute et très illustre princesse Marguerite d'Angoulême, reine de Navarre*, p.p. Le Roux de Lincy et A. de Montaiglon, Paris, Eudes, 1880 (4 vol.). 2/ Genève, Slatkine, 1969.

L'*Heptaméron*, p.p. Michel François, Paris, Garnier, s.d.

L'*Heptaméron*, p.p. Pierre Jourda, *Conteurs Français du XVIᵉ siècle*, Paris, Gallimard, 1956 (Bibliothèque de la Pléiade), p. 701-1131.

Nouvelles, texte critique établi et présenté par Yves Le Hir, Paris, P.U.F., 1967 (Université de Grenoble, Publications de la Faculté des Lettres et Sciences humaines, 44).

B. *Autres œuvres de Marguerite de Navarre*

Chansons spirituelles, p.p. Georges Dottin, Genève, Droz, 1971 (Textes Littéraires Français 178).

La Coche, p.p. Robert Marichal, Genève, Droz, 1971 (T.L.F. 173).

Les Dernières Poésies de Marguerite de Navarre, publiées pour la première fois avec une introduction et des notes par Abel Lefranc, Paris, Colin, 1896.

Dialogue en forme de Vision nocturne, p.p. Pierre Jourda, *Revue du Seizième Siècle*, XIII, 1926, p. 1-49.

Les Marguerites de la Marguerite des Princesses, p.p.

Félix Frank, Paris, Jouaust, Librairie des Bibliophiles, 1873 (4 vol.), 2/ Genève, Slatkine, 1970.

La Navire ou Consolation du Roi François Ier à sa sœur Marguerite, p.p. Robert Marichal, Paris, Champion, 1956 (Bibliothèque de l'École des Hautes Études, fasc. 306).

Les Prisons, p. p. Simone Glasson (de Reyff), Genève, Droz, 1978 (T.L.F. 260).

Théâtre profane, p.p. Verdun-Louis Saulnier, Genève, Droz, 1946 (T.L.F. 7).

C. *Quelques études générales sur l'œuvre et la personnalité de Marguerite*

FEBVRE (Lucien), *Autour de l'Heptaméron. Amour sacré, amour profane.* Paris, Gallimard, 1944, 2/1971 (Idées, n° 235).

On complétera cette lecture par celle de deux comptes rendus critiques :

BATAILLON (Marcel), « Autour de l'Heptaméron ; à propos du livre de Lucien Febvre », *Bibliothèque d'Humanisme et Renaissance,* VII, 1946, p. 254-58.

FRAPPIER (Jean), « Sur Lucien Febvre et son interprétation psychologique du XVIe siècle », *Mélanges d'histoire littéraire offerts à Raymond Lebègue,* Paris, Nizet, 1969, p. 19-31. (Repris dans *Histoire, mythes et symboles,* Genève, Droz, 1976, p. 117-128.)

JOURDA (Pierre), *Marguerite d'Angoulême, duchesse d'Alençon, reine de Navarre (1492-1549) ; étude biographique et littéraire,* Paris, Champion, 1930 (2 vol.). 2/ Turin, Bottega d'Erasmo, 1968.

LEFRANC (Abel), « Marguerite de Navarre et le platonisme de la Renaissance », *Grands écrivains de la Renaissance,* Paris, Champion, 1914, p. 139-249.

Cette étude, qui révéla l'œuvre et la personnalité de Marguerite au public cultivé de l'époque, est à l'origine d'une confusion durable sur le prétendu platonisme de la reine. On trouvera d'utiles correctifs assortis d'une réflexion lumineuse dans l'article suivant :

MARTINEAU (Christine), « Le Platonisme de Marguerite de Navarre ? » *Bulletin de l'Association d'Étude sur l'Humanisme, la Réforme et la Renaissance, (R.H.R.),* 4 novembre 1975, p. 12-35.

RITTER (Raymond), *Les Solitudes de la Reine de Navarre,* Paris, Champion, 1953.

TELLE (Émile-V.), *L'Œuvre de Marguerite d'Angoulême, reine de Navarre, et la Querelle des Femmes,* Toulouse, Lion, 1937. 2/ Genève, Slatkine, 1970.

D. *Sur l' « Heptaméron »*

Deux ouvrages récents, dont le premier l'emporte incontestablement par la richesse de l'information, la clarté de l'exposé et la nouveauté de certains accents :

CAZAURAN (Nicole), *L'Heptaméron de Marguerite de Navarre,* Paris, SEDES-CDU, 1976.

TETEL (Marcel), *Marguerite de Navarre's Heptaméron : Themes, Language and Structure,* Duke University Press, 1973.

Signalons en outre quelques articles sur des aspects particuliers de l'œuvre :

DELEGUE (Yves), « Autour de deux prologues : l'*Heptaméron* est-il un anti-Boccace ? », *Travaux de Littérature et de Linguistique,* 4, Strasbourg, 1966, p. 23-37.

KASPRZYK (Krystyna), « L'amour dans l'*Heptaméron.* De l'idéal à la réalité », Mélanges Lebègue, Paris, Nizet, 1969, p. 51-57.

KRAILSHEIMER (A. J.), « The *Heptaméron* reconsidered », *The French Renaissance and its Heritage,* Essays presented to Alan M. Boase, London, Methuen, 1968, p. 75-92.

LAJARTE (Ph. de), « L'*Heptaméron* et le ficinisme », *Revue des Sciences humaines,* juillet-septembre 1972, p. 339-371.

LAJARTE (Ph. de), « L'*Heptaméron* et la naissance du récit moderne », *Littérature,* 17, 1975, p. 31-42.

LEBÈGUE (Raymond), « Les sources de l'*Heptaméron* et la pensée de Marguerite de Navarre », *Comptes rendus de l'Académie des Inscriptions et Belles-Lettres*, 1956, p. 466-472.

LEBÈGUE (Raymond), « L'*Heptaméron*, un attrape-mondains », *Mélanges Marcel Raymond*, Paris, Corti, 1967, p.

REYNOLDS (Régine), *Les Devisants de l'Heptaméron : dix personnages en quête d'audience*, (thèse de l'Université du Texas), University Press of America, 1977.

SAULNIER (V.-L.), « Marguerite de Navarre : art médiéval et pensée nouvelle », *Revue universitaire*, 63, 1954, p. 154-62.

Enfin, on utilisera avec grand profit l'ouvrage suivant :

SOZZI (Lionello), *La Nouvelle française de la Renaissance*, Torino, Giappichielli, 1975.

E. *Marguerite et le courant évangélique*

Nous avons relevé, dans l'annotation du texte, la présence permanente de la pensée évangélique qui donne aux récits aussi bien qu'à leurs commentaires une tonalité propre. Pour se familiariser avec l'orientation religieuse de la reine, on pourra consulter :

HELLER (Henry), « Marguerite de Navarre and the Reformers of Meaux », *Bibliothèque d'Humanisme et Renaissance*, XXXIII, 2, 1971, p. 271-310.

WAGNER (Nicolas), « Le sentiment religieux et le refus de l'Utopie dans les *Nouvelles* de Marguerite de Navarre », *R.H.R.*, 5, mai 1977, p. 4-8.

La source la plus directe reste la difficile correspondance entre Marguerite et l'évêque de Meaux, Guillaume Briçonnet :

MARTINEAU (Christine), VESSIÈRE (Michel) et HELLER (Henry) : Guillaume Briçonnet et Marguerite d'Angoulême, *Correspondance* (1521-1524), Genève, Droz, 1975 et 1979, 2 vol. (Travaux d'Humanisme et Renaissance).

Signalons encore l'introduction de V.-L. Saulnier à l'édition du *Théâtre profane* mentionnée plus haut, qui demeure l'une des approches les plus judicieuses et les plus nuancées de la conscience religieuse de notre auteur.

TABLE DES MATIÈRES

ARISTOTE
Petits Traités d'histoire naturelle (979)
Physique (887)

AVERROÈS
L'Intelligence et la pensée (974)
L'Islam et la raison (1132)

BERKELEY
Trois Dialogues entre Hylas et Philonous (990)

BOÈCE
Traités théologiques (876)

CHÉNIER (Marie-Joseph)
Théâtre (1128)

COMMYNES
Mémoires sur Charles VIII et l'Italie, livres VII et VIII (bilingue) (1093)

DÉMOSTHÈNE
Philippiques, suivi de **ESCHINE**, Contre Ctésiphon (1061)

DESCARTES
Discours de la méthode (1091)

DIDEROT
Le Rêve de d'Alembert (1134)

DUJARDIN
Les lauriers sont coupés (1092)

ESCHYLE
L'Orestie (1125)

GALIEN
Traités philosophiques et logiques (880)

GOLDONI
Le Café. Les Amoureux (bilingue) (1109)

HEGEL
Principes de la philosophie du droit (664)

HÉRACLITE
Fragments (1097)

HIPPOCRATE
L'Art de la médecine (838)

HOFMANNSTHAL
Électre. Le Chevalier à la rose. Ariane à Naxos (bilingue) (868)

HUME
Essais esthétiques (1096)

IDRÎSÎ
La Première Géographie de l'Occident (1069)

JAMES
Daisy Miller (bilingue) (1146)
Les Papiers d'Aspern (bilingue) (1159)

KANT
Critique de la faculté de juger (1088)
Critique de la raison pure (1142)

LEIBNIZ
Discours de métaphysique (1028)

LEOPOLD (Aldo)
Almanach d'un comté des sables (1060)

LONG & SEDLEY
Les Philosophes hellénistiques (641 à 643), 3 vol. sous coffret (1147)

LORRIS
Le Roman de la Rose (bilingue) (1003)

NIETZSCHE
Par-delà bien et mal (1057)

L'ORIENT AU TEMPS DES CROISADES (1121)

PLATON
Alcibiade (988)
Apologie de Socrate. Criton (848)
Le Banquet (987)
Philèbe (705)
La République (653)

PLINE LE JEUNE
Lettres, livres I à X (1129)

PLOTIN
Traités I à VI (1155)

POUCHKINE
Boris Godounov. Théâtre complet (1055)

PROUST
Écrits sur l'art (1053)

RIVAS
Don Alvaro ou la Force du destin (bilingue) (1130)

RODENBACH
Bruges-la-Morte (1011)

ROUSSEAU
Les Confessions (1019 et 1020)
Dialogues. Le Lévite d'Éphraïm (1021)
Du contrat social (1058)

SAND
Histoire de ma vie (1139 et 1140)

MME DE STAËL
Delphine (1099 et 1100)

THOMAS D'AQUIN
Somme contre les Gentils (1045 à 1048), 4 vol. sous coffret (1049)

TITE-LIVE
Histoire romaine, livres XXXVI à XLV (1005 et 1035)

TRAKL
Poèmes I et II (bilingue) (1104 et 1105)

WILDE
Le Portrait de Mr. W.H. (1007)

WITTGENSTEIN
Remarques mêlées (815)

GF Flammarion

07/08/131100-VIII-2007 – Impr. MAURY Imprimeur, 45330 Malesherbes.
N° d'édition LO1EHPNFG0355C014. – Février 1982. – Printed in France.

GF Flammarion